Modlitwa o deszcz

Wojciech Jagielski

(ur. 1960) – dziennikarz „Gazety Wyborczej". Świadek najważniejszych wydarzeń politycznych przełomu wieków na całym świecie.

Autor książki *Dobre miejsce do umierania* (1994; wydanie uzupełnione: W.A.B. 2005) o Kaukazie. W 2004 roku ukazała się jego książka *Wieże z kamienia*, poświęcona Czeczenii (ukazał się przekład włoski, w przygotowaniu niderlandzki). *Modlitwa o deszcz*, wydana po raz pierwszy w 2002, została nominowana do Nagrody NIKE 2003. Zdobyła Nagrodę im. księdza Józefa Tischnera, Nagrodę Czytelników w konkursie Podporiusz 2003 oraz Bursztynowego Motyla w Konkursie im. Arkadego Fiedlera.

Wojciech JAGIELSKI

Modlitwa o deszcz

Piotrowi

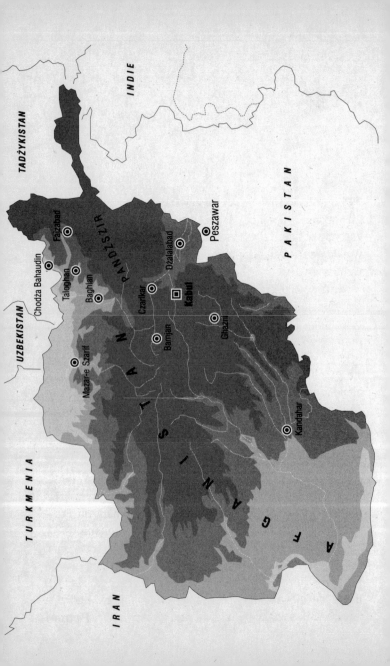

To uczucie towarzyszy mi zawsze, ilekroć przekraczam afgańską granicę. I nie ma znaczenia, czy jest to zastygła w skalistej martwocie Przełęcz Chajberska, czy też wielka rzeka Amu-daria, wciąż dokądś spiesząca, wciąż wzburzona.

Wraz ze zbliżaniem się granicy narasta trudne do wytłumaczenia, lecz wyraźne przekonanie, że wyznacza ona nie tylko ramy przestrzenne, ale i czasowe. Że ważąc się na tę podróż, wkraczam w rzeczywistość odmienną i niepojętą, w której dotychczasowe kryteria logiczne i etyczne okazują się zupełnie nieprzydatne. Nie obce, sprzeczne czy wrogie, ale właśnie nieprzydatne. Ulatuje poczucie czasu, choć wydaje się, że wszędzie upływa on jednakowo, znika wiara w żelazną konsekwencję wydarzeń, logiczną syntezę i geniusz istoty ludzkiej, który, jak sama mniema, pozwolił jej okiełznać naturę.

Wystarczy postawić stopę na drugim brzegu rzeki, pozwolić, by zamknęły się za plecami żeliwne wrota na posterunku granicznym w miasteczku Torkham na Przełęczy Chajberskiej, a nie zostaje już nic z przekonania, że człowiek i tylko on decyduje, dokąd i w jakim celu zmierza. Stojąc na tamtym brzegu, wie się już, że graniczną opłatą, której uiszczenia nikt przecież nie żądał, była zgoda na poddanie się niewiadomej. Pozostaje tylko pokora, nadzieja i wiara. Że wszystko będzie dobrze. Musi być.

1 Wiosna znów przyszła wcześniej niż zwykle. Cała w kurzu, gorętsza i suchsza niż poprzednie, i tak już wyjątkowo gorące i suche. Popielate chmury dawały tylko cień. Zbijały się na granatowym niebie po kilka, pęczniały, nabrzmiewały obietnicą, ale nie przynosiły upragnionego deszczu, który mógłby wskrzesić wciąż tlące się, ale gasnące powoli życie.

Nikt nie pamiętał suszy tak strasznej i trwającej tak długo. Przecinająca Kabul rzeka, zwykle wartka i lodowata, wyschła tak bardzo, że na gliniastej skorupie jej koryta stołeczni kupcy porozstawiali stragany między strumyczkami i kałużami, nad które o świcie ściągały kobiety z praniem. Ludzie wpatrywali się zbolałym wzrokiem w otaczające miasto skaliste szczyty, próbując dostrzec na nich zapowiadające nadzieję śnieżnobiałe kopce. Ale nawet w środku zimy, znów mroźnej nocą, pogodnej i bezchmurnej za dnia, górskie łańcuchy wokół miasta straszyły rdzawobrunatną barwą, która oznaczała tylko niedolę.

Zniszczone i splądrowane w czas wojny miasto zapełniło się tysiącami bezdomnych i wygłodzonych nędzarzy, uciekinierów ze spustoszonych przez żywioł wiosek. Słońce wysuszyło studnie, spaliło poletka wieśniaków z podnóży Hindukuszu i wybiło stada koczownikom, wędrującym pustynnymi bezdrożami między Pamirem, Górami Sulejmańskimi i Heratem. Uschły na popiół pola   9 pszenicy, bawełny i kukurydzy, ryżowiska, trawa na łąkach, a nawet słoneczniki i sezam. Ziemię pokrył gruby na kilka palców kożuch kurzu, a wielkiej, płynącej wzdłuż północnej granicy rzece Amu-darii znów zabrakło wody, by dopłynąć do wysychającego pośród pustyni Morza Aralskiego.

Oniemiali z bólu i zaskoczenia chłopi i pasterze mogli tylko przyglądać się powolnej śmierci wszystkiego, co stanowiło dotąd jedyny powód ich egzystencji. Odarci z przypisanej im roli, a może od niej uwolnieni, bezradnie i bezmyślnie powlekli się do miast, jakby tam miało nastąpić ich zmartwychwstanie. Nie przynależeli jednak do miast i nie było tam dla nich miejsca.

Zresztą miasta poumierały już dawno, najwcześniej. Upadały opuszczane przez mieszkańców. Nie mogli przystosować się do nowego życia narzuconego im przez zwycięskich żołnierzy, którzy przybyli z bezludnych pustyń i skalistych gór. Wygrali właśnie wojnę o władzę, ale inaczej niż ich wszyscy poprzednicy, nie ograniczyli się do zajęcia Kabulu jako wojennego trofeum, lecz zaprowadzili w nim prawa, według których żyli dotąd w swoich pustynnych oazach i które zdaniem ich emira miały uwolnić raz na zawsze miasta od przyrodzonego im grzechu.

W miastach jednak nikt nie chciał, a może nie potrafił tak żyć. Najpierw uciekli pisarze, myśliciele, uczeni, muzycy, potem inżynierowie, lekarze, studenci, nawet licealiści. Zostali tylko wychodźcy z wiosek, zagubieni, niepewni, obcy. Łatwo się nimi rządziło, ale byli całkiem bezużyteczni, gdy to nowe już życie, w pełni zgodne z bożymi nakazami, nie okazało się rozwiązaniem ostatecznym.

Z najbiedniejszych prowincji Farjab i Ghor oraz z górzystego Badachszanu na wschodzie zaczęły napływać wieści o tajemniczej, powodującej paraliż zarazie wywoływanej przez trujące zielska, które pozbawieni strawy ludzie wrzucali do kociołków wraz z chrząszczami i przyrządzali na wieczerzę. Kobietom mleko wysychało w piersiach, mężczyźni zaś, którzy dożywali czterdziestu lat, stawali się starcami.

Umierające w milczeniu wioski i miasteczka przechodziły we władanie szczurów, które całymi stadami ściągały do ludzkich domostw w poszukiwaniu pożywienia. Dzieciaki, brudne, skołtunione, przypominające bardziej złośliwe duszki z baśni koczowników niż ludzkie istoty, skradały się krok w krok za gryzoniami, tropiły ich kryjówki, a potem rozkopywały szczurze jamy, by wykraść zakopane na zimę ziarno.

Wieśniacy, którzy już dawno pozbyli się całego dobytku, żeby kupić żywność, teraz sprzedawali marne resztki: rodzinne pamiątki, odzież, narzędzia rolnicze, a nawet dachy domów, futryny drzwiowe i okienne. Kiedy i to nie wystarczało, sprzedawali własne dzieci, a w końcu samych siebie oddawali w niewolę, jako gwarancję spłaty pożyczki zaciągniętej u bogatego feudała albo przemytnika narkotyków.

Ludzie wiązali jeszcze nadzieję z cudzoziemcami, którzy z jakichś niezrozumiałych powodów przybywali dotąd z pomocą zawsze, gdy na Afganistan spadały kolejne plagi. Ale tej wiosny zabrakło nawet zagranicznych dobroczyńców. Zamiast darów mieli dla Afganistanu i afgańskich władców tylko słowa największego potępienia.

Oburzenie wywołał edykt emira nakazujący zburzenie posągów, wzniesionych na podobieństwo żywych istot. Emir uznał rzeźby, malowidła i fotografie ludzi za obrazoburcze, a ich tworzenie za uzurpowanie sobie boskich prerogatyw. Niszcząc posągi, z których wiele stanowiło tysiącletnie zabytki ludzkiej cywilizacji, afgańscy władcy zasłużyli sobie na miano niegodnych współczucia barbarzyńców.

„Ale cóżeśmy zawinili my, żeby nas karać odmową pomocy? – pytali dumni Afgańczycy, którzy prędzej by sczęli, niż otwarcie prosili o jałmużnę. – Czy to nasza wina, że mamy takich władców? Myśmy ich sobie nie wybierali!"

W tysiącletniej afgańskiej historii żaden z władców nie został wyniesiony na tron z woli poddanych. Szachowie, emirowie, królowie, prezydenci i premierzy obejmowali rządy w wyniku wojen lub skrytobójczych mordów. Poddanym zaś pozostawało jedynie mieć nadzieję, że władca okaże się mądry, sprawiedliwy i miłosierny.

Emir, jednooki Omar, rozkazał zabić sto krów w ofierze, a ich mięso rozdzielić między lud i chociaż w ten sposób wynagrodzić mu cierpliwość, z jaką przez tyle lat znosił w swym kraju grzeszne posągi. Emir pragnął też odkupić przed Najwyższym własne winy, a zwłaszcza naganną zwłokę, z jaką on sam i jego świętobliwi ministrowie zajęli się burzeniem obrazoburczych pomników.

– Mieliśmy na głowie tyle ważnych spraw, że kwestię posągów wciąż odkładaliśmy na później – minister kultury mułła Kwadratullah Dżamal, zbudowany jak mocarz, długowłosy brodacz z poczernionymi węglem oczami, tłumaczył mi się w swoim gabinecie, zakłopotany jak grzesznik stający w obliczu spowiednika. – Teraz chcemy odkupić nasze zaniedbania.

W Kabulu dwanaście ofiarnych jałówek zostało zarżniętych o świcie na dziedzińcu pałacu prezydenckiego, którego emir nawet nie nawiedził i kazał go oddać swojemu premierowi na kwaterę, aż tak bowiem gardził miastem jako jaskinią występku i zła. Okrwawieni rzeźnicy wielkimi, lśniącymi w słońcu nożami ćwiartowali mięso na kilogramowe kawałki, a żołnierze w czarnych turbanach rozdzielali je między biedotę zebraną przed Błękitnym Meczetem, nad rzeką. Na rozkrzyczanym bazarze ofiara nie została jednak nawet zauważona. Na krótką chwilę przerwała gorączkową krzątaninę. Pakunki z mięsem w mgnieniu oka zniknęły w ludzkim morzu, rozszarpane przez łachmaniarzy.

Mułłowie w meczetach kazali ludziom modlić się o deszcz. Ale zamiast nadziei modły przyniosły wiernym zwątpienie i jeszcze większą desperację. Zaczęli przebąkiwać, że Najwyższy nie słucha ich próśb, bo rozgniewał się na nich i zesłał suszę.

Kiedy w miastach watahy wściekłych, zdziczałych psów zaczęły napadać na dzieci i zbłąkanych podróżnych, a z wypalonych słońcem górskich dolin na równiny zleciała szarańcza, Afgańczycy jęli rozpamiętywać swoje postępki i doszukiwać się w nich win. Wielu przyznawało, że Najwyższy mógł mieć powody, by ich ukarać tak surowo.

2 W powietrzu wyczuwało się wyraźnie niepokój, irracjonalne i ulotne, ale silne przeświadczenie o zbliżającej się apokalipsie, nieuniknionej, bo miała nadejść z woli Opatrzności.

Mówiło się o wojnie. Nie o tej, która trwała już od ćwierćwiecza i uczyniła Afganistan najnędzniejszym z krajów świata. Mówiło się o nowej wojnie, znacznie straszliwszej, która miała dopiero nadciągnąć zza gór jak burzowa chmura.

Mówili o niej pojawiający się coraz rzadziej podróżni i kupcy z karawan, jedyni posłańcy przynoszący wieści z dalekiego świata, którego istnienia afgański emir, gardzący wszystkim, co obce i odmienne, postanowił zupełnie nie dostrzegać. Jak monstrualny żółw, chowający się pod swoim pancerzem przed niebezpieczeństwami, niepewnością i nieznanym, tak Afganistan rządzony przez jednookiego Omara, wioskowego mułłę, skrył się, zamknął szczelnie pod pancerzem zaściankowych przesądów i wyobrażeń.

Przybysze z dalekiego świata przepowiadali teraz wielką wojnę, która tym razem miała nie ucichnąć ani w miesiącu świętego postu, ramadanu, ani nawet w kończący go radosny dzień id al-fitr, gdy ludzie powinni obdarowywać się nawzajem przebaczeniem, modlitwą, refleksją, radością i podarkami dla upamiętnienia czasu, w którym Prorok Mahomet otrzymał z rąk Najwyższego Świętą Księgę, Koran.

Z pozoru nieważne, ledwie zauważalne drobiazgi, zestawione ze sobą, układały się w mroczną, złowieszczo logiczną figurę. Oto zima, będąca dotąd w Afganistanie porą wytchnienia od wojen, tego roku nie przyniosła spokoju. Wyjątkowo krótka i łagodna, tym razem nie zasypała śniegiem górskich przełęczy, nie przykuła ludzi do ich domostw. Jakby sama natura chciała dać sposobność walki bez końca afgańskim wojownikom, którzy zimą walczyć nie lubili ani nie umieli.

Późną wiosną w skalistym Badachszanie doszło do straszliwego w skutkach trzęsienia ziemi, które pogrzebało setki wiosek i tysiące ludzi. Ci, co przeżyli, przysięgali, że góry się poruszyły, wyrwane nagle z martwoty eksplozjami atomowych bomb o straszliwej niszczycielskiej mocy w indyjskim Radżastanie i pakistańskim Beludżystanie.

Zauważono też, że wędrowne ptaki zaczęły omijać Afganistan. Dzikie kaczki, żurawie, pelikany i flamingi, które jesienią zwykły przelatywać nad afgańskimi górami w drodze z syberyjskich stepów do ciepłych krajów Azji Południowej, nie mogły dłużej znieść odgłosów strzałów, a może przeczuwały nadciągającą wielką wojnę, zmieniły więc szlaki podróży. Pozbawione bezpieczeństwa, możliwości odpoczynku i snu po morderczej wędrówce, a nawet ugaszenia pragnienia (pod nieuwagę zajętych wojną ludzi pustynie wyssały słodkowodne jeziora i pożarły dające cień dębowe i cedrowe bory), porzuciły zwykłą, krótszą drogę przez Afganistan i wybrały dłuższą, ale bezpieczniejszą, przez Iran. Uciekły z kraju orły, sokoły, pawie, śnieżne lamparty, pumy, wilki, lisy, długowłose jaki, hieny, jakby chcąc na jakiś czas zostawić kraj ludziom do wyłącznej dyspozycji, a może bojąc się razem z ludźmi w nim pozostać.

Wojną straszyli afgańskiego emira cudzoziemcy, którzy uznali go za niebezpiecznego barbarzyńcę, zagrażającego ich porządkom i katalogowi wartości, w ich mniemaniu doskonałych, a więc odpowiednich do zaszczepienia w każdym zakątku świata.

Ten zaś ich nie słuchał. Zamierzał zbudować na pustyni wokół Kandaharu rządzące się bożymi prawami, sprawiedliwe państwo idealne, proste odwzorowanie opisanej w Koranie i surach doskonałej wspólnoty wiernych, jaką półtora tysiąca lat temu stworzył Prorok Mahomet. Chciał cofnąć czas, wskrzesić przeszłość. Podjął się dzieła będącego niespełnionym marzeniem dziesiątków władców, filozofów, fantastów i szaleńców. Emir nie był filozofem ani fantastą. Może właśnie dlatego wierzył tak szczerze i gorąco, że właśnie jemu się uda.

Przed nim z taką samą nieugiętą pewnością siebie, właściwą ludziom pozbawionym kompleksu niższości, podejmowali podobne wysiłki inni afgańscy przywódcy, miotający się między skrajnościami i odrzucający wszystko, co odstawało od ideału i co przy pierwszej próbie okazywało się pomyłką lub wymagało najmniejszego nawet odejścia od utopijnych wyobrażeń.

Prowadzili niekończące się wojny przeciwko czemuś, nigdy o coś. W rezultacie dokonali nieprawdopodobnego, rzadko spotykanego w historii dzieła destrukcji. Odrzucając – najczęściej nieświadomie – kompromis i dochowując wierności ideałom, Afgańczycy sprawili jednocześnie, że ich życie stało się nie do zniesienia, a kraj zmienili w apokaliptyczne pobojowisko.

Cudzoziemców, którzy emira potępiali i grozili mu wojną, najbardziej gniewało jednak to, że ten udzielał w swoim kraju gościny przeróżnym banitom i wywrotowcom. Ludzie ci tak jak on pogardzali istniejącym stanem rzeczy i odrzucali go. Afgański władca po prostu ignorował uznane prawa i obyczaje, jego goście natomiast zamierzali podjąć z nimi wojnę na śmierć i życie.

W swoich kryjówkach na pustyniach i w skalistych górach Afganistanu snuli plany spisków, przewrotów i rewolucji. Tu szkolili się w zbrodniczym rzemiośle. Stąd wyruszali w dalekie krwawe wyprawy, by w Arabii, Afryce, Europie i Ameryce wysadzać w powietrze budynki, zatapiać statki i okręty wojenne, porywać samoloty, mordować polityków, których w swoim sumieniu osądzali jako zdrajców i bezbożnych tyranów. Tu wreszcie chronili się przed karą i zemstą tej części świata, którą nazywali Wielkim Szatanem i której poprzysięgli śmierć.

Emir nie mógł pojąć, jak niechętni mu cudzoziemcy mają śmiałość domagać się nie tylko, by wymówił gościnę banitom, ale by wydał im pod sąd tych, których chronił. Żądali, nie obiecując niczego w zamian, nawet uznania w nim prawowitego władcy Afganistanu. Nierozumiany i osamotniony emir za wszystkie niepowodzenia i błędy zaczął winić tych, którzy byli mu wrodzy. Tych zaś, którzy go chwalili, zachęcali, wspierali, uważał za najbliższych i najdroższych przyjaciół i braci. Dlatego gościł u siebie ściganych po świecie listami gończymi banitów, którzy go podziwiali – jedni szczerze, inni z wyrachowania, po to by dalej cieszyć się jego opieką i gościną. „Niestraszne mi wasze groźby – odpowiadał cudzoziemcom coraz bardziej zapiekły w uporze emir. – Nie boję się niczego, bo moja sprawa jest święta. Nie wyprę się siebie i gotów jestem bić się choćby ze wszystkimi, choćby i z całym światem".

Chyba do końca nie wierzył w wojnę, która w samym środku ciepłej i pogodnej jesieni spadła na jego kraj. Już wiosną szpiedzy donosili mu o tajemniczych przybyszach z Ameryki, którzy pojawili się ni stąd, ni zowąd w granicznych prowincjach Kunar, Paktia i Kandahar i podburzali przeciwko emirowi wodzów pasztuńskich plemion. Zachęcając do buntu, obdarowywali ich walizkami wypchanymi po brzegi pieniędzmi (dziesięć tysięcy dolarów w każdej) i telefonami satelitarnymi, jedynym urządzeniem, za pomocą którego można było, bez konieczności wysyłania umyślnych, dowiedzieć się, co się dzieje w sąsiedniej dolinie czy oazie, nawiązać łączność i porozumieć się z innymi wodzami. Szpiedzy emira donieśli mu, że większość wodzów zatrzymała chętnie telefony, ale odesłała z oburzeniem pieniądze, które miały być sowitą zapłatą za rokosz i wsparcie samozwańca wskazanego przez obcych. Mimo tych uspokajających wieści emir ogłosił, że zamyka afgańskie niebo dla wszelkich samolotów.

3 Czerń, ulubiona barwa, ostro podkreślała niezwykłą, niemal ascetyczną bladość oblicza emira. Długa, czarna, nienaznaczona siwizną broda, czarny turban i poczernione węglem, na wzór Proroka Mahometa, oczy nadawały jego twarzy wyraz posępny, ale i pełen majestatu. Regularność i szlachetność rysów zakłócała paskudna blizna, pokrywająca zmiażdżony przed laty prawy oczodół.

W izbie, którą należałoby uznać za salę tronową, nie było żadnych sprzętów poza wzorzystymi dywanami zaścielającymi klepisko i rozrzuconymi pod ścianami poduszkami. W czasach gdy był jeszcze zwykłym partyzanckim komendantem, urzędował rozparty na podłodze. Kiedy ogłosił się emirem, jego żołnierze wstawili do izby niskie łoże, na którym, jak na tronie, rządził i spoczywał całe dnie.

Kiedy w pustynnym Kandaharze, dzierżąc najświętszą relikwię, płaszcz, który należał kiedyś do samego Mahometa, ogłaszał się emirem, w dodatku nie emirem Afganistanu, tylko wszystkich muzułmanów świata, a więc kalifem, dziedzicem dziedziców Proroka, wielu uczonych w Piśmie nie kryło oburzenia, że taki prostak, plebejusz, niedouczony wiejski mułła aspiruje do tronu kalifa. Nazywano go uzurpatorem, samozwańcem. Ba, bluźniercą!

Imamowie i ulemowie nie potrafili mu wybaczyć, że w środku nocy rozkazał swoim żołnierzom wyciągnąć ze świątyni przechowywany w jej lochach płaszcz Proroka 21

Mahometa, utkany z wełny baranka złożonego w ofierze przez Abrahama. Do Kandaharu przywiózł go przed wiekami pierwszy afgański król i założyciel afgańskiego państwa Ahmad Szah Durrani. Mułłowie ostrzegali, że tylko królom, chanom i emirom wolno dotykać relikwii. Ostatnim razem sięgnięto po nią przed siedemdziesięcioma laty, gdy nad Kandaharem zawisła śmiertelna groźba zarazy.

Jednooki mułła Mohammad Omar nie był królem, a płaszcz Proroka był mu potrzebny właśnie po to, by nim zostać. Wierzył, że dzięki magicznej potędze relikwii uda mu się, tak jak kiedyś wielkiemu Ahmadowi Szahowi, zjednoczyć kraj, przerwać wyniszczające go wojny, zaprowadzić porządek i boże prawa. I przywrócić nadzieję ludziom, którzy wierzyli że już poprzednia, wielka wojna, jaką święci wojownicy, mudżahedini, toczyli w imię Najwyższego, przyniesie im pokój i szczęście.

Spotkało ich gorzkie rozczarowanie. Po zwycięskiej wielkiej wojnie przyszły nowe. Już nie święte, ale zwyczajne – o ziemię, wodę, kobiety, władzę. Mudżahedini zawiedli. Nie okazali się zbawcami. Przeciwnie, ściągnęli na kraj nowe nieszczęścia. Rozczarowany lud odrzucił ich rządy i ich wojny, które niszczyły nędzne resztki ocalałe po świętej apokalipsie. Nie potrafiąc, nie mogąc pozbyć się złych władców, poddani przestali na nich zwracać uwagę.

Odtąd żyli jakby obok siebie, połączeni i skazani jedni na drugich, lecz całkowicie obcy. Z czasem przywódcy zaczęli traktować własny kraj jako ziemie okupowane, podbite, a swoich poddanych jako brańców do partyzanckich armii. Cierpliwie znosząc bezprawie i bratobójcze wojny, Afgańczycy marzyli o nowym przywódcy, zbawcy, który wyrwie ich z niedoli i ziści stary, prawie zapomniany sen o raju na ziemi.

Kiedy mułła Omar na czele uczniów, których skrzyknął pod swoje rozkazy, wyruszył w zwycięski marsz, pokonując i przepędzając kolejnych watażków i władyków, udręczonym Afgańczykom zdało się, że właśnie w nim objawił się wyczekiwany zbawiciel. Mułła Omar zdobywał po kolei Kandahar, Helmand, Ghazni, Herat, Paktię, aż w końcu jego pułki stanęły u bram stolicy, Kabulu. Szykując swoje wojska do rozstrzygającej bitwy, świętobliwy mułła postanowił posłużyć się świętą relikwią. W środku nocy rozkazał żołnierzom wyciągnąć z sarkofagu płaszcz Proroka. Następnego dnia o brzasku wdrapał się na dach świątyni, by pokazać najświętszą relikwię zebranym na placu tysiącom wiernych. Cieniutki i kruchy jak pergamin płaszcz migotał w słońcu, wydawało się, że zmienia barwy. Mułła Omar zarzucił go na ramiona, otulił się nim i ogłosił emirem. Z tego wydarzenia pochodzi jedyna fotografia mułły. Któryś ze zgromadzonych wiernych drżącymi z emocji rękami nakręcił amatorską kamerą krótki film o narodzinach emira. Na niewyraźnych zdjęciach widać lewy, nieoszpecony profil Omara. Emir, gdy spogląda z dachu w dół na wiwatującą ciżbę, ma posępną twarz.

Te zdjęcia wywołały światową sensację. Wcześniej bowiem nie widział go nigdy żaden niewierny. Omar nie przyjmował cudzoziemskich gości. Jak wyglądał, co robił i myślał, można się było dowiedzieć tylko z relacji jego nielicznych zauszników i towarzyszy broni. A także dwóch dziennikarzy, których dopuścił przed swoje oblicze i z których opowieści czerpali potem inni.

Sekretna hierarchia jego dworu i armii, niemal całkowita izolacja, niezrozumiała dla obcych, przepełniona mistyką i poczuciem misji polityczna filozofia, a także fakt, że poza nielicznymi wyjątkami żaden z jego ministrów nie spotykał się z obcymi, nie przemawiał, nie pozwalał się fotografować, a przede wszystkim sama zagadkowość postaci emira sprawiły, że w pewnej chwili jego poddani zaczęli powątpiewać, czy naprawdę istnieje.

Nie brakowało plotek, że pod postacią mułły Omara ukrywa się były komunistyczny tyran, okrutny władca Hafizullah

Amin, zgładzony przez nasłanych z Moskwy komandosów w noc poprzedzającą najazd rosyjskiej armii na Afganistan. Nikt nie widział mogiły Amina, nikt nie widział jego trupa. Podsycane tajemnicą plotki głosiły, że Amin, choć straszliwie okaleczony, przeżył zamach. Teraz przyszedł czas zemsty. Nazwał się Omarem, bo został oszpecony tak, że nikt nie rozpoznałby w nim dawnego Hafizullaha Amina, a podając się za niego, wywołałby tylko niepotrzebne wątpliwości i wahania. Według innych pogłosek mułłą Omarem miał być jeden z synów wygnanego starego króla Mohammada Zahira Szaha.

Rewolucje, wojny i rządy mają twarze swoich przywódców – buntowników, generałów, mądrych mężów stanu, oszalałych tyranów. Obliczem afgańskiej rewolucji stali się jej szeregowi żołnierze, bosonodzy oberwańcy o zmierzwionych brodach i w czarnych zawojach turbanów na głowach. Mułła zaś, choć mówił o nim cały świat, pozostawał niewidzialny, bez twarzy. Wszechobecny, ale nieznany, więc złowróżbny.

Sami ul-Haq, pakistański święty mąż, mędrzec i polityk, sławny w całej Azji Środkowej, Indiach, a nawet w Arabii, poczytywał sobie za zaszczyt, że nie tylko poznał mułłę Omara, ale że ten uważał go za swojego powiernika i prosił o rady.

– Szczerze go podziwiam. Nasi przywódcy deklarują wierność islamowi, ale w uczynkach kierują się obcym liberalizmem. To hipokryci. Budują nie państwo muzułmańskie, lecz państwo muzułmanów. – Kiedy przeczesując kościstymi palcami długą, czerwoną od henny brodę, opowiadał o afgańskiej rewolucji, wydawało mi się, że z jego oczu i słów przebijały zawstydzenie i zazdrość. Mówił wszak 24 o uczniu, który choć nie mógł się mierzyć z nim mądrością i wiedzą, osiągnął to, o czym on, nauczyciel, mógł tylko śnić. I o czym śnił.

Głosząc w swoich medresach potrzebę rewolucji i urządzenia świata na wzór i podobieństwo opisanego w Świętej Księdze, Koranie, Sami ul-Haq ograniczał się przecież tylko do słów. Może zbyt wiele wiedział, by nie mieć wątpliwości. Mądrość, doświadczenie i nadmiar wiedzy potrafią być zabójcze dla odwagi. Są w stanie wprowadzić w hipnozę retoryki i odebrać zdolność do działania. Tylko wybrańcom dane jest zwycięsko wyjść ze zmagań z własną mądrością i wyobraźnią, podsuwającą czarne wizje, by przestrzec przed działaniem. Ci, którym się to udaje, stają się rewolucjonistami.

Starzy mistrzowie nie robią rewolucji. Mają umysły pełne książkowych nauk, dokonują więc najpierw kalkulacji, by przekonawszy się o nieuchronności fiaska wynikającej z logiki, statystyki czy też arytmetyki, zaniechać wszelkich działań.

Ci, którzy wiedzy nie mają, nie kalkulują, bo nie potrafią. Nie potrafią też przewidzieć wszystkich skutków swoich poczynań. Działają często wbrew logice i zdrowemu rozsądkowi. Nie z wyrachowania, ale z nakazu instynktu, często sami tego nie rozumiejąc. Dokonują rzeczy, których wielkości nawet nie pojmują. Przeprowadzają rewolucje, nieświadomi, że nie miały prawa się udać. Wyruszają do boju, doskonale wiedząc, przeciwko czemu walczą, ale nie o co. Wygrywają najczęściej dlatego, że kierujący się prawami logicznymi przeciwnik rzuca oręż i umyka przerażony, zaskoczony absurdalną zuchwałością rewolucji.

Mułła Omar niewiele wiedział. Zbyt mało, by zabić w sobie odwagę. Obrazy, które widział w swojej wyobraźni, były proste, malowane grubą kreską, zrozumiałe dla każdego, bez półcieni i szarości. Wcale go nie przerażały.

W relacjach między nauczycielami i uczniami rewolucji podziw miesza się ze wzgardą. Stary, mądry mistrz 25 zazdrości młodemu zuchwalcowi i podziwia go, bo on sam, skrępowany wątpliwościami i wyobrażeniami, nigdy by się nie zdobył na czyn. Ale jednocześnie trudno mu pogodzić się z myślą, że oto prostak osiągnął coś, na badanie czego on poświęcił całe życie. Mistrz uczynił z rewolucji misterium, naukę, religię. Uczeń zaś ściągnął świętość z ołtarza, sprofanował, posiadł.

Po zwycięstwie rewolucji mistrzowie przychodzą do swoich uczniów, by im doradzać, ubierać ich nieposkładane myśli w piękne słowa. Stopniowo przejmują stery rewolucji, z którymi niedokształceni, ale coraz pewniejsi siebie uczniowie radzą sobie coraz gorzej. Dochodzi do nieuniknionej konfrontacji. Żołnierze rewolucji ścierają się z jej zarządcami. Zaczyna się gangrena rewolucji.

Kiedy wędrowaliśmy po najważniejszej z jego medres w miasteczku Akhora Chattak przy drodze wiodącej z Islamabadu do Peszawaru, Sami ul-Haq zapewniał, że afgańska rewolucja mułły Omara jest inna niż wszystkie dotychczasowe i właśnie ona, w przeciwieństwie do poprzednich, nigdy nie przepoczwarzy się w żałosną parodię samej siebie, ale da początek buntowi, który ogarnie cały świat i zaprowadzi nowe, sprawiedliwe wreszcie porządki.

– To zupełnie nowa rewolucja – tłumaczył, gwałtownie gestykulując wśród krużganków. Chowaliśmy się przed palącym słońcem w ich chłodnym, stęchłym cieniu. – Zazwyczaj rewolucje są zakłamane już w chwili swoich narodzin, bo na ich czele stoją ludzie niemający nic wspólnego z tymi, dla których dobra ich dokonują. Mułła Omar został emirem, choć nie był ani sławny, ani bogaty, nie miał możnych sponsorów ani nie pochodził ze szlachetnego rodu. Ale choć został emirem, nie przestał też być jednym z tysięcy zwykłych żołnierzy rewolucji. Jutro równie dobrze emirem może zostać któryś z jego towarzyszy, ktoś równie nieznany, ale wywodzący się z tych, w których imieniu 26 przeprowadzana jest rewolucja. Takiej rewolucji nie da się stłumić ani powstrzymać. Nic nie da zgładzenie jej przywódcy, bo na jego miejsce pojawią się zaraz nowi, wcale nie gorsi ani lepsi. To prawdziwa potęga. Nie dziwię się wcale, że wy, chrześcijanie i Żydzi, widzicie w Omarze i jego rewolucji zagrożenie dla porządku, jaki narzuciliście całemu światu. Emir i jego żołnierze to zaledwie awangarda ruchu wyzwoleńczego, który ogarnie świat, nie tylko świat islamu, i przyniesie mu wolność. Wierzę, że kiedy i w moim kraju nadejdzie czas rewolucji, pokieruje nią ktoś taki jak Omar, nieznany, niczym nieróżniący się od tych tysięcy, na których czele będzie kroczył, niezdeprawowany i ślepo wierzący w świętą sprawę i jej zwycięstwo.

Ludzie, którzy go znali dobrze i którzy nie obawiali się opowiadać o nim cudzoziemcom, co do jednego byli zgodni – wiara była dla niego absolutnie wszystkim.

– Omar nigdy nie wyznawał się na teologii. Wielu innych wiedziało o religii więcej niż on. Ale żaden z nas nie miał w sobie wiary tak gorącej, niemal fanatycznej – opowiadał mułła Szer Mohammad Abbas Stanakzaj.

Wykształcony w indyjskiej akademii policyjnej i władający biegle angielską mową, cieszył się w pełni zasłużenie opinią najbardziej światowego z urzędników i dworzan afgańskiego emira. Był jego sekretarzem, ministrem dyplomacji. W końcu jednak zgubiły go nadmierny liberalizm i ciekawość świata. Oskarżany przez innych towarzyszy o niezdrową fascynację światowymi nowinkami, które odciągają uwagę od Najwyższego, Stanakzaj popadł w niełaskę emira i z posady ministra dyplomacji został strącony na stanowisko wiceministra zdrowia. W takiej właśnie, skromnej roli przyjął mnie na audiencji w swoim szarym i lodowatym mimo pogodnej wiosny gabinecie.

– Tak, z całą pewnością Omar wyróżniał się nawet spośród nas pobożnością i niezłomną wiarą. Poznałem go 27 jeszcze podczas świętej wojny z komunistami i z Rosją. Jesteśmy rówieśnikami i pochodzimy prawie z tych samych stron. On spod Kandaharu, ja z sąsiedniego Urozganu. Obaj wywodzimy się też ze wschodnich Pasztunów, Ghilzajów. Omar należy do plemienia Hottak, ja do Stanakzajów. W Kandaharze, gdzie mieszkają zachodni Pasztunowie, Durranowie – Ghilzajowie nie mieli nigdy łatwego życia. Można powiedzieć, że obaj jesteśmy niskiego rodu. Przed wiekami przywódca Hottaków Mir Wajs podbił co prawda nawet perski Isfahan i założył pasztuńskie imperium w Persji, ale potem w Afganistanie rządzili już niemal wyłącznie Durranowie z Kandaharu. Omar był niskim rangą komendantem w partyzanckim pospolitym ruszeniu Junusa Chalesa, jednej z siedmiu wielkich armii mudżahedinów. Ja walczyłem w armii Nabiego Mohammadiego. W tamtych czasach szło się pod rozkazy tych komendantów, którzy najlepiej umieli zdobywać karabiny, pociski i pieniądze na wojnę.

Rozmowy ze Stanakzajem nie dłużyły się nigdy. Był znakomitym gawędziarzem i jeszcze lepszym gospodarzem. Kiedy sypał dykteryjkami albo z sarkastycznym humorem opowiadał o przymiotach i przywarach emira i jego dworzan, przypominał wszystkowiedzącego, zgryźliwego felietonistę wielkiej londyńskiej gazety albo wschodniego mędrca, któremu choćby z racji wieku wolno bezkarnie wytykać błędy i śmiesznostki władcy. Jego erudycja, maniery, odwaga i niezależność poglądów, a nawet delikatne rysy twarzy i dłonie nieodmiennie zaskakiwały cudzoziemskich przybyszów, którzy wybierając się na spotkanie z jednym z najważniejszych ministrów afgańskiego emira, spodziewali się ujrzeć kudłatego, nieokrzesanego barbarzyńcę, azjatyckiego wandala. Stanakzaj zaś, nawet jeśli nie miał racji, nawet jeśli w żadnej z kwestii nie zgadzał się z rozmówcą, zawsze wywierał doskonałe wrażenie. Nie przypadkiem, starając się jeszcze o uznanie świata, emir Omar właśnie jego uczynił swoim ministrem dyplomacji i polecił mu utrzymywać kontakty z cudzoziemcami.

– Nie przypominam sobie, bym zapamiętał go z tamtych czasów z jakiegoś szczególnego powodu – ciągnął Stanakzaj. – Niczym specjalnym się nie wyróżnił. Walczył jak my wszyscy.

Walczył – to może za dużo powiedziane. Działający jak pospolite ruszenie pasztuńscy wojownicy z południa kraju rzadko przeprowadzali skomplikowane operacje zaczepne (właściwie nie czynili tego prawie nigdy), obca była im nie tylko strategia, ale i taktyka. Rzadko zapuszczali się też w rodzinne strony, dolinę czy oazę (właściwie nie czynili tego prawie nigdy), stanowiące dla nich świat zamknięty i skończony. Bronili tylko swojego terytorium i starali się tak uprzykrzyć życie najeźdźcom, by udręczeni i wykrwawieni wyjechali w końcu, uznając dalszą walkę za nieopłacalną.

Terenem działalności oddziału mułły Omara były okolice wioski Singesar w powiecie Majwand, nieco na zachód od Kandaharu. Mudżahedini Omara zaczajali się wśród owocowych drzew, które rosły wzdłuż drogi biegnącej z Kabulu do Kandaharu i dalej do Heratu, i z ukrycia ostrzeliwali przejeżdżające rosyjskie kolumny. Sam Omar wsławił się jako niezrównany strzelec z bazooki. Wdrapywał się na przydrożne drzewa i schowany wśród liści odpalał z niezwykłą precyzją zabójcze dla czołgów i wozów pancernych pociski.

Mułła Mohammad Chaksar również pamięta Omara jeszcze z czasów świętej wojny sprzed ćwierćwiecza. Przyczynił się do wyniesienia go na tron emira i zanim zdradził, pełnił na jego dworze obowiązki wiceministra policji.

– Był dobrym żołnierzem. Pod tym względem mógł dorównać nawet absolutnemu mistrzowi, mulle Abdulowi Salamowi z Paktiki, którego nazywaliśmy zresztą Rakietą. Szkoda, że zginął. Po wojnie zajął się handlem bronią, 29 ale podobno oszukiwał i w końcu jeden z wystawionych do wiatru klientów po prostu go zastrzelił. Omar był równie dobrym kanonierem. Czasami trafiał z ukrycia, ale potrafił też stać wyprostowany i z bazooką na ramieniu spokojnie celować w nadjeżdżający czołg. Nie wiedział, co to strach. Te jego wyczyny wzbudzały w nas podziw, ale i przerażenie.

Kandahar, zbudowany w pustynnej oazie na ruinach starożytnego fortu Aleksandria Arachozja, jednego z sześciu miast wzniesionych na afgańskich ziemiach jeszcze przez Aleksandra Macedońskiego, słynął przez wieki ze swoich bazarów i karawanserajów, gdzie zatrzymywały się karawany kupców wędrujących Jedwabnym Szlakiem z Indii i Chin do Persji, Arabii i Europy, a także ze wspaniałych sadów i ogrodów, skąd pochodziły najlepsze figi, melony, granaty, winogrona i brzoskwinie. Dzięki krętym labiryntom kanałów irygacyjnych, którymi wodę z rzek Helmand i Arghandab pompowano na pustynię, mieszkańcom wiecznie zielonej oazy i jej gościom udawało się znosić nawet letnie, zabójcze upały.

Apogeum rozkwitu przeżył Kandahar w osiemnastym stuleciu, gdy założyciel afgańskiego państwa, Ahmad Szah Durrani, chan z plemienia Abdalich, nazywanych później Durranami, podporządkował sobie pozostałe pasztuńskie plemiona i założył w Kandaharze stolicę swojego imperium, rozciągającego się od Chorasanu po Indus. Tak jak Ahmad Szah przyczynił się do rozkwitu Kandaharu, tak jego syn Timur Szah, przenosząc stolicę do Kabulu, mimo woli przyczynił się do upadku pasztuńskiej oazy.

Kandahar, jeszcze niedawno metropolia, stawał się coraz bardziej prowincją, pogrążającą się w zaściankowości i zacofaniu, aż w końcu okrzyknięto go najbardziej konserwatywnym z afgańskich miast, najbardziej niechętnym wszelkim nowinkom ze świata. Położona na uboczu i zapominana przez świat oaza podupadała coraz bardziej. Pustynia pożerała wspaniałe niegdyś sady i ogrody, a bezradni wieśniacy przerzucali się na uprawę indyjskich konopi i maku. Opium i haszysz ściągały jeszcze buntowników i marzycieli z Europy i Ameryki, ale i oni przestali przybywać do Kandaharu, gdy w Afganistanie wylądowała Armia Radziecka, by bronić komunistycznego rządu w Kabulu przed muzułmańskimi partyzantami, mudżahedinami.

Dziesięcioletnia radziecka okupacja doprowadziła do całkowitego upadku miasta. Mszcząc się za zabitych żołnierzy i spalone czołgi, Rosjanie wyburzyli przydrożne domy na odległość karabinowego strzału i wyrąbali rosnące przy drogach słynne na całą Azję sady i ogrody, by mudżahedini nie mogli się w nich kryć i organizować zasadzek na przejeżdżające konwoje. Poustawiali też miny na polach ryżowych, czyniąc kandaharską oazę najbardziej zaminowanym regionem nie tylko w całym Afganistanie, ale na świecie. W rezultacie kwitnąca, zielona oaza przemieniła się w martwą, rozpaloną słońcem i rozciągającą się aż po widoczne na horyzoncie góry pustynię, na której życie stało się nieznośne zarówno dla jej obrońców, jak dla najeźdźców.

Śmiertelnie umęczeni i upokorzeni Rosjanie postanowili w końcu opuścić niezdobyty Kandahar i całą afgańską krainę. Ale nawet spleceni w beznadziejnym klinczu, do samego końca nie przestawali walczyć, jakby poprzez zadanie przeciwnikowi możliwie największego bólu mieli sobie powetować gorycz porażki.

W wiosce Singesar jeden z wystrzelonych pod koniec wojny pocisków wybuchł na dziedzińcu meczetu, w którym modlił się Omar. Szrapnel ugodził go w skroń, wyłupując prawe oko. Uczniowie Omara gotowi byli przysiąc, iż na własne oczy widzieli, jak ich mistrz, nie zważając na ból, własnymi rękami wyciągał z głowy odłamki. Ani na chwilę przy tym nie stracił przytomności, a nawet panowania nad sobą. Uczniowie uznali to za cud. Jeden z lekarzy, którzy dbali potem o zdrowie emira, utrzymywał co prawda, że od nieszczęsnej kontuzji Omar zdradzał objawy szaleństwa, a w końcu w ogóle postradał zmysły. Wpadał w depresję i zamykał się na wiele dni w izbie, odmawiając przyjmowania posiłków i widywania kogokolwiek. Miewał też przedziwne wizje, a zdarzało się, że zachowywał się jak małe dziecko – potrafił siedzieć w samochodzie i kręcić kierownicą, warcząc jak silnik. Liżąc rany, Omar zaszył się w wiosce Singesar. Schował do skrzyni karabin, oddał się modłom i lekturze Koranu. Nauczał też w wiejskiej medresie, szkole katechetycznej, którą przed laty założył przy meczecie.

Na mułłę wykierował go wuj, który po śmierci swojego brata, a ojca Omara (przyszły emir miał wtedy ledwie dwa lata) pojął zgodnie z plemiennym obyczajem wdowę za żonę. Wuj, wędrowny mułła zarabiający na życie modlitwą, zabrał rodzinę Omara z rodzinnej wioski Node do miasteczka Dara Wat, gdzie akurat umarł mułła z tamtejszego meczetu i wierni potrzebowali kogoś, kto pokierowałby ich modlitwami.

W Afganistanie, gdzie nic się nie zmienia, także Dara Wat wygląda dziś tak samo jak dziesięć, dwadzieścia, a zapewne i sto lat temu. Ulepione z gliny i słomy chatki, odgrodzone od świata wysokimi murami, latem duszą się w kurzu, a jesienią i wiosną, gdy rzadko tu widywane deszcze skropią ziemię, toną w mazistym, szarym błocie. W wąskich zaułkach, przypominających uliczki labiryntu, i na ubogim bazarze przy głównej drodze nie spotyka się kobiet, dziewczęta nigdy nie chodziły tu do szkoły.

Omar zamieszkał wraz z wujem w wiejskim meczecie, izbie lichej jak wszystkie domostwa w miasteczku. Był nie tyle jego wychowankiem, co sługą. Miał za to gdzie spać, nie przymierał głodem, a wuj uczył go na pamięć arabskich wersetów Koranu i sztuki pisania. Kiedy pod Dara Wat stanęły rosyjskie wojska, wuj sformował partyzancki oddział i wyruszył na wojnę. Młodego Omara wysłał zaś do sąsiedniego Pakistanu, gdzie jeden z jego znajomych kierował meczetem i przyświątynną medresą. Była to jedyna zagraniczna podróż przyszłego emira i jedyna jego edukacja.

Wrócił do kraju już jako mułła. Osiadł w wiosce Singesar, gdzie – jak niegdyś wuj – zarabiał na życie, przewodnicząc modłom w meczecie. Także wzorem wuja otworzył przy meczecie szkołę, w której uczył wioskowych chłopaków. Za przykładem wuja stworzył też własny partyzancki oddział, na którego czele walczył z Rosjanami. Aż do czasu fatalnej kontuzji.

Dziś nikt go tu już nie pamięta, a może tylko nie chce sobie przypomnieć, nikt go nie zna, nikt nie słyszał o mulle Omarze, nikt nie chce o nim mówić. Jakby go tu nigdy nie było. Jakby nigdy nie istniał.

Zwycięska święta wojna nie przyniosła jednak świętego pokoju i spokoju ani świętych porządków, jakie obiecywali święci wojownicy, mudżahedini. Po niesławnej rejteradzie Rosjan musiały minąć jeszcze trzy długie lata, zanim przypuścili w końcu szturm na Kabul i skłóceni objęli władzę w kraju. Jeszcze nie zdążyły się dobrze zabliźnić rany i wyschnąć łzy po starej wojnie, gdy wybuchła nowa, bratobójcza, między tymi, którzy zawczasu potrafili zagarnąć największe arsenały i najwięcej pieniędzy. Pomniejsi i ubożsi komendanci, tacy jak mułła Omar, Mohammad Abbas i ich towarzysze, mogli jedynie bezradnie się przyglądać, jak inni walczą o łupy i rwą kraj na strzępy.

Omar, który w czas krótkiego i kruchego pokoju poślubił trzy żony i spłodził z nimi pół tuzina dzieci (aby pojąć czwartą żonę, już jako emir kazał ponoć najpierw zabić jej męża, a potem zabrał wdowę do swojego domu), pochłonięty bez reszty modlitwą, zdawał się nie zwracać uwagi na bezprawie, w jakim z roku na rok coraz bardziej pogrążał się Afganistan.

Cały kraj stanął w ogniu, ale nigdzie, z wyjątkiem Kabulu, nieustannie obleganego, palonego, głodzonego i bombardowanego, nie było tak źle jak w Kandaharze. Miejscowi chanowie, mułłowie i komendanci, źle zorganizowani i uzbrojeni, a przede wszystkim od lat skłóceni, zostali całkowicie pominięci przy powoływaniu nowego rządu, który ani myślał zajmować się pustynną oazą. Przez kolejne lata Kandahar był krainą chaosu, terroryzowaną przez watażków łupiących karawany i bazary, zmuszających wieśniaków do uprawy i kontrabandy narkotyków, porywających dla swojej uciechy dziewczęta i chłopców. W końcu nawet zagraniczne organizacje humanitarne przestały wysyłać tam konwoje z pomocą.

– Działo się coraz gorzej. Wciąż tylko grabieże, zabójstwa, strzelaniny w biały dzień, porwania, gwałty. Patrzyliśmy na to wszystko i nie wiedzieliśmy, co począć. Nas, dawnych komendantów, ogarniał wstyd. Nie po to walczyliśmy tyle lat, nie po to ludzie tyle wycierpieli, żeby po zwycięstwie ich życie stało się jeszcze podlejsze. Obiecywaliśmy im, że będą żyli sprawiedliwie i w zgodzie z prawami Najwyższego. A wyszło tak, że ci sami ludzie, którzy kiedyś modlili się za nas, teraz zaczynali nas przeklinać – wspominając tamte czasy, Kwadratullah Dżamal wyłamywał palce w mocarnych dłoniach. – Zbieraliśmy się po meczetach, dawni komendanci, naradzali, dumali. Niby wiedzieliśmy, co należałoby uczynić, ale brakowało nam odwagi, rozumu, a może wiary. Kiedyś pojechaliśmy nawet do gubernatora Heratu, komendanta Ismaela Chana, który u siebie zaprowadził wzorowy porządek. Ale zanadto był zaprzątnięty sprawami Heratu, żeby poświęcić uwagę Kandaharowi. Choć mieliśmy już tego po dziurki w nosie, jeden wciąż patrzył na drugiego. I wtedy usłyszeliśmy o Omarze. On powstał jako pierwszy. Jemu nie zabrakło ani determinacji,

34

ani odwagi, ani wiary. Dlatego potem wybraliśmy go na swojego przywódcę.

Jedna z legend, w jakie obrósł żywot wiejskiego mułły, który wspiął się na tron emira, mówi, że pewnego dnia do meczetu, gdzie modlił się i mieszkał, przybyła delegacja zrozpaczonych wieśniaków. Przyszli na skargę na jednego z miejscowych watażków, który porwał i zniewolił dwie młode dziewczyny, a potem oddał je swoim żołnierzom. Przyszli też prosić Omara o pomoc. Wiedzieli, że sam kiedyś walczył. No i do kogo mieli się zwrócić, jeśli nie do tego, kto pomagał im wznosić modły do Boga?

Omar słyszał o bezprawiu i występku, jakie panowały w Kandaharze, ale w jego Singesarze do niczego podobnego nigdy wcześniej nie doszło. I nigdy już więcej miało nie dojść. Na czele uzbrojonych zaledwie w kilkanaście strzelb i karabinów trzydziestu uczniów, którzy dotąd zgłębiali tajemnice kaligrafii i Koranu, zaatakował niespodziewającego się niczego watażkę. Ten, przekonany, iż został napadnięty przez znacznie liczniejszego i potężniejszego wroga – któż ruszyłby do natarcia, nie mając absolutnego przekonania o swojej przewadze! – co prędzej się poddał, wierząc święcie, że okup uratuje mu życie. Omar kazał go jednak powiesić na lufie czołgu, żołnierzom zaś, przerażonym okrutną śmiercią ich komendanta, polecił złożyć broń albo przejść pod jego rozkazy.

Wieść o postępku Omara rozeszła się lotem błyskawicy po kandaharskich równinach i do meczetu w Singesarze ściągały coraz to nowe delegacje z prośbą, by Omar i jego uczniowie zaprowadzili także u nich sprawiedliwość i przegnali złych zarządców. Omar, którego imię stało się już sławne w całej okolicy, przybywał, zabijał lub przepędzał łotrów-komendantów, odbierał im broń i żołnierzy. W dodatku niczego nie chciał. Uszczęśliwionym wieśniakom zalecał, by we wszystkim słuchali mułły, a sami zaczęli żyć po bożemu. Był coraz potężniejszy. Przyłączali się do niego żołnierze pobitych komendantów, a nawet oni sami, by uniknąć śmierci i hańby. Omar i jego uczniowie zdobywali kolejne wioski i miasta praktycznie bez bitew. Nikt nie chciał z nimi walczyć. Nikt jakoś nie ośmielił się mierzyć z karabinu w piersi świętobliwych mężów. Armia Omara okryła się legendą nie tylko niezwyciężonej, ale takiej, której żołnierze nie giną. Zyskało mu to kolejnych zwolenników i rekrutów. Tych, którzy stawali mu na drodze lub nie chcieli się do niego przyłączyć, Omar kazał wieszać. „Podjęliśmy walkę przeciwko tym muzułmanom, którzy zbłądzili. Pragniemy sprowadzić ich ponownie na dobrą drogę" – wyznał kiedyś mułła Omar Rahimullahowi Jusufzajowi, jednemu z dwóch dziennikarzy, z którymi zgodził się spotkać.

Zwycięski marsz wojsk Omara znaczyły szubienice z czołgowych luf. Singesar, Kandahar, Ghazni, Herat, Dżalalabad, Kabul. Nie minęło tysiąc dni, a jego żołnierze podbili cały kraj. Ponieważ większość z nich była uczniami wiejskich medres, nazywano ich talibami, czyli Tymi, Którzy Poszukują Prawdy.

Choć wydawało się, że mułła Omar jest naturalnym i oczywistym przywódcą talibów, nie wszyscy z komendantów, którzy przystali do ruchu, gotowi byli uznać jego pierwszeństwo. Sławnym, bogatym i szanowanym wodzom, generałom, a nawet zwyczajnym partyzanckim dowódcom ani w głowie było ustępować pobożnemu prostakowi. Nawet wielu spośród trzydziestu założycieli ruchu talibów uważało, że powierzenie przywództwa komuś takiemu jak mułła Omar będzie skazą i ujmą dla powstania, a kto wie, czy nie najprostszą drogą do jego degeneracji i upadku.

Do objęcia przywództwa nie kwapił się także sam Omar. Mułła Mohammad Chaksar, którego ród wydał wielu wspaniałych kandaharskich ulemów, od początku wierzył w Omara. Uważał, że jak nikt inny nadaje się na przewodnika talibów. Najpierw więc przekonał o tym jego samego, a później kilku wpływowych kandaharskich mułłów, których autorytet i głosy przeważyły szalę.

– Tłumaczyłem im, że Omar może i jest prostym człowiekiem, ale niewielu dorównuje mu odwagą, skromnością i uczciwością. Był jak pustelnik. Władza, majątek, wszelkie sprawy doczesne zdawały się go w ogóle nie zajmować – wspominał mułła Chaksar.

Poznałem go dopiero wtedy, gdy umykając przed nacierającymi wrogami, talibowie w panice porzucili Kabul, a on sam zdecydował się zdradzić Omara, pozostać w mieście i przejść do nieprzyjacielskiego obozu. W afgańskiej stolicy rządzonej przez nowych władców był trochę honorowym gościem, chętnie pokazywanym cudzoziemcom, a trochę więźniem, nieustannie pilnowanym przez mudżahedinów. Chaksar wciąż dumnie nosił długą brodę i ogromny, czarny turban, które kojarzyły się z panowaniem talibów.

– Wysłuchali mnie – ciągnął. – Albo też uznali, że lepiej wstrzymać się z walką o władzę aż do czasu, gdy Omar ją dla nich zdobędzie. Ci wszyscy, którzy byli z nami, ale wciąż nie rozumieli naszej walki i po staremu władzę uważali za łup, nie widzieli w Omarze groźnego rywala.

– Gdyby ktoś mi wtedy powiedział, że Omar zawładnie całym krajem, uznałbym go za wariata – zwierzał się siwobrody komendant Naghibullah.

Zanim talibowie stanęli pod bramami Kandaharu, był jednym z trzech jego władców. Wpuścił talibów do miasta i poddał je, bo znał wielu ich dowódców z Omarem na czele i liczył, że w podzięce pozwolą mu dalej przemycać narkotyki do Iranu, Pakistanu i Turkmenii.

– Omar emirem?! Nie, stanowczo na takiego nie wyglądał.

Mułła Omar został pierwszym wśród równych. Mienił się przywódcą talibów, ale najważniejsze decyzje wciąż zapadały na naradach, podczas których każdy z mułłów i komendantów miał takie same prawa, a ich głos miał taką samą 37 wagę. Wszyscy byli zarazem przywódcami i poddanymi, komendantami i żołnierzami. Każdy mógł być królem, każdy sługą.

Mułła Chaksar przerywał opowieść na czas modlitwy. Zzuwał pozłacane ciżmy z groteskowo zadartymi czubami i w kącie wyziębionego mimo płonącego piecyka pokoju bił pokłony Panu.

Nigdy nie przestał mnie zadziwiać całkowity brak skrępowania, z jakim muzułmanie wznoszą modły do Boga. Wydaje się, że nic i nikt im w tym nie przeszkadza. Nie potrzebują samotności, modlą się bez pośpiechu i nie czują zawstydzenia ani nerwowego zakłopotania, od których nam tak trudno się uwolnić, ilekroć nie możemy modlić się bez świadków.

Pewnego razu na przeciętej linią frontu drodze wiodącej z Kabulu do miasteczka Dżabal us-Seradż, wrót do podstołecznej doliny Pandższiru, zatrzymał mnie patrol talibów. Ich dowódca kazał mi wysiąść z samochodu i nie pozwolił na dalszą jazdę. W poczuciu winy, a może z ciekawości, zaprosił mnie jednak na poranny, pierwszy dla niego i jego żołnierzy posiłek, złożony z kawałków tłustej, żylastej baraniny, ryżu i słodkich winogron.

Żołnierze wpatrywali się we mnie bez słowa, w pełnym napięcia skupieniu śledzili każdy mój ruch, każdy gest, minę, jakby chcieli zapamiętać mnie na zawsze. Komendant zaś wypytywał i z powagą kiwał głową, słysząc moje odpowiedzi przekładane przez tłumacza. Ciekawiło go, dlaczego jak oni nie modlę się do Boga, skoro w Niego wierzę. Potem z nagłym błyskiem w oczach zapytał, czy potrafię powtórzyć słowa, którymi oni chwalą imię swojego Pana. *La ilaha illa Allahu wa-Muhammad rasul Allahi* – Nie ma bóstwa nad Allaha, a Mahomet jest jego Prorokiem. Kiedy
wydukałem formułkę, oczy komendanta i jego żołnierzy

zabłysły radosnym szczęściem. Nie mogli wyjść ze zdziwienia i zachwytu, że tak łatwo przyszło im przekonać mnie do wiary w ich Boga i że tak szybko wyparłem się mego. Byli przekonani, że skoro chwaliłem imię Allaha, nie mogę pozostać przy swojej starej wierze.

Afgańczycy obcują z Bogiem w sposób naturalny i ufny. Wiara jest dla nich tożsama z fizyczną egzystencją. Modlitwa jest czynnością niemal fizjologiczną, jak oddychanie czy sen. Choć setki razy byłem świadkiem ich modłów, za każdym razem ogarniało mnie przemożne przekonanie, że dopiero tam ludzie wierzą w Boga naprawdę. Może dlatego, że poza wiarą w Niego i w zbawienie tak niewiele im jeszcze pozostało.

Pomysł talibów i przewodzących im wiejskich mułłów, by na wojennych zgliszczach zbudować państwo na wzór muzułmańskiej wspólnoty z czasów Proroka Mahometa i pierwszych kalifów, światu wydał się szaleństwem. W Europie nikt przecież, nawet najbardziej rozczarowany do życia, nie wzywa do cofnięcia się do czasów Chrystusa i Apostołów. Afgańczykom zaś pomysł ten, przynajmniej na początku, wydał się nie tylko ciekawy, ale zbawienny.

Mułła Chaksar, choć zdradził emira, wciąż uważał, że tylko budując państwo boże na ziemi, Afgańczycy i wszyscy ludzie na świecie mogą zaznać prawdziwego i sprawiedliwego pokoju za doczesnego życia.

– Nie ma księgi prawdziwszej niż ta zesłana nam przez Najwyższego – mówił z przekonaniem. – W niej zawarte są dla nas wszystkie mądrości i wszystkie wskazówki. Idzie teraz o to, by właściwie je odczytać, pojąć i zastosować.

Emir rządził, nie ruszając się niemal ze skromnej izby wymoszczonej dywanami. W Kabulu, formalnie stolicy jego państwa, był najwyżej dwa razy. Nie opuszczał pustynnego Kandaharu. Stąd dowodził wojskami, tu podpisywał edykty, tu naradzał się z uczonymi ulemami i ministrami. Tu jadał posiłki, tu zasypiał, tu przyjmował poddanych.

Towarzyszyli mu sekretarze, z których najwyższy rangą, jeśli akurat nie sporządzał notatek, masował stopy i uda emira. Utrata oka nie była jedyną kontuzją, jaką Omar odniósł na wojnach z niewiernymi. Pociski wroga trafiały go co najmniej pół tuzina razy, raniąc dotkliwie tors i nogi.

W swojej tronowej izbie nigdy nie był sam. Od świtu do późnej nocy przewijały się przez nią setki petentów i gości. Ministrowie przychodzili, by wysłuchać jego rozporządzeń, doradcy – gdy emir zapragnął zasięgnąć ich opinii. Z prośbami o pieniądze przybywali komendanci, wojewodowie, a także prości kierowcy i przewodnicy karawan ciężarówek, które utknęły na kandaharskich bezdrożach. Omar wysłuchiwał próśb w milczeniu, po czym dawał znak najważniejszemu z sekretarzy. Ten sięgał do jednej z kieszeni ukrytych w szatach emira i wydobywał z niej wielki klucz do stojącej tuż przy łożu-tronie skrzyni. Wyjmował z niej pakunki banknotów, odliczał odpowiednią sumę i na skinienie emira wręczał przybyłym.

Kiedy służba przynosiła władcy posiłek, sekretarz jako pierwszy próbował każdego z dań, by sprawdzić, czy w ryżu, kawałkach baraniny lub jogurcie któryś z wrogów – a odkąd ogłosił się emirem, Omarowi ich nie brakowało – nie ukrył zabójczej trucizny.

Wydawać by się mogło, że posada sekretarza emira była zajęciem raczej upokarzającym niż godnym szacunku. Nic bardziej mylącego! Najważniejszy sekretarz był na dworze kluczową postacią. To on decydował o kalendarzu audiencji, on szeptał emirowi do ucha, on przynosił plotki krążące po emiracie. Mułła Abdul Wakil Motawakkel, który wywodził się z pośledniego pasztuńskiego plemienia Kakar, pełniąc przez wiele lat obowiązki sekretarza, tłumacza i osobistego kierowcy emira, zaskarbił sobie tak wielkie zaufanie i zdobył tak wielkie wpływy, że powierzono mu posadę ministra dyplomacji. Zyskał też opinię najbardziej liberalnego ze wszystkich dworzan emira.

Kiedyś w Kabulu zapytałem Motawakkela, co oznaczało być liberałem wśród talibów. Jego wiecznie senne oczy ożywiły się nieco, a z pucołowatej twarzy zniknęła na chwilę mina wiecznie rozkapryszonego dziecka. Wydął usta i kazał sobie jeszcze raz powtórzyć pytanie, jakby go nie rozumiał. Tłumacz przez dobrych kilka minut szeptał mu do ucha, przerażony groźbą gniewu przełożonego. Bał się, że mułła nie zrozumiał jego przekładu. Bał się też, że nazbyt długo i drobiazgowo objaśniając Motawakkelowi sens pytania, może wywołać wrażenie, iż powątpiewa w intelekt ministra.

W końcu Motawakkel zmarszczył się z niesmakiem i odparł, że nie rozumie, co mam na myśli, rozprawiając o jego liberalizmie.

– Choćby to, że spotyka się pan z cudzoziemcami, i to nie tylko mężami stanu, ale żurnalistami jak ja.

– Ależ to należy do moich obowiązków służbowych – odparł mułła, uśmiechając się z ulgą i pobłażaniem.

Bosonogi, w powłóczystych, zgrzebnych szatach, Omar wyróżniał się spośród towarzyszy jedynie wyjątkowym wzrostem. Zanim jego sekretarze i przyboczna gwardia odgrodzili go od świata szczelnym murem wymogów bezpieczeństwa i protokołu, kwatera Omara niczym nie różniła się od sztabów innych afgańskich komendantów i chanów. Nigdy nie udało mi się pojąć, kim byli ludzie odwiedzający Ahmada Szaha Massuda, hadżiego Abdula Kadira czy Ghari Babę z Ghazni. Po co przychodzili, kto ich wpuszczał i wedle jakiego porządku? Na jakich prawach uczestniczyli we wspólnych wieczerzach, naradach, debatach? Przepływali senną falą przez wiecznie otwarte drzwi, witali się z gospodarzem uściskiem dłoni lub pocałunkiem, a czasem bez słowa rozsiadali się pod ścianami na rozrzuconych na podłodze dywanach, materacach i poduszkach. Przysłuchiwali się, o czym rozmawiano, czasami wtrącali zdanie lub dwa, a czasami po prostu zapadali w zamyślenie i wracali do życia, gdy w drzwiach stanął ktoś nowy. Niekiedy strudzeni lub znużeni zasypiali na poduszkach. Gospodarze też zdawali się nie zwracać uwagi na gości. Całe dnie upływały na takich pozornie chaotycznych naradach, biesiadach, czekaniu na nie wiadomo co.

Omar odzywał się niewiele. Raczej słuchał, co mają do powiedzenia ci, którzy przybywali do jego izby. Rahimullah Jusufzaj, który rozmawiał z Omarem przynajmniej tuzin razy, odnosił wrażenie, że mrukliwość mułły wynikała z jego nieśmiałości i – w pierwszym okresie sprawowania władzy – niewiary w siebie, a także nieufności do wszystkich i wszystkiego, co było mu obce i nieznane.

– Nie wiem dlaczego, ale szybko udało mi się zdobyć zaufanie Omara. Do tego stopnia, że od czasu do czasu dzwonił nawet do mnie do redakcji – mówił.

Na opowieści o afgańskim emirze Rahimullah starał się zapraszać do swojego gabinetu przynajmniej po kilku zagranicznych dziennikarzy. Poza przywódcami talibów, którzy niechętnie rozmawiali o pierwszym spośród siebie, Rahimullah był właściwie jedynym źródłem wiedzy o Omarze i każdy cudzoziemiec przybywający do Peszawaru przed podróżą do Afganistanu chciał się z nim spotkać choćby na krótką chwilę. Znudzony powtarzaniem w kółko tego samego, Rahimullah szukał rozmaitych sposobów, by nie postradać zmysłów.

– Kiedyś zadzwonił do mnie, bym mu coś poradził – wspominał. – Amerykanie domagali się od niego, by im wydał albo przynajmniej przegnał z Afganistanu saudyjskiego banitę Osamę ben Ladena, który korzystał z jego gościny. Omar powiedział mi, że wymyślił, by wysłać Osamę na Kaukaz, do Czeczenii. Chciał wiedzieć, co o tym sądzę. To był wrzesień dziewięćdziesiątego dziewiątego i rosyjska armia właśnie najechała ponownie na Czeczenię. Powiedziałem więc Omarowi, że wysłanie Osamy w takiej chwili na Kaukaz nie byłoby najszczęśliwszym pomysłem.

W wiejskim meczecie w Singesarze Omarowi zdarzało się wygłaszać kazania, przemawiać do wiernych. Kiedy jako przywódca powstania talibów musiał przenieść się do Kandaharu, wykręcał się, jak mógł, nawet od odprawiania modłów w głównym meczecie miasta. Dopiero gdy ogłosił się emirem i dzięki nieograniczonej niemal władzy w cudowny sposób nabrał wiary w siebie, postanowił prowadzić modlitwy we wszystkie najważniejsze święta, choć zgodnie z obyczajem przywilej ten należał tylko do największych mędrców i uczonych w Piśmie.

Według kandaharskich duchownych Omar, wiejski mułła, prowadził modły fatalnie. Mylił się wciąż, zapominał wersetów, a jego arabska wymowa pozostawiała tyle do życzenia, że wielu nabrało podejrzeń, iż emir nie rozumie, co mówi.

Pakistański doktor Dżalilullah, podobnie jak dziennikarz Rahimullah wywodzący się z pasztuńskiego plemienia Jusufzajów, też dostąpił zaszczytu audiencji u emira i zaskarbił sobie jego zaufanie. Lecząc zaś jego i dwór, doktor niezamierzenie zyskał bezcenną wiedzę o obyczajach afgańskiego władcy. Kiedy w ciemnym pokoju hotelu „Green" w Peszawarze wyliczał przywary emira: gburowatość, prostactwo, brak ogłady, nieskładna i niespójna mowa, niemal całkowity brak wykształcenia, marna znajomość nawet powszechnego w Afganistanie języka perskiego – miało się wrażenie, że sam sobie zadaje pytanie, w jaki sposób Omar został nagle wyniesiony na najwyższy urząd.

Sajjed Abdullah Nuri, przywódca mudżahedinów z sąsiedniego Tadżykistanu, trafił przed oblicze afgańskiego emira, choć wcale nie zabiegał o widzenie. Wraz z grupą parlamentariuszy wracał do Taloghanu z irańskiego Meszhedu, gdzie spotkali się na rozmowach z wysłannikami

rządu tadżyckiego, którego nie uznawali i przeciwko któremu prowadzili wojnę. Pobici i wypędzeni z kraju znaleźli
schronienie i opiekę u swoich rodaków, afgańskich
adżyków, zamieszkujących doliny Hindukuszu.

Niegdyś tadżyccy mudżahedini wzorowali się na afgańskich i wierzyli, że im też uda się pokonać bezbożny komunistyczny rząd i zaprowadzić sprawiedliwe porządki w kraju. Kilka lat wygnania w Afganistanie napełniło ich jednak
trwogą. Widząc wojenne spustoszenia u sąsiadów, uznali,
że zamiast bić się z komunistami, lepiej będzie się z nimi
dogadać. Wracali ze spotkania z komunistami w Meszhedzie, gdy myśliwce talibów zagroziły drogę ich samolo-
towi i zmusiły do lądowania w Kandaharze. Z podmiejskiego lotniska przestraszeni nie na żarty Tadżycy zostali
zawiezieni na dwór emira.

– Emir chciał wiedzieć, kim jesteśmy i skąd się wzięliśmy
na afgańskim niebie – opowiadał Nuri. – Przez trzy kwadranse wypytywał nas, czy jesteśmy muzułmanami, w imię
czego wywołaliśmy wojnę i dlaczego ją teraz chcemy przerwać. Na koniec zapytał, jak naszym zdaniem mają się sprawy w jego kraju i jak on sam miał postąpić ze swoimi wrogami, którzy odmówili podporządkowania się jego władzy.
Było to trudne pytanie, ponieważ sami korzystaliśmy
z gościny jednego z wrogów emira, komendanta Ahmada
Szaha Massuda, i właśnie zmierzaliśmy do jego stolicy,
Taloghanu. Powiedziałem Omarowi, że zgoda i rokowania
są zawsze lepsze niż wojna. Emir pokręcił głową i rzekł, że
rozmowy i układy nie prowadzą do niczego dobrego, natomiast wojna oraz ostateczne zwycięstwo którejś ze stron
jest rozstrzygnięciem sprawiedliwszym i trwalszym. Poprosił nas, żebyśmy spędzili noc na jego dworze, a nazajutrz
rano pozwolił nam udać się w dalszą podróż. Rozmawia-
liśmy po persku, ale słabo władał tą mową. Odniosłem też
wrażenie, że nie wyznawał się zanadto w sprawach teologii,
44   a także polityki.

Wkrótce po nieplanowanej wizycie w Kandaharze tadżyccy mudżahedini dobili targu z komunistami. Wielu ich komendantów zostało ministrami, a Nuriego, choć nadal oficjalnie był przywódcą opozycji, uważano w Tadżykistanie za osobistość ustępującą znaczeniem jedynie prezydentowi.

Omar żył prosto i skromnie, jak jego poddani. Nie był to jednak z jego strony akt polityczny, przemyślany gest mający na celu zdobycie poklasku czy demonstracja jakiegoś wzoru postępowania. Nie było w tym żadnej ostentacji.

Drogimi samochodami, które przysyłano mu w prezencie, w miarę jak rosła jego potęga i sława, obdarowywał znaczniejszych komendantów i mułłów lub po prostu tych, którzy go o to prosili. Sam jeździł konno albo na motocyklu. Swojego ogrodnika zbeształ za to, że na dziedzińcu nowego domu wypielęgnował kwiatowe rabatki i trawniki. „Po co to? Komu to potrzebne?" – krzyczał i kazał w miejsce kwiatów posadzić warzywa. Kucharzowi zaś zabronił przyrządzać codziennie posiłki z mięsa, którego jego żołnierze nawet nie widywali. Nad smakowite szaszłyki czy pilaw przedkładał jogurt i warzywa, a szczególnie zieloną cebulę, którą pogryzał z chlebem jak jabłka.

A gdy odwiedził parcelę, na której murarze wznosili mu wspaniały pałac ufundowany przez jego saudyjskiego gościa Osamę ben Ladena, i zauważył wystające z murów zbrojeniowe pręty, szczerze zachwycony kazał je tak zostawić, by służyły jako znakomite wieszaki na ubrania i karabiny. Kazał też usunąć z łazienek sedesy i zamiast nich wybić w podłodze kloaczne otwory.

W nowej rezydencji na przedmieściu, tam gdzie pustynna równina wspina się mozolnie w góry, a powietrze jest czystsze, mniej upalne i rześkie, Omar zamknął się za wysokim, ceglanym, strzeżonym przez żołnierzy murem odgradzającym go od dawnego życia. Przed zgubną pamięcią

i tęsknotą za tym, co było, miały go strzec wykładane naj-
piękniejszymi marmurami podłogi, schody i kominki, kryształowe żyrandole, kolumny krużganków imitujące pnie
drzew, fontanny, ścienne malowidła przedstawiające ośnieżone góry, kwieciste łąki, zielone rzeki i heroiczne sceny bitewne, źródlana woda płynąca prosto z chromowanych
kranów i ukryte w ścianach dmuchawy, które nawet w najbardziej upalne dni dawały przyjemny, ożywczy chłód. Na
Omarze zrobiło to tak ogromne wrażenie, że kazał wmuro-
wać dmuchawy także do obory, gdzie trzymał siedem krów.

Kazał też udoskonalić dach pałacu tak, by ochronił
go przed atakiem samolotów, którymi straszyli go cudzoziemcy. Przez całe lata zaprzyjaźnieni z talibami kupcy sprowadzali do Kandaharu nieprawdopodobne ilości zużytych
opon samochodowych, które Omar polecał murarzom
umieszczać warstwami na dachu na przemian z deskami,
gliną i betonem. Nowa konstrukcja zniszczyła estetyczną
wizję architektoniczną, ale miała ratować emirowi życie.
Nieprzyjacielskie śmiercionośne pociski miały odbijać się
od dachu Omarowego pałacu jak piłki.

Na razie jednak na afgańskich bazarach wciąż opowiadano historie o tym, jak to wzorując się na swoim wielkim
imienniku, kalifie Omarze, wymykał się w przebraniu ze
swego pałacu, by wmieszać się w tłum, nierozpoznany usłyszeć, co naprawdę mówią jego poddani, czym się martwią,
z czego się cieszą. Jeśli podczas takiej sekretnej wyprawy
jednooki emir usłyszał więcej skarg niż zachwytów, następnego dnia rozkazywał wieszać na obwoźnych szubienicach z czołgowych luf rabusiów, szubrawców, lichwiarzy,
nieuczciwych urzędników i niegodziwych komendantów.

Po latach anarchii, bezprawia i gwałtu skromny, prosty,
sprawiedliwy i surowy, a czasami nawet okrutny emir wydawał się mieszkańcom Kandaharu darem Niebios. Łatwo godzili się na narzucone im przez władcę zakazy i wyrzeczenia. Pożegnali się z muzyką, telewizją i wszelką rozrywką,
zgodzili się nawet pozamykać w domach swoje kobiety.

46

W zamian bowiem otrzymali przejezdne drogi, a co za tym idzie, tańsze towary na targowiskach, dostali bezwzględne prawo, które uporządkowało ich życie. Ulga przeważała nad poczuciem bezsilności i upodlenia. Musiał minąć jakiś czas, a poprawa losu musiała ludziom spowszednieć, żeby porządki emira i jego talibów stały się dokuczliwe.

Afgańczykom łatwo było wyrzec się przyjemności i rozrywek uznanych przez emira za grzeszne także dlatego, że mułła Omar nie pozbawiał ich niczego, czym sam cieszyłby się w ukryciu. Emirowi może brakowało wiedzy, manier i ogłady charakteryzujących władców innych krajów, nie sposób było mu jednak zarzucić hipokryzji.

Miał małe słabości – uwielbiał zapasy i potrafił godzinami przyglądać się splecionym w morderczym uścisku wojownikom, próbującym powalić rywala na ziemię.

Lubił też aromat pachnideł, które nosił zawsze przy sobie w specjalnym flakoniku. Opowiadał, że zostały sporządzone według tej samej receptury, jakiej używał na własne potrzeby sam Prorok Mahomet. Lubił też patriotyczne i wojenne pieśni Saradżiego. Podróżując samochodem, kazał kierowcy puszczać kasety Saradżiego i wciśnięty w kanapę, z pochyloną głową, zapominał o bożym świecie, mamrocząc pod nosem:

> To jest nasz dom,
> tygrysów dom i lwów,
> to kraj potężnych gór,
> zielonych łąk i rzek.
> Lecz nade wszystko to
> kraj wojowników jest,
> kraj męczenników, tych,
> co zań przelali krew.

Choć nikt nie tylko nie uznał w nim przywódcy wszystkich wiernych, a nawet prawowitego władcy Afganistanu, w Kandaharze jego rządy były absolutne i niepodważalne. Nic w kraju nie mogło wydarzyć się bez wiedzy i zgody Omara. Sam podejmował wszystkie decyzje. I te najważniejsze, o wojnie i pokoju, i te z pozoru poślednie – na przykład którego cudzoziemskiego dziennikarza należy wpuścić do kraju, a któremu zabronić wjazdu. Zabierało to wiele czasu i komplikowało życie, ale biada temu, kto ośmieliłby się uzurpować sobie choćby najmniejszą cząstkę władzy.

Biada też ministrowi, który pozwolił sobie mieć jakiekolwiek polityczne ambicje i nie skrywać ich! Groźny mułła Amir Chan Mottaki, który dosłużył się przed laty jednego z najważniejszych w emiracie stanowisk ministra kultury i informacji, nazbyt otwarcie zaczął przymierzać się do jeszcze ważniejszej posady ministra dyplomacji. Nie tylko jej nie otrzymał, ale choć zaliczał się do najstarszych i najwierniejszych przyjaciół Omara, stracił nawet tę dotąd piastowaną i niezwłocznie został zdegradowany do roli ministra szkolnictwa wyższego.

Mottaki przypominał mi irańskiego ajatollaha Mohtaszemiego, którego poznałem w Teheranie. Cieszył się kiedyś opinią jednego z najradykalniejszych, najbardziej wojowniczych przywódców rewolucji muzułmańskiej i usiłował przenosić jej zarzewie w każdy zakątek świata, aby w końcu zwyciężyła i przyniosła sprawiedliwe porządki. Kiedy spotkałem go w Teheranie, jego polityczna gwiazda nie świeciła już tak jasno. Po śmierci przywódcy rewolucji imama Chomeiniego został wraz z innymi, podobnymi mu rewolucjonistami odsunięty od rządu przez sprytniejszych i bardziej zaradnych mułłów i urzędników, którzy głosili potrzebę pragmatyzmu, a których Mohtaszemi nazywał hipokrytami i zdrajcami Sprawy. Dawniej nie zawracał sobie głowy wizytami cudzoziemskich dziennikarzy. Teraz, zapomniany, witał gości ze szczerą radością. Kiedy zostałem wprowadzony do wymoszczonego perskimi dywanami pomieszczenia, które nazywał swoim biurem, powstał z trudem i wyciągnął na powitanie zabliźnione jasnoróżowe kikuty kończących się na łokciach rąk. Dłonie stracił w Bejrucie, dokąd pojechał podburzać tamtejszych muzułmanów przeciwko skorumpowanym, bezbożnym reżimom. Bomba, która omal nie pozbawiła go życia, eksplodowała pod mównicą, kiedy oparty o nią przemawiał.

W spojrzeniu Mottakiego rozpoznałem ten sam ogień, który wciąż palił się w oczach Mohtaszemiego.

Kiedy ostatni raz widziałem Mottakiego, wielki plaster przyklejony pośrodku czoła na jakiś czas odebrał mu wizerunek okrutnego wojownika. Nie wyglądał już jak rycerz bez skazy i miłosierdzia dla wrogów. Irytujący Mottakiego opatrunek, którego w czasie rozmowy wciąż dotykał dłońmi, założono mu na ranę, jaką odniósł w zamachu bombowym. Minister jechał ze swoimi żołnierzami z ministerstwa do hotelu „Ariana", gdzie mieszkał, odkąd przeniósł się do Kabulu z rodzinnego Kandaharu. Stojący na poboczu szerokiej ulicy i – jak się potem okazało – nafaszerowany trotylem samochód wyleciał w powietrze w chwili, gdy obok przejeżdżał terenowy datsun Mottakiego. Odłamki śmiertelnie poraniły pięciu przechodniów, ale ministrowi dużej krzywdy nie zrobiły. Kawałki szkła poharatały mu tylko twarz.

– To miasto pełne jest wrogów. Nie pierwszy to zamach i nie mnie jednego chcieli zabić – Mottaki ze stężałą twarzą wracał wspomnieniami do chwili, gdy śmierć przeszła tak blisko. Jeśli bowiem wrogowie wiedzieli, kiedy i którędy będzie jechał przez miasto, oznaczało to tylko jedno: któryś z jego najbliższych doradców i najbardziej zaufanych żołnierzy był zdrajcą. – Chcą zgładzić nas wszystkich.

Dwa lata wcześniej samochód-pułapkę ustawiono w Kandaharze przy drodze do Heratu, tuż przed domem emira. Obok znajdował się konsulat Pakistanu oraz gospoda, w której zwykli zatrzymywać się komendanci talibów przybywający po poradę lub z prośbą do emira. Ciężarówka, cysterna, wydała się podejrzana wartownikom i postanowili ją odciągnąć sprzed bramy. Bomba eksplodowała, zabijając ponad czterdziestu ludzi, w tym dwóch braci i szwagra emira. Jeden z jego synów został ranny. To, że nie zginął sam mułła Omar, graniczyło z cudem. Życie zawdzięczał młodemu, ślepo mu oddanemu Hafezowi Madżidowi, który wyciągnął go z płonącego samochodu, bo właśnie zamierzał wyruszyć w podróż. Omar uczynił później dwudziestoparoletniego Hafeza komisarzem policji w całym Kandaharze.

Po każdym z zamachów, do których dochodziło w Kabulu tym częściej, im dłużej i bezwzględniej panowali talibowie, ich żołnierze urządzali obławy, aresztując prawdziwych i rzekomych złoczyńców. Jedni trafiali do więzienia Pul-e Czarhi na przedmieściach stolicy, inni kończyli na szubienicach ustawianych na stadionie, targowisku przed meczetem czy też na ruchliwych skrzyżowaniach.

Mottaki nie cierpiał tego miasta nie mniej niż sam Omar. Kosmopolityczny, zapatrzony w Europę Kabul był im obcy i nieprzyjazny, tym bardziej że większość mieszkańców pochodziła z zaczynającej się pod miastem doliny Pandższiru, ojczyzny i niezdobytej twierdzy najgroźniejszego z wrogów talibów, tadżyckiego komendanta Ahmada Szaha Massuda. Talibowie nie ufali obrotnym i wykształconym kabulskim Tadżykom, którzy dzięki swojej zaradności i energii królowali od dawna w afgańskiej stolicy. Wtrącali ich pod byle pozorem do więzień, zwalniali z posad w administracji, by nie szpiegowali dla Massuda. Ale każdy zwolniony, uwięziony czy stracony urzędnik sprawiał, że talibom było coraz trudniej rządzić.

Mottakiego spotykałem też wiele razy na podkabulskim płaskowyżu Szomali, gdzie przebiegał front. Podczas jednej z rozmów przyznał, że wolałby walczyć niż przesiadywać w gabinetach i że życie żołnierza jest mu bliższe i bardziej zrozumiałe niż stołecznego urzędnika, choćby i dygnitarza.

Lubił też rozprawiać o szlaku handlowym do Turkmenii i Uzbekistanu, który zamierza otworzyć Afganistan. Według niego byłoby to równie ważne wydarzenie, jak kiedyś odkrycie drogi morskiej do Indii. Narzekał, że przewlekła wojna odgradza Azję Środkową od świata, skazuje na zacofanie i biedę. Rosja – twierdził – celowo straszy Uzbeków, Turkmenów, Tadżyków i Kazachów talibami, by przerażeni sami prosili ją o pozostawienie wojsk na granicy. W ten sposób – dowodził – Rosja utrzymuje naszych braci w zależności.

Wizje gwarantujących zarobek karawan przemierzających Azję starożytnym Jedwabnym Szlakiem mogły zawrócić w głowie brodatemu, długowłosemu Mottakiemu, któremu zamarzyła się posada ministra dyplomacji. Omar nie tylko odebrał mu nadzieję, ale nie pozwolił też wrócić do dawnego wcielenia mułły i żołnierza, w którym Mottaki czuł się tak dobrze. Emir skazał go na pozostanie w mieście, w którym wszystko było mu nienawistne. W dodatku w roli ministra zajmującego się szkolnictwem, czyli czymś, co w ogóle nie istniało.

Jeszcze okrutniejsza kara spotkała innego starego druha mułły Omara, wiarusa mułłę Mohammada Ghausa. Jako minister dyplomacji bez uzgodnienia z emirem skrzyknął się z ministrem lotnictwa cywilnego i turystyki oraz prezesem banku centralnego Ihsanullahem, tym samym, który pierwszy wezwał, by ogłosić Omara emirem, i wspólnie wyruszyli na wyprawę wojenną przeciwko zamieszkującym afgańskie północne stepy krnąbrnym i wojowniczym Uzbekom. Może chcieli się tylko jeszcze bardziej przysłużyć emirowi. A może, kto wie, prowadząc i wygrywając wojnę na własną rękę, myśleli o rzuceniu mu wyzwania? Wyprawa zakończyła się jednak klęską, ślepy mułła Ghaus stracił najlepsze pułki, a sam trafił do niewoli, z której w dodatku w jakiś niezwykły sposób uciekł. Emir nie tylko nie okazał mu współczucia, ale wygnał bez słowa z dworu i mulle Ghausowi nie pozostało nic innego, jak sprzedawać ziemniaki na targowisku w Kandaharze i modlić się o przywrócenie do łask emira.

Aby utrzymać w posłuchu nazbyt ambitnych dworzan, emir dbał o to, by gubernatorem nie został mianowany ktoś wywodzący się z prowincji, którą miał zarządzać. Przysyłani z Kandaharu namiestnicy traktowani byli przez podwładnych jako obcy, często nie mówili nawet miejscowym narzeczem, nie znali miejscowych tradycji. Nie mieli więc żadnych szans na uczynienie z podległej prowincji udzielnego księstwa, z którego można by wyruszyć po władzę w całym kraju. Emir nie pozwalał też, by któryś z ministrów zasiedział się nazbyt długo na powierzonym stanowisku, za dobrze poznał tajniki resortu, a przede wszystkim podwładnych i poddanych, zdobył ich szacunek albo zwyczajnie posłuch. By poczuł się zbyt pewnie, stał się lepszy niż inni, a więc niebezpiecznie się wyróżniał. Ciągła rotacja, a także rzadki zwyczaj posyłania co jakiś czas ministrów na wojnę należały do najważniejszych reguł utrzymywania równowagi politycznej na dworze emira.

Minister kultury Kwadratullah Dżamal nie widział nic dziwnego czy też nagannego w tym, że od czasu do czasu przychodziło mu porzucać wygodny gabinet w stołecznym śródmieściu i wyruszać na któryś z frontów, by dowodzić talibami podczas bitew, oblężeń czy przemarszów.

– Dla mnie to nie stanowi żadnej różnicy – mówił tubalnym, pewnym siebie głosem. – Wybraliśmy Omara na przywódcę i zgodziliśmy się słuchać jego rozkazów. Osobiste ambicje i żądza władzy są grzechem wobec islamu, który zaleca tylko wzorowe wykonywanie obowiązków związanych z powierzonym urzędem. Emir wyznacza zadania, a nam pozostaje tylko wypełniać je, jak potrafimy najlepiej. Dziś może kazać mi być ministrem, a jutro dowodzić frontem. Muszę być zarówno dobrym ministrem, jak komendantem. Cóż zresztą złego w tym, że ministrowie walczą na froncie? Wszyscy przecież byliśmy kiedyś partyzanckimi komendantami. Wielu z nas lepiej potrafi walczyć niż zarządzać.

Kwatera Kwadratullaha mieściła się w jednym z nielicznych gmachów, które jakimś cudem wyszły cało z ulicznej wojny i bombardowań. Pobliski hotel „Spinzar", gdzie zatrzymałem się, kiedy dziesięć lat temu po raz pierwszy odwiedziłem Afganistan, nie miał tego szczęścia. Bomba oderwała całą ścianę frontową, a kikuty ocalałych murów straszyły czarnymi oczodołami wypalonych okien. Niedaleko Ministerstwa Kultury wznosił się też jedyny w całym mieście, kilkunastopiętrowy wieżowiec Ministerstwa Łączności, najwyższy budynek w Kabulu, pamiątka z czasów, gdy jeszcze budowano, gdy jeszcze nie nadeszła epoka wielkiej destrukcji. Wmurowany w fasadę gmachu zegar niezmiennie wskazywał godzinę ósmą trzydzieści pięć.

Kiedyś mieściła się tu poczta główna, z której zawsze można było dodzwonić się do pakistańskiego Peszawaru, a przy odrobinie szczęścia nawet do Europy. Znajdował się tam też drugi działający w mieście teleks. Pierwszy stał w hallu hotelu „Kabul". Wielki, warczący jak karabin maszynowy, podskakiwał w rytm wystukiwanych klawiszy, przemieszczając się chaotycznie po wyłożonej marmurem podłodze. Zwykle zaczynałem nadawanie korespondencji pod oknem, skąd miałem widok na wielki park, po którym przechadzały się znudzone, wyliniałe pawie. Nadawanie kończyłem nierzadko pod schodami, dokąd drobnymi kroczkami uciekał teleks, jakby chciał wymknąć się niepostrzeżenie z hotelu i miasta.

Mudżahedini, którzy właśnie zajęli stolicę, nie bardzo chyba wiedzieli, do czego służył. Stary recepcjonista w garniturze z grubej wełny zapewne wiedział, ale obrażony na cały świat nie zamierzał dzielić się z nikim swoją wiedzą. Demonstracyjnie nie zauważał brodatych mudżahedinów, których jako najnowszych władców kraju obarczał winą za zmiany, jakie spowodowali w jego życiu, nie pytając go nawet o pozwolenie. Pogrążony we własnych myślach nikomu nie zamierzał ani pomagać, ani przeszkadzać. Wzruszał ramionami i udawał, że nic nie rozumie, zarówno gdy pytałem go o taśmę perforacyjną, jak o rachunek za wysłaną korespondencję.

Kiedy przyjechałem do Kabulu dwa lata później, po teleksie, recepcjoniście i pawiach nie było już śladu. Zamiast marmurowej podłogi w hotelowym hallu ziała głęboka jama wydrążona przez bombę, która przebiła dach i wybuchła w piwnicy, wciągając w otchłań mury.

Odtąd, ilekroć przyjeżdżałem do Kabulu, zawsze mieszkałem w górującym nad miastem hotelu „Intercontinental". Z woli emira wszyscy cudzoziemcy odwiedzający jego kraj mieli teraz mieszkać w miejscu, które on sam osobiście wskazał.

„Intercontinental" leżał na przedmieściu, z dala od śródmiejskich dzielnic Wazir Akbar Chan i Szahr-e Nau, w których mieściły się wszystkie urzędy i gdzie do południa można było spotkać ministrów talibów, jeśli akurat wezwani przez emira nie przebywali w Kandaharze. Gmach podległego Kwadratullahowi Ministerstwa Kultury stał w samym sercu miasta. Stąd wszędzie było blisko. I na położony tuż za rzeką największy bazar w Kabulu, i do odbudowanego Błękitnego Meczetu Pul-e Cheszti, gdzie często odprawiali modły najważniejsi przywódcy talibów, i do Ministerstwa Dyplomacji, gdzie od czasu do czasu odbywały się konferencje prasowe dla dziennikarzy.

W gabinecie Kwadratullaha spędzałem długie godziny, zabijając czas w oczekiwaniu na umówione gdzieś w pobliżu spotkania, odpoczywając przy zielonej herbacie i ocukrzonych migdałach, ale przede wszystkim wysłuchując, jak minister i podlegli mu dyrektorzy tłumaczyli niezwykłe, niezrozumiałe dla obcych prawa oraz konieczność zburzenia liczących półtora tysiąca lat i uznanych za dziedzictwo ludzkości ogromnych skalnych posągów Buddy
54 wykutych w górach Hazaradżatu.

Któregoś popołudnia uciąłem sobie z ministrem Kwadra-tullahem pogawędkę o muzyce, także zakazanej przez emi-ra jako grzesznej i odciągającej wiernych od modlitwy i Boga. Pora była poobiednia, ministerstwo zamknięte dla petentów, atmosfera nastrajająca refleksyjnie, pogodnie.

Dyskutowaliśmy o muzyce, a więc o czymś, czego w Af-ganistanie nie ma, a przynajmniej być nie powinno. Muzyki dotyczył jeden z pierwszych dekretów emira, wydanych zaraz po tym, jak jego żołnierze zdobyli Kabul. Brunatne, szeleszczące na wietrze nitki magnetofonowych tasiemek, powyciągane ze zniszczonych kaset, także dziś kojarzą mi się z tamtymi wrześniowymi dniami w Kabulu. W rozśpie-wanej, rozkochanej w muzyce Azji Afganistan stał się pod rządami talibów jedynym krajem milczenia.

Minister zdążył się już przyzwyczaić do moich wizyt w urzędzie. Nie szukał nerwowo słów, by odpowiedź była politycznie jak najpoprawniejsza, nie wywołała skandalu i nie ściągnęła na niego gniewu przełożonych.

– Nie jesteśmy przeciwko muzyce jako takiej – powie-dział w pewnej chwili minister kultury. – Za złą uważamy tę muzykę, która wyzwala w ludziach najgorsze instynkty, agresję, żądzę, która apoteozuje grzech, sieje zwątpienie w Boga. Nie mamy zaś nic przeciwko muzyce religijnej, opo-wiadającej o Wszechmogącym i ułatwiającej ludziom odna-lezienie Go. Muzyce poważnej, skłaniającej do rozmyślań.

– Beethoven nie będzie więc grzechem?

– *Be towen?*

Według Chaksara Omar zbłądził, ogłaszając się emirem. Zbłądził też, gdy zawierzył zbytnio swojemu saudyjskiemu gościowi Osamie ben Ladenowi. Broniąc go przed obcymi, ściągnął na kraj nieszczęście.

– Emir... Odwodziłem go od tego pomysłu. Któregoś dnia jechaliśmy razem samochodem do Kandaharu. Wiedziałem, że Omar przemyśliwał już nad tym, żeby ogłosić się emirem, 55

spadkobiercą kalifów. Wielu mu to podpowiadało. Tłumaczyli mu, że tylko w ten sposób przerwie wojnę. Że żaden
muzułmanin nie ośmieli się wystąpić przeciwko emirowi.
Ale tym, którzy popychali do tego Omara, chodziło nie
o przerwanie wojny, lecz o jej wygranie. Chcieli rządzić.
Wtedy w samochodzie zaklinałem go, by tego nie czynił.
Jakże możesz sam ogłosić się emirem, przywódcą nie tylko
Afganistanu, ale wszystkich muzułmanów świata? Nikt cię
nie posłucha. Uznają cię za uzurpatora.

Omar nie posłuchał jednak Chaksara. W ogóle coraz rzadziej wysłuchiwał rad starych towarzyszy, którzy razem
z nim zaczynali ruch talibów. A odkąd ogłosił się emirem,
nie chciał już słuchać tych, którzy się z nim nie zgadzali.
Otoczył się pochlebcami, którzy mówili mu tylko to, co było
mu miłe i w co sam wierzył. A wierzył, że wskrzesi prawdziwą wiarę nie tylko w Afganistanie, ale w całym świecie
islamu. Że on, wiejski mułła z zapomnianego przez świat
i ludzi zaścianka, stanie się nowym Saladynem, który po-
kona krzyżowców, a może nawet mahdim, wyczekiwanym
przez lud Jedynym Sprawiedliwym, zesłanym tuż przed
dniem Sądu Ostatecznego przez Najwyższego, by wyprowa-
dził Jemu wiernych z niewoli.

– Zaczął odsuwać od siebie nas, weteranów, którzyśmy tu
wyrośli, tu żyli według naszych własnych praw i obyczajów.
– Kiedy opowiadał o tamtych czasach, w oczy Chaksara,
miłośnika starych ksiąg, zakradał się głęboki smutek, jak na
wspomnienie zmarnowanej, jedynej i niespodziewanej
szansy. W tym smutku nie było kipiącej złości za popełnione
błędy czy zaniedbania, ale raczej milczący ból na myśl
o całkowitej bezsilności. – Jego nowymi doradcami i zausznikami stawali się przybysze. Ulemowie wykształceni
w medresach w Peszawarze i Kwetcie, a także Arabowie,
którzy wierzyli w Boga inaczej niż my i inaczej niż my rozumieli boże porządki. No bo cóż wspólnego z państwem
bożym ma długość brody czy też krój i kolor koszul? To oni
56 wkładali Omarowi do głowy, że nie wolno mu myśleć tylko

o Afganistanie, że mógłby stanąć na czele światowej muzułmańskiej rewolucji, zostać mahdim. Myślę jednak, że tym obcym chodziło głównie o przychylność Omara. W swoich krajach byli banitami, ścigały ich wyroki sądów. Muszę się panu przyznać, że między mną a Osamą nie było przyjaźni. Nieraz pytał mnie: dlaczego mnie aż tak nie lubisz? Za to z Omarem przypadli sobie do gustu nadzwyczajnie. Ilekroć przyjeżdżał w gości do Kandaharu, zamykali się obaj na długie godziny i nikt nie mógł im przeszkadzać. – Usta Chaksara, ledwie widoczne w kniei gęstej brody, wykrzywiały się w uśmiechu, który nijak nie pasował ani do jego groźnego oblicza, ani życiowych doświadczeń. Był to uśmiech, a raczej uśmieszek rozbrykanego dziecka, niepotrafiącego ukryć nowej psoty.

Znałem dobrze ten grymas, widywałem go na twarzach niemal wszystkich afgańskich wojowników, wiecznie młodych starców, Piotrusiów Panów w turbanach, z brodami po pas, przepasanych bandolierami, z karabinami na ramieniu, pochłoniętych swoimi bitwami tak bardzo, że nie dostrzegli upływu czasu. Ten zaś, jakby zachwycony, wyjątkowo dla nich przystanął. Może właśnie ich twarze, przywołane wspomnieniami w nas, przybyszach z innego świata, dla których czas nie był tak łaskawy, niezmiennie wywoływały tęsknotę za czymś tak bezpowrotnie utraconym jak młodość.

– Podejrzewałem, że Osama zawrócił Omarowi w głowie opowieściami o mahdim, kalifach, świętej wojnie. Nazywał Afganistan Chorasanem, Krajem Wschodzącego Słońca, krainą, w której rozpocznie się światowa rewolucja sprawiedliwych. Myślę, że tak naprawdę Osama sam siebie widział w roli mahdiego, a Omara i Afganistanu potrzebował tylko po to, by mieć własny Chorasan, gdzie mógłby się ukryć przed wrogami i skąd przypuszczać na nich ataki. Tłumaczyłem Osamie, że wojna w Afganistanie, w której przybył nam pomagać, za co pozostaniemy mu dozgonnie wdzięczni, skończyła się wraz z wypędzeniem komunistów 57 oraz Armii Radzieckiej. Zostaw nas w spokoju, mówiłem mu, jeśli dalej śni ci się święta wojna, wracaj do siebie, do Jemenu, do Arabii i tam obalaj bezbożne reżimy, wyzwalaj ojczyznę islamu spod władzy niewiernych. Saudyjczyk stał się złym duchem Omara, całkiem go omotał. Kiedy Amerykanie zażądali od Omara, by wydał im Osamę, ten nie tylko nie chciał, ale nie mógł już tego uczynić. I myślę, że kiedy w odpowiedzi oskarżał niewiernych, że nie idzie im o osądzenie Saudyjczyka za jego zbrodnie, tylko o zniewolenie muzułmanów, szczerze wierzył w to, co mówi. Sam doprowadził do sytuacji, w której on i jego rząd, i cały Afganistan, i my wszyscy staliśmy się zakładnikami Osamy.

Saudyjczyk odpłacał się hojnie za gościnę. Nie tylko odbudował Omarowi pałac w Kandaharze, nie tylko zachwalał i zachęcał, ale ściągał z dalekiej Arabii i Egiptu świętych mężów, którzy pomagali emirowi wprowadzać boże porządki w – jak go zapewniali – pierwszej na świecie, prawdziwie wolnej oazie, w której muzułmanie żyją po muzułmańsku. Osama zawsze potrafił wyczarować dowolną sumę pieniędzy, ilekroć emir był w potrzebie. Obiecywał, że pośrodku pustyni wybuduje mu nowiusieńką, wspaniałą stolicę pełną równych jak stół ulic, kwiecistych ogrodów i dających zbawczy cień parków, a także największy na świecie meczet.

Dawał też żołnierzy na każdy z frontów. Arab stawał się coraz bardziej potrzebny, emirowi było coraz trudniej się bez niego obyć. Osama chciał nawet wydać za emira jedną ze swoich córek, ale Omar, jakby instynktownie ratując resztki niezależności, odrzucił tę szczodrą ofertę.

Dzień, w którym Omar ogłosił się emirem, był dla Chaksara końcem ruchu talibów. Władza, dotąd znajdująca się w rękach prostych, zwykłych ludzi, mułłów i żołnierzy, teraz przypadła jednemu człowiekowi. Lud oddzielono od rządzących. Wiadomo więc było, że wcześniej czy później rządzący zostaną obaleni.

– Jako emir Omar bardzo się zmienił. Stał się wyniosły, nieufny, podejrzliwy wobec każdego. Wszyscy są przeciwko nam, powtarzał, cały świat sprzysiągł się przeciwko nam, wszyscy nas zdradzili. Mówił to tak, jakby ta zdrada dotknęła go osobiście i jakby dalej wietrzył spisek. Jest mi po prostu żal, tak po ludzku żal. Nie udało się nam. Wielu naszych przywódców natychmiast po przejęciu władzy zapomniało o tym, co było najważniejsze. Staliśmy się zwykłym reżimem, którego jedynym celem jest sprawowanie władzy. Za łatwo pozwoliliśmy obcym sprowadzić się z dobrej drogi. Zbyt ufnie odnosiliśmy się do tych naszych braci z Arabii, którzy przybyli tylko po to, by z naszego kraju siać na świecie przemoc. My, talibowie, nie mieliśmy z tym wszystkim nic wspólnego. Ale wypominając nam zło, jakie wbrew sobie wyrządziliśmy, powinno się pamiętać też dobro, którego wiele po sobie zostawiliśmy. Talibowie nie zginęli, nie zniknęli, nie przepadli. Są w każdej wiosce.

Mułła Chaksar twierdził, że doskonale wiedział, iż cudzoziemcy nie cofną się przed niczym, by upomnieć się o Saudyjczyka, którego emir nie zgadzał się im wydać. Ostatnie dni przed wielką wojną spędził na modlitwach. Jeszcze zanim na stolicę spadły pierwsze bomby, postanowił sobie, że nie wróci do Kandaharu, do emira, w którego zwątpił, ale pozostanie w mieście, zdając się na przeznaczenie, przed którym i tak by nie uciekł.

Z tego, co mu donoszono z Kandaharu, także emir Omar spędzał ostatnie dni przed wojną na modlitwach i medytacjach. Przechadzał się też po cmentarzach wśród oznaczonych zielonymi i białymi chorągwiami mogił zmarłych i poległych towarzyszy. Jakby przeczuwał, że śmierć wkrótce przyjdzie także po niego.

4 Jechaliśmy już czwartą godzinę Przełęczą Chajberską przez martwy kraj. Mijały nas karawany wielbłądów i ciężarówki. Ich podwyższone skrzynie wyładowane bagażami nadawały samochodom wygląd żaglowców. Dookoła rozciągała się szarożółta, skalista, nieruchoma pustynia, pozbawiona życia, zwierząt, drzew, nawet dźwięku i zapachu.

Droga była wyboista i usiana odłamkami skalnymi o tak ostrych krawędziach, że przecinały opony. Autobus zatoczył się, stracił równowagę i zsuwając się po pokrytym kamiennym miałem asfalcie, wjechał powoli w zakręt. Dopiero tutaj, gdzie droga była płaska, zarył nosem w pobocze. Kierowca wyłączył silnik i wyciągnął spod siedzenia zapasowe koło.

Wtedy zobaczyłem tego człowieka. Siedział na skale wznoszącej się nad drogą, nieruchomy, wpatrzony przed siebie. Na kolanach trzymał karabin.

Od Dżalalabadu nie spotkaliśmy ludzi. I oto nagle na skale pojawił się samotny mężczyzna. Nie wyglądał na żołnierza ani na wędrowca. Był sam i nawet nie odwrócił głowy, gdy się zatrzymaliśmy. Zdawał się wrastać w skałę, jak część martwego krajobrazu. Afgańczycy w milczeniu przykucnęli w cieniu pod skałą, a my stanęliśmy na skraju drogi, przyglądając się czarnym skorupom czołgów w przepaści. 61

Podróż po drogach Afganistanu jest wędrówką po cmentarzysku czołgów. Podczas wojny z Rosjanami pancerne kolumny na wąskich górskich drogach były ulubionym celem ataków mudżahedinów. Podłożona mina lub celny strzał z granatnika unieruchamiał jadący na czele kolumny czołg i żelazny wąż zamierał sparaliżowany, bezbronny, wystawiony na kolejne uderzenia. Trafione czołgi, wozy pancerne i ciężarówki trzeba było spychać z urwiska, by kolumna mogła wymknąć się ze śmiertelnej pułapki. Tysiące czołgowych trupów znaczą drogę z Kabulu przez przełęcz Salang i wydrążony w skałach tunel na północ. Pokiereszowane wyciągają lufy w stronę przejeżdżających samochodów. Inne, jak bezradne żuki, leżą przewrócone do góry brzuchami.

Spocony kierowca mocował się z kołem i pokrzykiwał wściekły na swoich pomocników, którzy otoczyli go wianuszkiem i tępo przyglądali się jego zmaganiom. Słońce stało wciąż wysoko, a do Kabulu mieliśmy niewiele ponad czterdzieści kilometrów.

Gdy znów spojrzałem na skałę, mężczyzny już nie było. Po chwili dostrzegłem, jak wolno idzie kamienistą pustynią nad przepaścią w stronę widocznego po prawej stronie łańcucha gór Hindukusz. Płaska, kamienna równina skracała odległość, w rzeczywistości góry były bardzo daleko. Mężczyzna szedł z karabinem przewieszonym przez plecy. Oddalał się od drogi, ale jego sylwetka nie stała się maleńkim punkcikiem, który znika na horyzoncie, lecz stopiła się z szarością skalistej, zakurzonej pustyni.

Słowo *khak* (*chak*) oznacza w języku dari kurz. Kurz jest kolorem i zapachem Afganistanu. Jesienią nad położonym w rzecznej dolinie Kabulem unosi się szara chmura. Gnany wiatrem z nagich gór Hindukusz, wzbijany stopami przechodniów, niewidzialny i niewyczuwalny pył osiada na ubraniach, wciska się do oczu, do ust, w nozdrza i włosy. Tumany kurzu widać tylko wieczorem, w światłach samochodowych reflektorów. Z góry wygląda to tak, jakby nad miastem zawisła żółtoszarawa mgła, rozmywająca kontrasty i kształty.

Muślinowa zasłona kurzu tłumi dźwięk. Na wzgórzach ponad miastem nie słychać zgiełku bazarów znad rzeki, w nadrzecznych zaułkach nie słychać artyleryjskich pocisków przelatujących z hukiem ponad miastem. Bazarowy gwar zagłusza odgłosy odległych walk.

Pośród otwartych księżycowych pustyń Afganistanu jeszcze trudniej jest dostrzec kształt. Dopiero gdy wzrok przeniknie zasłonę kurzu, rdzawa skała okazuje się glinianym domostwem przyssanym do zbocza góry, od lepianki odrywa się brunatna figurka mężczyzny. Widać też innego mężczyznę, jadącego nieopodal na osiołku. Teraz przez głuchą ciszę wyraźnie przebijają się miarowe uderzenia kowalskiego młota, dobiegające spod odległych gór. Martwa kraina zaczyna żyć.

Khaki, kolor skalistych gór i pustynnych, zakurzonych równin, na których przyszło żyć Afgańczykom, stał się ich barwą naturalną. Ubrania, domy, a nawet twarze są w rozmaitych odcieniach khaki.

Pod wpływem wszechobecnego kurzu i ostrego słońca żywsze barwy szybko płowieją i upodabniają się do otoczenia. Czerwono-granatowe mundury brytyjskich żołnierzy, którzy przybyli w dziewiętnastym stuleciu do Afganistanu, by uczynić z niego kolejną kolonię Korony, były tak widoczne na afgańskich bezdrożach, że stanowiły łatwy cel dla miejscowych partyzantów. Brytyjskie kolumny były dziesiątkowane w licznych zasadzkach, jakie Afgańczycy organizowali w górach i na przełęczach. Nigdzie indziej armia Jej Królewskiej Mości nie poniosła tak dotkliwych klęsk. Wyciągając wnioski z afgańskich porażek, brytyjscy generałowie postanowili odziać swoją armię w nowe mundury, właśnie koloru kurzu.

Rosyjscy żołnierze, którzy sto lat po Brytyjczykach próbowali podbić Afganistan, przybyli już w maskujących mundurach khaki. Ale i oni niewiele wskórali. Ukryci w górach mudżahedini byli nieosiągalni dla rosyjskich czołgów. Wystarczyło, że rzucili się na ziemię i przysypali piachem ubrania, a stawali się niewidoczni dla tropiących ich pilotów rosyjskich śmigłowców. Rosjanie nazywali mudżahedinów „duchami". Nigdy nie było wiadomo, skąd i kiedy się pojawiali ani gdzie znikali. Strzelali, rzucali granaty i rozpływali się wśród skał koloru khaki.

Góry stworzyły Afgańczyków takimi, jacy są dzisiaj. Góry były dla nich twierdzami, naturalnymi obozami warownymi, zza których toczyli wojny i bronili się przed obcymi najazdami. Górom zawdzięczają, że przetrwali. Góry winne są też ich nieszczęściom. Kryjąc się bowiem w skalistych cytadelach, odgradzali się coraz bardziej od świata, aż w końcu zagubiony wśród gór Afganistan, niegdyś kolebka wspaniałych cywilizacji, sam skazał się na zaściankowość.

Bezmiar kraju, dostatek pastwisk i pól pod uprawę, rozproszenie ludności i niedostępność afgańskich ziem sprawiły też, że plemiona wojowniczych Pasztunów, rolnicze ludy Tadżyków, skośnoocy Hazarowie i smagłolicy Uzbecy i Turkmeni nigdy nie stopili się w jeden naród. Żyli przez wieki w swoich dolinach, nie wchodząc jedni drugim w drogę, nie zaprzątając sobie głowy problemami sąsiadów, nie odczuwając nawet potrzeby kontaktów. Zadowalali się panowaniem w dolinach, a wszelką władzę zwierzchnią, centralną, mieli we wzgardzie. Troszczyli się przede wszystkim o utrzymanie *status quo*, podobnie jak drapieżne zwierzęta strzegą swoich terenów łowieckich. Ciągłe wojny, jakie musieli toczyć, by żyć, a także życie w surowych górach i na kamienistych pustyniach, konieczność znoszenia niewyobrażalnych dla innych trudów, niedoli, chłodów i spiekoty wykuły ich na podobieństwo skał, które stały się ich naturalnym środowiskiem, światem skrajności. Mogli w nim żyć tylko najwaleczniejsi, najsilniejsi, najwytrwalsi. Słabi, tchórzliwi, niezaradni nie mieli prawa wstępu do tego świata. Nie mieli też prawa do życia w raju, dokąd w przekonaniu Afgańczyków trafiali wyłącznie mężni wojownicy, przede wszystkim ci, którzy polegli śmiercią niekoniecznie męczeńską, ale koniecznie bohaterską. Afganistan wydał najlepszych na świecie wojowników. Cudzoziemcy mówili o nich z trwogą, że są groźniejsi od afgańskich węży, jadowitych pająków i skorpionów.

Nie czerpali przyjemności z walki ani z zabijania. Wojny o obronę wiary, wolności, ziemi, honoru i udział w nich stały się w ich życiu czymś oczywistym. Toteż się ich nie boją. Walczą bez zacietrzewienia, bez nienawiści, bez emocji. Walczą tak, jak się wykonuje obowiązek. Wiedząc jak mało kto, czym jest wojna, nie rozumieli, dlaczego toczy się je z powodów tak błahych jak polityka czy ideologia. Nigdy nie potrafili też pojąć, że można żądać za to pieniędzy. Ten brak zrozumienia sprawił, że w Afganistanie, krainie wojen, nigdy nie znaleźli zatrudnienia żołnierze najemni.

Wojny między Afgańczykami wybuchały tylko wtedy, gdy któryś z szachów lub obcy najeźdźcy naruszali odwieczną równowagę w kraju.

Afgańczycy wierzą, że kiedy Pan Bóg skończył dzieło tworzenia świata, odkrył ze zdziwieniem, że zostało mu jeszcze wiele rozmaitych elementów i fragmentów, do niczego niepodobnych i do niczego niepasujących. Nie bardzo wiedząc, co z nimi począć, trochę zakłopotany zebrał je w garść i upuścił na ziemię. Przez chwilę przyglądał się, jak spadają, i mruknął: „To będzie Afganistan".

Zastanawiałem się, co ich ze sobą trzyma. Cóż takiego łączy wypiętrzony pod niebo, ośnieżony nawet latem Badachszan, rozpalone kandaharskie pustynie śmierci, falujące stepy Balchu i pokryte wiecznie zielonymi lasami góry Kunaru? Ich mieszkańcy posługują się inną mową, pozostają wierni odmiennym obyczajom. Mają wspólnego Boga, ale i do Niego, bywa, modlą się inaczej. Żyją przecież obok siebie, ale nigdy ze sobą. Nie powodują się chęcią narzucenia czegokolwiek innym, zaborów, podbojów.

Zamiast więc toczyć niekończące się i niczego nierozstrzygające wojny, czy nie lepiej byłoby im rozstać się, rozejść każdy w swoją stronę? Skoro życie razem stało się aż tak nieznośne, czy nie lepiej dla wszystkich byłoby zacząć żyć oddzielnie? Dlaczego nikt nigdy nie pomyślał o separacji, o secesji? Swoimi pytaniami wywoływałem czasami oburzenie, zazwyczaj jednak politowanie. „To niedorzeczne" – mówili Afgańczycy. Prawda, różnili się między sobą – Pasztunowie od Uzbeków, Tadżycy od Hazarów, Turkmenów. Mieli swoje spory i wojny. Ale to były ich spory i ich wojny i obcym nic do tego.

Tak różni od siebie, jeszcze bardziej różnili się od wszystkich innych. Zapominali o różnicach, sporach i przerywali wojny, ilekroć na ich kraj najeżdżał ktoś obcy, próbował odebrać im umiłowaną i mającą posmak anarchii wolność, zmusić do posłuszeństwa i innego życia.

Afgańczycy mają powody, by nie ufać obcym. Hindukuskie przełęcze od zawsze były szlakiem nie tylko kupieckich karawan, ale także najeźdźczych armii, okrutnych wojowników z syberyjskich stepów, opętanych snem o podboju świata i legendą o skarbach Indii, Buchary i Chorasanu. Wędrowali tędy także Macedończycy Aleksandra Wielkiego, Arabowie, Persowie, Mongołowie Czyngis-chana, Tamerlan, Brytyjczycy, Rosjanie. O podboju Afganistanu przemyśliwał nawet Hitler. A wszyscy zostawiali za sobą

zgliszcza.

Kiedy w tysiąc dwieście dwudziestym drugim roku Herat, miasto poetów, malarzy i myślicieli, jedno z najstarszych miast ludzkości, został podbity przez ordy Czyngis-chana, ze stu sześćdziesięciu tysięcy mieszkańców rzeź przeżyło tylko czterdziestu. Siedem i pół wieku później ten sam zmartwychwstały Herat zrównały z ziemią rosyjskie samoloty bombowe. Ale Herat wciąż żyje, wciąż poraża przybyszów swoją witalnością, urodą i otwartością.

Z niezwykłą łatwością powstawania z martwych może się w Afganistanie równać tylko tak gorące, że aż trudne do pojęcia pragnienie życia za wszelką cenę.

Afganistan kryje w sobie jakąś pierwotną energię sprawczą i magnetyzm, nad którymi Afgańczycy, żyjąc nimi na co dzień, nawet się nie zastanawiają, a które dla poszukiwaczy z dalekiego świata bywają najcenniejszymi skarbami, fetyszami przywracającymi władzę nad własnym życiem. Wyprawy do Afganistanu dawały złudzenie podróży w czasie, odnajdywania tego, co już dawno minęło. Nieziszczonego marzenia o zawróceniu przeszłości, by nie popełnić tysięcy możliwych do popełnienia błędów, wszystko cofnąć, naprawić, wyprostować, przeżyć raz jeszcze, jak należy. Życie i czas w Afganistanie toczą się bowiem wspak.

Broniąc się wciąż przed obcymi i nie atakując nikogo, Afgańczycy przestawili kierunek biegu rzeczy. Odgradzając się od obcych, kryjąc się przed nimi w przepastnych dolinach, stracili kontakt ze światem. Zamknęli się w swojej przeszłości, której w istocie bronili. Przeszłość – stare porządki, stare, odwieczne wartości – była jedynym, co znali i czemu pozostawali wierni. Nie nabawili się żadnych kompleksów, obsesji, fobii. Nie czuli się od nikogo gorsi choćby z tej przyczyny, że nigdy nie zostali pokonani. Nie dali sobie niczego narzucić. Nie zarazili się globalno-industrialno--telewizyjno-konsumpcyjnym wirusem, bo nie mieli z nim styczności. Wolni od poczucia niższości, zniewalających obaw, „co ludzie pomyślą", świadomi, kim są, i wierni sobie, zachowali poczucie własnej wartości i siły, które pozwalało im nie słuchać niczyich rad, a tym bardziej rozkazów. Zwróceni wciąż ku przeszłości, nie potrafili myśleć o przyszłości. Nie potrafili znaleźć sposobu, który pozwoliłby im żyć dziś z myślą o jutrze.

Wracaliśmy z linii frontu znad rzeczki Kokcza, gdy na zakurzonej wiejskiej drodze ukazał się pasażerski samolot. Był biały i wielki. Mógłbym przysiąc, że nie widziałem w życiu niczego równie ogromnego.

Stał niemal pośrodku wioski, pustej i tak splądrowanej, że z dala przypominała nie ludzkie siedlisko, ale pustynne skały, dziwacznie wyrzeźbione przez deszcze i wiatr. Samolot był tak samo wypatroszony jak wieś. Nie miał w środku nawet jednej lampki, jednego choćby fotela, przewodu elektrycznego, kół. Spoczywał brzuszyskiem na piachu i kamieniach. Białe cielsko podziurawione było kulami jak rzeszoto.

Godzinę drogi dalej natknęliśmy się na znękanych nudą żołnierzy w ruinach miasteczka wzniesionego przed laty w środku pustkowia dla rosyjskich oficerów, których wysłano do Afganistanu do walki z miejscowym powstańczym komendantem kazim Kabirem i jego towarzyszami. Z miasta, z kilkunastu budynków ułożonych w prostokąt w szczerym stepie, też nie zostało nic poza betonowymi ścianami, podłogami i stropami, których nie dało się rozkraść. Komendant posterunku nazywał się Abdul Samad. Miał koło pięćdziesiątki, ale wyglądał na starca. Utrzymywał, że w poprzednim życiu studiował inżynierię na uniwersytecie w Sankt Petersburgu. Ani on, ani żaden z jego żołnierzy nie znał nazwy wioski, w której wylądował biały samolot.

– Nie jestem stąd – powtarzał komendant, wyraźnie zakłopotany swoją niewiedzą.

Nikt nie potrafił mi wytłumaczyć, dlaczego pilot sprowadził maszynę na ziemię w samym środku wsi, skoro wokół rozciągała się kamienna równina, doskonale nadająca się na prowizoryczne lądowisko. Nie dowiedziałem się, skąd wziął się wielki biały samolot w wiosce nad rzeczką Kokcza.

5 Może dziwić, że Afganistan wydał aż tylu gorących rewolucjonistów. Ale gdzie mają się rodzić buntownicy, naprawiacze, wywrotowcy i zamachowcy, jak nie w krajach najbiedniejszych, nieustannie krzywdzonych i podbijanych, najniesprawiedliwiej urządzonych i rządzonych? Rewolucje rodzą się jednak nie z biedy, głodu ani największych nawet niesprawiedliwości, lecz z rozczarowań. Dokonują ich ludzie, którym pozwolono zrobić krok czy dwa, pozwolono mieć nadzieję, po czym brutalnie zawrócono z drogi. Afganistan wydał rewolucjonistów bez liku. Może właśnie ten nadmiar stał się jego zmorą.

Beznadziejna niezmienność świata zawsze wywoływała wściekłość tych, którzy chcieli go zbawiać. Powodując się raczej rozpaczą niż przemyślanym planem, rewolucjoniści, z zasady albo spóźnieni, albo przedwcześni, bez względu na barwę sztandarów i zawołanie bojowe pragnęli zmienić wszystko natychmiast, aby jeszcze za swego żywota posmakować owoców rewolucji. Opór materii irytował ich i popychał do coraz radykalniejszych działań. Albo też zniechęcał i studził reformatorski zapał. Byli też inni, którzy uważali, że niezależność, pokój i bezpieczeństwo najlepiej osiągnie się nie poprzez pęd do zmian za wszelką cenę, ale przeciwnie, przez możliwie najszczelniejsze odgrodzenie się od otaczającego świata i jego nowinek. Przegrywali niezmiennie i jedni, i drudzy, grzebiąc wraz z sobą kolejne najwznioślejsze idee, odzierając rodaków z kolejnych złudzeń i czyniąc Afganistan pobojowiskiem, na którym toczy się wieczna wojna między pospiesznym, pełnym pychy i wiary w naprawialność ludzi postępem a tradycją. To bezkompromisowe dążenie do ideału okazało się zabójcze, ale jednocześnie pozwoliło zachować godność, wolność i wierność podstawowym wartościom w ich najczystszej postaci.

Afgańscy władcy, a wraz z nimi, chcąc nie chcąc, ich poddani, próbowali chyba już wszystkich rozwiązań. Najwięksi desperaci nie mogli zaakceptować podłej rzeczywistości i porządków, winili więc za nie samego Stwórcę. Wywołując rewolucję, posuwali się nawet do tego, że występowali przeciwko Niemu, a niektórzy wręcz przeczyli Jego istnieniu.

Większość jednak szukała właściwej drogi w imię Boga. Nic nie jednoczyło Afgańczyków tak jak wspólna wiara i nakładany przez nią obowiązek świętej wojny, którą cudzoziemcy pojmowali opacznie jako wojnę z niewiernymi. Dżihad zaś, droga życia wyznaczona przez Proroka Mahometa, jest przede wszystkim walką z własnymi ułomnościami, walką o samodoskonalenie, a także przyzwoleniem na podniesienie buntu przeciwko niesprawiedliwym porządkom i władcom. Z imieniem Boga na ustach ogłaszając święte wojny, afgańscy władcy, buntownicy i marzyciele, każdy po swojemu, szczerze wierzyli, że w bożych przykazaniach i przepisach na wszystko znajdą ratunek i odpowiedź. Odwoływali się do Boga także po to, by porwać za sobą rodaków i poddanych, przekonać ich, że sprawa jest święta i czysta, że podejmują się rewolucji wyłącznie dla dobra ogółu.

Dziewiętnastowieczny emir Abdurrahman w imię Wszechmogącego zaklinał swoich rodaków, by nie słuchali cudzoziemskich natrętów, którzy mamiąc ich błyskotkami, chcieli jedynie ukraść i rozdzielić między siebie afgańskie ziemie. W końcu rozkazał zatrzasnąć na głucho wszystkie bramy do Afganistanu i trzymać je zamknięte, póki afgański rząd i afgańska armia nie będą na tyle silne, by stawić czoło napierającym od północy i południa imperiom Rosji i Wielkiej Brytanii. „Jesteśmy jak biedna koza, na którą chrapkę ma z jednej strony rosyjski niedźwiedź, a z drugiej brytyjski lew" – mawiał, przekonując poddanych, że sam Allah dał im górskie szczyty na obronne twierdze i dopóki będą mogli w nich walczyć zza głazów, pozostaną niepokonani. Nie ufał ani rodakom, ani cudzoziemcom. Pierwszym pod groźbą kary śmierci zabronił nie tylko bez królewskiego zezwolenia wyjeżdżać z kraju, ale nawet przemieszczać się z prowincji do prowincji bez specjalnych przepustek. Drugich zakazał wpuszczać do Afganistanu, a na granicy polecił wbić słupy z ostrzeżeniami: „Obcym wstęp wzbroniony".

Zagraniczni inżynierowie i odkrywcy byli jeszcze gorsi od ich armii. Przybywali na dwór afgańskiego emira i kusili go obietnicami budowy dróg i kolei przez góry i pustynie oraz zyskami z wydobycia minerałów, które obiecywali znaleźć pod skałami Hindukuszu. Abdurrahman przejrzał jednak zamysły podstępnych cudzoziemców. Wiedział, że sprytni i rzutcy inżynierowie i podróżnicy stanowiliby jedynie awangardę. Za nimi przybyliby posłowie, kupcy, fabrykanci, a w końcu żołnierze. Jeśli pozwoliłby kłaść tory kolejowe Anglikom, zażądaliby tego samego Rosjanie i Bóg wie kto jeszcze. Mogło się to skończyć tylko podbojem albo rozbiorem afgańskiego państwa. Na łożu śmierci zaklinał synów, by nie pozwolili na budowę kolei będącej w tamtych czasach symbolem nowoczesności. Nie pozwolił Anglikom zbudować kolei żelaznej z Peszawaru do Kabulu ani z Czamanu do Kandaharu (do dziś nie ma ich w Afganistanie), nie zgodził się nawet na przeciągnięcie do swojej stolicy linii telegraficznej. Ale choć przezywano go żelaznym emirem, brutalem i prostakiem, żadnemu z jego następców na kabulskim tronie nie udało się zbudować państwa równie silnego, sprawnego i zwartego jak Afganistan w czasie trzydziestu lat panowania Abdurrahmana. Żelaznemu emirowi udało się scalić afgańskie państwo w czasach, gdy znalazło się ono na pierwszej linii wielkiej gry, jaką imperia Rosji i Wielkiej Brytanii toczyły o podział Azji.

Stłumił czterdzieści buntów, ale położył kres sobiepaństwu wielmożów, wielu z nich zgładził, pozostałych zmusił w końcu do posłuszeństwa. Był bezlitosny. By złamać opór prowincji, przesiedlał całe plemiona z jednej części kraju do drugiej, a niepokornych wyrzynał w pień. Zbudował państwo iście policyjne, kontrolowane przez szpiclów i pierwszą w Afganistanie tajną policję. Innowiercom kazał nosić na ramionach różnobarwne opaski. Nie z wrogości wobec ich religii ani wobec nich samych, ale z potrzeby kontrolowania wszystkiego, co działo się w kraju, i pragnienia, by wszystko było na swoim miejscu.

W pamięci afgańskiej zapisał się jako władca okrutny, ale dobry.

Wnuk Abdurrahmana, Amanullah, uznał, że zamykając ze strachu kraj przed światem, dziadek popełnił niewybaczalny błąd, który postanowił naprawić. Afganistan rozpoczął oszalałą pogoń za nowoczesnością. Abdurrahman próbował zatrzymać czas, Amanullah przestawić zegary historii od razu o kilka epok. Plemiennym wodzom, z których zgodnie z postępowymi modami chciał uczynić posłów do parlamentu w stolicy, kazał się golić i strzyc, ściągnąć turbany i tuniki i zastąpić je melonikami oraz szytymi na miarę garniturami. Nawet stołeczne kobiety usilnie namawiał, by zrzuciły zakrywające twarze kaptury i zaczęły ubierać się jak Europejki. Jako jeden z pierwszych na świecie uznał bolszewicki rząd, który po rewolucji przejął władzę w Rosji.

Amanullah zbudował radiostację i wprowadził telefony. Otworzył szkoły, a uczniom kazał się uczyć cudzoziemskiej mowy i obyczajów. Zalecał też, by chłopców i dziewczęta przyjmować do wspólnych klas. Studentów zaś posyłał za granicę, żeby poznawali obce mody i wynalazki i przenosili je co prędzej na afgańską ziemię. Postanowił budować kolej, a w Niemczech i Polsce zamówił kilka niewielkich lokomotyw i wagonów. Nie mogąc się doczekać położenia torów w kraju, kazał zbudować kilkukilometrową kolej ze śródmieścia Kabulu do swojego podmiejskiego Dar ul-Amanu, gdzie zamierzał wybudować nowoczesną na wskroś stolicę. Niezrozumiały pośpiech, z jakim pragnął wszystko zmieniać, a także istota samych zmian sprawiły, że poddani zaczęli podejrzewać, iż ich król stracił rozum.

Pasztuńskie plemiona, ich wodzowie i mułłowie, których Amanullah zamierzał przerobić na obywateli, jedni przez drugich wypowiadali mu posłuszeństwo i podnosili bunty. Powstanie wznieciły też ludy północne, bo w wewnętrznych kłótniach Pasztunów dostrzegły dla siebie szansę na poprawę losu. Panowanie Amanullaha zakończyło się wojną domową, która omal nie doprowadziła do rozpadu państwa. Po raz pierwszy w historii Afganistanu na kabulskim tronie rozsiadł się Tadżyk Habibullah, lecz zanim został rozerwany pociskiem armatnim, zdążył pozamykać Amanullahowe szkoły, uniwersytety i biblioteki.

Amanullah musiał uciekać z kraju. Zapomniany i nierozumiany, umarł na wygnaniu w Szwajcarii. Podarowane mu zaś polskie lokomotywy parowe stały przez jakiś czas jako pamiątka po jego czasach i przestroga. Po latach przeżarła je rdza, zostały rozkradzione i sprzedane jako złom.

Odtąd tak już miało być zawsze. Odrzucanie wszystkiego, co się nie sprawdziło, i zaczynanie od nowa. Wieczne eksperymenty z czasem i naturalną koleją rzeczy. Jedni naśladowali Amanullaha, inni Abdurrahmana, bardziej ekstremalni i bardziej szaleni, jak rozbujane wahadło.

6 Na śniadanie był ryż z kawałkami baraniny. Żołnierze wnieśli go na cynowych tacach, które nabożnie złożyli na wyblakłym dywanie, pokrywającym glinianą podłogę. Wsparci na poduszkach siedzieliśmy rzędem pod ścianami izby, my wszyscy, od tylu dni czekający na jego przybycie. Spodziewano się go w każdej chwili. Ile to razy wybiegaliśmy na łąkę nad pobliską rzeczką, gdzie obok mostu urządzono lądowisko dla śmigłowców. Latające maszyny przysiadały nad ziemią, wzbijając w niebo chmury kurzu, by po chwili wyrzucić z trzewi ludzi i ładunki. Po czym wzbijały się pospiesznie w dalszą wędrówkę, a my, znów rozczarowani, wracaliśmy do młyna, gdzie kwaterowali jego żołnierze. Czekali na niego wszyscy. My, ciekawi jego opinii przybysze z dalekiego świata, a także tubylczy dygnitarze, zabiegający o radę czy po prostu o pieniądze. Czekali sekretarze i członkowie jego świty, którzy nie mogli już znieść upokarzającej niewiedzy co do miejsca pobytu i terminarza zwierzchnika. Czekali nerwowo żołnierze, baczący, by nie przyłapał ich na bezczynności. Czekała służba, która co wieczór grzała wodę na kąpiel dla komendanta, odświeżała jego szaty, znosiła z targu świeże owoce i warzywa.

Najwięcej kłopotów sprawiał ryż. Nie ten podawany codziennie jako strawa, pożółkły, wysuszony i marny. Na komendanta czekał ryż najwyższej próby, tłusty, dorodny i biały jak śnieg na szczytach Hindukuszu. Kucharze mieli z nim prawdziwy kłopot. Można grzać co wieczór wodę, można w kółko sprzątać. Nie da się jednak trzymać wciąż na parze gotowego ryżu.

Aż wreszcie przybył, nie wiadomo skąd, wraz ze swoimi sekretarzami i zaufanymi żołnierzami, którzy nie odstępowali go ani na chwilę. Na pozór niczym się nie wyróżniał. Ani ubiorem czy zachowaniem, ani uprzywilejowanym miejscem na biesiadnym dywanie. A jednak nikt – nawet ci, którzy nigdy wcześniej go nie widzieli – nie mógł wątpić ani przez chwilę, że to właśnie on, emir, komendant Ahmad Szah Massud, człowiek, dla którego partyzancka wojna stała się życiem.

Walczył od dawna. W jego armii służyli teraz synowie śmiałków, którymi dowodził przed laty. Ci zaś z dzisiejszych żołnierzy, którzy dochowali się potomków, już teraz wychowywali ich na wojowników przyszłej armii komendanta. Na nim samym zaś czas nie odcisnął piętna. Jakby postanowił uczynić go wiecznym. Albo zesłać mu śmierć, zanim się zestarzeje.

– Już prawie ćwierć wieku walczy pan jako partyzancki komendant. Szmat czasu, połowa pańskiego życia. Nie wiem tylko, czy składać panu z tej okazji gratulacje, czy też kondolencje.

– To smutne, że wojna tutaj trwa tak długo. Jesteśmy jedynym na świecie krajem, na którym tylko w dwudziestym stuleciu połamały sobie zęby dwa imperia, brytyjskie i rosyjskie. Przynieśliśmy wolność wielu narodom. Sami jednak zapłaciliśmy za to straszliwą cenę. W ciągu ostatniego ćwierćwiecza co dziesiąty z nas, Afgańczyków, zginął, a co piąty jest dziś wygnańcem w ościennych państwach. Nasz kraj został doszczętnie zniszczony. Ponoszę pewnie część winy, gdyż uczestniczę w tej wojnie. Z drugiej jednak strony trzeba pamiętać, że to wojna o wolność. I jestem zaszczycony, że mogłem poświęcić życie tej sprawie.

Cicho, jakby od niechcenia rzucony rozkaz sprawił, że wszyscy zerwali się na nogi. Z korytarza dobiegł tupot wojskowych butów. Żwawo, ale bez pośpiechu Massud wyprostował się i zapinając guziki kamizelki, wyszedł przed ganek, gdzie czekał już na niego samochód. Zlustrował wyprostowanych jak struna żołnierzy i wyraźnie zdenerwowanego kierowcę, który zastygł jak posąg przy otwartych drzwiach pojazdu.

Wszyscy wiedzieli, że komendant nie cierpiał bałaganu, a nawet zwykłej bezczynności. Wszystko musiało być akuratne, na swoim miejscu, w najlepszym gatunku. Wymagał doskonałości od żołnierzy, ale nade wszystko od samego siebie. Stąd brały się jego masochistyczna niemal skłonność do ćwiczeń cielesnych i dbałość o każdy gest, każde słowo, o każdy szczegół garderoby. Powodowała nim jednak nie miłość własna, lecz duma, która nie pozwalała na najmniejsze odstępstwo od ideału, na cokolwiek, co mogłoby stać się rysą na jego wizerunku.

Kiedyś, gdy zaczynał dopiero walkę, rozmawiał z nielicznymi odwiedzającymi go cudzoziemcami po francusku. Nauczył się tej mowy w stołecznym liceum Istiglal, prestiżowym i zaliczanym do najlepszych w mieście. Te dni, choć przecież nie tak znowu odległe, wydawały się jednak zamierzchłą historią, o której pamięć wywoływała tylko smutne wzruszenie. Legenda o tajemniczym, znającym mowę Woltera wojowniku z górskiej doliny na końcu świata rozsławiła jego imię.

W tamtych czasach, gdy afgańscy buntownicy, którzy przezwali się mudżahedinami, toczyli beznadziejną, wydawałoby się, walkę z potężną rosyjską armią, wyposażoną w najnowocześniejsze samoloty, śmigłowce i czołgi, nieliczni tylko żurnaliści znajdowali w sobie odwagę, by potajemnie przeprawiać się przez granicę, pokonywać zapory hindukuskich szczytów i przełęczy, wędrować po zabójczych polach minowych, by trudząc się i narażając własne życie, stać się świadkami i kronikarzami obcej wojny.

Znaczna większość dziennikarzy ograniczała się do odwiedzin pakistańskiego Peszawaru, gdzie wraz z milionami afgańskich uchodźców schronili się też przywódcy i komendanci partyzantki. Spotkania z nimi zalecali zresztą zarówno pakistańscy gospodarze, jak ich sojusznicy i dobrodzieje, Amerykanie, którzy dostarczając mudżahedinom pieniądze i broń, liczyli na pokonanie komunistycznej Rosji.

Francuzi, którzy w swej dumie i przywiązaniu do odmienności, a po trochu też z zadufania, nigdy nie dali sobie narzucić czyjegokolwiek punktu widzenia, jako pierwsi postanowili odnaleźć w górach niepokornego Massuda, który w Peszawarze nie bywał, Pakistańczyków i Amerykanów nie słuchał i prowadził samotną wojnę wbrew wszystkim. Francuzom musiał wydać się kimś bliskim (Amerykanie nigdy mu nie ufali i nie ulegli jego legendzie). W dodatku – jak ich zapewniano – mówił po francusku. Istotnie, pierwszych gości, którzy dotarli do jego kryjówek w pieczarach, podczas wieczerz przy baranich szaszłykach i ryżu Massud zabawiał i zadziwiał opowieściami w łamanej francuszczyźnie.

Potem, choć rozumiał nie tylko po francusku, ale także po angielsku, a nawet rosyjsku, nigdy już tego nie robił i rozmawiał wyłącznie przez tłumacza. Rozumiał, co jednak nie oznaczało, że potrafił się tymi językami doskonale posługiwać. A duma nie pozwalała mu popełniać żadnych błędów. Także gramatycznych.

Śmieszność należała do grzechów ciężkich – ich popełnianie brukałoby nie tylko wizerunek komendanta, ale Świętą Sprawę, której poświęcił życie. To połączenie
80 zwierzęcej niemal nieufności z graniczącym z obłędem

dążeniem do doskonałości sprawiało, że wciąż był zajęty, wciąż w drodze. Sam sprawdzał, co robią żołnierze w okopach, czy ich dowódcy radzą sobie z czytaniem map i orientują się w sytuacji. Sam rozmawiał z wioskową starszyzną, sam negocjował z pomniejszymi, niepodlegającymi mu komendantami. Czuł się niezastąpiony i wierzył, że nikt nie potrafi dopilnować wszystkiego tak jak on. Był jednocześnie strategiem i kwatermistrzem, przebiegłym politykiem i nauczycielem w sztuce posługiwania się bronią i budowy fortyfikacji. To brzemię obowiązków, zajmowanie się wszystkim naraz, najwyraźniej go jednak nie nużyło. Przeciwnie, wydawało się, że jest w swoim żywiole, jak kiedyś przed laty, gdy w dolinie Pandższiru walczył z rosyjskimi żołnierzami, którzy najechali Afganistan, by przebić się aż na brzegi ciepłych mórz Południa. Tamta wojna, podczas której odparł tuzin wielkich szturmów na swoją dolinę, a w końcu zmusił Rosjan do odwrotu, przyniosła mu sławę.

Do Massuda zawsze było najdalej. Trudy towarzyszące wyprawom do jego kryjówek sprawiły, że dla prawie wszystkich, którzy się do niego wybierali, stał się postacią niemal mityczną. Był jak niedostępny górski wierzchołek, którego zdobycie wydawało się celem irracjonalnym, ale najwyższym i najcenniejszym. Osiągnięcie go, a kto wie, może sama wspinaczka, były przeżyciami znacznie wykraczającymi poza dziennikarstwo.

Aby poznać i spróbować zrozumieć Afgańczyków i ich kraj, trzeba zdobyć ich zaufanie, a najpierw szacunek. Trzeba chociaż spróbować żyć jak oni. W kraju, gdzie nie ma nic i prawie nic nie działa, każdy dzień, każde przedsięwzięcie, każda podróż to zmaganie się z fizycznym trudem i niemożnościami, które należy znosić z godnością i życzliwym, cierpliwym spokojem. Jak oni. Tu nie dawało się niczego przyspieszyć, ułatwić, ominąć. Nie pomagały ani sławne nazwisko, ani wszechwładne gdzie indziej pieniądze (w Afganistanie tylko bardzo niewiele rzeczy i towarów było na sprzedaż, i to tak tanio, że mógł sobie na nie pozwolić największy nędzarz). Już prędzej szczęście, zrządzenie losu, zbieg okoliczności, które dla wierzących głęboko w przeznaczenie liczyły się naprawdę. „Inszallah – jak Bóg da" – powiadają Afgańczycy. Oznacza to mniej więcej tyle, że uczynią, co tylko w ich mocy, ale reszta jest w rękach Najwyższego.

Dla przybysza podróż do Afganistanu może być uzdrawiającą ablucją, oczyszczającem deszczem. Ucieczką, tęsknotą, rozrachunkiem, mocnym postanowieniem. My wszyscy, którzyśmy podróżowali do Afganistanu po kilkanaście razy, zachowywaliśmy się trochę jak nieuleczalni narkomani, ulegający pokusie i jednocześnie wierzący, że właśnie w niej odnajdą dla siebie ratunek.

Afgańskie podróże stawały się za każdym razem wyprawami w głąb nas samych. Wyprawami dokonywanymi w samotności, bo jak skonstatował Ryszard Kapuściński, samotność jest losem reporterów jeżdżących po świecie, do dalekich krajów. Piszą o tych, którzy nie czytają ich opowieści, dla tych, których mało interesują ich bohaterowie.

Francuski dziennikarz Christophe de Ponfilly (osiem afgańskich podróży) powiedział kiedyś: „Szczerze mówiąc, nie jeździłem do tego kraju tylko ze względu na Afgańczyków, ale również po to, by uciec od arogancji świata, do którego należę, świata wysokiej techniki i niskiej jakości życia, zbytniego samolubstwa, zbytniej pogoni za zyskiem i bezsensowną władzą. W tym kraju przeżyłem najpiękniejsze chwile mojego życia. Obiecywałem sobie, że nie wrócę tam już nigdy, ale wracałem za każdym razem, by odnaleźć drogę w otaczającej nas gęstwinie matactw i – być może – odkryć coś najcenniejszego".

Francuzowi Massud kojarzył się z Che Guevarą, równie 82 szalonym, co niezłomnym latynoamerykańskim apostołem

partyzanckiej utopii i walki bez końca. Ale z Argentyńczy-
kiem, który stał się symbolem rewolucji biednych przeciwko możnym, łączy afgańskiego komendanta chyba tylko
zewnętrzne podobieństwo: bujna czupryna, zarośnięte policzki. No i miłość do partyzanckiego życia i jego kodeksu
etycznego, jasno określającego, kto jest wrogiem, kto przyjacielem, co jest dobre, a co podłe. Wszystko inne zdaje się
ich różnić.

Afgańczyk był zajadłym antykomunistą i zagorzałym muzułmaninem. Argentyńczyk wierzył, że komunizm będzie
zbawieniem dla ludzkości, nie wierzył natomiast w Boga.
W przeciwieństwie do Argentyńczyka, który chciał roznieść
ogień rewolucji po całym świecie, Massudowi wystarczał
w zupełności Afganistan, a nawet rodzinna dolina.

Łączyło ich jeszcze niezłomne przekonanie, że mimo
przegrywanych bitew i tak ostatecznie wygrają swoją wielką wojnę, oraz świadomość, że jeśli chcą pozostać uczciwi
wobec swoich żołnierzy i wierni sprawie, w imię której poprowadzili ich na wojnę, mogą zmierzać tylko do przodu,
nawet w nieznane. Dla nich nie było powrotnej drogi.

Innym Massud przypominał amerykańskiego barda buntu
Boba Dylana albo Billy'ego Kida (kiedyś zresztą mówiono
o nim w dolinie Pandższiru: Nasz Chłopak). Jeszcze innym
Roberta Nestę Marleya, jamajskiego muzyka i wieszcza wy-
zwolenia duchowego potomków afrykańskich niewolników
i ich powrotu z ziemi przeklętej, Babilonu, do obiecanej,
Syjonu. Byli też tacy, którzy w Massudzie widzieli nowe
wcielenie de Gaulle'a, Mao Tse-tunga, Chomeiniego, wycze-
kiwanego mahdiego, zwykłego watażkę zarabiającego na
życie wojną, dzikusa z gór.

Dla każdego był kimś innym, bo każdy z przybywających
do niego gości szukał zwykle własnego, innego od wszystkich Massuda. I zazwyczaj takiego właśnie znajdował.
Dla każdego z przybyszów miał on – tak jak Afganistan –
znaczenie symboliczne. Podobnie jak Che Guevara zapisał   83

się w pamięci bardziej jako mit niż rzeczywista postać. Taki był bardziej interesujący. Niewielu wytrzymuje zderzenie z własnym mitem. Massudowi tego oszczędzono.

Moja wyprawa do Massuda zajęła mi prawie dwa i pół roku. Wiosną dziewięćdziesiątego drugiego przyjechałem do Afganistanu po raz pierwszy (potem, w ciągu następnych dziesięciu lat, jeździłem tam jeszcze dziesięć razy) przyglądać się, jak po zwycięskiej wojnie triumfalnie wkracza do Kabulu, by objąć kraj we władanie.

Wtedy, wiosną, oglądałem Massuda tylko na fotografiach porozlepianych na murach i oknach samochodów. Był niedostępny. Dla mnie, bo nikogo nie znałem, nie wiedziałem, dokąd się zwrócić, z kim się układać. Dla wszystkich, bo niepewnie czując się w mieście, które opuścił przed prawie dwudziestu laty, unikał spotkań z nieznajomymi, a w obawie przed zabójcami zmieniał kwatery i nigdy nie zostawał w tej samej dłużej niż na jedną noc. Jako minister wojny w nowym rządzie, a w rzeczywistości jego prawdziwy szef, wciąż był w ruchu, wciąż z kimś się spotykał, dokądś jechał, skądś wracał. Nie sposób było za nim nadążyć.

Jesienią dziewięćdziesiątego czwartego przyjechałem do Kabulu uzbrojony już w rekomendacje, znajomości i doświadczenie. Cierpliwie pokonywałem kolejne szczeble prowadzące do celu. Poznawałem kolejnych komendantów, najpierw tych niższych rangą, do których dostęp był najłatwiejszy. Kiedy zdobyłem już ich zaufanie po setkach godzin spędzonych na rozmowach albo życzliwych uśmiechach bez słów, przy czarkach zielonej herbaty, przedstawiali mnie i polecali swoim przyjaciołom, sąsiadom, krewnym, wreszcie zwierzchnikom. Zataczałem kolejne kręgi, pokonywałem kolejne szczeble afgańskiej drabiny.

Mogłem cały ten żmudny ceremoniał zlekceważyć. Nie przybywałem wszak w gościnę. Miałem zadania, terminy, równie dobrze ja mogłem spodziewać się, domagać zrozumienia dla świata, do którego przynależałem i do którego wracałem. Może przy odrobinie szczęścia w ten sposób także dostałbym się przed oblicze Massuda, poznał najważniejszych komendantów i chanów. Nie zależało mi jednak na kilku pospiesznych minutach, kilku zdawkowych uprzejmościach i kilku zdaniach bez znaczenia. Musiałem więc zrobić wszystko, jak trzeba, po kolei, po afgańsku. W końcu zostałem przedstawiony komendantowi Tadż Mohammadowi, urzędującemu w okaleczonym przez bombę gmachu Ministerstwa Wojny. Komendant mówił tylko po persku. Poza grzecznościami niewiele mogliśmy sobie powiedzieć. Żołnierze wnieśli rytualną herbatę i migdały. Po jakimś czasie z rozkazu Tadż Mohammada jego żołnierze sprowadzili jednak z któregoś z futrzanych kramów przy ulicy Kurzej młodego, roztrzęsionego chłopaka w czarnej, skórzanej kurtce. Komendant kazał mu tłumaczyć. Powiedział, że nazajutrz zabierze mnie na Górę Lwiej Bramy, na dzielącą miasto linię frontu, gdzie jego oddział pełni straż, a w piątek, który muzułmanie obchodzą jako dzień święty, pojedzie ze mną do odległego o dwie godziny drogi miasteczka Dżabal us-Seradż, gdzie tuż u bram do podkabulskiej doliny Pandższiru rozłożył obóz Ahmad Szah Massud.

Wyjazd na front był elementem protokołu, kodeksu dobrego zachowania i daniną, jaką należało złożyć komendantowi. Był też przejawem gościnności. Tadż Mohammad chciał pokazać mi swój największy skarb, największe osiągnięcie. Tak samo ciągnęli mnie na swoje fronty komendanci w Tadżykistanie czy Kongu, Czeczenii czy Gruzji. Objaśniali szczegóły fortyfikacji, plany obrony bądź ataku. Opowiadali historię przeważnie heroicznych i triumfalnych dla nich batalii. Podobnie jak malarze, których spotykałem, pokazywali mi swoje obrazy, a hodowcy koni najpiękniejsze rumaki. Mogło mnie to nie obchodzić, mogłem się na tym nie znać, 85 ale czułem podświadomie, że nie okazując zainteresowania, sprawiłbym im niewymowną przykrość.

Późną jesienią dziewięćdziesiątego czwartego afgańska stolica dogorywała po dwóch latach ciągłych bombardowań, artyleryjskich kanonad i czterech wielkich ulicznych bitwach. Połowa miasta legła w gruzach.

Partyzanci z gór zagubili się w zaułkach miasta przejętego jako wojenny łup. Rozdrapali je między siebie, dzieląc niewidzialnymi, ale nieprzekraczalnymi granicami na strefy wpływów i włości, a w końcu, nie mogąc znieść pierwszeństwa innych i nie mogąc też innych zmusić do posłuchu, rzucili się sobie do gardeł jak wściekłe bestie.

Tadż Mohammad wszystkich swoich wrogów nazywał buntownikami. Sam wciąż przecież był komendantem ministra wojny Ahmada Szaha Massuda. W tamten listopadowy, pochmurny i dżdżysty dzień zabrał mnie na Górę Lwiej Bramy, żeby pokazać, jak jego ludzie zwalczają buntowników.

Afgańska stolica leży w trójkątnej dolinie na wysokości prawie dwóch tysięcy metrów. Nagie i groźne, ośnieżone nawet latem góry otaczają miasto skalistą palisadą, wdzierającą się w nie tu i ówdzie, jakby pragnęły je podzielić na części. Góra Lwiej Bramy wyznaczała kiedyś granice miasta, które rozrastając się poczwarnie, wchłonęło ją tak, iż dziś wznosi się niemal w samym jego sercu. Kiedy w Kabulu wybuchła uliczna wojna, góra stała się naturalną linią frontu, cytadelą.

W jakimś sensie uliczna wojna była bitwą o stołeczne górskie szczyty. Ten, kto panował na wierzchołkach, mógł z ich wysokości bezpiecznie bombardować dzielnice, w których kryli się wrogowie. Trzymał w szachu całe miasto. Dzielnice położone na tych zboczach gór, które znajdowały się za plecami żołnierzy na wierzchołku, były osłonięte od ognia. Wystrzeliwane z przeciwka pociski albo przelatywały ponad nimi, albo rozrywały się na szczytach.

Te dzielnice przetrwały i tam mieszkali ludzie. Dzielnice położone na zboczach przeciwległych zostały w czasie walk zamienione w pustynie.

Mieszkańcy miasta szybko nauczyli się wędrować z miejsca na miejsce w poszukiwaniu bezpiecznego schronienia. Pilnie baczyli, by nie przegapić zmiany gospodarza na wierzchołku góry. Tylko na zboczu za jego plecami mogli czuć się przez jakiś czas bezpiecznie.

Partyzanci Tadż Mohammada zdobyli wierzchołek Góry Lwiej Bramy latem i jesienią ostrzeliwali z niego położone w dole dzielnice, gdzie mieli kryjówki buntownicy z partii Hezb-e Wahdat, skośnookich Hazarów, szyitów. Ponad godzinę drapałem się to na czworakach, to znów po niemal pionowej ścianie, próbując nadążyć za tęgawym komendantem, który wspinał się z wdziękiem kozicy. Ścieżka na szczyt biegła uskokami, omijając zrujnowane gliniane lepianki, których mieszkańcy uciekli stąd, gdy tylko wybuchły walki w mieście. W ruinach u podnóża góry stanowiska strzeleckie urządziły sobie czołgi. W zburzonych lepiankach na zboczu góry rozłożyli się mudżahedini Massuda, mieniący się teraz armią rządową.

Komendant kazał mi na zmianę czołgać się albo gnać na złamanie karku, bo rebelianccy snajperzy mieli frontowe zbocze jak na dłoni. Zziajani i szarzy od kurzu dotarliśmy w końcu na szczyt góry. Huczało tam od wystrzałów. Jakimś cudem kanonierzy Massuda wciągnęli tu cztery czołgi. Te jednak strzelały z rzadka. Za to bez przerwy grzmiały bazooki, moździerze i małokalibrowe działka. Chmury szarego kurzu i słupy czarnego dymu wyznaczały miejsca, gdzie upadły pociski.

Partyzanci z dołu prawie nie odpowiadali. Błyski wystrzałów natychmiast zdradzały ich kryjówki. Ograniczali się do szybkich rajdów w głąb miasta i bombardowań Kabulu z wyrzutni rakietowych, ustawionych w odległych, ale widocznych z góry ogrodach podmiejskiego pałacu królewskiego Czehelsotun.

U podnóża góry biegła jedna z czterech głównych dróg wiodących z Kabulu w cztery strony świata. Kiedyś jeździło się tędy do polskiej ambasady. Kiedy afgańską stolicę poćwiartowały cienkie i wciąż zmieniające się linie frontu, jedna z nich przebiegła przez teren polskiej ambasady, zajętej teraz przez Hazarów. Tadż Mohammad wciągnął mnie na płaski dach jednego z opuszczonych domostw, skąd kazał mi patrzeć przez lornetkę na ruiny ambasady. Zdyszany i zmęczony, w pośpiechu, długo nie potrafiłem odnaleźć śladu w nowym labiryncie jednakowych ruin. Wreszcie ujrzałem kilka ludzkich sylwetek kryjących się wśród wypalonych ścian. Brodaci, z włosami do ramion, partyzanci wydawali się strasznie krusi i drobni.

– Widziałeś? – rzucił Tadż Mohammad, gdy ubezpieczani strzałami jego mudżahedinów przez chaszcze i gruzy wracaliśmy do sztabu.

– Widziałem – odparłem.

– No to sam widzisz – uznał Afgańczyk, zadowolony, jakby właśnie do czegoś mnie przekonał, coś udowodnił.

Po dwóch godzinach jazdy podziurawioną pociskami drogą stanęła przed nami ściana czarnych skał.

– Dżabal us-Seradż – mruknął Muslim, pokazując zabudowania u podnóża gór. – Brama Pandższiru.

Kierowany przez niego samochód lawirował wśród wypełnionych żółtą deszczówką kałuż. W światłach reflektorów migali otuleni kocami i opończami brodaci mudżahedini. Muslim, któremu przedstawił mnie i polecił Tadż Mohammad, zatrzymał pojazd przed niskim domem, otoczonym wysokim, kamiennym murem.

– Emir Massud oczekuje was – powiedział cicho i zniknął w mroku.

Furtka otworzyła się bezszelestnie.

– *Salam*. Witam w moim domu – powiedział szczupły mężczyzna w wojskowej kurtce. Byłem pierwszym dziennikarzem z Polski, którego przyjął.

Biblioteka pełna perskich ksiąg, barwne dywany na podłodze i ścianach, stary globus w rogu pokoju, tace z suszonymi owocami i solonymi orzechami sprawiały, że dom Massuda przypominał pracownię pisarza lub uczonego, a nie kwaterę wojownika. Książki miał wszędzie. Nawet gdy na czele swojej armii wyjeżdżał z obleganego przez wrogów Kabulu, kazał żołnierzom załadować na ciężarówki całą bibliotekę. Kilka tysięcy tomów. Gromadził je i pielęgnował jak szalony kolekcjoner, w przerażeniu, że nigdy ich wszystkich nie przeczyta.

Czytał wiersze perskich poetów. Nocami, przy lampie, gdy wszyscy już spali. Albo podczas samotnych przechadzek po górach. Żołnierze, którzy dla bezpieczeństwa zmierzali za nim krok w krok, opowiadali, że czytając wiersze, komendant zastygał nieruchomo jak kamień.

– Czyżby pański kraj został skazany na wojnę? Ledwie skończyła się jedna, z Rosją, a już wybuchła następna, jeszcze straszniejsza, bo bratobójcza.

– Przyczyny obecnej wojny tkwią w przeszłości. Choć podczas świętej wojny przeciwko komunizmowi i Rosji cały niemal świat nas popierał i pomagał nam, to niektóre państwa już wtedy miały w afgańskim ruchu oporu swoich faworytów. Niektóre partie mudżahedinów zostały utworzone wyłącznie jako marionetki obcych państw. To właśnie one dostawały od swoich zagranicznych sponsorów najwięcej broni i pieniędzy, a podczas wojny więcej energii poświęcały na zwalczanie rywali w ruchu oporu niż prawdziwego wroga. Nasi sąsiedzi już wtedy starali się manipulować afgańskimi mudżahedinami, by w przyszłości zapewnić sobie u nas wpływy. Zamiast pomóc nam stanąć na nogi, zaczęli skłócać nas między sobą, podburzać do wojny.

– Hadżi Abdul Kadir, wielki komendant z prowincji Nangarhar, powiedział mi kiedyś, że dla waszych ówczesnych sprzymierzeńców byliście tylko karabinem potrzebnym do wojny przeciwko Rosji. Po zwycięstwie wyrzucono was na śmietnik jak przestarzały i popsuty karabin.

– Ameryka? Cóż, pomagała nam bardzo – choć przy rozdzielaniu pomocy też nie była sprawiedliwa – kiedy walczyliśmy z komunizmem i Związkiem Radzieckim, ale zapomniała o nas, gdy tylko jedno i drugie przestało istnieć. Gdyby choć Amerykanie nie pozwolili mieszać się innym w nasze sprawy, gdyby pozwolono nam rządzić, może wszystko potoczyłoby się inaczej. A tak po jednej wojnie natychmiast wybuchały następne. Zamiast rządzić i odbudowywać kraj, musieliśmy toczyć wojnę na wszystkich frontach. Niezbadane są wyroki Najwyższego.

– Przemawia przez pana gorycz?

– Może trochę. Nigdy nawet nie przyszło nam do głowy, że po wspólnej walce i wspólnym zwycięstwie nad komunizmem niektórzy nasi przyjaciele zwrócą się przeciwko nam. Nie doceniliśmy tej groźby. Nie doceniliśmy łajdactwa i bezwzględnej interesowności polityki. Dostaliśmy kolejną nauczkę. Świat powinien pamiętać, ile nam zawdzięcza, powinien pamiętać, że to w Afganistanie zaczął się upadek komunizmu i ZSRR. Takich ofiar w walce z komunizmem jak Afgańczycy nie poniósł żaden chyba naród. Przejechał pan nasz kraj, więc widział pan zrujnowane miasta. To jest cena, jaką przyszło nam zapłacić za zwycięstwo nad komunizmem. Mógłbym zapytać, jaką cenę za zwycięstwo nad komunizmem zapłacili Amerykanie, Francuzi, Anglicy. Ale czy nasze cierpienia dadzą się przeliczyć na dolary i funty? Świat ma wobec nas dług wdzięczności. Powinien to przynajmniej przyznać, skoro nie chce go spłacać. Wszechmogący okazał się dla was łaskawszy. Nas doświadczył ciężej. Niezbadane są Jego wyroki.

– Czy wojna w Afganistanie będzie już trwać wiecznie?

– Zawsze powtarzałem, że wojna nie jest żadnym rozwiązaniem. Zamiast walczyć o władzę z bronią w ręku, lepiej pozwolić ludziom wybrać taki rząd, jaki im odpowiada. Ale nie będzie to możliwe, póki trwa wojna, a ta się nie skończy, dopóki nasi sąsiedzi nie zostawią nas samych sobie. Oni jednak z rozmaitych powodów nie chcą, by Afganistan stał się pokojowym, stabilnym państwem. Ale powinni pamiętać, że Afgańczycy nigdy nie byli niczyimi niewolnikami ani sługami. Tak było, jest i będzie. Wojna czasami bywa nieunikniona. Zabiera więcej czasu, ale przynosi ostateczne rozwiązania.

– O co pan prosi Boga w modlitwach?

– O to, żeby wreszcie skończyła się wojna.

Kiedy zapytałem Massuda, co w takim razie będzie robił, gdy Wszechmogący wysłucha jego próśb, i czym jest dla niego wiara, komendant sprawiał wrażenie zagubionego. Jego ascetyczna, wyrazista twarz zastygła. Rzucił karcące spojrzenie sekretarzowi, doktorowi Abdullahowi, jakby był przekonany, że błędnie przetłumaczył pytanie. Kiedy Abdullah powtórzył je, dodając jakieś wyjaśnienia, wzrok Massuda znów złagodniał, a w jego ciemnych oczach pojawiły się nawet iskierki rozbawienia.

– Islam i wojna to moje życie – powiedział łagodnie i wyrozumiale, jak cierpliwy ojciec do syna zasypującego go pytaniami o rzeczy dla dziecka niezrozumiałe, ale oczywiste dla dorosłych.

Odwożąc mnie z gościny w Dżabal us-Seradż do Kabulu starą ciężarówką z zamontowanym na przyczepie przeciwlotniczym działkiem, Muslim zapytał, czy słyszałem o Islamuddinie i czy nie chciałbym się z nim spotkać.

Słyszałem o Islamuddinie, rosyjskim żołnierzu, który dostał się do niewoli mudżahedinów, a potem przystał do nich i przeszedł na muzułmańską wiarę. Zadawałem sobie pytanie, czy uczynił to, by ratować życie, czy też obrzydło mu to, które wiódł dotąd. Czy w Afganistanie, odmiennym od wszystkiego, co znał, uciekał przed czymś, przed czym ucieczka w jego kraju byłaby niemożliwa? Czy też szukał czegoś, czego znaleźć w dawnym życiu nie miał nadziei?

Kabul żył zwyczajami sprzed epoki elektryczności. W pozbawionym prądu mieście rytm dnia wyznaczały świt, południe i zmierzch. Jeśli Afgańczyk umawiał się na spotkanie na szóstą, to z pewnością chodziło mu o szóstą rano, a nie wieczorem. O zmierzchu, kiedy mudżahedini i rabusie brali we władanie miasto, nikt rozsądny nie wyściubiał nosa z domu. Nie byłem więc zaskoczony, kiedy o piątej rano obudziło mnie łomotanie do drzwi.

Podtrzymując jedną ręką spodnie od piżamy, drugą namacałem klamkę. W progu stał mudżahedin, brodaty i długowłosy. Uśmiechał się z zakłopotaniem.

– Jestem Islamuddin – powiedział po rosyjsku. Przypomniałem sobie zdjęcie, jakie pokazał mi kiedyś w Kabulu znajomy dziennikarz amerykański. Przedstawiało żołnierzy z kompanii honorowej dopiero co utworzonej przez mudżahedinów, którzy przejęli wtedy władzę w kraju. Sześciu zarośniętych partyzantów stało wyprężonych na baczność przed rosyjskim ministrem spraw zagranicznych Kozyriewem, który przyleciał do Kabulu z kurtuazyjną wizytą, a także po to, by wywiedzieć się o losy prawie pół tysiąca rosyjskich żołnierzy, których Kreml nie mógł się doliczyć po zakończonej wojnie.

Jeden z żołnierzy miał długie, jasne włosy i brodę.

– To jest właśnie ten Rosjanin – pokazał palcem dziennikarz. – Teraz nazywa się Islamuddin.

Mudżahedin, który stał w drzwiach, był czarny.

– Przecież byłeś blondynem – powiedziałem, wciąż niedobudzony.

– Przefarbowałem się – odparł.

Nazywał się Nikołaj Bystrow i mieszkał w Krasnodarze na południu Rosji. Sam się zgłosił do wojska i na wojnę do Afganistanu. Miał siedemnaście lat, w Krasnodarze nie było nic do roboty. Moskiewskie gazety pisały zaś o bohaterskich żołnierzach, którzy właśnie wkroczyli do Afganistanu bronić tamtejszych chłopów przed terrorem muzułmańskich mułłów i podległych im rzezimieszków. Kandahar, Dżalalabad, Pandższir kojarzyły mu się bardziej z przygodą niż z wojną.

– Chciałem tam jechać, przeżyć coś niezwykłego. W Krasnodarze aż mnie ponosiło. Zawsze chciałem być żołnierzem. Bawiliśmy się w wojsko na podwórku.

Dostał przydział do spadochroniarzy. Po przeszkoleniu trafił do Afganistanu. W Moskwie trwała akurat letnia olimpiada.

Mudżahedini wzięli go do niewoli w dolinie Pandższiru.

– *Bi-ismi Allahi ar-Rahmani ar-Rahim* – Islamuddin zaczyna opowieść, wysławiając Imię Pańskie. – Było nas trzech. Ja i jeszcze dwóch takich. Nie znałem ich dobrze. Wysłali nas na zwiad. W górach wpadliśmy w zasadzkę mudżahedinów. Tamci zginęli. Ja dostałem w udo.

– Kiedy to było?

– W tysiąc trzysta sześćdziesiątym pierwszym.

– A po naszemu?

– Mówię przecież.

– Ale po naszemu, po europejsku.

– No, to pewnie będzie tysiąc dziewięćset osiemdziesiąty. A może osiemdziesiąty pierwszy.

Kiedy zobaczył, że wpadli w zasadzkę, trząsł się ze strachu jak galareta. Swoi byli daleko i na pomoc nie miał co liczyć. W swoich szarych ubraniach prawie nie odróżniali się od skał. Biegali po górach jak kozice. Raz strzelali stąd, za chwilę z zupełnie innej strony. Nigdy nie było wiadomo, czy się walczy z kilkoma partyzantami, czy z całym oddziałem. 93

Tak, wpadł w panikę. Wystrzelał prawie na oślep wszystkie magazynki.

– Widziałem kolegów leżących na rumowisku. Niedaleko. Nie ruszali się. Kiedy dostałem w nogę, nie mogłem się nawet do nich podczołgać, choć może zostały im jeszcze jakieś pociski.

Oficerowie polityczni opowiadali im na szkoleniach o okrucieństwie mudżahedinów. Sam widział zwłoki żołnierzy, którzy dostali się do afgańskiej niewoli. Partyzanci obdzierali ich żywcem ze skóry, wydłubywali oczy, ćwiartowali. Okropnie bał się tortur, ale bał się też odebrać sobie życie.

– Gdybym miał choć jeden pocisk, strzeliłbym sobie w łeb. To proste. Ale nie znalazłem żadnego. Nawet w kieszeniach. Kiedy przestałem strzelać, oni też po chwili ucichli. Potem zobaczyłem, jak idą, chyba dziesięciu. Pierwszy raz widziałem ich z tak bliska. Miałem jeszcze bagnet. Kiedy mnie zobaczyli, pchnąłem się nożem w brzuch. Nie potrafiłem poderżnąć sobie gardła.

Obudził się w wiejskiej chacie. Leżał na materacach, na glinianej podłodze. Na nodze i brzuchu miał opatrunki, na rękach więzy. Przy wejściu do lepianki stał partyzant.

Rany goiły się długo. Wdało się zakażenie. Leżał ponad pół roku. Przenieśli go tylko z lepianki do domu Muslima. Muslim był jednym z najbliższych ludzi Ahmada Szaha Massuda, tego z doliny Pandższiru, o którym Nikołaj tyle nasłuchał się w koszarach. Muslim wiele bywał w świecie. Mówił po angielsku, niemiecku, znał nawet parę słów po rosyjsku. Mieszkał sam, nie miał rodziny. To on nauczył Rosjanina afgańskiej odmiany języka perskiego, dari. Po sześciu miesiącach mudżahedini zdjęli jeńcowi więzy. Właśnie wtedy Nikołaj uwierzył w Boga.

– Nie zabili mnie. Najpierw byłem pewien, że nie zastrzelili mnie w górach tylko dlatego, że chcieli mnie przesłuchać i zamęczyć na śmierć. Ale kiedy zdjęli mi powrozy z rąk
94 i nóg, zrozumiałem, że będę żył. Nigdy nie czułem się tak

szczęśliwy, tak czysty, lekki. Wtedy, w górach, chciałem umrzeć i prosiłem Boga o pomoc. Ale chyba modliłem się nie o śmierć, tylko o ratunek. I Bóg mnie uratował. Teraz należę do Niego.

W Krasnodarze Nikołaj chodził do cerkwi, ale niezbyt zaprzątał sobie głowę Bogiem. Tak naprawdę to dopiero tam, w górach, modlił się szczerze.

– Myślę, że Bóg jest jeden i ten sam. Ja nazywam go imieniem Allaha, bo to muzułmanie darowali mi życie. Tamto pierwsze życie się skończyło. Urodziłem się od nowa.

Pewnego dnia Muslim zaprowadził go do Massuda.

– Powiedział mi, że jestem wolny. Jeśli chcę, mogę wracać do swoich. Mogę też zostać i przyjąć ich wiarę. Powiedziałem, że zostanę.

Poczuł jakąś więź z tymi Afgańczykami, którzy podarowali mu życie. Znał już ich język i mógł z nimi rozmawiać.

– Byłem im coś winny. Zrozumiałem, że to oni mieli rację w tej wojnie. Byli w końcu u siebie i mieli prawo robić, co chcą. Polubiłem ich, należałem do nich. Muslim był dla mnie jak brat. Uczył mnie wszystkiego. Opowiadał o Afganistanie. Mówił, jak się zachować, czego nie powinienem robić. To on mnie stworzył takiego, jaki dziś jestem. Moje dawne życie w Rosji wydało mi się czymś nierzeczywistym. Pamiętałem niby wszystko, ale tak, jakby ktoś mi to opowiedział. Niemożliwe, żebym sam to przeżył.

Postanowił zostać także dlatego, że bał się wracać do swoich. Żołnierzom, którzy dostali się do afgańskiej niewoli, groził trybunał wojskowy.

– Razem ze mną w niewoli u Massuda było jeszcze kilku chłopaków z Mołdawii. Oni wyjechali. Massud uwolnił wszystkich naszych jeńców. Ci, co się dostali w ręce innych komendantów, nie mieli tyle szczęścia. Ślad po nich zaginął. Podobno sprzedawali ich jak niewolników.

„Islamuddin" znaczy świętobliwy. To Muslim wymyślił nowe imię dla Nikołaja.

– Któregoś dnia przyszedł do mnie i oświadczył, że chce zostać mudżahedinem – powiedział mi potem Muslim. – Mówiłem mu, że nie musi walczyć. Ale on się uparł. Nosił już długie włosy i brodę. Wyglądał jak mudżahedin. Tylko włosy miał białe.

– Znów poszliśmy do Massuda – wspomina Islamuddin. – Powiedział, że decyzja należy do mnie. Odparłem, że chcę walczyć, wolałbym tylko nie strzelać do Rosjan. Massud obiecał, że nigdy nie będę musiał walczyć z Rosjanami, i dotrzymał słowa. Wtedy dali mi karabin.

Mudżahedini Massuda musieli nie tylko odpierać ataki Armii Radzieckiej, toczyli też niezliczone potyczki z innymi partyzanckimi oddziałami. Islamuddin miał więc z kim walczyć. Bił się z mudżahedinami Gulbuddina Hekmatiara, Rasula Sajjafa, z szyitami z Hezb-e Wahdat. Bił się często i tak dobrze, że Muslim, który już wtedy był szefem ochrony osobistej Massuda, wziął go do swojego oddziału.

Zdjęcie właśnie tego elitarnego oddziału pokazał mi amerykański kolega w Kabulu. Fotografię zrobiono w maju dziewięćdziesiątego drugiego, parę tygodni po tym, jak wojska Massuda zajęły Kabul. Islamuddin mówi, że Kozyriew był zaskoczony, widząc go wśród mudżahedinów.

– Pytał, kiedy wracam do domu. Odparłem, że tutaj jest mój dom. Zrobił obrażoną minę i poszedł dalej.

Wkrótce potem Muslim zabrał go do rosyjskiego konsulatu w Mazar-e Szarif i zorganizował pierwsze po dziesięciu latach spotkanie z rodziną. Do Afganistanu przyjechała z Ukrainy siostra Islamuddina. Namawiała, żeby wracał do domu.

Muslim i przyjaciele pomogli mu zebrać pieniądze na prezenty dla przyszłej żony i jej licznej rodziny. Ale wojna trwała nadal. Teraz mudżahedini Massuda już jako armia rządowa musieli walczyć przeciwko pozostałym partiom partyzanckim, które spóźniły się w wyścigu do władzy w Kabulu. Żona Islamuddina zginęła, kiedy samoloty rebeliantów zbombardowały miasto Taloghan w prowincji Tachar, dokąd wywiózł ją za radą przyjaciół.

Przyjaciele pomogli mu zebrać pieniądze na nową żonę. Kupił dom w Kabulu. Żona zaszła w ciążę. Zimą dziewięćdziesiątego trzeciego w afgańskiej stolicy rozgorzały uliczne walki. Rebelianci bombardowali miasto z rakiet i artyleryjskich dział. Podczas jednego z nalotów żona Islamuddina dostała krwotoku. Z płonącego Kabulu pouciekali lekarze, szpitale legły w gruzach. Nie dochodziły żywność ani lekarstwa. W końcu Islamuddin zawiózł żonę do lekarza z Czerwonego Krzyża. Ten powiedział, że tylko natychmiastowa operacja może uratować jej życie.

Miałby bliźnięta – dwóch chłopców. Ale nawet po operacji żona niedomagała. Islamuddin chciał ją wywieźć z Kabulu za granicę. Do Indii, Pakistanu, może na Ukrainę do siostry. Wykurowałaby się, przeczekała wojnę. Ale z oblężonego Kabulu nie sposób było wyjechać. Czekał więc, aż skończy się wojna. No i walczył.

Dowodził dwunastoosobową drużyną zabijaków, wyznaczanych tylko do specjalnych zadań. Kiedy jakiś oddział nie potrafił zdobyć wzgórza, drogi czy wioski, do akcji wkraczali mudżahedini Islamuddina. Tak jak w czerwcu dziewięćdziesiątego czwartego podczas szturmu na górę Tapa-je Marandżan w Kabulu. Na szczycie bronili się sprzymierzeni z opozycją arabscy wolontariusze.

– Nienawidzę ich. Nigdy nie strzelałem do Rosjan, staram się nie zabijać Afgańczyków, ale dla obcych nie mam litości. To przez nich ta wojna. Walczą tylko dla pieniędzy albo dla przyjemności, jaką daje im zabijanie. Wtedy, na Tapa-je Marandżan, strzelaliśmy do siebie przez trzy dni. Kiedy skończyła się amunicja, wzięliśmy wzgórze bagnetami. Zadźgaliśmy na górze osiemnastu Arabów.

Zapytałem, czy lubi walczyć.

– Niczego innego w życiu nie robiłem. Nic innego nie umiem – odpowiedział.

Wszystko byłoby inaczej, gdyby w Afganistanie skończyła się wojna. Sam nie wierzył, by to nastąpiło rychło. A tak nie dało się żyć. Nie wiedział, co ze sobą zrobić. Do Rosji nie wrócę – mówił. Bał się, że zostanie aresztowany i postawiony przed sądem jako dezerter. Chociaż uśmiechał się na samą myśl o tym, jakie wrażenie wywołałby w Moskwie i Krasnodarze.

– Może pojadę na Ukrainę, zawieźć żonę, odwiedzić siostrę i rodziców? – marzył głośno. – Będzie, co będzie. Wola boska. *Inszallah*.

Cztery lata później Muslim, z którym się zaprzyjaźniłem, powiedział mi, że Islamuddin wyjechał w końcu z Afganistanu i wrócił do Rosji. Nie, nie do Krasnodaru, i nie na Ukrainę. Osiadł ponoć wśród wyznających islam Baszkirów w Ufie. Muslim podyktował mi jakiś podejrzanie długi numer telefonu, pod którym miałem znaleźć przyjaciół Islamuddina. Nie potrafił jednak powiedzieć ani jak mu się wiodło, ani czy pozostał przy muzułmańskiej wierze. Wkrótce zresztą Muslim sam wyjechał za granicę, do Francji, i słuch po nim zaginął.

Trudno było rozmawiać z Massudem. Potrafił godzinami rozprawiać o szczegółach dawnych i przyszłych operacji, uwielbiał czytać na głos mapy, opowiadać o przewagach i ułomnościach poszczególnych armii. Bywał wtedy ożywiony, nie trzeba go było ciągnąć za język. Nierzadko zapalał się tak, że nie czekał, aż doktor Abdullah przetłumaczy jego słowa. Ale wystarczyło niewinne pytanie o ojca, o dzieciństwo, o cokolwiek, co nie wiązało się z partyzantką, walką, sprawą, a Massud chował się pod niewidzialną, lecz świetnie wyczuwalną skorupę, nastroszał się, niecierpliwił. Pytania o sprawy prywatne zbywał lakonicznymi, urywanymi odpowiedziami. Gniewała go moja natarczywość, zwłaszcza gdy pytałem o dzieci i żonę.

98

Mówiono o Massudzie, że w czasach studenckich kochał się w pewnej dziewczynie z Chostu, ale wojna rozdzieliła ich na zawsze. Nie zdążył nawet powiedzieć dziewczynie, że ją kocha. W mieście mógł to uczynić. W dolinie Pandższiru, w rodzinnych wioskach, chłopcy się nie oświadczali. Młodych swatali rodzice. Chłopcy i dziewczęta ledwie się widywali. Okazji do zakochania się w sobie mieli jeszcze mniej.

Kiedy wybuchła wojna, Massud nie miał jeszcze żony. Żył jak partyzancki pustelnik. Mułłowie nakłaniali go, by wziął sobie żonę z Pandższiru, dał przykład swoim partyzantom.

Parigol była córką prostego wieśniaka z doliny Pandższiru, wiernego towarzysza Massuda, jednego z tych nielicznych, którzy trwali przy nim od samego początku. Miała siedemnaście lat, kiedy pewnego wieczora ojciec powiedział jej, że komendant Massud chciałby ją pojąć za żonę. Rodzinie Massuda jego wybór bardzo się nie spodobał, uważali, że Ahmad Szah mógł i powinien znaleźć na żonę dziewczynę z lepszego domu. Ojciec zapytał, czy się zgadza. Zrobię, jak chcecie – odparła wtedy, ale amerykańskiej dziennikarce, z którą już po śmierci Massuda zgodziła się po raz pierwszy rozmawiać o swoim życiu, wyznała, że serce łopotało jej w piersi jak spłoszony ptak. Tak! Och, jak bardzo chciała być żoną Massuda. Choć widziała go ledwie kilka razy, cała dolina Pandższiru wielbiła go jak największego bohatera. Sama mieszkała tuż obok jego rodzinnej wioski Dżangalak, w Bazaraku, gdzie przy drodze ojciec miał drewniany stragan.

Widywała Massuda, gdy schodził z partyzantami w doliny, w których ich rodziny ukrywały się przed rosyjskimi śmigłowcami i piechotą. Odkąd pamiętała, wędrowała z innymi matkami, żonami i dziećmi mudżahedinów. Z doliny do doliny, z przełęczy na przełęcz. Jej ojciec Tadżiddin był dużo starszy od Massuda, a jej matka traktowała komendanta jak syna.

Kiedy partyzanci schodzili z gór, kobiety rozstawiały na ogniskach kotły i gotowały strawę. Wieczorami przy ognisku nie odrywali oczu od Massuda. Mówił jakoś inaczej niż oni wszyscy. Nie znali wielu słów, których używał.

Kiedy została jego żoną, jedyną zmianą w jej życiu było to, że podążała odtąd jak cień, z doliny do doliny, z przełęczy na przełęcz, nie za ojcem, ale za mężem. Znikał na całe tygodnie, a nawet miesiące. Nie był przy narodzinach żadnego z szóstki dzieci. Ani pierworodnego Ahmada, ani żadnej z pięciu córek. Ale czy mogła żądać od życia czegoś więcej? Została przecież żoną wojownika.

Dopiero podczas któregoś z późniejszych spotkań zrozumiałem, że Massud wcale nie rozdzielał swojego partyzanckiego i rodzinnego żywota. Życie rodzinne było dla niego integralną, ale mniej ważną, prozaiczną stroną jego ziemskiej egzystencji. Czymś tak oczywistym i intymnym zarazem jak fizjologia. Dziwił się niezmiennie, że przybysze z odległego świata, którzy włożyli tyle trudu, by do niego dotrzeć, wypytywali o rzeczy tak błahe, tak nieistotne. Jego prawdziwym życiem była walka.

– Pański brat opowiadał mi, że zawsze marzył pan, by zostać żołnierzem, że zamęczał pan ojca, dowódcę królewskiej żandarmerii, ciągłymi pytaniami o rozmaite kampanie i dowódców. Wojskowi pragną zwykle, by ich synowie też zostali żołnierzami. W dodatku w Afganistanie służba w królewskiej armii była posadą nie tylko prestiżową, ale dochodową. A jednak ojciec nie chciał, żeby został pan żołnierzem.

– Ojciec chciał, żebym poszedł na uniwersytet i został architektem.

– A pan, posłuszny woli ojca, zapisał się na wydział architektury?

– W Kabulu podjąłem jeszcze rozpaczliwą próbę wstąpienia do Akademii Wojskowej. Błagałem pewnego generała, przyjaciela rodziny, by pomógł mi przekonać ojca albo nawet wbrew jego woli zarekomendował mnie do akademii. Zapytał, dlaczego tak bardzo chcę być wojskowym. Powiedziałem, że chcę służyć mojemu krajowi. Skoro tak, odparł, zostań lekarzem, architektem, nauczycielem. Jako wojskowy będziesz służył nie narodowi, tylko jednemu rodowi, który akurat rządzi. Zapamiętałem te słowa na resztę życia.

– Nie posłuchał pan jednak ojca i, zamiast nauką, zajął się pan polityką. Co na to ojciec?

– Ojciec chciał, żebym skończył studia.

– A pan został z nich wyrzucony już po drugim roku. Za udział w zbrojnej rebelii. Zamiast architektem został pan buntownikiem. W Afganistanie nieposłuszeństwo wobec ojca należy do ciężkich przestępstw.

– Takie były czasy.

W afgańskiej stolicy wzbierała rewolucja. Kabul, jedno z najwspanialszych miast Jedwabnego Szlaku, przechodził w ręce rozpolitykowanej młodzieży, obdarowanej dobrodziejstwami nauki i względnej swobody przez króla Zahira Szaha, którego sprawowanie władzy zwyczajnie nudziło. Młodzi jednak nie tylko nie okazywali mu należnej wdzięczności, ale domagali się więcej i więcej. Studenci i młodzi oficerowie, pochodzący albo z chłopskich rodzin, albo z dobrych domów posiadaczy ziemskich (nigdy z mieszczaństwa czy kupiectwa), byli w tamtych czasach posłańcami rewolucji w biedniejszej części świata – w Azji, Afryce, Ameryce Południowej. Byli dziećmi-kwiatami Orientu, rebeliantami przeciwko starym wartościom, nawet tym najświętszym.

– Większość z nas, studentów, pochodziła z tak zwanych dobrych domów. Biedoty nie stać było na uniwersytety, posyłała synów do wojska. Byliśmy oczytani, zorientowani, a im więcej wiedzieliśmy, tym bardziej nie podobało się nam to, co widzieliśmy w kraju. Chcieliśmy rewolucji. Nie zgadzaliśmy się tylko, jaka powinna być. Połowa uważała, że komunizm pozwoli najszybciej przeprowadzić kardynalne reformy i dogonić świat. Druga część, do której zaliczałem się także ja, opowiadała się za rewolucją w imię Allaha. Byliśmy wrogami komunizmu, bo przeczył istnieniu Boga. A w dodatku wiedzieliśmy, że komuniści są jedynie zagończykami Rosji, że mają tylko przygotować rosyjski najazd. Życie przyznało nam rację.

– Co oznaczała dla pana rewolucja w imię Allaha?

– Przede wszystkim większą sprawiedliwość, taką, jaką nakazuje Koran. Chcieliśmy, żeby kraj należał do jego obywateli, a nie tylko do panującej familii. Uważaliśmy, że islam jako religia powinien służyć doskonaleniu państwa, a nie konserwowaniu starych porządków w imię odwiecznej tradycji. Chcieliśmy republiki muzułmańskiej, tolerancyjnej, takiej, która szanuje prawa i wolności człowieka, przestrzega demokratycznych reguł, bo to bzdura, że islam jest sprzeczny z demokracją. W Koranie znajdzie pan wiele fragmentów wyjaśniających, na czym mają polegać rządy ludu. Byłem natomiast i do dziś pozostaję wrogiem wszelkiego fanatyzmu. Dlatego nienawidziłem komunizmu.

– Wierzył pan w rewolucję?

– W przemoc jako metodę osiągania politycznych celów? Oczywiście! Tak właśnie mieliśmy przejąć władzę – dokonać zbrojnego zamachu stanu i postawić na czele państwa oficerów, którzy podzielali nasze poglądy. Wtedy cały uniwersytet był za rewolucją. Niewielu zostało takich, których to nie wciągnęło. Kto tam wtedy myślał o nauce?!

– W salach wykładowych i w bursie poznał pan prawie wszystkich późniejszych przyjaciół i wrogów. Przyszłego komunistycznego prezydenta Nadżibullaha, największego z muzułmańskich radykałów Gulbuddina Hekmatiara, swoich nauczycieli i przewodników Abdurraba Rasula Sajjafa i Burhanuddina Rabbaniego.

– Z Nadżibullahem mieszkaliśmy na jednej ulicy. Hekmatiar i Nadżibullah byli kapitanami rywalizujących ze sobą drużyn siatkówki. Mnie nie brali do gry, bo byłem za młody i za słaby. Sędziowałem im w meczach i liczyłem punkty. Gulbuddin zawsze myślał tylko o sobie. Nigdy nie mógł znieść nikogo, kto stałby wyżej niż on, zawsze chciał być pierwszy. Nie miał żadnych zasad, nigdy nie dotrzymywał słowa. To jadowity wąż. Kiedy walczyliśmy z Rosjanami, Gulbuddin nie mógł znieść, że nie poszedłem pod jego komendę, że walczyłem sam i w dodatku zwyciężałem. Jego ludzie zamordowali wielu moich komendantów. Zabili też mojego brata. Przepadł bez wieści w Peszawarze, ale jestem przekonany, że to Gulbuddin kazał go zabić.

Tylko wtedy, gdy pytałem o jego pierwsze powstanie w Pandższirze, na twarzy Ahmada Szaha Massuda pojawiał się ciepły, niemal chłopięcy uśmiech. Prawie z rozczuleniem wspominał lato siedemdziesiątego piątego roku, gdy z młodzieńca stał się mężczyzną.

– To powstanie miało być pretekstem do wojskowego zamachu stanu w Kabulu. Chcieliśmy obalić rząd, który coraz bardziej ulegał komunistom i coraz bardziej stawał się ich zakładnikiem. Po zamachu władzę mieli przejąć oficerowie, o których wiedzieliśmy, że sprzyjają naszej sprawie. Nie udało się. Najpierw w ręce policji wpadł nasz przywódca w Kabulu. Zastąpił go Hekmatiar, który jednak, w swojej pysze, rozgłosił niemal na całe miasto, jakie mamy plany. Ale o tym dowiedzieliśmy się dopiero później. Ja odpowiadałem za powstanie w Pandższirze. W wyznaczonym terminie rozpoczęliśmy bunt. Miałem wszystkiego dwudziestu ludzi, sześć strzelb i dziewięć pistoletów. Napadliśmy na bank, by zdobyć pieniądze, zebraliśmy wieśniaków na rynku i ogłosiliśmy, że w Kabulu doszło do rewolucji i my reprezentujemy teraz nowe władze. Ludzie słuchali nieufnie. Byliśmy młodzi i choć pochodziliśmy stąd, to większość życia spędziliśmy w Kabulu. Na dobrą sprawę, nie znaliśmy Pandższiru, a nas nie znał nikt w dolinie.

– Nawet pana, syna miejscowego feudała, potomka starego tadżyckiego rodu i sławnego dowódcy?

– Kiedy oficerowie i komuniści obalili króla, moja rodzina, bojąc się prześladowań, wyjechała do Pakistanu. Aby ich chronić, na wszelki wypadek nazwałem się Massudem. Nikt w Pandższirze nigdy o żadnym Massudzie nie słyszał. Ale początkowo wyglądało na to, że ludzie byli gotowi pójść za nami. Mijał jednak dzień za dniem, a radio nie mówiło nic o żadnej rewolucji. W końcu chłopi uznali nas za oszustów i kazali iść precz z doliny. Donieśli nawet na nas wojskom rządowym, które wkrótce wkroczyły do Pandższiru. Okazało się, że powstanie wybuchło tylko w Pandższirze, Laghmanie i Kunarze. Władze zawczasu dowiedziały się o spisku. Wielu naszych zginęło. Tysiące ludzi, studentów i mułłów, trafiło do więzień. My, którym udało się wymknąć policji, musieliśmy uciekać do Pakistanu lub kryć się w pieczarach Pamiru i Hindukuszu. To była klęska. Nie przejęliśmy władzy, a co gorsza, nie wywołaliśmy powstania. Zostaliśmy rozbici, ludzie nie tylko nam nie współczuli, ale przeklinali nas i nazywali pakistańskimi szpiegami i sługusami.

Ci, którzy ocaleli, przeżyli bitwy, oblężenia i obławy, skryli się w Peszawarze, gdzie wzajemne podejrzenia i oskarżenia o zdradę nie pozwoliły im porozumieć się w jakiejkolwiek sprawie.

Wtedy to na zawsze rozeszły się drogi Massuda i Hekmatiara, dwóch marzycieli i buntowników, którzy uwierzyli, że dokonując rewolucji i urządzając życie według zapisanych w Koranie świętych reguł sprawiedliwości i równości, według muzułmańskich wartości, a nie jedynie obrzędów, uda im się znaleźć ratunek dla kraju i wyrwać go z odrętwiającego bezruchu, zacofania i zaściankowości.

Hekmatiar należał do tego szczególnego gatunku rewolucjonistów, którzy nie tylko głosili potrzebę radykalnych, a jeśli trzeba, to nawet gwałtownych przemian, ale rozumieli, że jedynie w ten sposób mogą poprawić swój własny los.

Wywodził się z pasztuńskiego plemienia Charotich, którzy w dziewiętnastym stuleciu pozwolili emirowi Abdurrahmanowi wypędzić się z rodowych ziem i przesiedlić aż na północ od łańcucha Hindukuszu. Zamieszkujące południe kraju pasztuńskie federacje Durranów i Ghilzajów pogardzały więc Charotimi i uważały ich za obywateli drugiej kategorii. W mniemaniu Pasztunów ktoś, kto pozwolił wygnać się z rodowych ziem i cmentarzy, gdzie spoczywają prochy przodków, nie zasługiwał na szacunek. Charoti nie mogli więc liczyć na posady w państwowej administracji, wojsku, policji, a nawet sprawiedliwe traktowanie na stołecznych bazarach. Nic dziwnego, że Hekmatiar i podobni mu młodzieńcy (z plemienia Charotich wywodził się także Abdurab Rasul Sajjaf, jeden z przyszłych przywódców armii mudżahedinów) jedyną dla siebie szansę na awans widzieli w rewolucji i zastąpieniu tradycyjnych porządków panujących w Afganistanie muzułmańskimi, zapewniającymi równość wobec Boga.

Był więc rewolucjonistą nie tylko z przekonania, ale i z kalkulacji. Uwiarygodniało to jego walkę – był jednym z tych, którzy pragnęli odmiany losu, i gotów był o to walczyć. Osobiste zainteresowanie w powodzeniu rewolucji podważało jednak szczerość intencji, mogło wywołać podejrzenia, że nie kierowały nim oddanie wielkiej sprawie i gotowość do najwyższych poświęceń dla dobra innych, lecz wyłącznie koniunkturalna kalkulacja. Że tak naprawdę pragnął rewolucji dla siebie. Nikt zaś nie podejrzewał nawet o to tych, którzy przystępowali do rewolucji tylko z przekonania dla sprawy.

Wywodzili się z uprzywilejowanych warstw, a wydawali wojny światu, który uważali za zły i niesprawiedliwy, choć zawdzięczali mu wszystko. Czynili to w imię dobra tych, 105 którym współczuli, ale których ledwie znali. Ich rewolucyjny zryw wydawał się więc czystszy, piękniejszy. Prawdziwszy. Rewolucjoniści z kalkulacji okazywali się zwykle najzawziętszymi fanatykami i wkrótce za największego wroga zaczynali uważać nie stary porządek, ale swoich towarzyszy, rewolucjonistów z przekonania, zalecających zazwyczaj umiar i cierpliwość. Wcześniej czy później niezmiennie dochodziło między nimi do bratobójczej i krwawej wojny. Krwawej tak, by rachunki krzywd przesłoniły rachunki wdzięczności i by nikt nikomu nie był już nic winien.

Upokorzony porażką pierwszego powstania Massud uznał, że ludzie nie są jeszcze gotowi do zrywu, że trzeba powoli przekonywać ich do rewolucji, szykować dla niej grunt, a samemu przenikać do struktur władzy, agitować, zdobywać doświadczenie w zarządzaniu krajem. Afgańczycy powinni sami zatroszczyć się o siebie, a nie liczyć na kogokolwiek. Rewolucję należy zacząć na wsi i zdobywając powiat po powiecie, prowincję po prowincji, przenieść ją w końcu do stolicy.

Hekmatiar był odmiennego zdania we wszystkich niemal sprawach. Uważał przede wszystkim, że w kwestii świętej wojny Massud i jego towarzysze mają nazbyt wiele wątpliwości. Nie warto czekać, trzeba co prędzej ją ogłosić, a prowadzić innymi metodami: nie powolny marsz na stolicę, tylko walka wszędzie, by zadając wrogowi tysiące ran, wykrwawić go, dobić i odebrać mu władzę. Nie ma żadnej potrzeby liczyć się z tym, co myśli lud, ale co prędzej uszczęśliwić go nawet wbrew jego woli. Hekmatiar nie widział też nic złego w tym, by pomoc i porady przyjmować od każdego, kto jest gotów je ofiarować, a szczególnie od tych, którzy swój kraj ogłosili już państwem bożym. Massuda zaś nazywał czarnowidzem, kapitulantem, zdrajcą i szpiegiem Dauda.

Massud i jego przyjaciel Dżan Mohammad zostali pojmani przez ludzi Hekmatiara i wtrąceni do lochu. Dżan Mohammad nie przeżył tortur. Wybuchł skandal i Pakistańczycy rozkazali Hekmatiarowi wypuścić Massuda. Na zarzuty o szpiegostwo miał odpowiadać z wolnej stopy. Nie zamierzał jednak czekać na proces, który byłby tak samo fikcyjny, jak rzucane mu w twarz oskarżenia. Uciekł z Peszawaru do rodzinnego, ale opanowanego przez innych nieprzyjaciół Pandższiru. Nigdy nie zapomniał o zdradzie pakistańskich gospodarzy i Hekmatiara, o śmierci przyjaciela, upokarzającej ucieczce i bólu odrzucenia.

Ilekroć zdarzało mi się rozmawiać z Massudem o jego życiu, wojnach i polityce, winą za wszystkie niepowodzenia obarczał Pakistan. Wszędzie węszył pakistańskie spiski, intrygi, zdrady. Niechęć, jaką żywił do Pakistanu, przypominała nieznośny ból wzgardzonej i odrzuconej pierwszej miłości. Pakistan stał się dla niego synonimem zła i wszystkiego, co ze złem mu się kojarzyło i co złego go w życiu spotkało: porażek, upokorzeń, zawiedzionych nadziei, niespełnionych marzeń.

Pakistan był eksperymentalnym państwem religijnym, stworzonym właśnie po to, by dowieść, że wiara w jednego Boga może być lepszym spoiwem łączącym odległe i niemal nieznane ludy niż wspólna historia, mowa, obyczaje, tradycje. Sąsiedni Afganistan, odwołujący się do tradycji i historii, stanowił zagrożenie dla bezpieczeństwa pakistańskiego państwa, a nawet samej idei sprawczej, która doprowadziła do jego powstania.

Kiedy bowiem żegnając się ze swoimi koloniami w Indiach, Brytyjczycy zgodzili się podzielić je na część hinduską i muzułmańską i uznać ich niepodległość, Afgańczycy, którzy jedyni w Azji Środkowej i Południowej oparli się podbojom europejskich imperiów, jedyni też z oburzeniem zaprotestowali przeciwko tworzeniu niepotrzebnego ich zdaniem i kalekiego tworu – Pakistanu. Jeśli już Indie mają zostać podzielone – przekonywali – to z muzułmańsckh prowincji nie należy robić sztucznego państwa, lecz po prostu przyłączyć je do Afganistanu, państwa już istniejącego, mającego swoją historię i tradycje, którego mieszkańcy też wierzą w Allaha, jak mało kto cenią wolność i niepodległość i potrafią ich bronić.

Gdyby te prośby i żądania zostały spełnione, Afganistan stałby się regionalnym mocarstwem – zyskałby żyzne i bogate ziemie Pendżabu, a także dostęp do ciepłych wód Morza Arabskiego. A kiedy pomysł upadł, Afgańczycy domagali się, by przynajmniej żyjącym po sąsiedzku z nimi Kaszmirczykom, Beludżom, a przede wszystkim Pasztunom pozwolono wybrać niepodległość bądź akces do Afganistanu.

Pasztunowie, którzy nigdy nie uznawali żadnych granic, w wyniku brytyjskich podbojów zostali rozdzieleni. W Afganistanie sprawowali od lat władzę, ale po pakistańskiej stronie granicy znalazło się ich ponad dwa razy więcej niż po afgańskiej. Po pakistańskiej stronie granicy znalazła się też pasztuńska stolica, Peszawar, która jeszcze pod koniec dziewiętnastego stulecia była zimową rezydencją afgańskich królów. Kiedy odmówiono im także i tego, afgańskie władze proponowały po cichu Hindusom rozbiór Pakistanu, a głośno wypowiedziały zawarte jeszcze z Brytyjczykami porozumienia i przestały uznawać wytyczone przez lorda Mortimera Duranda linie rozdzielające pasztuńskie ziemie i mające stanowić granicę między Afganistanem i Pakistanem.

Następne lata znaczyły ciągłe konflikty między Pakistanem i Afganistanem, gdyż rządzący tam Pasztunowie zachęcali swoich rodaków z drugiej strony granicy do buntów i irredenty. Doszło do kilku granicznych wojen, a oba państwa na zmianę odwoływały swoich ambasadorów. Z biegiem czasu sąsiedzkie kłótnie o miedzę nabrały wymiaru międzynarodowego. Uważając Pakistan oraz jego przyjaciół, w tym Amerykę, za wrogów, Afganistan zaprzyjaźnił się z przeciwnikami Pakistanu – nade wszystko z Indiami, ale także z rywalem Ameryki, Związkiem Radzieckim.

Z afgańskich przywódców Pakistańczycy najbardziej nienawidzili Mohammada Dauda, piewcy pasztuńskiej jedności. Ilekroć król powierzał mu ster rządu, na afgańsko-pakistańskim górzystym pograniczu rozlegały się strzały, a Pasztunowie z Peszawaru domagali się, by pozwolono im żyć razem z rodakami z Kandaharu i Ghazni.

Kiedy więc w wyniku spisku z komunistami i młodymi oficerami Daud odsunął od władzy swego kuzyna, znudzonego panowaniem króla Zahira Szaha, i sam zajął jego miejsce, Pakistańczycy mogli spodziewać się najgorszego. Na domiar złego nastąpiło to niemal nazajutrz po najboleśniejszej z klęsk, doznanych przez pakistańskie państwo, które miało być świadectwem wyższości wspólnoty wiary nad wspólnotą krwi. Oto po wyniszczającej wojnie secesję ogłosili Bengalczycy z delty Gangesu i Brahmaputry. Niespokojnie było też w krajach Pasztunów i Beludżów.

Pakistańskie władze uznały, że będą się mogły czuć bezpiecznie w swoich granicach, tylko mając w Kabulu posłusznego sobie władcę i tylko jeśli będzie się on odwoływał do wiary, a nie do solidarności narodowej. Afgańscy rewolucjoniści muzułmańscy, występujący przeciwko Daudowi i kwestionujący nawet wspólnotę etniczną jako sprzeczną z Koranem i opóźniającą cywilizacyjny postęp, wydawali się doskonałymi sojusznikami. Wspierając ich, można było zaszkodzić Daudowi, przestraszyć, odciągnąć jego myśli od podburzania Pasztunów, a w perspektywie, kto wie, może nawet zastąpić go jakimś spoleglitwym mudżahedinem, który w Pakistanie będzie widział nie wroga, lecz życzliwego wierzyciela i wzór do naśladowania.

Ci, którzy gotowi byli spełnić te warunki, mogli liczyć na szczodrość pakistańskich gospodarzy. Szczodrość tym większą, że pomnożoną o miliony dolarów, bo Amerykanie nie 109 szczędzili środków na wsparcie afgańskich mudżahedinów w ich wojnie przeciwko komunizmowi i złowieszczemu Kremlowi. Nie orientując się w azjatyckich zawiłościach, Amerykanie zawierzyli swoje pieniądze pakistańskim przyjaciołom, którzy dostali wolną rękę przy ich rozdziale.

Dla afgańskich mudżahedinów na wygnaniu w Peszawarze wkupienie się w łaski pakistańskich gospodarzy oznaczało więc szansę na przyszłe królestwo w Kabulu, a także na pieniądze, broń i koneksje, co zapewniało warte zachodu pierwszeństwo na obczyźnie.

Pakistańczycy przez jakiś czas z lubością przyglądali się, jak afgańscy komendanci i mułłowie walczą między sobą o przywilej nazywania się najlepszym przyjacielem i najmilej widzianym gościem Pakistanu. Szybko jednak zdecydowali, że tym, który najbardziej nadawał się do przepisanej przez nich roli, był młody, niezwykle ambitny i pobożny Pasztun Gulbuddin Hekmatiar. Pakistańska protekcja miała uczynić z niego najpotężniejszego przywódcę najpotężniejszej z partyzanckich armii, a po zwycięskiej wojnie – przyszłego afgańskiego władcę, pierwszego, który wobec Pakistanu nie byłby hardy, lecz uległy. W słuszności dokonanego wyboru utwierdzała Pakistańczyków powszechna niechęć, z jaką odnosili się do Hekmatiara jego towarzysze broni, a także prości Afgańczycy. Znienawidzony przez swoich, był tym bardziej skazany na gospodarzy. Dzięki przyjaźni Pakistańczyków i Amerykanów oraz nadziejom, jakie z nim wiązali, rzeka amerykańskiej pomocy dla mudżahedinów przepływała najpierw przez obóz Hekmatiara i dopiero potem, już jako strumyczek, wędrowała do pozostałych partii.

Klęska pierwszego powstania w Afganistanie, namaszczenie Hekmatiara na pakistańskiego faworyta i jego wojna z Massudem stały się nieodkupionym grzechem pierworodnym mudżahedinów, za który świętych wojowników i ich rewolucję czekało potępienie.

Hekmatiar, przeklinany przez wszystkich pozostałych przywódców mudżahedinów, nie zważał już na nic. Śniąc o władzy, obrał drogę, która miała do niej prowadzić. Obrońcy starego porządku odrzucali go jako parweniusza, bojownicy o nowy – jako żądnego władzy odmieńca. Godząc się z nimi, nie zyskiwał absolutnie nic. Wydając wojnę wszystkim, wszystko miał do zyskania. Niczym straceniec pogrążał się w kolejnych zdradach, intrygach, łajdactwach, jakby chciał się zatracić w bezbrzeżnym złu. Wyzbył się więc wątpliwości i skrupułów. Wrogów – a był nim każdy, kto stawał mu na drodze, kto nie chciał uznać w nim przywódcy – zwabiał w zasadzki i podstępnie mordował albo wydawał afgańskiej tajnej policji. Kolaborował z wywiadami i tajnymi policjami pół tuzina państw, z każdym, kto choć o krok mógł go przybliżyć do wyśnionej władzy. Broni i pieniędzy, które otrzymywał od Pakistanu na wojnę z Rosjanami, używał głównie do walki ze swoimi nieprzyjaciółmi albo oszczędzał na przyszłą, rozstrzygającą bitwę o Kabul.

Kiedy odmówił wysłania swoich oddziałów do wspólnych natarć na Kunduz i Dżalalabad, co stało się główną przyczyną najboleśniejszych klęsk poniesionych przez mudżahedinów, stareńki Sebghatullah Modżaddidi, przewodniczący powstańczego rządu na wygnaniu, nazwał go zdrajcą i zbrodniarzem. Trzęsąc się ze zdenerwowania, próbował wyszarpnąć zza pasa pistolet, by strzelić w łeb Hekmatiarowi, pełniącemu wówczas obowiązki powstańczego ministra dyplomacji.

– Problem z Hekmatiarem polega na tym, że zabił więcej mudżahedinów niż Rosjan i komunistów razem wziętych – powiedział o Gulbuddinie zapalczywy i kochany przez Pasztunów komendant Abdul Haq, który podobnie jak Massud wielbił nade wszystko niezależność. – Dlaczego w świętej wojnie Pakistańczycy, którzy sami nigdy żadnej wojny nie wygrali, mieliby dowodzić nami, którzyśmy żadnej wojny nie przegrali?

Cel – najwyższa i niepodzielna władza – miał uświęcić środki i metody, jakich się imał, by go osiągnąć. Oskarżano go, że zanadto uzależnia się od pakistańskiej pomocy, że jako protegowany cudzoziemców nigdy nie zdobędzie serc rodaków, że kompromituje świętą wojnę i świętych wojowników. Nie dbał o to. Cóż przyszłoby mu z miłości Afgańczyków? Nie, wygraną w wojnie mogło zapewnić jedynie wsparcie Pakistańczyków oraz przyjaciół z Ameryki i Arabii. Ktoś to wsparcie w końcu musiałby otrzymać. Dlaczego więc nie on?

Uciekali od niego mudżahedini, którzy nie chcieli strzelać zza węgła do swoich towarzyszy? Na ich miejsce brał arabskich ochotników, którzy tysiącami zjeżdżali na afgańską świętą wojnę i nie mieli wątpliwości. Nie chcieli go kochać w kraju? Musieli na wygnaniu. Mając najwięcej pieniędzy, rządził niepodzielnie w obozach uchodźców pod Peszawarem, gdzie schroniła się prawie czwarta część wszystkich Afgańczyków. Jeśli chcieli jeść, jeśli chcieli dostać lekarstwa, które mogły uratować ich dzieci, musieli przyjść i złożyć mu hołd. Nie musieli go kochać. Wystarczało mu, że się go bali. Odkupieniem win miało być zwycięstwo. Zwycięzców wszak nikt nie sądzi. Nikt się nie ośmieli.

Kiedyś zapytałem Massuda, czy nie próbował spotkać się z pakistańskimi przywódcami, dogadać się jakoś, wszystko wyjaśnić. W odpowiedzi żachnął się, jakbym powiedział jakąś straszną niedorzeczność. Jakbym proponował, by wyparł się wroga, bez którego może nie potrafiłby żyć. Brak wroga oznaczałby bowiem, że walcząc dalej, musiałby określić wyraźnie – przede wszystkim, przed samym sobą
112 – o co walczy, a nie jedynie przeciwko czemu.

Ktoś pochodzący z naszego świata nazwał kiedyś Massuda muzułmańskim socjalistą. On sam powtarzał, że walczy o wolność. W jego świecie tego rodzaju deklaracja była wystarczająca i całkowicie zrozumiała.

Słowo „wolność" pada w Afganistanie tak często, jak chyba nigdzie na świecie. Panuje przekonanie, że nikt nie bronił swojej wolności tak jak Afgańczycy. Istotnie, nie tylko oparli się dwóm żarłocznym imperiom, brytyjskiemu i rosyjskiemu, ale doprowadzili do ich upadku, przynosząc przy okazji wolność dziesiątkom narodów, którym nie starczyło męstwa ani śmiałości na samodzielną walkę. Zapłacili jednak cenę tak wysoką i tak straszliwą, że nie tylko podważyło to wartość samej wolności, ale sens walki o nią. Ich kraj został doszczętnie zniszczony i splądrowany. W ciągu ostatniego ćwierćwiecza Afgańczycy zostali zdziesiątkowani, a co czwarty ocalały z tej hekatomby ratował życie ucieczką z kraju. Zbiegło ich tak wielu, że dziś żaden z sąsiadów nie chce już przyjmować u siebie następnych uciekinierów. Nikt nas nie podbił, nie byliśmy niczyimi niewolnikami, nikomu nie daliśmy odebrać sobie wolności – powtarzają Afgańczycy, dowódcy i prości żołnierze, ważni ministrowie i urzędnicy, kupcy i przekupnie, wieśniacy i mieszczuchy. Ale w ich słowach tkwi tyleż szczerej, głębokiej wiary, ile rutyny. Od wieków powtarzają te słowa jak zaklęcie, pacierz, obietnicę Królestwa Niebieskiego.

Wierzą w wolność wiarą czystą, dziewiczą i piękną. Wolność to jedyne, co im zostało. Musieli więc cenić ją jak najdroższy skarb. Bo jeśli wolność polegająca na tym, że nie mając nic, nie ma się także nic do stracenia, nie jest wartością, to może się okazać, że wszystkie wyrzeczenia, wszystkie cierpienia były nadaremne.

Wycofując się, partyzanci wysadzili w powietrze wiszącą nad drogą skałę, by udaremnić pościg. Kamienna piramida   113 odcięła od świata dolinę Pandższiru, zamykając w wąwozie jej mieszkańców i stawiając ich tym samym po innej stronie niż ludzi z pozostałych dolin Afganistanu. Dróżka pojawiła się o brzasku, jak zapewniał przewodnik. Wyraźną, wąską kreską biegła wśród zakurzonych głazów i skalnych usko-ków. Pięła się stromo na bliski już górski garb. Groteskowo intensywnej barwy granatowe niebo i turkusowa rzeka bru-talnie łamały szarości wąwozu. Widoczna w dole droga nad strumieniem zasypana była kamienną lawiną. Ze szczytu ku leżącemu u podnóża góry miasteczku Golbahar spływał potok ludzi. Stąpając ostrożnie po zdradliwie ruchomej, ka-mienistej ścieżce, zerkając podejrzliwie na obcych przyby-szów, wieśniacy z doliny wędrowali do miasta.

Nieufni, czujni mężczyźni ściskali w ramionach owinięte w koce niemowlęta. Ich kobiety niosły na głowach wyplata-ne kosze, pełne kukurydzianych kolb, pomidorów i grana-tów. Karawany osłów zwoziły piramidy wielkich, plastiko-wych baniek na benzynę i naftę. Schodzili z górskiego zbo-cza w nerwowym pośpiechu, pragnąc jak najszybciej wtopić się w gwar miasteczkowego bazaru. Tam nie byliby już tak widoczni. Wśród kramów, wśród setki przekupniów nikt nie pozna, że właśnie przyszli z doliny. I że gdy zapadnie zmierzch, niektórzy do niej wrócą.

Miasteczko Golbahar oraz pobliskie Dżabal us-Seradż i Czarikar stanowią część doliny rzeki Pandższir. Tyle że leżą już poza skalną bramą, strzegącą wejścia do wąwozu. Wieś-niacy czuliby się na tamtejszych bazarach zupełnie bez-piecznie i swojsko, gdyby nie fakt, że pilnujący porządku żołnierze z afgańskich rządowych armii zawsze uważali ich za nieuleczalnych buntowników, jakich od wieków wyda-wała niepokorna dolina.

Za skalnym uskokiem góry nagle się rozstąpiły. Rzeka
Pandższir płynęła tu spokojniej, rozlewała się wśród piasz-

czystych łach szeroko i leniwie. Biegnąca powyżej jej koryta, wykuta w kamiennym zboczu wąska dróżka to wspinała się, to gnała w głąb otwierającej się powoli, raz zielonkawej, raz pożółkłej doliny. Ulepione z gliny i kamieni domostwa o wysokich, pozbawionych okien murach nierównymi, ale zwartymi rzędami wciskały się między siebie, przepychały, by stanąć jak najbliżej wijącej się między nimi drogi. Na płaskich dachach suszyły się porozkładane w słońcu pomidory i czerwone kolby kukurydzy. W dole, nad wodą, kobiety krzątały się na wyrwanych rzece i górom poletkach ryżu, kukurydzy, pszenicy, słoneczników i pomidorów. Za miasteczkiem Rocha, największym w dolinie i leżącym w jej sercu, droga znów zaczynała się piąć w górę, wyżej i wyżej, aż przemieniona w ścieżynkę niknęła wśród skalnych ścian.

Ciągnąca się przez prawie dwieście kilometrów i szeroka na dwa do trzech, licząca prawie ćwierć miliona dusz dolina nad rzeką Pandższir należy w Afganistanie do największych. Z takich dolin, żyjących praktycznie niezależnie od siebie i z rzadka tylko się ze sobą komunikujących, składa się cały Afganistan. Życie w dolinie bywało zbawieniem, ale i przekleństwem. Wspólnota z ziomkami była tak silna, niemal rodzinna, że gwarantowała bezpieczeństwo i pomoc w biedzie. Z drugiej jednak strony kazała traktować sąsiadów z innych dolin jak obcych. Rodziła nieufność i zaściankowość. Cały świat z jego wszystkimi sprawami zamykał się w jednym przepastnym wąwozie. W dolinie jej mieszkańcy żyli według jasnych, konkretnych i odwiecznych kryteriów wartości. Byli bezpieczni i pewni siebie, znali tu każdy kamień. Wszędzie indziej tracili rozeznanie.

Dolina Pandższiru jest kluczem do władzy w Afganistanie. Nie panując nad nią, nie da się bezpiecznie rządzić tym krajem.

Na południu wąwóz podpełza prawie pod Kabul, na północy i wschodzie wtapia się w przełęcze Chawak i Andżoman i wiecznie ośnieżone wierzchołki Hindukuszu. Wędrując nad przepaściami i między skalnymi rumowiskami, przez przełęcz Chawak, którą kiedyś, maszerując na Kandahar, przeszedł z całą armią Aleksander Macedoński, dociera się do żyznej doliny Taloghanu. Stąd blisko już do Kunduzu i Mazar-e Szarif, położonych tuż nad rzeką Amu-darią, wyznaczającą granicę z Uzbekistanem i Tadżykistanem. Jeszcze bardziej karkołomna droga przez przełęcz Andżoman wiedzie do leżącego na końcu świata Badachszanu i jego stolicy, Fajzabadu. Stąd wędruje się dalej na tadżycki Pamir, do Kaszmiru czy nawet chińskiego Turkiestanu. Przemierzając zaś leżącą na zachód przełęcz Ghorband, można z łatwością dotrzeć do Bamjanu, krainy Hazarów, potomków wojowników Czyngis-chana.

Warowne mury potężnych, skalistych gór otaczających zewsząd Pandższir, a jednocześnie liczne, bezpieczne drogi ucieczki z doliny czynią z niej niedostępną, groźną twierdzę. Można stąd trzymać w szachu stolicę, Kabul, ale przede wszystkim biegnącą tuż obok, za sąsiednią doliną Andarabu, drogę przez przełęcz Salang, jedyną klamrę spinającą rozdzieloną Hindukuszem północ z południem kraju.

Jeszcze sto lat temu przez Salang przeprawiały się tylko karawany wielbłądów i jeźdźcy na najwytrwalszych wierzchowcach. Zimą zasypany śniegiem i zastygły w przenikliwym mrozie szlak był nieprzejezdny. Dopiero czterdzieści lat temu Rosjanom udało się namówić afgańskiego króla, by pozwolił im przewiercić góry Hindukuszu na wysokości prawie trzech i pół tysiąca metrów i poprowadzić tamtędy bitą, przejezdną niezależnie od pogody i pory roku drogę. Powstał w ten sposób najwyżej położony na świecie, długi na trzy kilometry tunel, który wędrówkę ze stolicy północy kraju, Mazar-e Szarif, do Kabulu, zajmującą dotąd cztery dni, skrócił do zaledwie kilku godzin.

Droga przez Salang odryglowała też Afganistan od północnej, rosyjskiej strony. W muzułmańskim raju stary emir Abdurrahman, ten, który nie pozwolił Brytyjczykom poprowadzić kolei żelaznej do Kabulu, musiał szpetnie przeklinać, widząc taką lekkomyślność swojego następcy. Tunelem wszak bezpiecznie i szybko mogły wędrować i karawany kupców, i kolumny wojskowe.

Rosyjskie pułki, które najechały Afganistan, usiłując ratować ustanowiony za poradą i pomocą Kremla reżim przed mudżahedinami, nazywały przełęcz Salang i tunel Drogą Życia. Rosjanie sprowadzali nią do afgańskiej stolicy, zajętej i przemienionej w monstrualny garnizon, broń, paliwo, żywność, lekarstwa. Służyła im też do błyskawicznych przemarszów z baz na północy do Kabulu i na pasztuńskie południe, do niespodziewanych ataków i bezpiecznych odwrotów. Tędy ściągała odsiecz i tędy prowadziła droga do domu.

W mrocznym i wiecznie wyziębionym tunelu Salang panuje absolutna cisza. Słychać tylko krople, które zbierają się powoli u jego sklepienia, pęcznieją, dojrzewają, odrywają się pod własnym ciężarem i spadają z hukiem na ziemię. Pogrążony w ciemnościach i ciszy, wytyczony galeriami odlanych z betonu kolumn, tunel przypomina kaplicę podczas żałobnego nabożeństwa.

Droga Życia wiedzie przez gliniane cmentarzysko. Łopoczące na porywistym wietrze chorągwie na mogiłach, kikuty domów, potrzaskane kulami mury, pordzewiałe szkielety pancernych pojazdów strąconych z drogi pociskami, granatami i lawinami są pamiątką po wojnie, którą mieszkańcy doliny Pandższiru, a także wszystkich afgańskich wąwozów i oaz nazwali świętą.

— Jeden z jej bohaterów, hadżi Abdul Kadir, powiedział mi kiedyś, że wojna to żadne bohaterstwo. Kiedy wybucha, człowiek nie ma po prostu wyboru i musi walczyć po jednej albo po drugiej stronie. A nie walczyć w czas wojny to znaczy pogodzić się z rolą bezwolnej ofiary, skazanej na zagładę wcześniej czy później.

– Dla nas, mudżahedinów, wszystko było jasne i proste. Zostaliśmy napadnięci przez Rosjan, których nasi komuniści wezwali na pomoc, kiedy już sami nie potrafili utrzymać zdobytej władzy. Dopuścili się zbrodni i zdrady. Bo zbrodnią i zdradą jest w naszym przekonaniu wzywanie obcych na pomoc w domowej wojnie. Dla nas to było proste: walczyć o wolność albo złożyć broń i dać się zniewolić. Walczyć to istotnie nic trudnego. Łatwo ryzykować własne życie, jeśli w dodatku ryzykuje się w imię sprawy, która jest najważniejsza. Najciężej jest patrzeć na konsekwencje. Niedolę ludzi, którzy uwierzyli, że ich uratujesz, a ściągasz na ich głowy nieszczęście. Widzieć, jak cierpią w imię zbiorowej odpowiedzialności, jak w okamgnieniu tracą dorobek życia. Szczęśliwe chwile? Nie było takich. Najtragiczniejsze? Było ich zbyt wiele, żeby spamiętać wszystkie. Na przykład dzień, gdy wiedząc o szykującej się rosyjskiej ofensywie, zarządziłem ewakuację całej doliny. Dziesiątki tysięcy ludzi ruszyły przez góry, porzucając wszystko, co mieli. Wiedzieli, że może nigdy tego nie odzyskają. Niektórzy wrócili do domu dopiero pięć lat później.

– Nie miał pan nigdy wątpliwości, że czyni słusznie?
– Nie miałem wyboru.

Położenie doliny Pandższiru, przycupniętej nieopodal Kabulu i drogi przez przełęcz Salang, nieuchronnie i szybko ściągnęło do niej rosyjskie wojska. Rosjanie nie spodziewali się kłopotów. Wierzyli, że na sam widok ich pancernych kolumn, eskadr samolotów i śmigłowców wioskowi partyzanci rzucą karabiny i wezmą nogi za pas. Jak każda najeźdźcza armia, Rosjanie, pełni butnej wiary w swoją potęgę, z pogardliwą wyższością spoglądali z czołgowych pancerzy na afgańskich wieśniaków, którzy nie stawili im żadnego oporu i zdawali się znosić ich rządy z pokorą i uległością. Cóż mogli im zrobić? Czym zagrozić? Co mieli przeciwstawić ich wspaniałemu wyszkoleniu i najnowocześniejszym arsenałom, na które nigdy nie żałowano pieniędzy i nad których doskonaleniem pracowali najwybitniejsi uczeni? Perspektywa pojedynku podbijającego kosmos mocarstwa z bosonogim, plemiennym pospolitym ruszeniem budziła politowanie. Tylko szaleniec bez rozumu zdecydowałby się rzucić wyzwanie najpotężniejszej armii świata.

Partyzanci podjęli jednak walkę. Wbrew wszelkim kalkulacjom, wbrew rozsądkowi. Jakby nie zdawali sobie sprawy z beznadziejności swojej sytuacji i przewagi wroga. Jakby nie przyjmowali do wiadomości rzeczy oczywistych. Ich pozbawione wszelkiej logiki postępowanie sprawiało, że nie sposób było z nimi walczyć. Ich niewiedza, nieznajomość świata i wynikający z nich brak kompleksów, porażająca niekompetencja, irracjonalizm myślenia i działania paraliżowały rosyjskich najeźdźców. Afgańczycy niczego nie planowali, więc nie sposób było przewidzieć, co uczynią. Nie dawało się ich rozbić, pozbawić dowództwa, bo żadnego dowództwa nie mieli. Nie mieli żadnej strategii ani polityki. Walczyć z nimi oznaczało walczyć z każdym z nich z osobna. A w takiej batalii samoloty, śmigłowce, czołgi i cała nowoczesna broń okazywały się beznadziejnie nieskuteczne. Najniezwyklejszy i najtrudniejszy do zrozumienia był ich upór i odporność na cierpienia i trudy, których zgodnie z logiką i rozsądkiem nikt nie powinien był znieść i które w każdej innej części świata nieuchronnie prowadziły do kapitulacji bądź kompromisu z najeźdźcami.

Podczas tej batalii dwóch zupełnie nieprzystawalnych światów zaskoczeni Rosjanie pojęli, że nie uda im się narzucić Afgańczykom nie tylko swego panowania, ale nawet sposobu prowadzenia wojny. Że na nic nie przydadzą się im wszystkie śmiercionośne wynalazki. Że aby pokonać Afgańczyków, rozumieć ich, muszą być jak oni. Walczyć na ich sposób, postępować jak oni, według ich reguł i wartości. Rosjanie tych wartości nie znali, a raczej zdążyli je zapomnieć.

Staruszek Mohammad Dżan z wioski Bazarak, który gotował ryż dla partyzanckich komendantów, zapewniał, że przeżył co najmniej cztery tysiące rosyjskich nalotów na Pandższir. W ustach Mohammada Dżana oznaczało to po prostu, że nalotów było bardzo wiele. Dziadek Mohammad wspominał, że widział nawet wyraźnie twarz pilota, który zrzucił bombę na jego dom. Działo się to, zanim jeszcze mudżahedini dostali z Ameryki maleńkie, zarzucane na plecy wyrzutnie rakietowe Stinger. Rosyjskie samoloty i śmigłowce bezkarnie latały tuż nad wierzchołkami pandższirskich drzew, strzelały z karabinów pokładowych i rakiet do kryjących się po chałupach wieśniaków, kóz i owiec.

Później, bojąc się śmiercionośnych rakiet, Rosjanie bombardowali dolinę z dużych wysokości. Bomby nie trafiały już tak celnie. Wiele z nich wybuchło nad rzeką, u podnóża skalistych ścian wznoszących się nad doliną. Nie licząc pomniejszych potyczek, Rosjanie przeprowadzili dwanaście wielkich natarć na dolinę. Większość tych bitew toczyła się na wysokości ponad trzech i pół tysiąca metrów. Najpierw nadlatywały samoloty i zasypywały dolinę deszczem bomb. Potem śmigłowce wysadzały desant na wzgórzach. Żołnierze próbowali odciąć partyzantom drogi ucieczki z doliny i powoli schodzili z gór. Jednocześnie od strony Golbaharu wkraczały do Pandższiru kolumny pancerne.

Massud nigdy nie bronił doliny. Nie było sensu walczyć 120   o dolinę za cenę uwięzienia w niej i nieuchronnej śmierci.

Uprzedzany przez swoich szpiegów, których miał w stolicy bez liku, uciekał z partyzantami i dziesiątkami tysięcy wieśniaków, tyloma, ilu zdołał wyprowadzić, w góry. Przełęczami Chawak i Andżoman przedzierał się w niedostępne bezdroża Tacharu i Badachszanu, gdzie schowani w jaskiniach czekali, aż Rosjanie przestaną bombardować górskie osady – kiszłaki, i opuszczą ich pogorzeliska.

– Rosjanie próbowali zdobyć dolinę na wszelkie sposoby – opowiadał Massud o tamtych dniach. – Bombardowali, wysadzali desanty na szczytach gór, szturmowali drogę nad rzeką. Czasami biliśmy się z nimi, ale jeśli siły były nierówne, uciekaliśmy w góry. Wracaliśmy, gdy się tego najmniej spodziewali. Nigdy nie utrzymali się długo.

Rosjanie też mieli w dolinie szpiegów, którzy donosili im, ilekroć partyzanci zeszli do wiosek z gór na odpoczynek bądź na spotkanie karawany z bronią. Rosyjskie śmigłowce w mgnieniu oka nadlatywały wówczas nad wąwóz i rzucały się w dół na zdobycz jak drapieżne ptaki.

Zazwyczaj jednak, gdy rosyjscy żołnierze lądowali na skalistych zboczach doliny Pandższiru, zastawali ją pustą. Wojsko przeszukiwało porzucone chałupy, wystawiało posterunki, a po kilku dniach okupacji oddziały szturmowe, których zadaniem było nie zajęcie doliny, lecz unicestwienie Massuda i jego buntowników, wycofywały się z wąwozu. Wtedy wracali chłopi, a wraz z nimi albo wkrótce po nich w pandższirskich wioskach pojawiali się mudżahedini.

W nocnych zasadzkach zaczynali ginąć przywiezieni przez Rosjan żołnierze afgańskiej armii rządowej, którzy pod naporem mudżahedinów uciekali coraz dalej z doliny. Nocami płonęły składy paliw i amunicji. Kamienne lawiny masakrowały patrolujące wąwóz kolumny. Aby utrzymać dolinę w posłuszeństwie, trzeba było wysyłać wciąż więcej i więcej wojska. Do tropienia partyzantów, do ochrony dróg, do ochrony garnizonów. Rachunek zysków i strat wypadał coraz fatalniej.

Nie mogąc pokonać Massuda, Rosjanie zaproponowali mu rozejm. Zgodził się. Jego poddani i żołnierze byli już zmęczeni ciągłymi nalotami i walkami. Zobowiązał się nie napadać na rosyjskie konwoje, a Rosjanie obiecali, że nie będą go nękać w Pandższirze ani ściągać z doliny rekruta do rządowego wojska afgańskiego. Myśleli, że przechytrzą go, że tak jak większość afgańskich komendantów zadowoli się panowaniem nad rodzinną doliną, a oni w tym czasie będą mogli zwalczać inne partie partyzanckie na południu kraju.

Jego wrogowie, szczególnie ci z pasztuńskiego południa, nigdy jednak nie wybaczyli mu pokoju, jaki zawarł z Rosjanami. Zbyt wielu mudżahedinów zginęło w obławach, osaczonych przez rosyjskie śmigłowce na skalistych pustyniach Kandaharu, Helmandu, Paktii i Nangarharu. Pasztunowie byli przekonani, że nie mając spokoju w Hindukuszu, Rosjanie nie mogliby przypuścić tak wściekłego ataku na południu. Winą za śmierć towarzyszy obarczali Massuda, a święty obowiązek pomszczenia braci nie pozwolił im o tym już nigdy zapomnieć.

Ale Massud wiedział, że uwięziony w dolinie, prędzej czy później stanie się łatwą zdobyczą. Roczne zawieszenie broni zapewniało bezpieczeństwo w Pandższirze, zabrał się więc do podbijania innych hindukuskich dolin, a także równin nad Amu-darią. Nim rozejm dobiegł końca, kontrolował jedną trzecią kraju. Jego armia wypoczęła i była gotowa do dalszej walki. Zdążył też przeszkolić nowych rekrutów, namówić pomniejszych komendantów, by wraz ze swoimi armiami poszli pod jego komendę, a tych, którzy słuchać go nie chcieli, zgładzić lub przepędzić. Do ogłoszonego strefą pokoju Pandższiru ściągali z całego kraju mudżahedini, ratując się przed atakami Rosjan. W ten sposób Massud, umacniając i rozszerzając swoje panowanie, stworzył zalążki emiratu buntowników. Rosjanie zrozumieli błąd, ale było już za późno. Massud wydostał się z pułapki. Kiedy termin rozejmu upłynął, zaproponowali mu zawarcie nowego. Nie chciał. Już go nie potrzebował.

Drogą Życia przepuścił Rosjan jeszcze tylko raz – gdy wracali z niesławnej afgańskiej wyprawy wojennej do kraju.

Ceną, jaką harda dolina i cały kraj zapłaciły za wolność, której nie dały sobie wydrzeć, było całkowite zniszczenie. Były takie wiosny, lata i jesienie, gdy w wymarłym wąwozie wśród zburzonych domostw, spalonych drzew i cmentarzy, w zupełnej ciszy, samotnie i nadaremnie rodziły się ryż, pszenica, kukurydza, pomidory i winogrona. Jeszcze wiele lat po wojnie liczba ruin w dolinie znacznie przewyższała liczbę wzniesionych na nowo domów.

Z raportu sztabu radzieckiej armii interwencyjnej w Afganistanie:

Inteligencją i talentem wojskowym Massud wyróżnia się spośród pozostałych komendantów. Przejawia godną podziwu wytrwałość i upór w realizacji wyznaczonych zadań. Podczas walk trzeźwo ocenia sytuację, stosunek sił i samodzielnie podejmuje wszystkie decyzje. Doświadczony konspirator, skryty, podejrzliwy i lubiący władzę. Zarozumiały, wyniosły i nieprzystępny. Nigdy nie nocuje dwa razy w tym samym miejscu. Ubiera się skromnie. Nie ufa ani jednemu ze swoich współpracowników. Najbliżsi i najbardziej wpływowi ludzie w jego otoczeniu nie pełnią żadnych oficjalnych wysokich funkcji. Nie utworzył stanowiska swojego zastępcy. Często przeprowadza zmiany personalne wśród swoich doradców i w gwardii przybocznej.

Święta wojna ujawniła odziedziczony po ojcu, oficerze królewskiej armii, wojskowy geniusz Massuda. W Afganistanie nikt wcześniej tak nie walczył. Otwarty, o naprawdę szerokich horyzontach, oczytany w klasycznej i współczesnej literaturze wojennej, pierwszy zrozumiał, że aby stawić czoło potężnej rosyjskiej armii, nie wystarczy prowadzić wojny w tradycyjny afgański sposób, czyli bronić własnego terytorium siłami pospolitego ruszenia. Swoją pandższirską armię zorganizował w sposób prawdziwie wojskowy. Odebrał broń wieśniakom, zaczął ściągać rekruta. Młodzi żołnierze uczyli się dyscypliny, taktyki, musztry, strzelania, stawiania min. Zapędzał ich do ćwiczeń fizycznych. Sam dawał przykład, uprawiając karate pod okiem japońskiego mistrza. Miał nawet kilka zdobytych na Rosjanach czołgów i wozów pancernych. Stworzył własną artylerię. Podzielił armię na małe, ruchliwe oddziały, które organizowały zasadzki z dala od swoich baz, a po akcji jak duchy rozpływały się w górach.

Pasztuńscy wojownicy z południa pozostawali wierni odwiecznej taktyce plemiennego pospolitego ruszenia, wojny podjazdowej i walki wyłącznie na swoim terytorium. Wspaniale organizowali zasadzki na rosyjskie konwoje, ale nigdy nie udało im się zdobyć żadnego miasta. Nawet kiedy zjednoczyli swoje wojska w jedną, ogromną armię i po wycofaniu się Rosjan z Afganistanu ruszyli na Dżalalabad, by go zdobyć i pomaszerować na Kabul, ponieśli sromotną klęskę w bitwie z afgańską rządową armią. Dwadzieścia tysięcy świętych wojowników, uzbrojonych jedynie w karabiny i moździerze, oddało życie w beznadziejnym oblężeniu i szturmach. Dżalalabadzka hekatomba wywołała dalsze kłótnie i oskarżenia wśród pasztuńskich chanów, a także podejrzenia, czy wysyłając ich na pewną śmierć, pakistańskim gospodarzom nie szło aby o to, by śmiertelnie wykrwawić zarówno afgańską armię, jak mudżahedinów.

Armia Massuda walczyła inaczej. Zgodnie z partyzanckimi podręcznikami Mao Tse-tunga, Che Guevary i Ho Szi Mina, według których koniecznie należało intensyfikować wojnę na wsi i przenosić ją do miast, nie posyłał swoich żołnierzy do żadnych straceńczych, niepotrzebnych szturmów. Miast nie zdobywał, lecz zmuszał je do kapitulacji i zajmował bez strzału. Jego mudżahedini pierwsi w Afganistanie walczyli poza swoimi terenami. Pierwsi zabiegali o poparcie ludności cywilnej w obcych dolinach i utrzymywali w miastach sieć agentów. Pandższirscy Tadżycy, służący w afgańskiej armii i służbach bezpieczeństwa, informowali Massuda o wszystkich planowanych na niego zamachach, o wszystkich operacjach armii rosyjskiej.

Przenosząc działania zbrojne poza teren Pandższiru, Massud stworzył nie tylko organizację wojskową, ale i polityczną. Walczył na nie swoim terenie, musiał więc zyskać sprzymierzeńców lub poddanych w osobach tamtejszych komendantów. Włączył ich wszystkich do powołanego przez siebie Sojuszu Północy, wspólnego frontu rozmaitych partii zbrojnych, chanów dolin i oaz, mułłów od Badachszanu na wschodzie po Herat na zachodzie. Sojusz Północy, będący rządem, parlamentem i sztabem generalnym partyzanckiego emiratu, rozstrzygał o wszystkim – sprawiedliwie rozsądzał spory, planował zbrojne kampanie, przyjmował deklaracje polityczne. Nade wszystko zaś zapewniał poddanym w miarę normalne życie.

W dolinie Pandższiru Massud stworzył prawdziwe państwo z administracją, policją, więzieniami i izbami tortur, meczetami, sądami wymierzającymi wyroki według prawa koranicznego, szkołami. Pieniądze na broń, paliwo i żywność zdobywał, biorąc łupy, przemycając szmaragdy i inne kamienie szlachetne. Ściągał podatki nie tylko z mieszkańców doliny, ale także z tych, którzy wywędrowali przed laty z wąwozu do pobliskiej stolicy i zbili majątki jako kupcy, przedsiębiorcy, urzędnicy, politycy. A kiedy w oczy zaglądał prawdziwy głód, nie wahał się przed grabieżczymi najazdami na tadżyckie i uzbeckie wioski, leżące już na radzieckich brzegach granicznych rzek Amu-daria i Pandż. 125

Mieszkańcy doliny Pandższiru, Taloghanu czy Fajzabadu, wspominając tamte czasy, przyznają, że Massud rządził surowo, ale sprawiedliwie. Dbał o to, aby ludzie modlili się w meczetach, kobietom nakazał wychodzić z domów tylko w specjalnych szatach zakrywających twarz. W pierwszych latach więzienia były pełne skazańców. Z czasem Massud złagodniał, a wraz z nim jego prawa. Ludzie garnęli się pod jego opiekę, bo gwarantował bezpieczeństwo, sprawiedliwość i spokojne żniwa nawet w czas wojny. Pod dowództwo Massuda ściągali komendanci małych, niezależnych oddziałów partyzanckich, bo zapewniał im broń, wikt i sławę niepokonanych. Nie bez znaczenia było też to, że pozostając rewolucjonistą, rozumiał potrzebę poszanowania tradycji. Był w sam raz. Nie tak okrutny i radykalny jak Hekmatiar, ale bardziej zdecydowany i energiczniejszy niż pasztuńscy chanowie Mohammad Nabi Mohammadi i pir Sajjed Ahmad Gajlani.

Jako jeden z nielicznych Massud mógł mówić o sobie, że jest niezależny i nikomu niczego nie zawdzięcza. Nie jeździł do Peszawaru ani po pieniądze, ani po porady. W przeciwieństwie do tych, którzy nazywali się przywódcami świętej wojny, a przesiadywali całymi latami w wygodnych willach w Peszawarze i Kwetcie, wykłócając się o podział darowanych amerykańskich dolarów i o posady w przyszłym muzułmańskim rządzie Afganistanu, Massud na krok nie ruszał się z kraju, spędził w ojczyźnie całą wojnę i walczył naprawdę. Mogli się z nim równać co najwyżej jego sprzymierzeniec z Sojuszu Północy, Ismael Chan z Heratu i młody Pasztun Abdul Haq, który przez całą wojnę bił się w podstołecznym Paghmanie i w samym Kabulu.

Tak się rodziła legenda Lwa z Pandższiru, walczącego z niewiernymi, niezłomnego, niezwyciężonego. Wraz z legendą Massuda rosła nienawiść jego wrogów, a szczególnie Gulbuddina Hekmatiara. Do szewskiej pasji doprowadzały go triumfy Massuda i mit, jaki zaczął go otaczać. Nie mógł znieść, że to o nim wieśniacy śpiewali pieśni i snuli opowieści. Że go kochali. Jego imię zaś budziło najwyżej strach. Podburzał więc przeciwko Massudowi pasztuńskich komendantów z Kunduzu, uprowadzał wędrujące do niego wielbłądzie karawany z bronią, wciągał w zasadzki i mordował jego komendantów. Massud nie pozostawał dłużny i na podległych sobie ziemiach bez skrupułów wieszał dowódców Hekmatiara, a żołnierzy wraz z ich arsenałami przejmował pod swoją komendę.

Nie mogąc pojmać ani pokonać Massuda, Rosjanie i afgański rząd próbowali go skrytobójczo zgładzić. Wysyłali do doliny swoich najlepszych szpiegów i zabójców. Nadaremnie. Dowódca rosyjskich wojsk generał Gromow wspominał, że co najmniej dziesięć razy raportowano mu o śmierci Massuda, po czym dostawał informacje o jego nowych atakach na Drogę Życia.

Kiedy najemni zabójcy wracali z Pandższiru z niczym, afgański prezydent Nadżibullah słał do Massuda posłańców z propozycją, by zechciał w jego rządzie objąć posadę ministra wojny. Pozbawiony wsparcia rosyjskiej armii przeczuwał, że nie utrzyma się długo u władzy, i szukał nowych sojuszników, którzy w zamian za zaszczyty i przywileje zgodzą się go strzec. Czas naglił. Z Moskwy przestały przylatywać samoloty pełne karabinów, rubli, mąki, cukru, lekarstw, paliwa. W prowincjach zaczęły się bunty. Przeczuwając rychły kres jego panowania, dowódcy garnizonów w północnych prowincjach słali umyślnych do Massuda. Ci z południa zaś – do Hekmatiara i innych pasztuńskich komendantów. Kolejni plemienni wodzowie przestali się bać Nadżibullaha i jeden po drugim wypowiadali mu posłuszeństwo. Dziwna nerwowość i rozbieganie pojawiło się w oczach jego generałów i urzędników w stolicy. 127

Przeczucie go nie zawiodło. Jego rząd i armia szykowały się do zdrady. Ministrowie wojny, pasztuńscy generałowie Szahnawaz Tanaj i Aslam Watandżar, przeszli do obozu Hekmatiara. Tadżyccy zaś, z szefem sztabu armii Asefem Delawarem, Nabim Azimim i Baba Dżanem, od dawna mieli konszachty ze swoim rodakiem Massudem.

Po raz ostatni posłańcy z Kabulu przybyli do Massuda, gdy powstańcza armia stała już pod miastem. Minister dyplomacji Abdul Wakil osobiście pofatygował się, by się z nim układać.

Emisariuszy słali do niego z Peszawaru przywódcy świętej wojny, by się wywiedzieć, co zamierza, a także Pakistańczycy, którzy nie mogli dłużej ignorować kogoś, kto dowodził najsilniejszą w kraju partyzancką armią i panował nad prowincjami Badachszan, Baghlan, Tachar, Kunduz, Balch, Samangan, Parwan, Kapisa. Byli przerażeni, że mimo tylu wysiłków, pieniędzy i czasu wojnę może wygrać ktoś im nieposłuszny. Teraz objaśniali mu, jak strzec doliny Pandższiru i drogi przez Salang. Miał też przestać myśleć o Kabulu, który przeznaczyli dla Hekmatiara.

Dwie wielkie armie ruszyły do wyścigu o Kabul. Od południa i zachodu zmierzali, wspierani przez arabskich i pakistańskich ochotników, pasztuńscy wojownicy Hekmatiara. Od północy schodziło z gór i podążało w kierunku miasta Drogą Życia partyzanckie wojsko Massuda i jego nowi sojusznicy, uzbeccy wojownicy ze stepów nad Amu-darią, owiani najgorszą sławą okrutników, rabusiów i gwałcicieli. Służyli dotąd Nadżibullahowi i to właśnie oni, dowodzeni przez generała Abdula Raszida Dostuma, rozbili w puch armię mudżahedinów pod Dżalalabadem. Kiedy jednak Nadżibullahowi zabrakło pieniędzy, by opłacić ich wierność, Uzbecy bez uprzedzenia wymówili mu posłuszeństwo i przyłączyli się do Massuda, który w przekonaniu ich dowódcy Dostuma dawał większą nadzieję na łupy. Pamięć o starych krzywdach, sporach, urazach i zniewagach, a także duma, marzenia i ambicje nie pozwalały Massudowi i Hekmatiarowi ustąpić drugiemu choćby na krok.

Wielka wojna, która właśnie się kończyła, zwiastowała nową, która jak letnia burza zawisła ciężką, ciemniejącą chmurą nad Kabulem.

7 Noc była ciepła, jasna i rozgwieżdżona, a samoloty schodziły do lądowania z włączonymi reflektorami, które żółtymi smugami, jakby po omacku, szukały w dole ziemi. Przysypiających, znużonych służbą na lotnisku żołnierzy nie ożywiła nawet perspektywa niezapowiedzianych gości. Oficer z wieży kontrolnej wydał zgodę na lądowanie. Podniósł słuchawkę telefonu, by złożyć raport dyżurnemu w Ministerstwie Wojny. Po paru dzwonkach bez odpowiedzi odłożył ją jednak na widełki. Nie wierzył, by w nerwowym bałaganie, jaki panował od kilku dni w stolicy, ktokolwiek odebrał telefon, aby kogokolwiek zainteresowała przekazana w środku nocy wieść o dwóch wojskowych samolotach, które schodziły właśnie do lądowania.

Samoloty leciały z Mazar-e Szarif, stolicy prowincji północnych. Kiedy przed trzema laty rosyjskie wojska wyjechały z Afganistanu i władze nie mogły już liczyć na ich ochronę przed powstańcami, prezydent Nadżibullah wpadł na pomysł, że gdyby mudżahedini zbliżyli się zbytnio do Kabulu, przeniesie się z rządem do tego położonego za górskimi przełęczami miasta.

Ale oto właśnie na północy doszło ponoć do buntu części rządowych wojsk. Krążące po bazarach plotki głosiły, że buntownicy przystali do swoich niedawnych wrogów, partyzantów z Hindukuszu, i wspólnie z nimi zmierzali górskimi przełęczami na Kabul. Mówiono też o buntach garnizonów na pustynnym południu.

O tym, co naprawdę działo się w kraju, wiedzieli tylko nieliczni notable. Przekupnie w bazarowych zaułkach opowiadali, że upadek rządu jest bliski i nieuchronny, a ministrowie i generałowie knują spiski albo pakują walizy i szykują się do ucieczki za granicę. Mówiono nawet, że sam prezydent Nadżibullah czeka tylko na specjalny samolot, którym zamierza się udać wzorem innych afgańskich władców na wygnanie do Indii, dokąd wcześniej odesłał już żonę i córki.

Samoloty przysiadły z ciężkim jękiem na betonowym lądowisku i powoli odkołowały w tę stronę lotniska, gdzie pośród poszczerbionych, pogiętych i zardzewiałych wraków zestrzelonych maszyn stał biały samolocik, którym kilka dni temu na rozmowy z Nadżibullahem przylecieli z Peszawaru cudzoziemscy dyplomaci. Żołnierze, którzy wyszli z brzucha samolotu, nosili oliwkowe mundury i dystynkcje rządowej armii. Było ich kilkudziesięciu. Dowodził nimi wysoki, szczupły oficer w randze generała. W jego krótkich komendach żołnierze pilnujący lotniska rozpoznali uzbecką mowę.

Salem, który tej nocy trzymał wartę przed wejściem do wieży kontrolnej, pamiętał, że wraz z towarzyszami wzięli przybyszów za jeden z oddziałów z północnych prowincji, który odmówił przystąpienia do rebelii i korzystając z zamieszania, opanował lotnisko i samoloty, by przybyć na odsiecz zagrożonej stolicy. Jakaż inna mogła być przyczyna tej powietrznej podróży?

Uzbecy, z karabinami w rękach, podeszli szybko, ale spokojnie do wieży kontrolnej, a dowodzący nimi generał kazał się zaprowadzić do oficera dyżurnego. Dowódca warty, sierżant, wyznaczył na przewodnika Salema. Szedł pierwszy. Kiedy na piętrze zatrzymał się przed odrapanymi drzwiami, idący za nim uzbecki generał lekko odsunął go na bok i bez pukania nacisnął klamkę. Rozparty na krześle oficer dyżurny w mundurowej kurtce palił papierosa i rozmawiał przez telefon. Na widok generała rzucił słuchawkę na widełki i niezgrabnie poderwał się na nogi.

– Jestem generał Madżid Chan – rzucił krótko Uzbek. – Przejmuję tu dowodzenie.

Oficer dyżurny bez słowa wpatrywał się w wymierzone w swoją pierś lufy karabinów. Madżid podszedł do biurka i sięgnął po telefon. Po krótkiej chwili w słuchawce odezwał się jakiś głos.

– Jesteśmy w Kabulu. Nie było żadnych kłopotów – powiedział generał spokojnym głosem. – Tak... spokojnie... wszystko zgodnie z planem... czekamy.

Generał Madżid, który dowodził desantem na kabulskie lotnisko, nie wierzył, że pójdzie tak łatwo.

Opowiadał mi o tym, gdy siedzieliśmy w jego gabinecie urządzonym w lotniskowej poczekalni dla wyjątkowo ważnych pasażerów. Zabawiał mnie rozmową, ponieważ chwilę wcześniej przyleciałem wojskowym samolotem z Mazar-e Szarif z listem polecającym od samego uzbeckiego chana Abdula Raszida Dostuma, niedawnego generała afgańskiej armii rządowej, który podniósł bunt w północnych prowincjach i otworzył partyzantom Massuda bramy Kabulu. Widząc list i pieczęć chana, Madżid zaproponował mi popołudniową herbatę, a swoim adiutantom polecił, by znaleźli dla mnie transport i eskortę do samego hotelu. Zapadał wieczór, gdy jeden z adiutantów zameldował, że wszystko gotowe i mogę już jechać. Przed bramą lotniska czekał na mnie czołg z żołnierzami na pancerzu. Kazałem się zawieźć do śródmiejskiego hotelu „Spinzar", który zachwalał mi znajomy z Mazar-e Szarif.

– Byliśmy przygotowani na walkę – mówił. – I tego się nie baliśmy. Baliśmy się tylko, że zestrzelą nas w powietrzu, zanim wylądujemy, że nie będziemy mieli żadnych szans. Ci z lotniska wzięli nas jednak za swoich. Myśleli widać,   133 że wszystkie pobuntowane wojska wraz z partyzantami jadą na Kabul drogą przez góry. Mieliśmy szczęście.

Nocny desant na lotnisko był rozstrzygający w szaleńczym wyścigu Massuda i Hekmatiara o stolicę i władzę w kraju. Opanowując lotnisko, Uzbecy wyprzedzili Hekmatiara, zawłaszczyli dla Massuda rządowe samoloty i zapewnili mu możliwość błyskawicznego przerzucania wojsk i uzbrojenia, co w pozbawionym kolei żelaznej i dróg kraju dawało ogromną przewagę nad każdym przeciwnikiem.

W wyścigu o Kabul liczyła się każda godzina. Gdy Madżid Chan i jego żołnierze lądowali na stołecznym lotnisku, do południowych i zachodnich dzielnic miasta wkraczali już pasztuńscy wojownicy Hekmatiara. Rozstrzygał się los stolicy, kraju i jego władców.

Nie minęła godzina od chwili, gdy Madżid Chan przejął dowodzenie na lotnisku, a już pod jego bramę zajechała ciemnoszara limuzyna w asyście kilku wojskowych dżipów. Zaalarmowany przez swoich żołnierzy, noszących wciąż mundury armii rządowej, osobiście ruszył na spotkanie nieoczekiwanych gości.

– Może pan sobie wyobrazić moje bezdenne zdziwienie! – Madżid Chan, wykształcony w akademii wojskowej w Taszkiencie, mówił dobrze po rosyjsku, ze swadą i dowcipnie. – Na tylnym siedzeniu mercedesa siedział sam prezydent Nadżibullah! Był tuż, ot, wyciągnąć rękę! Także niczego się nie spodziewał. I on wziął nas za swoje wojsko. Rzuciłem okiem, żeby zobaczyć, kto ma więcej żołnierzy. Ich było kilkunastu, moich więcej i wciąż nadbiegali nowi. Poza tym oni nie wiedzieli, kim jesteśmy, i byli coraz bardziej zdezorientowani.

Obok Nadżibullaha siedział mężczyzna o śródziemnomorskich rysach twarzy. Na widok Madżida wysiadł i stanął między nim a siedzącym wciąż w samochodzie Nadżibullahem.

– Nazywam się Benon Sevan. Pochodzę z Cypru i reprezentuję tu sekretarza generalnego ONZ – przedstawił się generałowi.

Madżid Chan podszedł do samochodu i szarpnął drzwi. Nadżibullah podniósł się z siedzenia, próbując wyjść.

– Miał na szyi krawat. Złapałem go o, tak – Uzbek chwycił mnie dłonią za gardło, aż łzy stanęły mi w oczach. – Powiedziałem mu: No, draniu, szykuj się na śmierć, wybiła twoja godzina. Bóg mi świadkiem, że tak było, nie łżę. Już, już go miałem, gdy ktoś pociągnął mnie do tyłu. Nadżibullah szarpnął się, wyrwał i zatrzasnął drzwi samochodu, który ruszył z miejsca i pomknął w stronę miasta. Ech, szkoda. Wyglądało na to, że przyjechał na lotnisko, żeby uciec do Indii. Może słyszał nasze samoloty i pomyślał, że to Hindusi przysłali swoje po niego. A może zamierzał lecieć białym samolocikiem Cypryjczyka? Tak czy siak, nie daliśmy mu uciec.

Żegnając się, generał Madżid obiecał, że odwiedzi mnie w hotelu i sprawdzi, czy przypadkiem nie dzieje mi się krzywda. Skreślił też parę zdań na czystej kartce papieru, starannie złożył ją w kwadrat i wcisnął mi do kieszeni kurtki. Dokładnie dopiął guzik, przyklepał.

– Nie zgub. To tak na wszelki wypadek. Gdybyś miał jakieś kłopoty, idź z tym do któregoś z moich komendantów. A jeśli będziesz się widział z generałem Dostumem, szepnij mu o mnie dobre słowo. To człowiek stworzony do wielkich rzeczy.

Wszystko, do czego w życiu doszedł, Abdul Raszid Dostum zawdzięczał wojnie i zdradom, których dopuścił się w swoim życiu tak wielu, że po latach nikt już mu niczego nie zawierzał. Gdyby nie wojny, całe życie pasłby zapewne owce na stepowych równinach rodzinnego Dżauzdżanu albo jak ojciec, uzbecki chłop z wioski Dokuch pod Szeberghanem, zginałby kark nad marnymi zagonami warzyw i poletkami pszenicy, modlił się i drżał, by dały plony i pozwoliły mu wykarmić rodzinę.

Abdul Raszid ani myślał tak żyć. W tej wegetacji, która zgodnie z odwiecznym obyczajem miała też stać się jego udziałem, wszystko było zawczasu wiadome i nie było w niej miejsca na młodzieńcze marzenia, ambicje, uniesienia, na nic, co odbiegałoby od codziennej rutyny. Taka wyprana z wszelkich radości i tajemnic egzystencja młodemu Dostumowi, przekonanemu o swojej wyjątkowości, wydała się powolnym czekaniem na śmierć, karygodnym marnotrawieniem danego od Najwyższego daru życia. Uciekając przed przeznaczeniem, zaciągnął się do wojska. Okazał się urodzonym żołnierzem, jakby stworzonym do wojaczki. Silny i gibki, posłuszny wobec przełożonych i władczy wobec poddanych, okrutny i bezwzględny. Ze zwykłego szeregowca szybko awansował na sierżanta. Ba! Posłano go nawet na trzymiesięczny kurs oficerski.

W Afganistanie, gdzie od wieków panowali wywodzący się z południa Pasztunowie i spokrewnieni z Persami Tadżycy, Uzbeków uważano za dzikich pastuchów i traktowano ze wzgardą. Nie przyjmowano ich na ważne państwowe posady ani do akademii wojskowych, choć cieszyli się w całej Azji Środkowej zasłużoną renomą najdzielniejszych wojowników.

Na szczęście dla Dostuma burzliwe czasy, w których przyszło mu żyć, zmieniły wiele. Rządzący w Kabulu komuniści nijak nie mogli się rozprawić z muzułmańskimi buntownikami, odmawiającymi uznania ich władzy i porządków. Nie na wiele przydała się nawet rosyjska armia. Komunistyczni władcy w Kabulu potrzebowali wciąż nowych żołnierzy na wojnę z mudżahedinami. Tym bardziej że ściągani wśród Tadżyków i Pasztunów rekruci wykręcali się od walki, na polu bitwy rzucali broń i uciekali, a nierzadko przechodzili z całym rynsztunkiem na stronę wroga. Pootwierali więc oficerskie szkoły i drogi awansu także dla Uzbeków, licząc, że w zamian za wyświadczone dobrodziejstwa okażą się wiernymi i ofiarnymi żołnierzami.

Dostum na kursie oficerskim wpadł w oko ówczesnemu szefowi tajnej policji, ChAD, i przyszłemu komunistycznemu prezydentowi Nadżibullahowi, który kazał posłać Uzbeka na kolejne, półroczne szkolenie, tym razem jednak do jednej z prestiżowych akademii w Związku Radzieckim, a po powrocie podarował mu wozy pancerne i czołgi i polecił zwerbować uzbecką „dziką dywizję" do najbardziej straceńczych misji. Kazał też Dostumowi zapisać się do partii, w której szybko został wyniesiony do godności członka centralnych władz.

Uzbeccy wojownicy, niemal co do jednego chłopscy synowie z nędznych wiosek z rodzinnych stron Dostuma, z Dżauzdżanu, byli mu ślepo oddani i gotowi uczynić dla niego wszystko. Odmienił ich los i dał nowe życie, więc do niego też w tym nowym życiu należeli. Wierzyli w każde jego słowo, każdy rozkaz. Byli żołnierzami Dostuma, a nie rządowej armii z Kabulu. Dostumowe wojsko walczyło za łupy i nie brało jeńców. Wzorem średniowiecznych przodków, wojowników Tamerlana, nie wzdragali się przed gwałtami, rabunkami ani porywaniem w jasyr niewiast i co urodziwszych młodzieńców. Zostawiali za sobą spaloną ziemię, ale zawsze wypełniali nawet najtrudniejsze, niewykonalne, zdawałoby się, zadania na froncie. Po wycofaniu z Afganistanu rosyjskiej armii to dzięki pułkom Dostuma Nadżibullahowi udawało się utrzymywać u władzy przez trzy długie lata.

– Dlaczego walczył pan z mudżahedinami? – zapytałem Dostuma podczas audiencji w jego rezydencji w Kotagorgh pod Mazar-e Szarif.

– Wierzyłem w rewolucję – odparł, ziewając szeroko i odprawiając gestem ręki zgiętego wpół adiutanta.

Sylwetką przypominał atletę, ruchami niezgrabnego niedźwiedzia. W wyprasowanym polowym mundurze bez 137 żadnych dystynkcji, w okrągłej, wojskowej czapce z daszkiem i czarnych, wysokich butach wyglądał jak bliźniaczy brat albo sobowtór irackiego władcy Saddama Husajna. Mówił urwanymi zdaniami, zdawkowo, jakby niepewny, czy potrafię zrozumieć jego historię i stanowisko. Nie patrzył nawet na mnie, kiedy przerzucał na stole i podpisywał jakieś dokumenty, które nieustannie znosili sekretarze. Od czasu do czasu, oczekując aprobaty, zerkał na swojego zastępcę, generała Dżurabeka, który podjął się roli tłumacza.

W ogrodzie czekały pokornie na swoją kolejkę delegacje północnych prowincji, a także przedsiębiorcy i kupcy z Uzbekistanu i Tadżykistanu. Znużony biurokracją i próżną gadaniną, postanowił przyjąć ich wszystkich naraz. Adiutant wyniósł do ogrodu krzesło, na którym Dostum zasiadł. Natychmiast otoczyli go bijący pokłony interesanci. Z niewzruszoną, nieobecną twarzą wysłuchiwał ich próśb, skarg, propozycji, rozsądzał spory, przyjmował podarki, hołdy, życzenia, zapewnienia o dozgonnej wdzięczności i przyjaźni.

Przed zachodem, gdy słońce pospiesznie zapadało za wznoszące się za miastem góry Alborz i położone u ich stóp lotnisko, Dostum ze świtą wyruszał do pobliskiej dwustuletniej cytadeli Ghala-je Dżhangi, gdzie rozłożyło się obozem jego wojsko. Najnowocześniejsze czołgi rozstawione wokół wysokich na kilkanaście metrów murów z piaskowca i gliny i rozmieszczone na basztach działka przeciwlotnicze sprawiały wrażenie, jakby przez pomyłkę na tym samym planie filmowym kręcono dwa filmy wojenne – jeden o średniowieczu, drugi o współczesności. Cytadela Ghala-je Dżhangi przypominała też, że w Afganistanie zawsze liczył się tylko ten, kto miał za sobą potęgę wojskową.

Dostum ją miał. Za wierną służbę Nadżibullah płacił mu wojskowymi awansami, orderami, a przede wszystkim bronią, pieniędzmi i północnymi prowincjami, które oddawał mu w udzielne władanie. Uzbek walczył i rósł w siłę. Był silniejszy nie tylko od najpotężniejszych partyzanckich komendantów, ale także od wszystkich innych dowódców rządowej armii. Zdobył władzę i siłę tak wielką, że zaczęto nazywać go emirem północy.

Nadżibullah, gdy mu o tym doniesiono, zaniepokoił się nie na żarty. Potrzebował Dostuma i jego żołnierzy, żeby panować. Bał się jednak, czy rozzuchwalony Uzbek nie zacznie cenić swych usług i wierności tak wysoko, że zważywszy na pustoszejący wciąż skarb państwa i coraz mniejszą szczodrość przyjaciół z Rosji, nie będzie mógł sobie na nie pozwolić. Nadżibullah bał się, że z dobrodzieja i wierzyciela stanie się dłużnikiem, a nawet zakładnikiem nieokrzesanego watażki. Wyprawiając uzbecką „dziką dywizję" na Przełęcz Chajberską, gdzie mudżahedini szykowali się do szturmu na miasto Dżalalabad, w którym chcieli założyć swoją stolicę przed ostatecznym atakiem na Kabul, Nadżibullah liczył nie tylko na to, że Dostum sprawi się z nowym zadaniem, ale że w krwawej bitwie straci wielu żołnierzy.

Dostum, wysłany na pewną klęskę, wrócił z Przełęczy Chajberskiej w triumfalnym pochodzie. Powstrzymał, rozbił i wyrżnął oblegającą Dżalalabad powstańczą armię, która zdziesiątkowana, zdemoralizowana i skłócona nigdy już nie odważyła się stanąć do otwartej bitwy z rządowymi wojskami. Przerzucony natychmiast do obrony pustynnego Kandaharu, odniósł kolejne zwycięstwo, przepędzając spod miasta partyzantów. Wziął wspaniałe łupy. Jego bojowy szlak na południu znów znaczyły gwałty, grabieże i pożoga. Pasztuńscy wodzowie, którzy mając przed sobą bolesny i zawsze zły wybór między rządem i powstańcami, postawili na rząd, jedni przez drugich słali do Nadżibullaha delegacje ze skargami na okrucieństwo Uzbeków oraz z żądaniami ukarania ich i zadośćuczynienia krzywdom. Dla afgańskiego rządu uzbecki watażka stawał się zbawieniem i przekleństwem. Sprawy w państwie miały się coraz gorzej. Rosji, zajętej ratowaniem resztek imperium, które rozpadało się pod własnym ciężarem, nie w głowie był Afganistan i kłopoty wyniesionego przez nią do władzy Nadżibullaha. Pewne, wydawało się, źródło zaopatrujące afgański rząd w gotówkę, broń i wszystko, co potrzebne do funkcjonowania państwa, zaczęło nagle wysychać. Nadżibullahowi kończyły się pieniądze na opłacanie generałów i możnowładców. Ci zaś, wietrząc jego rychły upadek, starali się zawczasu szukać nowych przyjaciół.

Gdyby mudżahedini potrafili żyć i walczyć w zgodzie, Dostum skończyłby zapewne krótki żywot na szubienicy w Kabulu albo Mazar-e Szarif. Na jego szczęście powstańcy byli skłóceni i na afgańską stolicę, z której desperacko usiłował uciec osamotniony, zdradzony przez wszystkich prezydent Nadżibullah, maszerowały dwie wrogie sobie partyzanckie armie. Przygotowując się do bratobójczej, walnej bitwy, bez wstrętu przyjmowały do swoich szeregów najbardziej nawet znienawidzonych nieprzyjaciół.

Pasztuńscy komendanci, pamiętający Dostumowi pogromy pod Dżalalabadem i Kandaharem, rosiekaliby go na kawałki albo zadali powolną śmierć w mękach i napawali się jego cierpieniem. Uzbecki watażka nie musiał więc mierzyć się z bolesnym problemem wyboru.

– Już dawno przez pośredników i posłańców nawiązałem kontakt z Massudem – opowiadał mi Dostum, pogryzając migdały i rosyjskie landrynki. – Nadżibullah, który sam był Pasztunem, trzymał teraz tylko ze swoimi krajanami. Nabraliśmy podejrzeń, że zechce się z nimi sprzymierzyć i wpuści do miasta Hekmatiara, jeśli ten obieca darować mu życie. Nie wolno było do tego dopuścić. Postanowiliśmy z Massudem go uprzedzić.

Niespodziewana zdrada Dostuma stała się kamieniem, który wywołał gwałtowną lawinę. Północne garnizony, zdaniem Nadżibullaha najbezpieczniejsze i najpewniejsze, gdzie miał większość swoich arsenałów, na rozkaz Dostuma jeden po drugim poddawały się partyzantom Massuda i otwierały im drogę na Kabul.

Kiedy przed wkroczeniem do stolicy Massud zatrzymał się na rogatkach miasta i modlił, dziękując Wszechmogącemu za łaskę zwycięstwa, spadochroniarze Dostuma pod dowództwem Madżida Chana lądowali na kabulskim lotnisku, a dzicy piechurzy, stacjonujący w stołecznej twierdzy Bala Hesar, przeganiali mudżahedinów Hekmatiara z południowych i zachodnich przedmieść. Zgodnie ze zwyczajem uzbeccy wojownicy splądrowali też domy mieszkających tam Pasztunów i pohańbili ich kobiety.

– Tak, to prawda, dogadaliśmy się z Dostumem. Wiedzieliśmy, że będzie po naszej stronie – powiedział Massud w czasie naszej pierwszej rozmowy. – Chcieliśmy jednak, by pozostawał jak najdłużej przy Nadżibullahu, wyciągnął od niego jak najwięcej broni i pieniędzy i przeszedł z nimi na naszą stronę. Nie, nie baliśmy się, że każą mu walczyć przeciwko nam. Myśmy w tamtym czasie siedzieli cicho i szykowali się do ataku. Pasztunowie walczyli na południu, w Choście, Dżalalabadzie, Kandaharze, i przeciwko nim Nadżibullah posyłał Dostuma.

Ani od Massuda, ani od żadnego z jego towarzyszy nie usłyszałem nigdy dobrego słowa o Dostumie. Jego imię za każdym razem wywoływało na ich twarzach grymas niesmaku i pogardy. Ale nie złości czy nienawiści, choć Dostum tyle samo razy sprzymierzał się z Massudem, ile go zdradzał.

Odnosiłem wrażenie, że zdrada nie zaliczała się do afgańskiego katalogu grzechów głównych. Afgańczycy nie pochwalali zdrad, ale też przesadnie nigdy ich nie potępiali. Dopuszczali je i uważali za konieczne, a nawet użyteczne, zwłaszcza gdy pomagały w osiągnięciu celu najwyższego, jakim było przetrwanie lub obrona wolności. Zrządzeniem losu przyszło im wieść życie pośród najsurowszych, najbardziej niegościnnych gór, w ciągłych wojnach, w biedzie i poniewierce. Tocząc wieczną walkę o przetrwanie, nauczyli się wysoko cenić swoje życie. Najeżdżani nieustannie z północy i południa, wschodu i zachodu przez niezmiennie potężniejsze od nich imperia, nie mieli nigdy najmniejszych szans, by stawić im czoło w równej walce. Aby przeżyć, musieli walczyć sposobem, uciekać się do podstępów. Nie toczyli więc walnych bitew, ale zasadzali się w górskich wąwozach na pomniejsze, słabsze oddziały wroga lub tych, którzy w marszu nie nadążali za głównymi siłami. Nie starali się nawet zadać jednego, potężnego, zabójczego ciosu, ale nękali wroga, nie dając mu spokoju ani wytchnienia, razili go po tysiąckroć, aż wyczerpany i wykrwawiony odstępował.

Romantyczny europejski mit pełnej poświęcenia walki do ostatniej kropli krwi, bohaterskie zmagania Dawida z Goliatem były Afgańczykom nie tylko obce – uważali je za niedorzeczne, a nawet zabawne. Po co rzucać się na silniejszego wroga, skoro wynik takiej rywalizacji był przesądzony? Po co dziesiątkować armie, marnować siły w przegranej z góry sprawie? Czy nie lepiej poddać się, umknąć z pola bitwy, a jeszcze lepiej uniknąć nierównego pojedynku, poczekać, by za jakiś czas, gdy nadarzy się sposobność, gdy silniejszy nieprzyjaciel nie będzie się niczego spodziewać, podejść go chytrze i zadać znienacka podstępny, zabójczy cios w plecy?

W ten sposób walczyli zarówno z obcymi najeźdźcami, jak między sobą. W historii afgańskich wojen rzadko dochodziło do walnych bitew. Częściej zdarzało się, że wrogie armie długo stały naprzeciw siebie, grożąc i prężąc muskuły. Ci, którzy nie wytrzymywali próby sił i uznawali się za słabszych, zazwyczaj wycofywali się, ustępując pola silniejszym, i czekali na okazję do rewanżu. W ten sposób unikano niepotrzebnych ofiar, które zgodnie ze świętym dla Afgańczyków obowiązkiem krwawej rodowej wendety musiałyby zostać pomszczone. Zachowanie życia kosztowało w Afganistanie tyle trudu i wysiłku, że pochopne narażenie go i szafowanie nim uważane było za głupotę i śmiertelny grzech równoznaczny z samobójstwem, a samobójstwa Afgańczycy nie popełniali nigdy.

Nikt równie gorąco jak oni nie wierzył w szczęśliwe życie po śmierci. Ale też chyba nikt z taką desperacją nie walczył o zachowanie życia doczesnego.

W Afganistanie, gdzie wojna stała się sposobem na życie, a nie drogą do śmierci, nawet śmierci za wiarę, ustępujące, ale niepokonane przez wroga wojska ceniono bardziej niż te, które dawały się zwyciężyć choćby nawet w najbardziej bohaterskiej bitwie. Przegrywające armie nie miały wiele czasu na wylizanie się z ran. Ginęły opuszczane przez całe oddziały, które przechodziły pod komendę zwycięskich komendantów. Afgańscy wojownicy walczyli nie po to, by umierać. Najwspanialszymi zwycięstwami były te, które nie wymagały żadnych poświęceń.

Długo wahałem się, czy należy pytać Afgańczyków o zdrady, które stały się częścią ich życia. W moim świecie byłoby to jednoznaczne z ingerencją w sprawy najbardziej prywatne, wstydliwe.

Abdul Samad, którego zagadnąłem o to pod Chodża Gharem na północy kraju, nie sprawiał jednak wrażenia zakłopotanego. Pytanie go raczej rozbawiło. Przed laty był oficerem komunistycznej armii rządowej. Pierwszy raz zdradził, gdy wraz ze swoim dowódcą, generałem Dostumem, przeszedł na stronę rebeliantów Massuda. Zdradził ponownie, gdy wypowiedział służbę Dostumowi i wraz z niewielkim oddziałem przystał do Massuda.

– Postępujemy tak, żeby przetrwać. Każdy chce żyć. Życie nas do tego zmusza. Cóż miałbym z tego, że w imię jakichś zasad stawałbym po niewłaściwej stronie? Na co zdałaby mi się moja szlachetność, jeśli w jej wyniku byłbym martwy? – tłumaczył, siedząc na wielkim kamieniu wyznaczającym niegdyś skraj polnej drogi, którą teraz zarastał step. – Można to zwać zdradą, a można też strategią w walce o przetrwanie. Tu sami musimy się troszczyć o siebie. 143

Nikt tego za nas nie zrobi. Mawia się u nas, że nawet Najwyższy pomaga tym, którzy przede wszystkim troszczą się o siebie. Zawsze staramy się więc ustawić tak, żeby być po stronie tego, kto jest potężniejszy, kto ma przewagę. Dokonujemy wyboru. Oddać życie za wolność? Czyż człowiek martwy może cieszyć się wolnością? Idzie o to, by pozostać przy życiu i móc się nią cieszyć.

Musieli uciekać się do zdrady, żeby oszukać potężniejszego wroga, ale nierzadko też po to, żeby po prostu nie przymierać głodem. Zepchnięci przez najeźdźców w nieurodzajne, pozbawione nawet drzew górskie wąwozy, nie mogli żyć z ziemi, zarabiać na życie kupiectwem czy rzemiosłem. Został im przemyt i rabowanie karawan, wędrujących zamierającym i zasypywanym przez piach starożytnym Jedwabnym Szlakiem.

Mieszkające na Przełęczy Chajberskiej pasztuńskie plemię Afridów, które wydało najwięcej przemytników i rozbójników, stało się niemal symbolem afgańskiej skłonności do zdrady. Przez wieki żyli z łupienia kupieckich karawan lub z pobierania od nich haraczu za bezpieczną wędrówkę. Napadniętych kupców jednak nie mordowali, a nawet nie odbierali im całego dobytku. Nie z powodu wrodzonej szlachetności czy łaskawości, ale po to, by móc ich rabować w nieodległej przyszłości. Planowali zbójeckie napady i dbali o rynek, jak kupcy czy przedsiębiorcy ważący wydatki i zyski w okresach rozkwitu i upadku koniunktury albo rolnicy dbający o ziemię, by dawała plony.

Umiejętność sprzedania się właściwemu nabywcy, za właściwą cenę i we właściwym czasie, stała się w Afganistanie tożsama z instynktem samozachowawczym. Aby zdradzić dobrze, należało jednak nie tylko właściwie ocenić stosunek sił, wyznaczyć wysokość nagrody i przewidzieć odpowiedni moment. Aby zachować reputację, trzeba było jeszcze przestrzegać rytuału i zasad dobrego zachowania.

Wręczenie, ot tak, worka pieniędzy w zamian za zdradę

byłoby czymś wielce obraźliwym, a więc wymagającym nie tylko odmowy, ale pomsty. Tak mógłby postąpić jedynie głupiec, gbur albo ktoś zupełnie nieobeznany z miejscowymi obyczajami. Nie chcąc samemu narazić się na kompromitację i wrogość, a także pragnąc uchronić przed kompromitacją kogoś, kogo zamierzało się przekupić, należało wypić z nim morze zielonej herbaty, roztoczyć perspektywy, zachwalać jego mądrą troskę o dobro rodu i plemienia. Nierzadko w tych zabiegach przydają się pośrednicy.

Afgańska skłonność do zdrady zrodziła się nie z przewrotnego usposobienia Pasztunów, lecz z potrzeby. To ona wyrzeźbiła ich charakter. Dopuszczając zdradę, wiedzieli, że sami mogą paść jej ofiarą. Zdrada stanowiła element rozgrywki, w której skuteczność zawsze była ważniejsza niż efektowny styl. Podstęp, spryt, przebiegłość liczyły się tak samo jak męstwo, odwaga i mądrość, a przekupienie przeciwnika i skłonienie go do ustępstwa ceniono bardziej niż pokonanie go w bitwie. Wynikiem tej gry bywały przedziwne sojusze, unie, koalicje i przyjaźnie, zawierane przez śmiertelnych nierzadko wrogów dla osiągnięcia bardzo konkretnego celu, jakim może być choćby pokonanie trzeciego rywala.

Afgańczycy nie uznawali ani wiecznych wrogów, ani wiecznych przyjaciół. Brytyjczycy, którym mimo wielu prób nigdy nie udało się ich podbić czy choćby okiełznać, mawiali o Afgańczykach, że „ci z nich, którzy są usposobieni przyjaźnie, strzelają do ciebie nocą, a usposobieni wrogo strzelają również w dzień". W opinii tej było tyleż przesady, ile podziwu dla niepokornych górali, którzy pozostawali wierni i lojalni, dopóki stara przyjaźń nie zaczynała dla nich samych stanowić zagrożenia.

„Gorzko się mylisz, jeśli sądzisz, że możesz kupić sobie Afgańczyka – mawiał pakistański generał Hamid Gul, który pół życia strawił na konszachtach z afgańskimi buntownikami. – Możesz go co najwyżej wynająć, a i tak przyjdzie ci zapłacić za to krocie".

Powodowany w równym stopniu przywiązaniem do niczym nieskrępowanej wolności co dumą, Afgańczyk dopuszcza w razie wyższej potrzeby zdradę, szczególnie jeśli zdradzanymi są obcy albo niewierni, z jednym wszakże wyjątkiem: Nie wolno zdradzić samego siebie, wyprzeć się swojej wiary, myśli i przekonań. Niezmiennie jest to najpodlejszy z możliwych występków, zasługujący na największą pogardę. Afgański kodeks honorowy nie wymaga pomszczenia zdrady. Kategorycznie nakazuje natomiast mścić zniewagi i utratę dobrego imienia.

W historii Afganistanu królami byli zawsze Pasztunowie. Te wojownicze plemiona, zamieszkujące południe i zachód kraju, stanowiły większość ludności. Liczebna przewaga oraz wojskowe mistrzostwo pomogły im przejąć kabulski tron niemal na własność.

Wiosną dziewięćdziesiątego drugiego Ahmad Szah Massud wykorzystał moment, gdy po przegranej wojnie Pasztun Nadżibullah szykował się do ucieczki z kraju. Ubiegł Pasztunów i pierwszy wdarł się do oblężonego i przerażonego Kabulu. Ale ku zaskoczeniu wszystkich nie ogłosił się nowym władcą Afganistanu, lecz ustąpił tron najpierw sędziwemu mędrcowi Sebghatullahowi Modżaddidiemu, który zgodnie z umową miał rządzić dwa miesiące, a potem swojemu rodakowi, nauczycielowi i teściowi brata, profesorowi Burhanuddinowi Rabbaniemu, sam zaś zadowolił się urzędem ministra wojny. Dla nikogo z mieszkańców afgańskiej stolicy nie było jednak tajemnicą, że choć Massud nie piastował najwyższego stanowiska, to on rządził. Nigdy wcześniej ani później żaden Tadżyk nie rządził 146 Afganistanem tak długo.

Spokrewnieni z Persami Tadżycy, jeden z najstarszych narodów Azji, wydali wielu myślicieli, poetów, artystów, wspaniałych budowniczych, generałów, ministrów i dworzan. Nie było natomiast wybitnych tadżyckich przywódców. Od upadku imperium Samanidów w trzynastym stuleciu Tadżykom już nigdy nie udało się wykreślić granic własnego państwa. Służyli obcym szachom, chanom i emirom, budowali potęgę ich imperiów. Granice chyba nie miały dla nich znaczenia. Byli wszak wszędzie, rozrzuceni na olbrzymich obszarach, od pustyń między Amu-darią i Syr-darią po łańcuchy górskie Pamiru, Hindukuszu i chińskiego Turkiestanu. Zdawali się też nie przywiązywać znaczenia do faktu, iż w państwach, które zamieszkiwali, rządzili obcy: Pasztunowie, Uzbecy. Brak dostępu do władzy politycznej rekompensowali sobie wykształceniem. Zakochani w sztuce i nauce, i tak mieli najwięcej do powiedzenia w stolicach i na dworach. Pojęcia granic państwowych czy też państw narodowych były zresztą w tamtych czasach w Azji Środkowej całkowicie obce.

Tadżycy, wykształceni, przedsiębiorczy, a także solidarni, bo w przeciwieństwie do Pasztunów, Uzbeków czy też Turkmenów niepodzieleni na plemiona, szczepy i rody, tylko na doliny, z których się wywodzili (najważniejszą z nich była dolina Pandższiru), bez reszty zawładnęli środkowoazjatyckimi miastami. W Kabulu, Bucharze, Samarkandzie, Chiwie czy Kokandzie, choć stanowili mniejszość, dzięki wykształceniu i zaradności zajmowali większość posad na dworach chanów i emirów, w administracji, handlu i przemyśle. Dominacja Tadżyków w miastach była tak wielka, że przyjęła się tam nawet używana przez nich odmiana języka perskiego. Znajomość perskiego była oznaką wykształcenia, wyrafinowania, przynależności do elity. Językami uzbeckim czy pasztuńskim mówiło się na wsi.

Do Pasztunów, okrutnych i nieokrzesanych wojowników z południa kraju, tadżyccy mieszczanie odnosili się ze wzgardą. Z takim samym wyniosłym pobłażaniem pozwalali ambitnym Pasztunom wybierać spośród siebie afgańskich królów, prezydentów i premierów. Tym łatwiej, że Pasztunowie, gdy tylko osiedli w miastach, natychmiast przejmowali miejskie obyczaje.

Dramat Tadżyków zaczął się, gdy nad Amu-darią i Pandżem zderzyły się zachłanne imperia Rosji i Anglii. Anglicy, wsłuchani w przepowiednię mędrca Halforda Mackindera, że ten, kto zapanuje nad sercem Azji, będzie panował nad całym światem, właśnie podbili krnąbrne pasztuńskie plemiona w Afganistanie, a Rosjanie – emirat Buchary i chanaty Chiwy, Kokandu i Fergany. Imperialne armie stanęły naprzeciwko siebie nad brzegami rzek. Anglicy na lewym, Rosjanie – na prawym. Wyrzekli się otwartej wojny i podzielili między sobą Azję, wytyczając wzdłuż rzek granicę. Świat Tadżyków zaczął się kurczyć i ograniczać. Anglicy i Rosjanie nie byli zgodnymi sąsiadami. Nieustannie próbowali przesuwać miedzę. Anglicy podburzali przeciwko Rosji podbitych przez nią Kirgizów, Tadżyków i Uzbeków, opłacali zbójców, by napadali na karawany w rosyjskim Pamirze. Rosjanie słali worki złota i strzelby berdanki dla buntowniczych Afgańczyków, by wzniecali powstania przeciwko angielskiemu panowaniu. Odtąd już zawsze po nieudanych buntach i przewrotach na jednym brzegu Amu-darii i Pandżu spiskowcy uciekali na drugi, gdzie znajdowali schronienie i pociechę. Rzeka dzieliła coraz bardziej.

Jeszcze na początku dwudziestego wieku Anglicy słali przez rzeki pomoc dla powstańców w rosyjskim Turkiestanie, a pokonanych przez Armię Czerwoną przyjmowali na afgańskim brzegu. Wtedy właśnie przybyli do Afganistanu z Buchary przodkowie Massuda.

Coraz liczniejsi, lepiej wykształceni i zaradniejsi Tadżycy zaczęli liczyć się w afgańskiej polityce, będącej dotąd domeną Pasztunów, tradycyjnie skłóconych i osłabionych ciągłymi wojnami, jakie toczyli z Anglikami. Malejąca przewaga pasztuńskich plemion sprawiła w końcu, że po raz pierwszy w historii tego kraju do władzy doszedł Tadżyk, Syn Nosiwody, który w Kabulu ogłosił się padyszachem.

Bojąc się, że powstanie Tadżyków w Afganistanie może do tego samego popchnąć ich rodaków z podbitego przez Rosję Turkiestanu, Moskwa postanowiła skłócić Tadżyków z pozostałymi zniewolonymi przez siebie narodami, przede wszystkim Uzbekami. Uczynić z nich niemal więźniów, którzy będą się bić między sobą o lepsze miejsce w celi. Dzieląc na nowo środkowoazjatyckie kolonie i wykreślając między nimi nowe granice, Rosjanie odebrali Tadżykom miasta, duchowe stolice: Bucharę, Samarkandę i Ferganę, i oddali je Uzbekom. Tadżykom zaś na państwo oddano niegościnne pamirskie góry, a na stolicę marną mieścinę Duszanbe, ledwie pośledni karawanseraj na trasie dawnego Jedwabnego Szlaku.

Tadżyckich poetów, pisarzy, myślicieli, duchownych z Buchary i Samarkandy zwalczali teraz przede wszystkim Uzbecy. W swym kompleksie niższości bali się, że Tadżycy kiedyś mogą się upomnieć o swoje ziemie.

Kiedy potomek bucharskich wygnańców Ahmad Szah Massud zdobył Kabul, wieść o tym wywołała oburzenie wśród Pasztunów, którzy przyzwyczaili się już uważać władzę sprawowaną nad Afganistanem za swoje przyrodzone prawo. Prawdziwa trwoga wybuchła zaś w Taszkiencie, gdzie właśnie ogłoszono niepodległość uzbeckiego państwa. Uzbecki prezydent Islam Karimow już przymierzał się do roli przywódcy całej Azji Środkowej. Massud, w którym Tadżycy z południa i północy widzieli swego bohatera i przywódcę, stanowił dla Uzbeka, jego marzeń i planów śmiertelne zagrożenie.

– Nie kusiło pana, by samemu ogłosić się władcą? – zapytałem Massuda. – Ponoć mieszkańcy Kabulu, przerażeni groźbą najazdu Pasztunów z południa, słali do pana delegację za delegacją i błagali, by zajął pan miasto i ogłosił się emirem.

– Nie walczyłem o władzę dla siebie. Nie o to mi szło, gdy zaczynałem wojnę. Jak tylko rosyjskie wojska opuściły Afganistan, pisałem do naszych politycznych przywódców w pakistańskim Peszawarze: Dni Nadżibullaha są policzone. Uzgodnijcie w końcu, kto ma go zastąpić. Nie wolno dopuścić do chaosu i bezkrólewia. Oni jednak kłócili się bez końca. Pakistan już wtedy myślał o tym, by po wojnie uczynić z Afganistanu swojego wasala. Rozdzielając pomoc wojskową, nie pozwolił, by afgańscy mudżahedini zjednoczyli się w jedną partię pod jednym przywództwem. Przeciwnie, starał się, by partyzanckich partii było jak najwięcej, by żadna z nich nie wzięła pierwszeństwa przed innymi. W Peszawarze działało ich siedem, a w Teheranie kolejnych pięć, popieranych i skłócanych przez Iran. Doszło do tego, że trzy lata po wycofaniu armii rosyjskiej w Afganistanie wciąż rządzili komuniści, bo nasi przywódcy nie potrafili się porozumieć. Mimo to nam, partyzantom, którzyśmy w czas wojny nie wyjeżdżali z kraju, tylko walczyli, udało się w końcu obalić reżim. To my wygraliśmy tę wojnę. W kwietniu dziewięćdziesiątego drugiego, kiedy moje czołgi stały już u bram Kabulu, na poczekaniu utworzono jednak w Peszawarze rząd, któremu oddałem władzę, choć mogłem ją całą wziąć dla siebie. Nie chciałem pozwolić, by po jednej wojnie natychmiast zaczęła się następna. Swoim żołnierzom kazałem jednak zająć miasto, by nie dopuścić do bezprawia, grabieży i gwałtów. Nie chciałem też, żeby stolica wpadła w ręce któregoś z pakistańskich sługusów. Nasi sąsiedzi byli zaskoczeni tak szybkim zwycięstwem. Szybko się jednak ocknęli i wnet wojna zaczęła się od nowa.

W Kabulu, w hotelu „Spinzar", tuż nad rzeką, przy głównym bazarze, byłem sąsiadem, a w zasadzie gościem mudżahedinów z szyickiej partii Harakat-e Eslami. Zawitali tu niemal nazajutrz po tym, jak miasto zajęli partyzanci Massuda i Uzbecy Dostuma. Po dwudniowej ulicznej bitwie wyparli z południowych i zachodnich dzielnic żołnierzy Hekmatiara.

Nie mogłem trafić lepiej.

Partyzanci Mohseniego byli najdziwniejsi ze wszystkich w Afganistanie. Wywodzili się z plemion pasztuńskich, w ogromnej większości wrogo odnoszących się do szyitów i uważających ich za heretyków. Ich przywódca, stary i siwiutki jak gołąbek Asef Mohseni, nosił dumny tytuł ajatollaha. Jego wojsko było nieliczne i rzadko walczyło. Pozostałe zbrojne partie nie bardzo wiedziały, jak je traktować. Brać za wrogów czy przyjaciół? Pasztuńscy wojownicy woleli w nich widzieć rodaków, szyiccy Hazarowie – współwyznawców. W rezultacie nikt z nimi nie toczył wojen. Przeciwnie, oszczędzano ich, by móc wykorzystać do misji pojednawczych.

Nikt w Kabulu nie potrafił wyjaśnić, dlaczego Massud nie zagarnął całej stolicy dla siebie i wpuścił do niej partyzantów z kilkunastu zbrojnych partii. Z wyjątkiem Hekmatiara. Może rzeczywiście nie chciał wojny w mieście. Może bał się sięgnąć po łup, wiedząc, że straci wówczas wszystkich przyjaciół, którzy jeśli nawet nie staną się zaraz jego wrogami, to przynajmniej się do nich przyłączą. A może naprawdę chciał sprawiedliwie podzielić się władzą z innymi, aby stworzyć zgodny, dobry rząd. To ostatnie wytłumaczenie najmniej trafiało Afgańczykom do przekonania.

Otwierając miasto dla wszystkich partii świętych wojowników, Massud dał sygnał do jego rozbioru. Partyzanci na wyścigi zajmowali gmachy ministerstw, hoteli, fabryk, szkół – wszystko, co nie należało do prywatnych właścicieli. Kto był pierwszy, ten wygrywał. Zajmował budynek, wystawiał 151 warty, wywieszał przed wejściem sztandar i ogłaszał: od dziś wszystko to odtąd dotąd należy do mnie. Partyzanci Mohseniego okleili hotel „Spinzar" podobiznami swego przywódcy, a przed wejściem ustawili karabin maszynowy. Dyrektorowi hotelu zaproponowali układ – on zapewni im darmowe noclegi i wikt, oni zaś dopilnują, by nikt nie ośmielił się niepokoić jego samego i gości. Poza mną i jeszcze dwoma, trzema dziennikarzami hotelowymi gośćmi byli wyłącznie mudżahedini.

Po drugiej stronie maleńkiego placyku, w banku, rozłożyli się partyzanci czarnobrodego okrutnika Dżalaluddina Haqqaniego, grabieżcy Chostu, którego imieniem matki z nieszczęsnego miasteczka długo jeszcze straszyły niegrzeczne dzieci. W koalicyjnym rządzie mudżahedinów powołanym w Kabulu Haqqaniemu, jak na ironię, zaoferowano posadę ministra sprawiedliwości. Jego biuro znajdowało się w pobliżu, dosłownie parę przecznic dalej. Większość partyzanckich komendantów w Kabulu starała się tak dobierać kwatery dla swoich mudżahedinów, żeby w każdej chwili mogli przyjść z pomocą, wybawić z opresji.

Przez plac między hotelem i bankiem przeciągnięty został stalowy drut, który uznano za linię demarkacyjną, rozdzielającą terytorium jednych i drugich.

Bank był zamknięty i nie miałem żadnej potrzeby go odwiedzać, ale kusiło mnie, by zobaczyć, co się stanie, gdy przekroczę granicę. Czy ci od Haqqaniego potraktują mnie jako intruza? Mieszkałem przecież z tymi z hotelu. I czy moi sąsiedzi nie wymówią mi gościny, nie wyprą się mnie, jeśli udam się na pogawędkę do banku? Podobne dylematy nękały większość mieszkańców afgańskiej metropolii, poszatkowanej na partyzanckie terytoria. Kiedyś bowiem szło się zwyczajnie, dajmy na to, z szaszłykarni na bazar, i jedynym, co się przekraczało, była szeroka, pełna samochodów, riksz i ruchomych straganów ulica. Teraz zaś wędrowało się tym samym szlakiem między lennami i twierdzami komendantów. I dobrze było wiedzieć, czy zza granicy, którą musiało się przekroczyć, istniała jeszcze jakaś droga powrotna. Wizyta u kuzyna w drugiej części miasta czy choćby sąsiada, a nawet codzienna wędrówka do pracy lub na bazar mogły w każdej chwili przerodzić się w ryzykowną polityczną manifestację. Miasto gorączkowo uczyło się swojej nowej topografii.

Któregoś dnia zdobyłem się na odwagę. Podszedłem do stalowego drutu przedzielającego plac i udając, że zaciekawiło mnie coś, czego nie mogłem wyraźnie dojrzeć w witrynie sklepu naprzeciwko, niewinnie, jakby mimochodem, przelazłem na drugą stronę. I z powrotem. Nie stało się nic. Nikt nie zauważył mojej prowokacji, mojego eksperymentu.

Mimo tak wielkiej liczby żołnierzy i partyzantów w mieście nie odczuwało się grozy. Raczej ulgę, ciekawość. Mieszkańcy stolicy, którzy w mudżahedinach spodziewali się ujrzeć nieokrzesanych, żądnych krwi dzikusów, ze zdziwieniem odkrywali, że przypominają oni bardziej prowincjuszy, zawstydzonych i przestraszonych wielkomiejskim szykiem i gwarem. Dzień powszedni rewolucji nie wydawał się straszny. Jedynym, co martwiło naprawdę, była niepewność, co zrobi Hekmatiar.

Po dwudniowej ulicznej bitwie, wyparty z Kabulu ze swym wojskiem, Hekmatiar musiał uciekać. Wściekły i upokorzony otoczył miasto bateriami wyrzutni rakietowych i dział. Zaszył się w podstołecznej wiosce Czarasjab, skąd miotał przekleństwa i groźby. Zapowiadał, że zrówna miasto z ziemią, spali, zagłodzi. Słał do stolicy swoich emisariuszy z żądaniami. Od tego, czy zostaną spełnione, uzależniał rezygnację z oblężenia Kabulu. Domagał się, by z miasta wypędzono uzbeckich wojowników generała Dostuma i co rychlej przeprowadzono wybory, które w swojej pysze spodziewał się wygrać dzięki pieniądzom i pomocy Pakistańczyków. Ilekroć do miasta, o świcie czy zmierzchu, wjeżdżała karawana spóźnionych mudżahedinów, na kabulskim bazarze podnosił się lament. „Gulbuddin! Gulbuddin przyjechał!" – wołali ze strachem straganiarze i w pośpiechu zamykali kramy i kantory.

Komunistyczny rząd i Rosjanie, aby zniechęcić mieszkańców stolicy do mudżahedinów, przedstawiali Hekmatiara jako ich przywódcę i robili z niego diabła, afgańskie wcielenie krwiożerczego Czyngis-chana. Także Pakistańczycy, by uzasadnić przed Amerykanami, dlaczego pomijając innych komendantów, przekazują Hekmatiarowi przysyłane z Waszyngtonu karabiny i dolary, reklamowali go jako najstraszniejszego i najpotężniejszego z afgańskich komendantów, który jak nikt inny wzbudza trwogę wśród komunistów i potrafi zadać im zabójcze ciosy. Z taką reklamą Hekmatiar mógł, nie zważając na nikogo i na nic, stroić się w piórka najwaleczniejszego z mudżahedinów i nie ruszając się na krok z Peszawaru, przypisywać sobie wszystkie słynne operacje wojskowe partyzantów.

W schowanym za minaretem niewielkim budynku Sądu Konstytucyjnego, naprzeciwko Ministerstwa Dyplomacji, urzędował doktor Chajrat Bahir, zięć Hekmatiara i jego jedyny reprezentant w afgańskiej stolicy. Tak naprawdę nie był żadnym doktorem. Lubił jednak, gdy tak się do niego zwracano. Hekmatiar miał ponoć słabość do tytułu „inżynier".

– Mój teść wcześniej czy później wkroczy do Kabulu, to oczywiste, jest przecież jednym z najwybitniejszych przywódców powstania. – Bahir, drobny, w białych, powłóczystych szatach i z krótko przystrzyżoną, szpakowatą brodą, przypominał arabskiego kupca z Dubaju lub Szardży. Był ujmująco uprzejmy, mówił znakomicie po angielsku, a nawet odbierał telefony, które wtedy jeszcze działały. – Nie nastąpi to jednak, dopóki z Kabulu nie zostaną wypędzeni Uzbecy, rabusie i zbrodniarze. Ich obecność w stolicy jest obrazą pamięci ofiar i hańbą dla naszej rewolucji.

Nie rozumiemy, jak Massud mógł się z nimi sprzymierzyć. Jeśli on ich nie wyprosi, sami się tym zajmiemy.

– Pański teść przyjął do swego obozu byłych komunistów, generałów, ministrów.

– To nieprawda. Takie kłamstwa rozpowiadają o nas nasi wrogowie.

Wędrując z hotelu do Ministerstwa Dyplomacji, gdzie nowe władze zwoływały konferencje prasowe i ogłaszały najnowsze komunikaty, albo do hotelu „Kabul", gdzie zatrzymało się wielu ważnych komendantów, weteranów świętej wojny, starałem się zaglądać choć na chwilę do biura Chajrata Bahira. Najczęściej go nie zastawałem. „Jest u prezydenta... pojechał do Ministerstwa Kultury... właśnie dzwonił z domu, przyjedzie za godzinę" – wyjaśniał sekretarz, nieświadomy, jak wielkiej wagi przekazuje wieści.

Obecność zięcia Hekmatiara w Kabulu była barometrem politycznej pogody w całym kraju. Póki Chajrat Bahir pozostawał w mieście, póki co rano przychodził do swojego biura, by doglądać w stolicy interesów teścia i w jego imieniu targować się o władzę z innymi zwycięzcami świętej wojny, mieszkańcy Kabulu spali spokojnie. Gulbuddin – przekonywali sami siebie – nie przypuściłby szturmu na miasto, czyniąc z zięcia zakładnika skazanego na pewną śmierć.

Któregoś dnia obudziła mnie głośna strzelanina. Karabinowe serie i krzyki wdzierały się do pokoju przez uchylone okna. Przed hotelem strzelali mudżahedini Mohseniego. Wywlekli na placyk odnalezione gdzieś w piwnicy skrzynki z dwoma tysiącami butelek rosyjskiej wódki. Ustawili z nich piramidę, która chwilę potem, roztrzaskana pociskami, wśród wiwatów zachwyconej gawiedzi, zapłonęła jasnym, gwałtownym ogniem.

Dekret o zakazie sprzedaży i picia alkoholu był jednym z pierwszych, jakie wydały nowe władze. Przywódcy świętej wojny zapowiadali od lat, że jeśli Wszechmogący zechce wynagrodzić ich trud i ześle zwycięstwo nad bezbożnymi komunistami, w podzięce za łaskę przemienią Afganistan w świętobliwą krainę, rządzącą się wyłącznie prawami Koranu. Zaprzątnięci tysiącem spraw, które spadły na nich nazajutrz po przejęciu władzy, nie mogli zająć się wszystkim naraz. Nie zapomnieli jednak o złożonej obietnicy i zobowiązali utworzoną przez siebie Radę Tymczasową, by nakazała ministerstwom i urzędom pilne sprawdzenie zgodności obowiązujących przepisów z Koranem. Na zaproszenie ministrów i urzędników do afgańskiej stolicy ściągali tłumnie święci mężowie, uczeni w piśmie, odnalezieni po wsiach i obozach uchodźców pod Peszawarem i Kwettą mędrcy i starcy, obdarzeni łaską życiowego doświadczenia, znajomością tradycji i obyczajów.

Na jedną z ich narad zabrał mnie do królewskich ogrodów Czehelsotun poznany w banku naprzeciwko hotelu pułkownik Rafi, który przedstawił mi się jako jeden z adiutantów samego komendanta Dżalaluddina Haqqaniego.

Ciekaw byłem przede wszystkim Haqqaniego. Wrócił właśnie z gościny u Hekmatiara w Czarasjabie, dokąd wybrał się z misją mediacyjną, mającą położyć kres wrogości między Pasztunem a Massudem. Na naradzie w ogrodach miał opowiedzieć pasztuńskim wodzom i mułłom, co mu się udało załatwić. Cały Kabul z zapartym tchem czekał na powrót Haqqaniego, debatując, czy uda mu się doprowadzić choćby do spotkania dwóch zajadłych wrogów i zarazem dowódców potężnych partyzanckich armii. Żwirowe alejki i bramy prowadzące do ogrodów od poranka były zastawione terenowymi pojazdami. Mudżahedini w panterkach i kraciastych chustach i siwobrodzi plemienni wodzowie w powłóczystych szatach i ogromnych, białych turbanach zasiedli rzędami na trawie przed trybuną, przybraną girlandami kwiatów.

156

Wszyscy w milczeniu czekali na Haqqaniego, który spóźnił się dobrze ponad godzinę. Wszedł powoli, wodząc po tłumie dumnym spojrzeniem. W białym turbanie na głowie i z twarzą zarośniętą niemal po oczy gęstą, długą brodą wydawał się olbrzymem z baśni. Bez pośpiechu stanął za trybuną, czekając, aż adiutanci podsuną mu wygodny, obity czerwonym atłasem fotel, wyniesiony zapewne z któregoś z rozgrabionych ogrodowych pawilonów. Obok Haqqaniego zasiadł pułkownik Rafi, wystrojony w paradny mundur. Miał tłumaczyć zagranicznym korespondentom słowa komendanta. Haqqani, z wyrazem znudzenia i irytacji na twarzy, zdawał się zupełnie nie zauważać zgromadzonych przed nim ludzi. Karcił za coś nadskakujących mu, zgiętych w ukłonach adiutantów. Gestem dłoni, spojrzeniem przywoływał ich i odprawiał. Ustawiony przed nim mikrofon wyłapywał pojedyncze słowa rzucane głosem cichym i łagodnym, zupełnie niepasującym do jego groźnej postaci i złowieszczego żywota.

W czasie wojny z komunistami i Rosjanami walczył mężnie w rodzinnych stronach, w prowincjach Paktia i Chost, w górach wznoszących się na afgańsko-pakistańskiej granicy. Przyjaźń z Pakistańczykami, a także z arabskimi ochotnikami, którzy przybywali do Afganistanu na wojnę, zapewniła mu pieniądze i broń. Te z kolei przyciągały do niego pomniejszych komendantów wraz z oddziałami oraz wszystkich, którzy chcieli walczyć.

Nieocenioną przysługę wyświadczył mu Saudyjczyk Osama ben Laden, który maszynami budowlanymi sprowadzonymi z rodzinnej firmy w Arabii wyrył w górach tajne przejścia i połączył je z ukrytymi w lasach jaskiniami, tworząc labirynt kryjówek, schronów i magazynów broni. Mudżahedini Haqqaniego mogli odtąd bezpiecznie wysyłać na afgańską stronę karawany z bronią i niepostrzeżenie przeprawiać się pod rosyjskie garnizony, atakować je i wracać po akcji niewidzialni dla ścigających ich śmigłowców. 157

Po wojnie Haqqani oddał przemienione w skaliste fortece jaskinie arabskim ochotnikom, bo poszukiwani listami gończymi w swoich krajach nie mieli dokąd wracać. W pieczarach w Dżawar Cheli, a także pod Chostem i Dżadżi wiedli więc żywot banitów i gotowali się do wojen, które zamierzali wywołać w swoich ojczyznach przeciwko własnym władcom, według nich skorumpowanym, zdradzieckim i bezbożnym.

Największą sławę przyniosło Haqqaniemu kilkumiesięczne oblężenie i podbój miasta Chost, opuszczonego już przez rosyjskie wojska i bronionego jedynie przez miejscowy garnizon armii rządowej. Uciekinierzy, którym udało się wyrwać z oblężenia i pogromu, przerazili mieszkańców stolicy opowieściami o dzikich, brodatych okrutnikach, pustoszących miasto jak szarańcza pole kukurydzy. Wyrywali nawet ramy z okien domów.

Haqqani, choć był mułłą i przyjaźnił się ze znanymi z religijnego fanatyzmu Arabami, nie wyróżniał się ani pobożną gorliwością, ani biegłością w materii teologicznej, ani rewolucyjnym żarem. Trudno go też było zaliczyć do rojalistów, pragnących powrotu do kraju obalonego przez komunistów króla, który świetnie się miewał we włoskich wygodach i któremu ani się śniło ruszać z Europy. Nie sposób było przypisać Haqqaniego do jakiejkolwiek ideologii. Walczył po prostu o to, by wszystko pozostało po staremu, a więc przeciwko zwolennikom zmian. I o odzyskanie odebranego mu przez komunistów rządu dusz, jaki sprawował nad mieszkańcami rodzinnej Paktii.

Paktia i Chost nawet jak na afgańskie warunki należały do najbardziej przewrotnych. Wydały takich świętych wojowników jak Haqqani, a jednocześnie najważniejszych komunistycznych przywódców, jak choćby sam prezydent Nadżibullah wywodzący się z pasztuńskiego plemienia Ahmadzajów czy jeden z jego ministrów obrony Szah Nawaz Tanaj z plemienia Tanajów.

Haqqani nie znał się za bardzo na wojnie, ale dzięki wrodzonej odwadze i okrucieństwu, a przede wszystkim poważaniu, jakim cieszył się w rodzinnych stronach, przeprowadził wiele udanych operacji zbrojnych. Z wiejskiego mułły wyrósł na jednego z najpotężniejszych partyzanckich komendantów, o którego przyjaźń zabiegali nie tylko inni przywódcy powstańczych partii, ale cudzoziemcy, pragnący mieć wpływ na to, co dzieje się w afgańskim państwie. Stał się człowiekiem tak potężnym, że wiele pasztuńskich plemion zaczęło widzieć w nim swego przywódcę. Nic dziwnego, że przy dzieleniu porzuconej przez komunistów władzy nie zapomniano o nim i powierzono mu kierowanie ministerstwem sprawiedliwości.

Było to zadanie równie zaszczytne, co trudne. Oto bowiem Haqqani, który nie znał się na prawie, nie tylko świeckim, ale nawet religijnym, miał w taki sposób zmienić stare kodeksy i regulaminy, by nowe przepisy odtąd stanowiły fundament sprawiedliwości i porządku, zgodnie z duchem i literą Świętej Księgi, Koranu. Właśnie po to zaprosił do Kabulu najbardziej szanowanych plemiennych wodzów oraz cieszących się opinią mędrców mułłów z prowincji Paktia. Chciał też zapewne popisać się przed rodakami swoją pozycją w Kabulu i powagą otaczającą jego urząd.

Przerwał w końcu karcenie i pouczanie sekretarzy i adiutantów, wstał, spojrzał w rozpalone już południowym słońcem niebo i rozpoczął wspólną modlitwę. Złożywszy wraz ze swoimi gośćmi pokłony Wszechmogącemu, podniósł się z kolan, poprawił opadającą na skroń wstęgę turbanu i zbliżył się do mikrofonu. Raz jeszcze pochwalił Imię Pańskie i zaczął przemawiać.

Powiedział, że powierzony mu zaszczyt wprowadzania w kraju bożych porządków zawdzięcza łasce Allaha, ale także wsparciu, jakiego w czas wojny udzielali mu pobożni mieszkańcy Paktii, którzy nigdy nie uwierzyli podstępnym komunistom i nie dali się im omamić. Zaprosił ich do Kabulu, by wraz z nim nacieszyli oczy widokiem zdobytej stolicy i władzy, w której sprawowaniu, w ich imieniu także, miał swój udział. Poprosił ich, by poradzili mu, co ich zdaniem ma czynić, by jak najprędzej i jak najlepiej wprowadzić prawo boże do codziennego życia. Obiecał, że wysłucha wszystkich w pokorze, nawet gdyby czyjeś słowa i sądy miały okazać się dla jego uszu wyjątkowo niemiłe. Na koniec dodał, że narada potrwa tak długo, aż każdy z gości zabierze głos, po czym odbędzie się debata, a na koniec on po namyśle przedstawi swoje zamierzenia i podda je pod osąd. Goście mają nie martwić się ani o koszty, ani o jadło, ani nocleg, gdyż zważywszy na rangę sprawy, w jakiej zjechali do Kabulu, on, Haqqani, w imieniu afgańskiego rządu bierze wszystko na siebie.

Tego dnia, poza Haqqanim, przemawiało tylko dwóch z jego gości. Podpierający się kijem starzec z Chostu przypomniał dawne triumfy komendanta, chwalił jego dzielność, mądrość, szczodrość, pobożność, skromność i łaskawą pamięć o krajanach. Występujący po nim drobnej postury mułła z Gardezu wygłosił płomienne przemówienie, piętnujące wszyskich i wszystko dookoła. Dostało się i komunistom, i królowi, który w swym lenistwie i płochości dopuścił, że przejęli władzę. Precz z komunistami! Precz z królem! – krzyczał wniebogłosy mułła, a miotając się i wygrażając pięściami, sprawił, iż poluzowane gwałtownymi ruchami zwoje białego turbanu opadały co chwila, a w końcu zaczęły spływać mu z ramion i powiewać jak welon panny młodej.

Haqqani jeszcze raz podziękował swoim gościom za zaszczyt, jaki mu wyświadczyli, przyjmując zaproszenie. Przed obiadem w ogrodach dodał, że ma dla nich radosną nowinę. Wrócił właśnie z Czarasjabu, gdzie udało mu się przekonać Hekmatiara, by pogodził się ze znienawidzonym Massudem i przyjął urząd premiera rządu, w którym 160 Massud pozostanie ministrem wojny. Do spotkania i pojednania obu wrogów powinno dojść lada dzień, a rozejmu w mieście mieli pilnować mudżahedini z innych partii, w tym także partyzanci z jego wojska. Ciesząc się pokojem, Afgańczycy będą w końcu żyć, jak żyli ich przodkowie.

Wszystko było tymczasowe; tymczasowa rada, tymczasowy rząd, tymczasowa administracja, tymczasowe przepisy. Ministerstwa pracowały na pół gwizdka, bo nie powołano jeszcze nowych ministrów. Tylko zdobywca miasta, Massud, otrzymał oficjalną nominację na ministra wojny w nowym rządzie, na którego czele, zgodnie z wolą przywódców świętej wojny, stanął siwobrody Sebghatullah Modżaddidi, potomek jednego z najznamienitszych afgańskich rodów.

Jego przodkowie walczyli przed laty w powstaniach przeciwko Brytyjczykom najeżdżającym afgańskie ziemie, a także przeciwko tym królom z Kabulu, których uznawali za niebezpiecznych rewolucjonistów, nazbyt daleko odchodzących od porządków przepisanych w Koranie. Modżaddidi też był władcą jedynie tymczasowym. Co do tego nikt w Kabulu nie miał najmniejszej wątpliwości. Zgodnie z ustaleniami siedmiu przywódców świętej wojny miał panować jako pierwszy, ale za to tylko dwa miesiące. Po tym rozpaczliwie krótkim terminie miał po dobroci złożyć urząd, aby mógł go objąć wyznaczony na jego następcę siwy jak gołąb Burhanuddin Rabbani.

Nie potrafiąc porozumieć się między sobą i nie bardzo wiedząc, co począć i jak podzielić władzę, która dość niespodziewanie przypadła im w udziale, siedmiu przywódców wybrało spośród siebie Modżaddidiego, głównie z tej przyczyny, że był z nich najmądrzejszy i najsłabszy.

Dziwny zaiste był ten powstańczy Sojusz Siedmiu. Dystyngowany i bywały w świecie mędrzec Modżaddidi zasiadał tam obok bosonogiego wiejskiego mułły Junusa

Chalesa, który pozował na prostaka i zamiast wykałaczką dłubał w zębach pordzewiałym gwoździem. Sajjed Ahmad Gajlani, lekkoduch i sybaryta, spadkobierca jednego z najszlachetniejszych pasztuńskich rodów i świętobliwych mężów, pirów, wymieniał się poglądami z pustynnym chanem Mohammadem Nabim Mohammadim, a oczytany i znakomicie wykształcony Rabbani, jedyny w tym towarzystwie Tadżyk, uważany za najważniejszego z rewolucjonistów, musiał znosić towarzystwo swych dawnych uczniów Hekmatiara i Abdurraba Rasula Sajjafa, i jeszcze traktować ich na równych prawach. Sajjaf był w dodatku dalekim krewnym komunistycznego tyrana Hafizullaha Amina, który wszakże, nie bacząc na święte więzy krwi, kazał wtrącić kuzyna do lochu. Nic dziwnego, że nie potrafili zgodzić się w czymkolwiek, skoro łączyła ich tylko jednakowa wrogość do rządzących w Kabulu komunistów i Rosjan.

Kiedy Rosjanie wyjechali, a pozbawieni ich ochronnego pancerza komuniści rozpierzchli się, Siedmiu Przywódców stanęło nagle wobec konieczności przejęcia rządów i państwa w swoje ręce. Nie ufali sobie nawzajem za grosz i nie zgadzali się ani w ocenach przeszłości, ani w planach na przyszłość, zamarli więc w paraliżującym lęku. Bezkrólewie jednak nie mogło trwać ani dnia. Musieli postanowić cokolwiek, aby osieroconej władzy nie przejął któryś z podległych im komendantów, od dawna niekryjących zniecierpliwienia z powodu ciągłych swarów Siedmiu Przywódców.

Modżaddidi został wybrany na pierwszego władcę Kabulu, ponieważ tylko on spośród nich nie miał własnego wojska, a więc żadnych szans, by powierzoną władzę zatrzymać siłą. Było też pewne, że jako zwolennik umiarkowania i starych porządków niczego nie zmieni. I wreszcie jako szlachetnie urodzony, gruntownie wykształcony, prawy i powszechnie znany budził najmniejszy lęk wśród cudzoziemców i nieufnych wobec mudżahedinów mieszkańców stolicy. Dwanaście lat nie starczyło przywódcom sojuszu Siedmiu, by się ze sobą porozumieć. Teraz mieli na to sześćdziesiąt dni panowania Modżaddidiego.

W Kabulu mówiono, że jest to człowiek pełen wigoru, obdarzony sarkastycznym poczuciem humoru. Mnie zaś wydał się smutnym władcą. Pamiętam jego zafrasowaną twarz. Odnosiłem wrażenie, że zdawał sobie sprawę z własnej bezsilności, co irytowało go niezmiernie, zwłaszcza że na przekór oczekiwaniom i prognozom, nie zamierzał spędzić sześćdziesięciu dni na tronie bezczynnie. Szarpał się bezradnie, patrząc, jak świat, do którego należał, ginie w oczach. Świat tradycji, etykiety, hierarchii i rytuału odchodził na zawsze, a on wraz z nim, przegrywając konfrontację z krzykliwą, niespokojną, zaborczą rewolucją i z upartą, okrutną chłopską rewoltą.

Modżaddidi, który nie miał nawet własnej porządnej armii, oddał władzę w wyznaczonym terminie.

– A po co mi była taka prezydencka władza – sarkał – skoro zdarzało się, że mój własny minister wojny nie wpuszczał mnie nawet do pałacu prezydenckiego.

Zrazu jednak nie dawał za wygraną. Postanowił walczyć, by ratować ze starych porządków, co się da. A przynajmniej choćby na jakiś czas powstrzymać zalewający kraj rewolucyjny potop. Zasiadał na najwyższym urzędzie. Miał szacunek i znane, poważane imię. Nie miał jednak siły, a więc także i władzy. Aby to zmienić, potrzebował kogoś, kto byłby jego całkowitym zaprzeczeniem. I znalazł. Dostuma.

Jako zapłatę za zdradę Dostum otrzymał od mudżahedinów legat na te same północne prowincje, którymi władał przy Nadżibullahu. Zawłaszczył też resztki komunistycznej armii z jej arsenałami. Bojąc się zemsty mudżahedinów, oficerowie ze starej armii chętnie przechodzili pod jego komendę. Dysponował więc wojskową potęgą, która zgodnie z afgańskimi obyczajami powinna zapewniać mu udział we władzach państwa. Święci wojownicy, winni mu wdzięczność choćby za stolicę, którą im podarował, nigdy nie uznali w nim jednak ani brata, ani towarzysza. Poklepywali go po ramieniu, gdy potrzebowali jego wojska, ale przezywali „złodziejem dywanów", „poganiaczem wielbłądów" i „niewiernym psem", kiedy nalegał, by podzielili się z nim władzą. Nigdy nie został zaproszony na żadną z narad, podczas których zapadały najważniejsze decyzje o losach państwa. Nikt i nigdy nie wspomniał jego imienia, gdy dzielono posady ministrów. Massud, jego największy dłużnik, ani razu nie zaprosił go do Kabulu, gdzie zostawił dziesięć tysięcy swoich żołnierzy, by strzegli bezpieczeństwa nowego rządu i przypominali mu, komu zawdzięcza władzę. Długo znosił zniewagi w milczeniu. Jego cierpliwość skończyła się, gdy doniesiono mu z Kabulu, że Massud zamierza rozkazać jego uzbeckim wojownikom, żeby wynieśli się z miasta. Takiej ceny żądał Hekmatiar w zamian za pokój. Dostum mógł od biedy zadowolić się rolą prowincjonalnego emira, ale nigdy bezwolnego barana ofiarnego.

Wysłał umyślnych do władcy sąsiedniej prowincji Baghlan, Sajjeda Dżafara Naderiego, ponieważ doniesiono mu, że ten szczerze nie znosi długowłosych mudżahedinów. Spotkali się, przypadli sobie do gustu. Podczas którejś z rozmów zakrapianych rosyjską wódką wyliczyli, że we dwóch panują prawie nad całą północą kraju. I gdy w Kabulu zaczęto szeptać, iż po północnej stronie Hindukuszu dojrzewa nowy bunt, do akcji wkroczył mędrzec Modżaddidi, którego panowanie zbliżało się powoli do końca.

Dostuma nazwał wielkim i pobożnym wojownikiem, bo chociaż w świętej wojnie początkowo błądził, to oddał jej w końcu nieocenione przysługi. Powiedział o Dostumie „bohater" i awansował go na czterogwiazdkowego generała. Generalski stopień z rozkazu Modżaddidiego otrzymał również Naderi. Zanosiło się na to, że także Modżaddidiemu uda się wreszcie znaleźć własne wojsko. Niespodziewane przymierze z Dostumem i Naderim uczyniłoby go jednym z najpotężniejszych przywódców w kraju i wcale nie musiałby się spieszyć z przekazywaniem władzy.

Dostum nie myślał już jednak wchodzić z kimkolwiek w jakiekolwiek sojusze, a labirynty afgańskiej polityki były ostatnim z miejsc, po których pragnął błądzić Naderi.

Kiedy Sajjedowi Dżafarowi Naderiemu przychodziła ochota na lody, jego wierni poddani wspinali się na szczyty Hindukuszu, aby zdobyć śnieg, bez którego nie dawało się przygotować tego smakołyku dla ich pana. Kiedy zaś w środku nocy Naderiemu zachciewało się kawy z mlekiem, jego wojownicy siodłali konie i pędzili na pastwiska w górach, aby wydoić krowy.

Muzułmanie ze wspólnoty ismailitów, którzy w liczbie ponad dwóch milionów zamieszkiwali leżącą na północ od Kabulu prowincję Baghlan, wierzyli, że Sajjed Dżafar jest potomkiem Proroka Mahometa – to właśnie oznacza słowo *sajjed* dodane przed imieniem. „A ja to chranię – mawiał Dżafar – moją religią jest seks, narkotyki i rock and roll".

Ismailici, uważani przez innych muzułmanów za odszczepieńców, poróżnili się z nimi przy liczeniu kolejnych imamów, czyli następców Mahometa. Według ismailitów siódmym i ostatnim z widzialnych imamów był Ismail, najstarszy syn szóstego imama Dżafara as-Sadika, a po nim objawi się już tylko ostatni, pozostający w ukryciu, i zaprowadzi sprawiedliwość na świecie. W oczekiwaniu na ten dzień ismailici z afgańskiego Baghlanu za swego przewodnika i pana życia i śmierci na ziemskim padole uważali starego Naderiego, Sajjeda Mansura, a także jego syna i dziedzica Sajjeda Dżafara.

Rządzący w Kabulu nigdy nie przepadali ani za znanym z bogactwa i niepokory rodem Naderich, ani za ślepo im oddanymi i słuchającymi wyłącznie ich rozkazów odmieńcami, ismailitami. Sajjed Mansur poznał kabulskie lochy już za panowania króla Zahira Szaha, a kiedy władzę w stolicy przejęli opętani komunistyczną utopią Nur Mohammad Taraki i Hafizullah Amin, stary Naderi, posiadacz ziemski, został przez nich uznany za znienawidzonego klasowego wroga. Trzej jego bracia zginęli w mękach, zgładzeni przez siepaczy Amina. Samego Mansura od śmierci uratował niespodziewanie trzeci z komunistycznych władców, Babrak Karmal. Karmal, stary znajomy Naderiego, był oportunistą. Przede wszystkim zaś nie był takim raptusem i okrutnikiem jak Taraki czy Amin i Rosjanie uznali, że choćby z uwagi na te przymioty bardziej nadawał się na władcę wasalnego kraju niż jego dwaj poprzednicy, którzy nazbyt dosłownie pojmowali nakazy rewolucyjnej walki o wolność ludu pracującego.

Kiedy przywódca ismailitów z Baghlanu pożegnał więzienną celę, poprzysiągł sobie, że nigdy już nie da się nikomu wsadzić za kratki i nigdy nie narazi rodziny na poniewierkę. Zadzwonił do swojego syna Sajjeda Dżafara, który po aresztowaniu ojca za namową rodziny i znajomych uciekł do Ameryki. „Przyjeżdżaj co prędzej! Jesteś mi potrzebny. Będziesz dowódcą mojej armii" – usłyszał w słuchawce Dżafar. Następnego dnia spakował walizki i kupił bilet na samolot do Islamabadu.

– Miałem wtedy siedemnaście lat. Przyjechaliśmy do Peszawaru, żeby przyłączyć się do mudżahedinów. Ale żaden z tych brodatych staruchów ani myślał dzielić się z nami bronią i pieniędzmi, które workami dostawali z Ameryki. Za własne pieniądze kupiliśmy więc karabiny dla naszych żołnierzy i przemyciliśmy je do Baghlanu. Zrozumieliśmy wtedy, że możemy polegać tylko na sobie – wspominał Dżafar.

Jedną ręką prowadził białego terenowego landrovera, do którego wziął w jasyr wszystkich cudzoziemców, jakich tego dnia udało mu się odnaleźć w hotelikach miasteczka Pul-e Chumri, stolicy Baghlanu.

– Ci goście gotowi są umrzeć, jeżeli im rozkażę – mówił z przechwałką w głosie, łaskawie pozdrawiając z samochodu zgiętych w ukłonach przechodniów.

Poprzedniego dnia ogłoszono przez radio, że Sajjed Dżafar otrzymał od prezydenta Modżaddidiego awans na stopień generała pułkownika. Policjanci, urzędnicy i sklepikarze w Pul-e Chumri od rana wypatrywali więc na ulicach czerwonego mercedesa, którym zwykle jeździł Dżafar. Każdy pragnął mu osobiście powiedzieć, jak bardzo był szczęśliwy, jak bardzo ucieszył się z jego sukcesu. Nigdy by sobie nie darowali, gdyby przegapili taką okazję.

Aby uniknąć tych hołdów i zmylić poddanych, Sajjed Dżafar postanowił przesiąść się do białego landrovera. Podstęp się nie udał. Kiedy utknęliśmy w pierwszym korku, wokół samochodu w mgnieniu oka zebrał się tłum ludzi z girlandami papierowych kwiatów, świecidełkami i wstążkami, które z namaszczeniem zakładano na szyję Dżafarowi. Generał wielkodusznie dziękował poddanym, którzy przepychali się, aby ucałować dłoń przywódcy, dotknąć jego ubrania lub przynajmniej spojrzeć w jego święte oblicze.

– Ci faceci uważają mnie za jakiegoś pieprzonego świętego. Sądzą, że jak mnie dotkną, to dostąpią łaski, nie będą chorować, a jak już chorują, to wyzdrowieją. Wszystko to bzdury – zżymał się Dżafar, pospiesznie kończąc krótką uliczną audiencję dla poddanych.

Pul-e Chumri to brzydkie, hałaśliwe, zakurzone miasteczko, pełne niewielkich fabryk, parterowych manufaktur i sklepów, leżące przy głównej drodze wiodącej z Kabulu przez przełęcz Salang do Mazar-e Szarif i prowincji północnych na stepach nad Amu-darią.

Dżafar zrzędził, że odkąd został u ojca generałem i zarządcą – raisem, tu właśnie musiał spędzać większość czasu na zajęciach, których serdecznie nie cierpiał. Codzienna praca Dżafara polegała na składaniu tysięcy podpisów. W Baghlanie bowiem nic nie mogło się zdarzyć bez pisemnego zezwolenia raisa. Dżafar ustalał podatki, podpisywał rozejmy, umowy handlowe, zarządzenia administracyjne, zgody na zwolnienie z pracy jakiegoś urzędnika magistratu.

– Kiedyś podpisałem jakiś dokument pod prysznicem. Często nie wiem, o co chodzi – skarżył się. Papierkowa robota była żmudna i nudna, ale generał wiedział, że to właśnie ona stanowiła jeden z filarów jego potęgi.

Obowiązki Dżafara nie kończyły się na zarządzaniu prowincją. Jego ojciec nie tylko przestał się zajmować administracją, ale coraz mniej uwagi poświęcał sprawom ismailickiej społeczności. Głowę zaprzątała mu perspektywa przeogromnych jego zdaniem zysków, na jakie miał nadzieję po wznowieniu handlu miejscowymi owcami karakułowymi z Europą. Sajjed Dżafar, zastępca i następca ojca, musiał się więc wywiązywać także z roli przewodnika ismailickich chłopów i pasterzy. Uczestniczył w modłach, naradzał się z brodatymi starcami z ismailickich kiszłaków, rozstrzygał spory sąsiedzkie i małżeńskie, był wyrocznią w sprawie przestrzegania tradycji, obyczajów i obrzędów, które sam z trudem odgrzebywał w pamięci. Wszystko to strasznie męczyło niskiego, korpulentnego Dżafara. Starał się jak najczęściej uciekać z Pul-e Chumri do zagubionej w górach Darra Kajan, rodzinnej wioski Naderich, właściwej, choć nie administracyjnej stolicy Baghlanu.

Jeździł wtedy konno po górach w morzu sięgającej końskich brzuchów trawy, która porosła wszystkie tamtejsze drogi. Podczas wypraw zawsze towarzyszyli mu uzbrojeni w karabiny jeźdźcy. Polował na jelenie, łowił pstrągi w górskich strumieniach. Strzelał w wodną taflę z karabinu lub granatnika, a jego żołnierze wyciągali gołymi rękami ryby, gdy ogłuszone wypływały na powierzchnię. „Lubię ryby – mawiał. – Ale nie mam cierpliwości sterczeć godzinami z kijem nad wodą". Czasami, choć coraz rzadziej, urządzał dla specjalnych gości biesiady, podczas których jego żołnierze podawali im rosyjską wódkę i afgański haszysz. „Stare dobre czasy" – mruczał wówczas z rozrzewnieniem rozparty na poduszkach, zaciągając się skrętem. Przyjęcia odbywały się na wielkim, drewnianym tarasie, z którego rozpościerał się widok na zgniłozieloną dolinę, otoczoną ciemniejącymi z godziny na godzinę górskimi szczytami.

Miał jedenaście lat, kiedy po aresztowaniu ojca wyjechał na polecenie rodziny do Allentown w Pensylwanii. Krewni wysłali go do Ameryki, aby przeżył i kiedyś, gdy nadarzy się okazja, pomścił krzywdy ojca. Słowo *sajjed* żadnemu z amerykańskich kumpli Dżafara nic nie mówiło. Nazywali go po prostu Dżeff. W średniej szkole poznał, co to seks, rock and roll i narkotyki.

– Kiedy wróciłem do Afganistanu, myślałem, że śnię. Haszysz można było dostać prawie za darmo. Napisałem do chłopaków w Allentown: Ludzie! Przyjeżdżajcie, tu jest prawdziwy raj! Pomyśleli pewnie, że wciskam kit – opowiadał Dżafar, gestem polecając żołnierzowi z gwardii przybocznej, by przygotował mu następnego skręta.

W Allentown przystał do Aniołów Piekieł, motocyklowego gangu, który trząsł całą okolicą. Słuchał heavymetalowego rocka i grał na perkusji. Po lekcjach pracował w restauracji z sieci McDonalds. Smażył tam frytki.

– W całym Afganistanie nikt wam nie usmaży takich frytek.

Rosyjska wódka i haszysz czyniły świat z doliny Darra Kajan jeszcze bardziej nierealnym. Kształty się rozpływały, czas i przestrzeń nabierały innych wymiarów.

Kiedy ojciec kazał mu wracać do kraju, w USA kończył się dwudziesty wiek. W Afganistanie zaś według obowiązującego tam kalendarza dobiegało końca stulecie czternaste.

– Na początku wszystko mnie strasznie rajcowało. To było jak w jakimś filmie. Potem byłem przerażony. W końcu się przyzwyczaiłem.

Z ucznia amerykańskiej szkoły średniej stał się afgańskim generałem.

169

– Żaden Afgańczyk nie musi się uczyć wojny. My to mamy we krwi. U nas wszyscy walczą. Ludzie, psy, koguty.

Póki był tylko dowódcą ojcowskiego wojska, nosił długie włosy, brodę i ciemne, przeciwsłoneczne okulary. Ubierał się w długi skórzany płaszcz. Kiedy został gubernatorem prowincji, ojciec wymógł na nim, by się ostrzygł, ogolił i porządnie ubrał. Nowym wizerunkiem Dżafara stały się jedwabne czarne koszule, rozpięte do pasa, czarne wełniane marynarki w białe prążki, czarne szerokie spodnie z bawełny z mankietami i czarne pantofle z plecionką. Bardziej przypominał nowobogackich poszukiwaczy miłosnych przygód ze Stambułu, Damaszku czy Baku niż Anioła Piekieł z Allentown.

– Te cholerne zakazy! Rób to! Rób tamto! Tego nie wolno!

Choć należał już do tego świata, pamięć o tym, w którym żył jeszcze niedawno, wciąż wracała. Odurzające opary haszyszu czyniły ją jeszcze wyrazistszą, tym boleśniejszą.

– Nie mogę tu żyć swoim życiem, bo dla tych dupków jestem prawie Bogiem. Ojciec byłby wściekły, gdyby dowiedział się o moich narkotykowych prywatkach. Nikt mi jednak nie odbierze rock and rolla.

W komórce pod tarasem domu Dżafar trzymał stary motocykl, harley, ten sam, którym wprawiał w popłoch mieszkańców Allentown. Gdy nachodził go smutek albo wprost przeciwnie, rozpierała radość i energia, kazał żołnierzom pakować motocykl do terenowego landrovera i bezdrożami, przez porastający dno doliny trawiasty gąszcz, przebijał się na asfaltową drogę wiodącą przez tunel Salang do Kabulu. Wkładał tam skórzaną kurtkę i dosiadał harleya. Pędząc na złamanie karku, mijał po drodze zaprzężone w woły wozy o drewnianych kołach, karawany wielbłądów i osiołków.

W trosce o reputację prawnuka Mahometa zrezygnował z gry na perkusji.

– Ludzie pomyśleliby, że zwariowałem.

Zwierzał się, że gdyby nie przypisana mu rola raisa i ismailickiego półboga, pragnąłby zostać dziennikarzem. Zrobiłby wtedy wywiad z Fidelem Castro, którego uważa za rockandrollowca.

– To jest mój kraj i nikt mi się nie będzie wtrącał. W tych górach stoją moi ludzie z karabinami. – Dżafar pokazywał ręką wierzchołki gór, ciągnących się wzdłuż drogi z Kabulu do Hajratonu na granicy z Uzbekistanem. Sześćdziesiąt kilometrów tej drogi biegło przez prowincję Baghlan. – To wszystko moje. Wszystko tu należy do mnie. Tunel Salang też jest mój. Jak będę chciał, to go zamknę i zagłodzę Kabul.

Za to, że w czas wojny Dżafar nie zamykał tunelu i Drogi Życia, komunistyczny prezydent Nadżibullah odpłacał mu się absolutną nieingerencją w sprawy prowincji Baghlan. Dowódcy rosyjskiej armii też starali się zawsze znaleźć czas na odwiedziny i przyjaźń z niedawnym Aniołem Piekieł, a pułkownik Wariennikow był częstym gościem raisa i uczestnikiem narkotykowo-wódczanych biesiad. Wycofując się z Afganistanu, kazał zostawić Dżafarowi setkę czołgów T-62 jako zapłatę.

Z Sajjedem Dżafarem układali się też mudżahedini. Rais pozwalał im na przejazd przez prowincję, na tranzyt broni i żywności. Warunkiem wszelkich transakcji było jednak poszanowanie jego absolutnej suwerenności. Początkowo wielu afgańskich generałów i partyzanckich komendantów lekceważyło Dżafara. Jego żołnierze szybko jednak przekonali niedowiarków, że w Baghlanie naprawdę rządzi tylko on.

– Wrogów się nie boję, a przyjaciół sam sobie wybieram. Jeżeli okazuję komuś szacunek, to oczekuję tego samego. Szacunek powinien być podstawą wszystkich stosunków – wyjaśniał Dżafar swoją koncepcję przyszłego Afganistanu. Nie uważał, aby po obaleniu Nadżibullaha i przejęciu władzy przez mudżahedinów musiał zmieniać swoją polityczną doktrynę. – To, co się zmieniło, dotyczy tylko Kabulu. Tutaj nadal rządzę ja.

Aby jednak nikomu nie wpadł do głowy niewczesny pomysł rewolucji i urządzania na własną modłę życia w Baghlanie, Dżafar wystawił posterunki na granicach prowincji i wzdłuż drogi na przełęczy Salang. Zarządził też, że żaden przybysz z innych prowincji, kimkolwiek by był, nie miał prawa pojawiać się w Baghlanie z bronią. Nie lubił komunistów, bo prześladowali jego ojca. Nie przepadał też za mudżahedinami.

– To prostaki, kulisi, przygłupy. A do tego żują tytoń, nie potrafią się zachować przy stole, jedzą rękami. – Rais wyraźnie nie podzielał entuzjazmu mudżahedinów dla ascetycznych porządków republiki muzułmańskiej. – U siebie mogą robić, co im się podoba. Ale w Baghlanie ja decyduję o tym, jak się będzie żyło. Ja i moi żołnierze. Nikt nie będzie mi mówić, jak się mam ubierać, jak rządzić, kiedy się modlić. Na wszystko jest odpowiedni czas. Na wojnę, na modlitwę i na rock and rolla.

Wieczorem, kiedy z minaretu w meczecie w Darra Kajan muezin wezwał wiernych na modlitwę, rais kazał żołnierzom przenieść z tarasu do gabinetu talerze, jadło i napitki. Biesiada trwała dalej w domowym zaciszu.

– Nie chcę, żeby mnie takim widzieli – tłumaczył, przerzucając szpargały na biurku. W końcu wyciągnął spod papierów starą, podrapaną kasetę australijskiej heavymetalowej grupy AC/DC, wsunął ją do kieszeni magnetofonu i ustawił głośność na najwyższy poziom. Wstrząsana gitarową burzą izba drżała w rytm perkusji.

Żadnych znaków stop,
Żadnych ograniczeń prędkości,
Nikt tu nie zwalnia.
Hej, mamuśka, popatrz na mnie,
Jak pędzę do mojej Ziemi Obiecanej,
Jak pędzę Drogą do Piekła.
172   Nie zatrzymuj mnie.

– I tak wszyscy się tam wcześniej czy później spotkamy – mruczał pod nosem, głaszcząc przysypiającego mu na kolanach pieska rasy pekińskiej z zadartym noskiem i czerwoną kokardką na głowie. – Tak... jedni wcześniej, inni później... ot, i cała różnica.

Wprowadzenie bożych porządków w tak zawiłych dziedzinach życia, jak sądownictwo czy bankowość okazało się zajęciem wyjątkowo niewdzięcznym i przyprawiało o ból głowy najświatlejszych komendantów i mułłów. Wyniesieni zrządzeniem losu do godności ministrów, dyrektorów i prezesów nie mieli najmniejszego pojęcia o kodeksach, procedurach, buchalterii czy stopach procentowych. Znużeni i zniecierpliwieni, szukali pociechy i zachęty tam, gdzie skutki ich poczynań były szybsze, łatwiejsze, a co najważniejsze, widoczne gołym okiem.

Po alkoholu zostały więc zakazane europejskie stroje afgańskich kobiet – spodnie, spódnice, opinające piersi bluzki z dekoltami, do których noszenia tak gorąco namawiali mieszkanki stolicy komuniści. Mudżahedini uznali obce, niewieście mody za grzeszne, wodzące mężczyzn na pokuszenie. Zalecili więc Afgankom, by wychodząc z domów, dokładnie zakrywały twarz i całe ciało. Za jedyną część kobiecego ciała, której widok miał nie kusić mężczyzn, uznano dłonie i tylko one mogły pozostawać odsłonięte.

Rewolucja w modzie męskiej dotknęła przede wszystkim urzędników starego reżimu, którzy zaczęli przywdziewać barwy ochronne. Teraz, pragnąc wtopić się w otoczenie, zapomnieć o przeszłości i wmówić innym, że po prostu jej nie było, a życie zaczęło się wczoraj, skrzętnie chowali głęboko po kufrach i szafach płaszcze, garnitury i krawaty kupowane swego czasu w najelegantszych sklepach Moskwy i Taszkientu.

Żegnając się bez bólu z szatami będącymi wspomnieniem, ale i piętnem dawnych czasów, wkładali do pracy 173 w biurach i ministerstwach workowate, luźne spodnie i wykładane na nie obszerne kaftany, długie do kolan koszule i kamizelki. Choć nie podobali się sobie w tych nowych wcieleniach, rozumieli, że tylko tak mogą mieć nadzieję, iż dawne grzechy zostaną im przebaczone, a przynajmniej nie będą wypominane.

Niektórzy zmienili mieszkania, nazwiska, przestawali przyznawać się do dawnych przyjaciół, którzy w nowych, niepewnych czasach mogli okazać się brzemieniem, zdradzać związki ze starym porządkiem. Przede wszystkim zaś wielu zaczęło zapuszczać brody, przestawało się codziennie golić i strzyc, by choć trochę upodobnić się do nowych władców.

Coś w tym jest, że jak tylko wybucha rewolucja, mężczyźni przestają się golić. To nie tylko kwestia wygody czy warunków. Regularne wojsko goli się nawet na froncie, a partyzanci nigdy – albo rzadko. Broda jest symbolem rewolucji. Tak zwykle bywa, że obrońcy starego porządku są dokładnie ogoleni, a buntownicy zarośnięci. Broda, choćby kilkudniowy zarost na twarzy partyzanta, jest przesłaniem. Mówi, że w tej chwili liczy się tylko walka, idea, wszystko inne trzeba odłożyć na bok.

Nigdzie jednak na świecie męski zarost nie nabrał aż takiego politycznego znaczenia jak w Afganistanie. Tu obowiązkowe brody nosili nie tylko buntownicy. Wystarczyło, że cudzoziemski korespondent przybywał do Peszawaru, a wnet zapominał o goleniu. Jedni traktowali to jako zadośćuczynienie wymogom dobrego wychowania. Zarośnięte policzki były wyrazem szacunku dla tubylców. Dla innych broda była manifestacją politycznej poprawności. Jeszcze inni nie golili się z lenistwa, próżności, a czasami z jakiejś tęsknoty za życiem świętego wojownika, które nigdy nie stało się ich udziałem, i pragnienia, by skraść, bezprawnie sobie przywłaszczyć bodaj tę najmniejszą, najmniej ważną

cząstkę wizerunku mudżahedina. Tak czy inaczej, niewielu

cudzoziemców przybywało do Afganistanu z gładko ogolonymi policzkami.

Temu zwariowanemu, masowemu zapuszczaniu bród winni byli też sami Afgańczycy, dla których męski zarost miał duże znaczenie, traktowali więc tę sprawę z ogromną powagą. W ich świecie bród nie nosiły jedynie kobiety, niewierni i pederaści. Czyli ci, których można podziwiać, wielbić i pożądać, ale nie wolno im ufać. Już wtedy brody czy choćby zarośnięte policzki miały wymowę polityczną, a w każdym razie stanowiły znak rozpoznawczy. W przyszłości urosły do rangi symbolu państwowej doktryny, tożsamości narodowej, wyznania wiary.

W tamte upalne majowe dni brodaci mudżahedini, obwieszeni karabinami, magazynkami i taśmami z amunicją, leniwie przechadzali się po ulicach Kabulu i wygrzewali w słońcu na posterunkach przed ministerstwami, urzędami i na skrzyżowaniach. Strażnicy, którzy mieli akurat służbę na granicznych posterunkach, zatrzymywali samochody, przeszukiwali bagażniki. Jeżeli kierowca zagapił się i nie zahamował na rozkaz uzbrojonego brodacza, mudżahedin ściągał z pleców karabin i pruł serią w powietrze.

Co jakiś czas z piskiem opon przejeżdżał dżip albo terenowa toyota obwieszona zielonymi, białymi lub czarnymi chorągwiami. Taki rozpędzony samochód z portretem Massuda czy Haqqaniego zasłaniającym połowę przedniej szyby nie zważał ani na światła, ani na przepisy drogowe, ani na tłum na ulicach. Odtąd w opanowanym przez partyzantów z gór i pustyń Kabulu toyoty zawsze już miały pierwszeństwo, ponieważ jeździli nimi mudżahedini.

Jeżeli na ulicy pojawiała się cała ich kolumna, znaczyło to, że któryś z ważnych komendantów jedzie właśnie na naradę – szurę. W Afganistanie zawsze wszystkie najważniejsze sprawy rozstrzygano na szurach. A ponieważ sytuacja była bardzo skomplikowana, szury małe i wielkie zwoływano w te dni bardzo często.

Wieczorami długowłosi partyzanci z banku przychodzili do nas na telewizję. Opierali karabiny o liszajowate ściany, rozsiadali się na wypłowiałych kanapach i w obitych skórą klubowych fotelach, a potem jak zaczarowani zamierali w absolutnym milczeniu przed ekranem telewizora. W największy zachwyt wprawiały ich kreskowe opowieści i postacie *Alicji w krainie czarów*, *Kubusia Puchatka*, *Królewny Śnieżki i siedmiu krasnoludków*, ale także bohaterowie rosyjskich bajek, sprytny i sympatyczny zając i gapowaty wilk, który po każdej porażce potrafił jedynie wygrażać pięścią i wykrzykiwać: Ja ci jeszcze pokażę! Kiedy bajki nadawane na dobranoc dla dzieci się kończyły, brodaci wojownicy budzili się z magicznego odrętwienia i w milczeniu, niechętnie wychodzili na dziedziniec, gdzie rozłożyli obóz. Spali na dworze, choć w całym hotelu zajęte były może ze cztery pokoje.

Ci z banku wlekli się sennie do siebie, gdzie nie mieli ani telewizji, ani restauracji, ani pokojów z łóżkami. Bardzo zazdrościli ludziom Mohseniego kwatery w hotelu. Zastanawiałem się, czy aby z tego powodu nie dojdzie między nimi do sporów albo, nie daj Bóg, wojny.

Na prowizorkę, mudżahedinów i ich bezczelne toyoty nie zwracał najmniejszej uwagi tylko kabulski bazar. Budził się jak zwykle o świcie i aż do zmroku targował, wykłócał, przepychał i przekrzykiwał. Ucichał wraz ze zmierzchem, gdy muezin w Błękitnym Meczecie nad rzeką nabrzmiałym smutkiem głosem wzywał wiernych na modlitwę.

Po zmroku zaczynała się godzina policyjna. Porę tę obwieszczała bezładna, potęgująca się strzelanina. Właściwie trwała również w ciągu dnia, tyle że ginęła w zgiełku miasta. W dzień mudżahedini na ogół strzelali do ptaków albo tak sobie, z radości w powietrze. Strzały w nocy natomiast mogły oznaczać, że jedna z partyzanckich partii naruszyła czyjeś terytorium albo że wykonano wyrok na którymś z najbardziej znienawidzonych agentów tajnej policji Nadżibullaha. Nocną strzelaniną mudżahedini urozmaicali sobie nudne warty. Najpierw na niebie pojawiała się

żółta albo zielona raca, a potem ze wszystkich
mknęły w jej kierunku czerwone serie pocisk
wych. Nocami po mieście nie poruszał się nikt.
retki pogotowia. Dopiero nazajutrz o świcie d
przywożono ofiary radosnych fajerwerków. Przed
chem zaś, zgodnie z muzułmańskim obrządkiem, grz
je na którymś z miejskich cmentarzy, znacząc mi
pochówku zielonymi lub białymi chorągwiami.

Wbrew logice i rozsądkowi w powietrzu czuło się jedn
radosną nadzieję i wiarę. Powietrze pełne było szaleństw
odbierającego trzeźwość spojrzenia i ocen. Szaleństwa,
które pojawia się zawsze, ilekroć wydarzają się rzeczy niemożliwe. Tylko wtedy widziałem w twarzach Afgańczyków
taką pogodę i ufność. Wędrując ulicami Kabulu, poddając
się tamtemu nastrojowi i niewidzialnym wibracjom ducha,
nabierało się wiary, że jeśli tylko się zechce, można pokonać
wszelkie przeciwności, wszystko osiągnąć. Ni stąd, ni zowąd nabierało się młodzieńczego, niewinnego przekonania, że marzenia, choćby czekało się na to zbyt długo, muszą się przecież spełnić. I spełniają się naprawdę.

Tęskniąc za tą chwilą i chcąc ją sobie przypomnieć,
wracaliśmy potem do Afganistanu, do Kabulu jeszcze wiele
razy. Ale Tego Czegoś nie odnaleźliśmy już nigdy. Przepad-
ło, zagubiło się, zginęło. A może było tylko złudzeniem.
Chociaż nie, było naprawdę.

8 Ismatullah, zanim wjechał na czołgu do Kabulu, nigdy nie widział wielkiego miasta. Ani on, ani żaden z jego towarzyszy z doliny Andarabu. Całe życie spędził w górach, najpierw w rodzinnym kiszłaku, potem w partyzantce. Nigdy nie widział wielopiętrowych domów, eleganckich willi, królewskich pałaców, telewizji, wspaniałych parków, ulic, szerokich, równych jak stół i wylanych dla wygody kierowców asfaltem, tylu sklepów i bazarów, tylu kobiet na ulicach, takiego bogactwa.

Przyglądali się sobie bacznie – mudżahedini z gór mieszczuchom, mieszczuchy mudżahedinom, o których jeszcze niedawno rządowa telewizja opowiadała straszne historie, a którzy teraz mieli rządzić krajem. Kabulczycy niepokoili się, czy brodacze nie przeniosą tu z gór własnych zwyczajów i nie każą miastowym żyć według tych nowych, obcych im już, bo dawno odrzuconych i zapomnianych reguł.

– Widzieli w nas długowłosych, brodatych dzikusów, którzy całe życie spędzili na wojnie w górskich jaskiniach – wspominał Ismatullah, którego spotkałem na wojskowym posterunku na rogatkach Kabulu, przy drodze do Majdan Szahr. Był komendantem w armii Ahmada Szaha Massuda, ministra wojny, i na jego rozkaz strzegł, by powierzoną mu drogą nie wdarł się do stolicy premier Gulbuddin Hekmatiar wraz ze swoim wojskiem. – Bali się, że rozgrabimy im 179 miasto, że je zniszczymy, zepsujemy, że nie potrafimy żyć ich życiem. Właściwie mieli rację.

Mudżahedini, onieśmieleni obcym miastem i jego mieszkańcami, zdezorientowani nową rzeczywistością, odmienną od wszystkiego, co dotąd znali, nie wiedzieli, co począć z tym skarbem, o który zaciekle walczyli, gotowi poświęcić życie. Teraz, gdy go zdobyli, gdy należał do nich, wydawał się niedostępny, a przez to jeszcze bardziej kuszący. Strach zmagał się w ich duszach z pożądaniem. Czekali jednak na rozkazy swoich komendantów, lękając się ich gniewu i strasznych kar za samowolę i wierząc, że prędzej czy później cierpliwość i posłuszeństwo zostaną wynagrodzone w dwójnasób. Nawet im w głowie nie postało, że mogliby utracić tak wspaniały wojenny łup. Przedłużające się oczekiwanie znosili tym trudniej, że widzieli, jak z każdym dniem przybywało konkurentów do zdobytego już miasta. Nie pojmowali przyczyn tego niezwykłego i ryzykownego, a więc niepotrzebnego ich zdaniem opóźnienia. Tłumaczyli sobie, że wynika ono z jakichś politycznych czy strategicznych względów, których jako prości żołnierze nie ogarniają rozumem. Od tego mieli komendantów. Czyż w górach nie zdarzało im się na rozkaz dowódców zwlekać z atakiem na osaczonego już i na pozór bezbronnego wroga?

Teraz jednak ich komendanci sami sprawiali wrażenie zagubionych. Znikali na całe dnie, wzywani przez przełożonych na wielogodzinne narady i odprawy. Wracali z nich milczący, dziwnie zamknięci w sobie, a nierzadko rozsierdzeni. Strach było wchodzić im w drogę. Wtedy karali najsurowiej za całkiem błahe wykroczenia. W takich chwilach przerażeni żołnierze ledwie rozumieli, o czym rozprawiają ich komendanci. Jako zasłużoną – lub niezasłużoną, wywołaną jedynie gniewem przełożonych – karę traktowali pouczenia, że teraz przyjdzie im żyć inaczej, że miasto nie jest łupem, lecz wspólnym dobrem, a jego mieszkańców i innych mudżahedinów powinni traktować jak braci.

Atmosfera w mieście, dotąd beztroska i pogodna, zaczęła nabrzmiewać i iskrzyć złością.

Ismatullah miał ledwie szesnaście lat, kiedy wuj zaprowadził go górskimi przełęczami do sąsiedniej doliny Pandższiru, do oddziału Massuda. Miał pomścić śmierć ojca rozstrzelanego na rynku przez ludzi Hekmatiara. Stary nie chciał oddać dwóch najstarszych synów do jego oddziału i odmówił też partyzantom gościny. Był naczelnikiem wioski i bał się, że mudżahedini ściągną na nich śmigłowce i samoloty. Błagał partyzantów, by zabrali, co im potrzebne, ryż, mąkę, cukier, ale wieś zostawili w spokoju. Dowódca oddziału nazwał go tchórzem, zdrajcą i sługą bezbożnych komunistów. Wpuścił wszak do wsi przysłanych z Kabulu agronomów, a ci odbierali ziemię jej prawowitym właścicielom i rozdawali tym, którzy poważyli się przyjąć taki podarunek albo nie mieli odwagi odmówić. Zgodził się też, by w wiosce zbudowano szkołę, a przybyły z miasta nauczyciel zatruwał serca i umysły dzieci komunistycznymi prawdami. Nauczyciel uciekł, gdy tylko w okolicy pojawili się partyzanci i przy pierwszej wizycie we wsi puścili z dymem stojącą na odludziu szkołę.

Dowódca rozkazał żołnierzom, żeby zabrali starego z chałupy i poprowadzili na rynek. Tamtego dnia padał zimny, siekący boleśnie twarze deszcz. Rozmokła ziemia kleiła się do butów i usuwała spod stóp. Ojciec Ismatullaha, popychany karabinami przez partyzantów, potykał się i zataczał. Na rynku, gdzie w targowe dni zjeżdżający z górskich kiszłaków wieśniacy rozkładali cebulę, jabłka, winogrona i kukurydzę, nie było żywej duszy. Partyzanci pchnęli ojca między czarne i oślizłe w deszczu szkielety straganów. Odsunęli się na krok albo dwa i bez słowa wymierzyli karabiny. Ismatullah widział z drogi, jak przewrócony siłą wystrzałów ojciec upadł, roztrącając stragany. Chwytał się rozpaczliwie desek, jakby ratując się przed upadkiem w brudnożółtą, błotną maź, chciał zatrzymać uchodzące z niego życie. 181

Osunął się powoli, a gdy leżał z twarzą w ziemi, jeden z zabójców podszedł i strzelił do niego jeszcze raz.

Wuj Szarif znał dowódcę tego oddziału, a raczej jego ojca. Powiedział Ismatullahowi, skąd pochodzi i jak się nazywa. Powiedział mu też, że jako najstarszy z synów powinien odszukać i zabić zabójcę ojca. Ostrzegł, że dowódca oddziału z pewnością przyjdzie jeszcze do wsi, żeby go zastrzelić, bo tylko wtedy nie będzie musiał obawiać się zemsty. Wuj poprowadził Ismatullaha do doliny Pandższiru. W dolinie Andarabu większość wiosek sprzyjała Hekmatiarowi i nie mógł być tam bezpieczny, a do Pandższiru nie ośmieliłby się zapędzić żaden z jego oddziałów.

Dwa miesiące później wuj zginął w górach podczas nalotu rosyjskich śmigłowców. Dla Ismatullaha Allah okazał się wspaniałomyślny. Dał mu nie tylko przeżyć wojnę z Rosjanami, ale także pomścić ojca.

Massud, rozwścieczony, że ludzie Hekmatiara napadali na wędrujące do Pandższiru karawany z bronią, postanowił podbić Andarab, który utrudniał mu kontrolę nad przełęczą Salang. Massud był bezlitosny. Miał z Hekmatiarem niewyrównane rachunki. Podejrzewał wszak, że to właśnie on rozkazał zabić jego brata.

W jednej z zasadzek Ismatullahowi udało się zabić dwóch braci komendanta, który zastrzelił jego ojca. Samego komendanta spotkał jednak dopiero wtedy, gdy przestraszeni nie na żarty przywódcy Andarabu zawarli pokój z Massudem. Delegacji starszyzny, która zjechała na rozmowy do Pandższiru, przewodniczył ojciec tamtego komendanta, człowiek prawy i szanowany, i to on wystąpił z propozycją pojednania.

„Mój syn zabił ci ojca. Ty zabiłeś dwóch moich synów – powiedział Ismatullahowi. Dyszał ciężko i kaszlał. Mówiono, że był ciężko chory i umierał. – Proponuję ci pokój w imieniu tego trzeciego, ostatniego, jaki mi pozostał. Nie chcę go stracić i dożywać swoich dni w samotności.

Co się stało, to się już nie odstanie. Uważam, że rachunki zostały wyrównane".

Ismatullah nie przystał na ugodę. Stary płakał i zaklinał go, by poniechał zemsty. Proponował pieniądze, które zgodnie z prawem islamu mogły być sprawiedliwym zadośćuczynieniem za przelaną krew. Ismatullah nie chciał ani pieniędzy, ani córki, którą stary, byle zachować syna, gotów był mu oddać za żonę.

Tamten komendant wkrótce zginął, schwytany i powieszony przez żołnierzy z armii rządowej, a niedługo potem umarł ze zgryzoty jego ojciec.

Mrużąc oczy, Ismatullah wypatrywał słońca na jasnym południowym niebie, po czym wspinał się na pancerz czołgu ustawionego w obejściu przy drodze, między studnią a kurnikiem. Wielką kraciastą chustą wycierał dokładnie kurz z pancernej pokrywy przedziału silnikowego. Następnie rozkładał szal na pancerzu, klękał na nim, twarzą w stronę Mekki, i zaczynał bić pokłony Allahowi. Dziękował za darowanie mu życia i za to, że dane mu było pomścić ojca. Modlił się też o zwycięstwo w wojnie, w której uczestniczył od dziewięciu lat i której końca wciąż nie było widać. Nie, nie modlił się o koniec wojny, lecz o zwycięstwo.

Jechał w kolumnie czołgów, która pod dowództwem Massuda wkroczyła do Kabulu. Widział, jak komendant modlił się na rogatkach miasta zdobytego bez walki. Nikt go nie bronił, a oni zajęli je pierwsi, dosłownie o jeden dzień wyprzedzili mudżahedinów Gulbuddina Hekmatiara, którzy spieszyli z południa. Gdyby się wtedy spóźnili, Burhanuddin Rabbani nie byłby prezydentem Afganistanu, a Massud ministrem wojny. Ismatullah nigdy nie zamieszkałby w Kabulu. Nie broniłby miasta przed armią Hekmatiara, tylko je zdobywał. Zaiste, Allah był dla niego łaskawy.

Ismatullah, podobnie jak inni pomniejsi i najważniejsi komendanci Massuda, a także wszyscy pandższirscy Tadżycy, uważał, że wygrana wojna i władza w Kabulu były 183 sprawiedliwym zadośćuczynieniem za wcześniejsze ofiary i wyrzeczenia.

– Skoro Massud zajął miasto – tłumaczył, siedząc okrakiem na lufie czołgu strzegącego drogi do Majdan Szahr – to Massudowi lub komuś przez niego wskazanemu powinna też przypaść władza w kraju.

Zazdrość pozostałych komendantów, którzy chcieli teraz ukraść Massudowi zwycięstwo, mogła się według niego stać przyczyną wojny, nieuchronnie wiszącej już w powietrzu.

– Bo tak po prawdzie – perorował Ismatullah – na każdej wojnie łup przecież słusznie należy się silniejszemu.

Wojna, której wszyscy – jedni z nadzieją, inni z trwogą – wypatrywali, wybuchła jakby mimochodem, sama przez się.

Najpierw wszystko przestało działać. Zamierały po kolei ministerstwa i urzędy, bo partyzanccy komendanci wciąż nie mogli porozumieć się co do podziału władzy. Trwały niekończące się narady, zebrania, podpisywano kolejne porozumienia.

Ale w plemiennych, rodowych negocjacjach w Afganistanie zawsze należało wysłuchać wszystkich stron, nie pomijając absolutnie nikogo, bo inaczej układ od razu można było wyrzucić do kosza. Dlatego na naradach afgańskich mudżahedinów mówiło się pięknie, poetycko, ale jednocześnie tak, żeby nikogo nie urazić. Późniejsze ustalenia były z reguły tak ogólnikowe, że każdy mógł je interpretować na swój sposób. Pojawiały się nowe spory i trzeba było zwoływać nową naradę. Jednym nie podobało się to, innym coś zupełnie innego. Jedni chcieli tak, inni siak. Nikt się nie kwapił, żeby ustąpić, wycofać się, poczekać. Jeśli nie będzie po naszemu – zapowiadali – dłużej na nas nie liczcie. To w najlepszym wypadku. Znacznie częściej padały groźby: Albo dostanę to, czego żądam, albo szykujcie się na wojnę. Jeśli nie mogę mieć, czego chcę, niech wszystko i wszystkich piekło pochłonie.

Każdy z partyzanckich komendantów uważał, że liczba posiadanych karabinów uprawnia go do większego udziału we władzy, i aby podbudować swoje pretensje, ściągał do miasta pułki. Kabul stawał się miastem żołnierzy. W końcu znalazło ich się tu zbyt wielu, żeby można było utrzymać pokój.

Miasto zostało rozdrapane przez zbrojne partie. Każda dzielnica, ulica czy większy budynek miały swojego komendanta, który nie uznawał niczyjej zwierzchności, a okupowaną część miasta traktował jako wojenne trofeum. Niewidzialne granice partyzanckich twierdz i terytoriów przeradzały się w linie frontów. Wciąż dochodziło do kłótni, rozpychania się, zajmowania cudzych ziem. Powodem do ulicznej bitwy był choćby skradziony worek cukru. Zaczęły się rozboje i egzekucje. Póki mudżahedini byli onieśmieleni obcym miastem, napady zdarzały się głównie nocami. Kiedy przyzwyczaili się do wszechwładzy i bezkarności, w biały dzień dokonywali rekwizycji, a opornych zabijali na miejscu. Zgrzyt karabinowego zamka ucinał kłótnie i protesty.

W końcu padł wystrzał, który nie oznaczał kolejnej potyczki o łupy, lecz nową wojnę. Nikt nawet nie dochodził, kto strzelił i dlaczego. Trudno było wytłumaczyć, dlaczego tysiące wcześniejszych nie okazały się tak brzemienne w skutki jak akurat ten jeden, rozpoznany bezbłędnie przez wszystkich zastygłych w oczekiwaniu żołnierzy, którzy odczytali go jako sygnał do walki, przyzwolenie powrotu do dawnego życia. Może nie najlepszego, ale jedynego, jakie znali i jakie potrafili wieść. Przyłączyli się do wojny z ochotą i ulgą, nie dbając o to, kto ją zaczął.

Pewnego sierpniowego upalnego poranka, gdy kobiety rozniecały dopiero ogień w chlebowych piecach, a miasto budziło się z wolna do życia, wstrząsnął nim zagłuszający wszystko i potęgujący się z każdą chwilą grzmot. A po nim nowe i nowe. Zdawało się, że niebo się wali, a ziemia rozstępuje pod nogami. Tego dnia na Kabul spadło ponad pół tysiąca pocisków rakietowych, wystrzelonych przez kanonierów Hekmatiara z okopów w podstołecznych miejscowościach Czarasjab i Majdan Szahr. Śmiercionośne rakiety, których ponad czterdzieści tysięcy podarowali Hekmatiarowi Pakistańczycy, by ułatwić mu pokonanie komunistów i zdobycie Kabulu, miały odtąd spadać na miasto regularnie jak wiosenne deszcze. Z czasem mieszkańcy stolicy przywykli do tego i znosili je jak kaprysy pogody.

Hekmatiar twierdził, że wojnę zaczął Massud, sprzymierzywszy się z Dostumem. Massud – że Hekmatiar, bo nie umiał pogodzić się z tym, iż nie zdobył Kabulu na wyłączną własność. Dostum – że winny był Massud, który go oszukał. Abdurab Rasul Sajjaf uważał, że winę za wojnę ponosili szyici, Hazarowie, którzy zachęcani przez ajatollahów z Teheranu i grożąc wojną, zażądali włączenia ich do nowego rządu i przyznania im czwartej części ministerialnych posad.

Rabbani przyznawał rację Sajjafowi, ale przekonywał, że większą winę niż Hazarowie ponosił Sebghatullah Modżaddidi, od którego zgodnie z ustaloną kolejnością miał przejąć prezydencką władzę. Czyż nie on pierwszy, zgadzając się na ich żądania, złamał postanowienia umowy z Peszawaru? I czyż nagła słabość Modżaddidiego do uzbeckiego watażki Dostuma i Hazarów nie dowodziła, że nie zamierzał ustąpić z urzędu, a ponieważ nie miał wojska, szukał potężnych sojuszników?

Modżaddidi odpierał zarzuty, twierdząc, że wojnę wywołał Rabbani, który nie mógł się już doczekać przejęcia władzy. Modżaddidi nie krył zresztą, że uważał Rabbaniego za niegodnego wysokich urzędów plebejusza i niebezpiecznego ekstremistę, któremu w ogóle nie powinno się powierzać steru państwa. A Junus Chales, w którym widziała swego przywódcę większość afgańskich muzułmańskich radykałów oraz pasztuńskich plemion, kręcił głową i powtarzał, że Rabbani jest uczonym teologiem, liberałem, nie potrafi więc przeprowadzić rewolucji.

Pasztunowie podejrzewali Tadżyków, iż chcą przywłaszczyć sobie władzę i afgańskie państwo. Tadżycy widzieli w Pasztunach posłusznych wasali Pakistanu. Sunnici Pasztunowie i Tadżycy uważali szyitów Hazarów za odmieńców i zdrajców, bo w czas świętej wojny odparli najpierw wściekłe natarcie komunistów i Rosjan, potem jednak w zamian za obietnicę pokoju przestali walczyć, a nawet pomagali rządowej armii tropić mudżahedinów. Hazarowie ripostowali, że jest ich zbyt wielu, są zbyt silni i nie będą dłużej znosić narzuconej im przez pasztuńskich chanów roli niewolników pozbawionych wszelkich praw.

Potem wszyscy wystąpili przeciwko Massudowi i jego politycznemu mistrzowi, Rabbaniemu, który choć miał panować tylko cztery miesiące, przedłużał swe rządy w nieskończoność: „Złożę urząd, gdy tylko w stolicy i całym kraju ucichnie wojna" – powtarzał cichym, spokojnym głosem dobrotliwego kaznodziei, a jego wrogowie, mając w pamięci wojskowe talenty i siłę Massuda, słyszeli w tych słowach zapowiedź wojny wiecznej.

„Nie będzie pokoju ani w Kabulu, ani w kraju, dopóki Rabbani nie odda władzy" – zapowiedział Hekmatiar.

Szyici Hazarowie, których Rabbani wyrzucił z rządu nazajutrz po tym, jak wyszarpał w końcu władzę Modżaddidiemu, zaatakowali wojska Massuda. Przeciwko nim wystąpiły natychmiast pasztuńskie pułki Sajjafa, który otaczał się Arabami, niecierpiącymi szyitów i wszystkiego, co perskie. Sajjafa z kolei zaatakował Hekmatiar, który choć nie znosił szyitów i Hazarów, to jeszcze bardziej nienawidził Massuda. Wojna między Sajjafem i Hekmatiarem przyprawiła o ból głowy Arabów i Pakistańczyków, ponieważ obydwaj byli ich faworytami, im więc słali najwięcej broni i pieniędzy i z nimi wiązali wielkie nadzieje.

Przeciwko Hazarom wystąpił też Dostum, choć miał w swojej armii wiele hazarskich oddziałów. Uzbek wciąż jednak liczył, że Massud zacznie spłacać zaciągnięte u niego długi wdzięczności. Wkrótce jednak, rozczarowany Massudem, zdradził go i przyłączył się do Hazarów, a także do Hekmatiara, którego nie tak dawno przecież pokonał. Przystał do nich także brzydzący się Hekmatiarem Modżaddidi, wieńcząc powstanie koalicji, której niezwykłość zadziwiała nawet Afgańczyków. Znaleźli się w niej nienawidzący się nawzajem szyiccy i sunniccy fanatycy, oportuniści, karierowicze i najzajadlejsi rewolucjoniści, najszlachetniej urodzeni i plebejusze, uczeni i prostacy, wspierani w dodatku przez zwaśnionych od wieków Arabów i Persów.

We wrogich obozach wciąż dochodziło do kłótni i rozłamów. Z czasem wszyscy walczyli ze wszystkimi i już nie tylko postronni cudzoziemcy, nie tylko Afgańczycy, ale sami wojownicy tracili rozeznanie, z kim, o co i przeciwko komu toczą wojnę. Walczyli, nie pytając po co. „Nie biję się dlatego, że to lubię – powiedział mi kiedyś jeden z komendantów. – Walczę, bo muszę, bo tak już jest".

Podpisywano niezliczoną liczbę porozumień o pokoju i rozejmach, które tylko jeszcze bardziej gmatwały sytuację. Zawieszano broń nie po to, by przygotować się do życia w pokoju, ale po to, by lepiej przysposobić się do dalszej wojny, by odpocząć i tym boleśniejsze zadawać ciosy, ściągnąć posiłki, zażyć wroga, gdy się tego najmniej będzie spodziewać. Złamano wszystkie ugody i obietnice. Użyto wszelkich podstępów.

Jeden z rozejmów stanowił, że Massud zrzeknie się posady ministra wojny, a Hekmatiar otrzyma tekę premiera i uzna w Rabbanim prezydenta. Massud się zgodził. Hekmatiar jednak pozostał czujny. Zbyt wielu zdrad sam dopuścił się w życiu, by pozwolić sobie na karygodną nieostrożność. Nigdy nie przyjechał do Kabulu, a przewodniczył tylko tym posiedzeniom kierowanego przez siebie rządu, które udało mu się zwołać we własnym obozie w wiosce Czarasjab. Niewielu jednak ministrów decydowało się na ryzykowną podróż przez linie frontów oraz pola minowe, Hekmatiar stał się więc chyba pierwszym w historii premierem, który zapamiętale zwalczał własny rząd i nie tylko nie odwiedził swojej stolicy, ale oblegał ją, próbował zagłodzić i puścić z dymem.

Raz zdawało się, że górę biorą wrogowie Massuda, że sławnemu komendantowi, zwanemu Lwem z Pandższiru, nie uda się odeprzeć nacierających zewsząd nieprzyjacielskich wojsk, że głową zapłaci za to, iż ośmielił się sięgnąć po władzę. W wigilię roku tysiąc dziewięćset dziewięćdziesiątego czwartego (w Afganistanie obowiązywał rok tysiąc trzysta siedemdziesiąty trzeci) walki o każdą ulicę, o każdy dom toczyły się w samym śródmieściu, a czołgi zdradzieckiego Dostuma, który sprzymierzył się z Hekmatiarem, strzelały już wprost w prezydencki pałac. Przez prawie pół roku wrogie armie, ustawione na przeciwnych brzegach płynącej przez środek miasta rzeki, strzelały do siebie ze wszystkiego. Połowa stolicy przemieniła się w cmentarzysko, w ruiny i zgliszcza, zginęło ponad dwadzieścia pięć tysięcy ludzi.

Massud wychodził jednak cało z opresji i niezmiennie gromił wrogów. Przepędzał ich z miasta, na które w bezsilnej złości posyłali nową nawałnicę pocisków rakietowych i bomb.

Obejmując Kabul we władanie w roli ministra wojny, nie potrafił wyzbyć się mentalności buntownika. Był zbyt bystry, by samemu ogłaszać się prezydentem. Wiedział, że gdy tylko zasiadłby na tronie, miałby przeciwko sobie wszystkich. Nie zrobił jednak nic, by Afgańczycy przestali postrzegać go jako Tadżyka. Dalej zachowywał się jak konspirator. Otoczył się wyłącznie swoimi towarzyszami broni,   189 krajanami z Pandższiru. Innym nie ufał. Ten monopol Pandż-szirczyków nie podobał się zazdrosnym Pasztunom i wojowniczym Uzbekom, a nawet samym Tadżykom pochodzącym z innych klanów i dolin. Ale zamiast ich do siebie przekonać, wolał walkę. To było pierwsze, co przychodziło mu do głowy, wydawało się rozwiązaniem naturalniejszym, uczciwszym. Był zbyt silny – przynajmniej we własnym mniemaniu – by ich sobie zjednywać za cenę kompromisów i ustępstw. I jednocześnie zbyt słaby, by pobić i podbić wszystkich wrogów, którzy zawiązywali przeciwko niemu nowe przymierza.

– Z Massudem zawsze było tak samo – opowiadał mi po latach hadżi Abdul Kadir, jeden z nielicznych pasztuńskich komendantów partyzanckich, któremu Massud ufał i którego niejeden raz prosił o pośrednictwo w politycznych targach. – Kiedy był słaby, prosił mnie, bym proponował wrogom rozejm na dobrych warunkach. Ale wystarczyło, że poczuł się silny, a już nie negocjował, tylko dyktował warunki kapitulacji. Zresztą jego przeciwnicy nie byli lepsi.

– Cóż, całe życie byłem partyzantem – przyznał sam Massud podczas któregoś z naszych spotkań. – Niełatwo tak po prostu zacząć myśleć inaczej, żyć inaczej.

Nie bardzo potrafił znaleźć sobie miejsce w czas pokoju. Trudno się było temu dziwić, skoro niemal całe dotychczasowe dorosłe życie zeszło mu na wojnach. Nie widział i nie rozumiał różnicy między rządzeniem a dowodzeniem. Z dowodzeniem radził sobie znakomicie. Z wiarą i ufnością zabrał się więc do rządzenia. Wielu współczuło mu, że przyszło mu rządzić w czas wojny. Że ciągłe bitwy odciągały jego uwagę od spraw państwa i nie pozwoliły skupić się na zarządzaniu nim.

Być może Massud istotnie okazałby się znakomitym
190 zarządcą i zapisał w pamięci Afgańczyków nie tylko jako

wspaniały i waleczny partyzancki komendant, ale także jako mądry i sprawiedliwy władca. Być może. Gdyby jednak okazał się przywódcą marnym i rządzić nie potrafił, straciłby dobre imię, a rodacy zapomnieliby nawet jego dawne zasługi. Wojna, której był wybrańcem, wzięła w swojej łaskawości na siebie wszystkie jego niepowodzenia i fatalne pomyłki, pomogła mu ocalić mit, legendę, jaką go wcześniej obdarowała.

Ten mit był jedynym klejnotem, jedyną świętością ocalałą z kataklizmów, które spadły na Afganistan i Afgańczyków, którzy przeklinali żołnierzy Massuda za wojnę, jaką przynieśli im zamiast obiecywanego bożego pokoju, za swoje upokorzenia, rozczarowania i cierpienia. Samego Massuda jednak oszczędzali, jakby w jego osobie, a raczej w jego legendzie widzieli swój jedyny ratunek, obietnicę lepszych czasów, zadośćuczynienie za doznane krzywdy. Żołnierzom Massuda życzono wiecznego potępienia. W nim, wbrew rozsądkowi, wciąż upatrywano nadzieję na sprawiedliwość. Nadal podziwiano jego kamienny, niewzruszony spokój, stanowczość, przebiegłość i odwagę, a nade wszystko absolutną, zdawałoby się, wolność i niezależność. Sam był sobie panem i sternikiem, nikomu nie podlegał, nikogo – w swoim przekonaniu – nie słuchał, nikomu nie szedł na ustępstwa, nikomu nie pozwalał niczego od siebie oczekiwać.

Podczas gdy afgańscy komendanci, szukając pomocy w obcych stolicach, wysługiwali się Pakistanowi, Iranowi, Arabii Saudyjskiej, Indiom, Rosji, Uzbekistanowi, Massud nie pozwalał, by za wyrządzoną mu przysługę ktokolwiek miał czelność wystawiać mu rachunek. Nie dopuścił, by ktokolwiek dyktował mu warunki, cokolwiek narzucał. W tamtych dniach, gdy królowały zgorzknienie, podejrzliwość i posądzenia o zdrady, Massud był jedynym – albo jednym z niewielu – którym nie dało się zarzucić, że zaprzedali siebie samych.

Obsesyjnie wyczulony na punkcie własnej, niczym nie-skrępowanej wolności rzadko używał nawet zachwalanego przez wszystkich amerykańskiego wozu terenowego hum-vee, podarowanego mu przez jednego z przyjaciół. Pojazd, który tak znakomicie spisał się w pustynnej wojnie nad Zatoką Perską i nadawałby się na afgańskie warunki, stał bezczynnie na lądowisku śmigłowców w dolinie Pandższi-ru. Massud nie wsiadał do niego, odkąd przyszło mu do gło-wy, że Amerykanie mogli nafaszerować samochód szpie-gowską aparaturą pozwalającą go śledzić. A choć nigdy nie zaliczał Amerykanów do swoich wrogów, przeciwnie, bez-skutecznie zabiegał o ich przyjaźń, nie życzył sobie, by kto-kolwiek w najmniejszej nawet mierze ograniczał jego wol-ność. Jeździł więc w eskorcie zaufanej gwardii przybocznej terenową toyotą, jak dawniej, jak w latach świętej wojny. Jak dawniej niezmordowany, wizytował linie frontów, objeżdżał posterunki, zagrzewał do walki, dodawał ducha, karcił. Jak dawniej nie odstępowali go wyniesiony do god-ności ministra bezpieczeństwa stary towarzysz broni, szef jego ochrony osobistej, mrukliwy i niedźwiedziowaty Mohammad Fahim i dwaj sekretarze, którzy by dotrzymać kroku komendantowi, na zmianę pracowali i odpoczywali. Wydawało się, że Massud nie potrzebuje wytchnienia.

Wciąż żył wśród swoich żołnierzy, spał wśród nich, jadł, z nimi się modlił i osobiście prowadził ich do walki nawet, a raczej zwłaszcza podczas najstraszniejszych, najtrudniej-szych bitew. Ludzie mu nieżyczliwi sarkali, że ministrowi wojny to nie przystoi, że tak się nie pełni wysokiego urzędu, wreszcie, że ministrowi i dowódcy rządowej armii po pros-tu nie wolno tak nieroztropnie narażać życia, mówili, że liczą się nie bitwy, lecz wojny. Ale w Afganistanie tak właś-nie prowadzono wojny. Chyba nigdzie indziej na świecie na bitewnych polach nie zginęło tylu generałów, dowódców, komendantów. Musieli być gotowi oddać życie, żeby móc żądać tego samego od swoich żołnierzy. Tylko takich dowódców szanowano i kochano, tylko o takich pamiętano i śpiewano pieśni.

W gabinecie, gdzie czekał go niekończący się korowód gości i interesantów, Massud czuł się więźniem i obcym. Wśród żołnierzy, otoczony najbardziej zaufanymi doradcami i przyjaciółmi, był bezpieczny. Wiedział doskonale, że raz pokonany, może stracić wszystko, a pierwsza przegrana bitwa może okazać się ostatnią. W Afganistanie dla pokonanych nigdy nie było litości, współczucia ani lojalności. Ani miejsca. Wystarczyło, by niegdyś niezwyciężony wódz zaczął ponosić porażki, a opuszczali go najwierniejsi przyjaciele.

W ulepionym z górskich dolin i pustynnych oaz, podzielonym na klanowe i plemienne księstewka Afganistanie Kabul był miejscem wyjątkowym. Tylko tutaj doszło do wymieszania afgańskich ludów. Mieszkali tu wszyscy, pasztuńscy Ghilzajowie i Durranowie, Tadżycy, Uzbecy, Kyzyłbaszowie, Turkmeni, Beludżowie, Hazarowie. Żadne z plemion czy ludów nie rościło sobie prawa wyłączności do Kabulu. Kabul był miastem wspólnym. A więc niczyim.

Żaden z wodzów partyzanckich armii afgańskich nie wywodził się z Kabulu. Żaden nie sprowadził do Kabulu swoich rodzin – ani Rabbani, ani Massud, ani Hekmatiar, ani Sajjaf. Jadąc do Kabulu na wojnę, zostawiali żony i dzieci w rodzinnych dolinach i oazach.

Świętym wojownikom i ich przywódcom Kabul kojarzył się z wrogiem. Był stolicą i twierdzą wrogiego rządu. Był kwaterą najeźdźczej armii rosyjskiej. Podczas gdy w górach i na pustyniach, a nawet w pomniejszych, ale sławniejszych niż Kabul miastach, takich jak Herat czy Kandahar, wybuchały krwawo tłumione powstania, zepsuta dobrobytem stolica bezwstydnie kolaborowała z okupantem. Z wojny, która wyniszczyła do cna wsie i ich mieszkańców, ona jedyna wyszła niemal niedraśnięta.

Może dlatego walczący o miasto mudżahedini obeszli się z nim tak okrutnie. W podzielonym Afganistanie stolica okazała się jedynym neutralnym polem bitwy. Zahartowane w wojnach prowincje beznamiętnie przypatrywały się jej agonii. Tak samo obojętnie, jak kiedyś ona przypatrywała się ich zmaganiom o przetrwanie. Teraz to Kabul musiał walczyć o życie i uczyć się sztuki przystosowania.

Partyzanci z gór zaprowadzili w mieście swoje prawa i zwyczaje. Podzielone między siebie urzędy, dzielnice, budynki zaczęli traktować tak samo, jak kiedyś doliny i górskie przełęcze, będące bezpiecznym azylem i podstawą egzystencji. Przez lata żyli w górach w ciągłym zagrożeniu, jak zaszczute zwierzęta, teraz więc, w mieście, również nie potrafili wyzbyć się nieufności wobec obcych. Bijąc się o miasto, nie zważali na jego cierpienia, nawet ich nie dostrzegali. Ulice były dla nich jedynie wąskimi wąwozami. Niszczyli stolicę, nie zaprzątając nawet sobie głowy myślą, że w ten sposób czynią ją swoim wrogiem po wsze czasy. Wszystko legło w gruzach.

Kraj rozpadł się na nieuznające niczyjej władzy i autorytetu księstewka rządzone, a raczej plądrowane przez przemytników, rozbójników, watażków i prowincjonalnych chanów. Potraktowali oni zdobyte lub oddane im pod zarząd ziemie jako łup należny za wojenne zasługi i ofiary.

Po klęsce zadanej jego wojskom w ulicznej bitwie w Kabulu, pożegnawszy się z nadziejami i marzeniami o ministerialnych posadach w rządzie, Dostum wycofał się na północne zbocza Hindukuszu i obwarował w mieście Mazar-e Szarif, które wybrał na swoją stolicę. Nie zamierzał uznać niczyjej władzy zwierzchniej ani się z kimkolwiek liczyć. Nie chciał zgodzić się na podrzędną rolę. Nie

194

uwzględniono jego pretensji i propozycji. Skoro jemu odmówiono i nie mógł otrzymać tego, czego pragnął, on też nie zamierzał nikomu ustępować. Nikt nie chciał go słuchać, więc i on postanowił być głuchy na cudze prośby i argumenty. Odtąd miał żyć po swojemu, jak prawdziwy emir, nieodrodny dziedzic środkowoazjatyckich satrapów, okrutnych i zdradzieckich, a jednocześnie mężnych i szczodrych. Stolicę Dostuma, Mazar-e Szarif, a także wszystkie miasta północy obwieszono jego gigantycznymi portretami – potem, ilekroć zdradzany przez kolejnych sojuszników i generałów musiał uciekać z miasta, by za jakiś czas do niego wracać, malowidła te stawały się ulubioną tarczą strzelniczą zbuntowanych oddziałów. Sam Dostum, by ostatecznie zerwać z przeszłością komunistycznego generała, odbył pielgrzymkę do Mekki (a na wszelki wypadek także do Medyny) i na podobieństwo mudżahedinów zapuścił brodę. „Kto jak nie my obalił komunistyczny rząd? – grzmiał generał Madżid Chan, ten sam, który na kabulskim lotnisku udaremnił ucieczkę Nadżibullaha do Indii. – Kim więc jesteśmy, jeśli nie żołnierzami świętej wojny? Czyż nie mamy prawa nazywać się świętymi rycerzami?"

Dostum nie żył jednak świętobliwie, a zalecana przez islam asceza była mu wstrętna.

Kazał wznosić pyszne pałace w każdym z miast, którymi władał. Miał tam wykładane marmurami baseny, kryształowe żyrandole, perskie dywany, angielskie meble kolonialne z najdroższego drewna, japońskie telewizory i telefony satelitarne, hiszpańskie koronki w sypialniach i francuskie pachnidła w salonach kąpielowych. Uwielbiał szkocką whisky i rosyjską wódkę. Obficie poił nimi cudzoziemskich kupców, dyplomatów i dziennikarzy, którzy przybywali do niego w odwiedziny. Wieczorami, gdy alkohol nastrajał go sentymentalnie, popisywał się przed nimi swoim okrucieństwem i raczył wojennymi opowieściami albo pikantnymi dowcipami. Sam się z nich śmiał tubalnym głosem, przypra-

wiając o dreszcz dworzan i żołnierzy. Gości, którzy ku jego
uciesze i dumie opisywali go później jako zmartwychwsta-
łego Tamerlana, obdarowywał na pożegnanie kosztownymi
prezentami. Odmówienie ich przyjęcia było nie tylko nie-
zręczne, ale i niebezpieczne.

Przepadał za sutymi i mocno zakrapianymi biesiadami
(podczas jednej z nich w obecności zagranicznych dziennikarzy poprzysiągł, że obali każdy afgański rząd, który powa-
ży się zakazać whisky), za turecką muzyką, indyjskimi filma-
mi i amerykańskimi limuzynami. Miał ich kilka i kazał się
nimi obwozić po swoich włościach. Miał też osobisty wóz
pancerny, którym jeździł ochraniany przez działka przeciwlotnicze zamontowane na ciężarówkach, a także własny od-
rzutowiec, którym latał do Turcji, ilekroć bolały go popsute
zęby.

O pieniądze nie martwił się nigdy. Jeśli odczuwał ich
brak, kazał po prostu drukować nowe. Nie musiał się jednak
uciekać do tego nazbyt często. Założone przez niego linie
lotnicze Balch woziły przemycane towary między Iranem,
Turkmenią, Uzbekistanem, Turcją, Rosją, Indiami, arabskimi
emiratami znad Zatoki Perskiej. Poza tym kazał płacić cło
wszystkim karawanom przemierzającym jego królestwo
dawnym Jedwabnym Szlakiem.

Prawdziwym szejkiem miały uczynić go jednak dopiero
ropa naftowa i gaz ziemny, których przebogate złoża, jak
obiecywali mu brytyjscy geologowie, kryły kontrolowane
przez niego ziemie. Na poczet przyszłych zysków Dostum
sprzedał nawet zagranicznym naciarzom koncesje na wy-
dobycie minerałów.

Nie wzdragał się zresztą przed żadnym zarobkiem.
Wprowadził astronomiczną jak na miejscowe warunki opła-
tę w wysokości pięciuset dolarów za pozwolenie na wyjazd
zagraniczny, którą musieli płacić mieszkańcy jego królestwa. W ten sposób nie tylko pomnażał zyski, ale zmniej-
196 szał ryzyko, że podróżujący po świecie poddani zostaną

zwerbowani przez któregoś z jego wrogów albo sami staną się wywrotowcami. Chętnie przyjmował też pieniądze od władców sąsiednich państw, którzy prześcigali się, by sowicej opłacić jego lojalność. Pakistan płacił mu za gotowość do walki z Massudem. Iran płacił, żeby tego nie robił. Dostum bez najmniejszych skrupułów brał od jednych i drugich i robił, co chciał.

Rządzona przez Dostuma oaza kwitła, a jej mieszkańcy sławili władcę pod niebiosa za pokój i dostatek, wybaczając rabunki i bezeceństwa, jakich dopuszczali się jego uzbeccy zabijacy. Przywykli do rozbojów i gwałtów, teraz patrolowali ulice miast gładko ogoleni i w odprasowanych zielonych mundurach, kupowanych w Rosji, na Białorusi i Ukrainie.

Zagraniczne konsulaty, przepłoszone z Kabulu tamtejszymi wojnami, jeden po drugim przenosiły się do spokojnego Mazar-e Szarif, gdzie podobnie jak w Szeberghanie czy Majmanie na bazarach pełno było przemycanych towarów, działały urzędy, szpitale, szkoły i uniwersytety, do których przyjmowano także dziewczęta, gdzie czynne były kina i teatry, wyprawiano huczne wesela. W domach paliło się światło i sprowadzany z Uzbekistanu gaz, a ulice i rynsztoki większych miast codziennie spłukiwano wodą.

Miał więc Dostum swoją stolicę, swój rząd, swojego ministra dyplomacji. Ilekroć zdarzało mu się wyjechać za granicę, z miłym zdziwieniem stwierdzał, że przyjmowano go jak męża stanu. Miał też własne wojsko, które toczyło jego własne wojny: z rządzącym w Kabulu Massudem, z panującym w sąsiednim Heracie emirem Ismaelem Chanem.

Zaczął nawet przemyśliwać, czy nie ogłosić niepodległości swojej oazy, a może przyłączyć ją do wspólnoty Rosji i jej byłych kolonii w Azji Środkowej. Zachęcał go do tego Islam Karimow, rodak i prezydent położonego za miedzą Uzbekistanu. Uzbecki prezydent, który jako przywódca najliczniejszego ze środkowoazjatyckich ludów aspirował też do roli niekoronowanego władcy całej Azji Środkowej, widział w udzielnym księstwie Dostuma doskonałą zaporę przed zalewającym Azję Środkową z południa potopem wojennego chaosu i religijnego fanatyzmu. Potrzebował go też, by rozszerzyć swoje wpływy w Afganistanie, a osłabić głównego rywala, Massuda, w którym Tadżycy widzieli swego przywódcę. Dostum był w planach Karimowa zarówno Wielkim Murem, jak przyczółkiem. Zaczęto plotkować, iż sam przymierza się do roli jedynego uzbeckiego chana albo szykuje do niej swego syna, którego zamierzał ożenić z córką Karimowa.

Dostuma sny o potędze legły w gruzach z powodu jego nieposkromionego okrucieństwa, zachłanności i skłonności do zdrady.

Kazał zgładzić jednego ze swych najpotężniejszych generałów, Abdula Rasula Pahlawana, który nieopatrznie wybrał się w podróż do Pakistanu, publicznie pokazywał z tamtejszymi przywódcami i przechwalał wspaniałymi podarkami, jakimi go obrzucono. Nieufnemu i zazdrosnemu Dostumowi niepokojąca wydała się nawet nie sama wyprawa, ale to, że generał odważył się wrócić z niej do Mazar-e Szarif. Podejrzewając, iż za pakistańskie pieniądze szykuje spisek, Dostum kazał go zwabić w zasadzkę i zabić. Zamiast jednak pojmać i rozstrzelać, powiesić czy choćby otruć wszystkich krewnych Rasula, darował im życie, a pragnąc odkupić swoją zbrodnię, młodszemu bratu generała, Malikowi, powierzył stanowisko ministra dyplomacji. Wkrótce potem Malik zdradził go, czego należało się spodziewać, zbuntował wojsko, a żołnierzy ścigających uciekającego z kraju Dostuma obiecał obsypać złotem, jeśli przyniosą mu głowę zabójcy brata.

W wiosce Hajratan Dostum musiał przekupić własnych żołnierzy, by pozwolili mu wejść na most wiodący przez graniczną rzekę Amu-darię do uzbeckiego Termezu. Tam jednak czekała go kolejna zdrada. Karimow nie zamierzał zmieniać planów ani narażać się na konflikt z Malikiem, nowym przywódcą afgańskich Uzbeków, z powodu pokonanego, a więc niepotrzebnego Dostuma. Nie zabronił uciekinierowi wjazdu do swojej stolicy, Taszkientu, ale odmówił gościny w kraju. Kazał zapakować Dostuma do samolotu i niezwłocznie odesłać do Baku, do Azerbejdżanu, pod opiekę tamtejszego, zaprzyjaźnionego z Karimowem prezydenta, sędziwego Hajdara Alijewa. Stamtąd Dostum odesłany został dalej, do Turcji.

Po latach wrócił, znów walczył z Massudem i Malikiem, zdradzał ich i godził się z nimi. Bez względu jednak na to, z kim się bił, gdzie i o co, niezmiennie powtarzał, że nikt i nigdy nie będzie rządził Afganistanem, jeśli wpierw nie zdobędzie jego przyjaźni.

Inne udzielne księstwo, w zachodnich prowincjach, ze stolicą w starożytnym Heracie, zbudował jeden z trzech najsłynniejszych komendantów świętej wojny Mohammad Ismael Chan. Uznawał co prawda rządy Massuda w Kabulu i pozostawał jego sojusznikiem, ale sam nie chciał mieć nic wspólnego ani z afgańską stolicą, ani z toczącą się tam bratobójczą wojną. Nawet w czas świętej wojny walczył praktycznie na własną rękę, uznając tylko formalnie zwierzchność przywódców z Peszawaru. Nie potrafił nawet ukryć wzgardy dla ich kłótliwości i braku zdecydowania i pierwszy wystąpił z pomysłem, by komendanci walczący w Afganistanie sami skrzyknęli się, stworzyli wielki partyzancki front i przestali słuchać sprzecznych rozkazów peszawarskich pieniaczy. Udało mu się nawet w środku wojny zebrać na swoich terenach prawie półtora tysiąca komendantów na wielką radę wojenną, która jednak nie zdołała zjednoczyć mudżahedinów ani podburzyć ich przeciwko swarliwym i nadmiernie uległym wobec obcych politycznym przywódcom.

Po zwycięskiej wojnie z komunistami Ismael Chan objął we władanie Herat, do czego miał we własnym mniemaniu   199 święte i niekwestionowane prawo. Przecież to on wiosną siedemdziesiątego dziewiątego, jeszcze jako kapitan rządowej armii, odmówił strzelania do buntowników, którzy wystąpili przeciwko samowoli i sobiepaństwu Rosjan. Ismael Chan zerwał wtedy kapitańskie pagony i wraz z podległymi mu wojskami przeszedł na stronę powstańców, by w ciągu kilku następnych dni wymordować blisko pół tysiąca rosyjskich oficerów, ich żon i dzieci.

W odwecie Moskwa wysłała do Heratu samoloty i czołgi, które za każdego poległego Rosjanina zabiły pięćdziesięciu heratczyków i zrównały pół miasta z ziemią. W drugiej połowie okopał się ze swoimi mudżahedinami Ismael Chan i mimo wściekłych szturmów, oblężeń i dywanowych nalotów nigdy już jej nie poddał Rosjanom. Gdy wojna się kończyła, był najpotężniejszym komendantem na całym zachodzie kraju.

Nie wystąpił przeciwko Massudowi, gdy ten zajmował Kabul. W ogóle nie pofatygował się do wyzwolonej stolicy, ale też nie słał mu na odsiecz wojsk, gdy ten toczył bitwy z Hekmatiarem i Dostumem. Obwarował się w swoim Heracie, niczego nie żądając, niczego nie oczekując i całkowicie zadowalając się rolą emira zachodnich prowincji, a także państwa-miasta Heratu.

Ustanowił własny rząd z ministerstwem dyplomacji i prowadził własną, nie zawsze zgodną z Kabulem politykę zagraniczną, pobierał cła od kupieckich karawan, ściągał podatki od miejscowych straganiarzy i przedsiębiorców, ale nie odprowadzał do państwowego skarbca ani grosza. Przepędził z miasta watażków, a ludziom poodbierał broń. Swoich partyzantów ubrał w mundury i ustanowił obowiązkowy pobór rekruta do wojska. Prowadził też własne, małe wojny z panoszącym się na północy Dostumem, a przede wszystkim z odwiecznym wrogiem i rywalem Heratu, Kandaharem, od którego dzieliła go najgorętsza ponoć na świecie Pustynia Śmierci.

Otworzył szkoły, sklepy i bazary pełne towarów z Iranu, zachęcał też miejscowych kupców do handlu z Irańczykami z sąsiedniego Meszhedu, gdzie było z Heratu bliżej niż do któregokolwiek z afgańskich miast. Zaprowadził surowy porządek i powoli odbudowywał Herat, jedno z najwspanialszych miast starożytnego Jedwabnego Szlaku.

Nikomu do niczego się nie wtrącał, ale nie życzył też sobie, by ktokolwiek wtykał nos w jego sprawy. Nie prosił o nic, ale choć tego nie ogłaszał, dał do zrozumienia, że próżno spodziewać się czegokolwiek od niego. Wojna w Kabulu nie była mu może obojętna, ale tak samo odległa jak ta wielka, nad Zatoką Perską.

Chłodną niezależność ogłosiły też prowincje wschodnie, zamykające granicę z Pakistanem. Miejscowy rais, czerwonobrody piewca rewolucji muzułmańskiej, ascetyczny starzec Mohammad Junus Chales, rozczarowany wszystkim i wszystkimi nie przyjął ani zaproszenia do Kabulu, ani posady ministra kultury i propagandy w rządzie mudżahedinów.

Pasztuńscy wojownicy z Przełęczy Chajberskiej uwielbiali go, był dla nich nauczycielem i przewodnikiem. Gdyby nie jego ostentacyjna pogarda dla kariery, urzędów i polityki, którą uważał za kupczenie najświętszymi wartościami (może właśnie to sprawiło, że z siedmiu przywódców świętej wojny z Peszawaru on cieszył się największym szacunkiem), a także dla wszystkiego, co miejskie i przywleczone ze świata, mógłby pretendować do roli przywódcy wschodniopasztuńskich plemion między Przełęczą Chajberską, Górami Białymi i Sulejmańskimi aż po pustynne Ghazni.

Tym bardziej że wśród jego uczniów i podkomendnych było wielu znakomitych i potężnych komendantów, żeby wspomnieć chociażby Dżalaluddina Haqqaniego z Paktii czy trzech braci, Din Mohammada, Abdula Kadira i Abdula Haqa. Ten ostatni, choć najmłodszy, zdobył na świętej wojnie największą sławę, równą Massudowi i Ismaelowi Chanowi, a brawurą nawet ich przewyższał. Tylko ich trzech, w uznaniu wojennego geniuszu, męstwa, dumy i wytrwałości, nazywano Lwami z Pandższiru, Heratu i Kabulu.

Po wojnie Abdul Haq został w rządzie mudżahedinów ministrem policji. Mieszkał w ponurym, ciemnym pokoju w hotelu „Kabul", zapomniany, zakrzyczany, opuszczony przez pozostałych komendantów, kłócących się o władzę, a także przez własnych partyzantów, którzy odkąd stracił stopę na minie, przestali wierzyć, że jest niezwyciężony, i szukali służby w innych oddziałach. Nikt do niego nie przychodził, nikt go nie odwiedzał, nie radził się, nawet się z nim nie kłócił. Zbudowany jak atleta, całymi dniami przesiadywał wraz ze swoimi żołnierzami z gwardii przybocznej w pogrążonym w półmroku pokoju. Od czasu do czasu zaglądał do niego Haqqani, w którego oddziale Haq uczył się partyzanckiego rzemiosła. Niepotrzebne były słowa, by pojąć, jak bardzo jest zawiedziony i jak obco się czuje na politycznym jarmarku, bo tym właśnie natychmiast stała się wyzwolona stolica.

Wyjechał, kiedy w mieście wybuchły pierwsze walki. Złożył niepotrzebny nikomu urząd ministra policji i udał się do Dżalalabadu, stolicy wschodnich prowincji, gdzie gubernatorem i życzliwym, choć niezależnym od Kabulu emirem był jego starszy brat, zaradny i przedsiębiorczy Abdul Kadir. Wzorem Ismaela Chana z Heratu bracia Abdul Kadir i Abdul Haq zajęli się handlem, a raczej przemytem towarów z Dubaju i Szardży do Karaczi i Peszawaru.

Zgodnie z zawartym z Pakistanem układem pozbawiony dostępu do morza Afganistan mógł sprowadzać bez cła wszelkie potrzebne mu towary przez port w Karaczi. Zaplombowane ciężarówki afgańskich kupców od dziesięcioleci wędrowały przez Pakistan do Dżalalabadu i Czamanu po to tylko, żeby przeładowany na karawany wielbłądów i osłów towar mógł wracać przemytniczymi, górskimi i pus-

tynnymi szlakami przez ziemie wolnych plemion pasztuńskich, nieuznających żadnych granic i władzy zwierzchniej,
na bazary Kwetty i Peszawaru.

W Kabulu trwała już w najlepsze wojna, a według handlo-
wych faktur do pozbawionego prądu miasta sprowadzano
ośmiokrotnie więcej niż przed wojną lodówek i telewizorów i aż dwudziestodwukrotnie więcej klimatyzatorów.
Życzliwość i lojalność gubernatora Abdula Kadira przeja-
wiała się w tym, że trzymał straż przy drodze wiodącej
przez jego ziemie do Kabulu i baczył, by ten najważniejszy
dla stolicy szlak handlowy, potrzebny jej jak powietrze, był
dla niej otwarty.

Raz jeden pokój między Kabulem i Dżalalabadem został
zagrożony. Oto niedbający o polityczną poprawność i dobre maniery Chales, rozsierdzony tym, że Rabbani przedłuża
w nieskończoność swoje panowanie, ogłosił się w Dżalalabadzie prezydentem Afganistanu. Groźba nowej wojny
rozeszła się po kościach, gdy siedemdziesięcioletni Chales
pojął za nową żonę osiemnastoletnią córkę wodza Nurza-
jów spod Kandaharu, wyjechał z nią do Peszawaru i na dobre zapomniał o polityce.

W południowej prowincji Helmand władzę przejęli
pobożni mułłowie, bracia Rasul i Dżafar Achundzade, którzy wszystkim wieśniakom kazali siać mak i w mgnieniu oka
przerobili swoje włości na narkotykowy folwark.

Pustynny Kandahar natomiast, dokąd niegdyś arabscy
szejkowie jeździli na polowania z sokołami, stał się stolicą
zbrodni i występku, nieuznającą żadnej władzy i żadnego
prawa.

Najsławniejszy z kandaharskich rzezimieszków, szczerba-
ty nożownik Szafigh, najpierw zmienił imię na mniej pospolite Gul Agha, a potem, zazdroszcząc chwały Massudowi,
Abdulowi Haqowi, a przede wszystkim Ismaelowi Chanowi,
który groził mu wojną za grabieże herackich kupców, sam

nazwał się Synem Lwa, Szerzajem. Plotkowano, że Gul Agha otruł własnego ojca, aby przejąć dowództwo nad milicjami Barakzajów, jednego z trzech największych plemion żyjących wokół Kandaharu, zdobyć miasto i ogłosić się jego gubernatorem.

Zapomniany przez świat i ludzi Kandahar, kolebka afgańskiej państwowości, został podzielony między watażków, którzy nie bacząc na nic, w biały dzień łupili kupców – a kandaharscy kupcy cieszyli się opinią najuczciwszych – porywali dla rozpusty co piękniejsze dziewczęta i przystojniejszych chłopców. Porachunki między sobą rozstrzygali strzelaniną na głównych, zatłoczonych ulicach i placach, pośród bazarowych zaułków i straganów.

Rząd w Kabulu miał do wyboru: albo tolerować i namaszczać samozwańców i watażków w zamian za choćby ceremonialną lojalność, albo nie uznawać ich i wstydliwie wyznać, że nie kontroluje nie tylko kraju, ale nawet całej stolicy. W trosce o swoje dobre imię prezydent Rabbani wybrał pierwsze rozwiązanie.

Austriacki dyplomata Felix Ermacora, którego sekretarz generalny Organizacji Narodów Zjednoczonych wysłał do Afganistanu z misją zaprowadzenia tam pokoju, skonsternowany raportował swoim przełożonym, że w tym nieszczęsnym kraju istnieje co najmniej szesnaście nieuznających się nawzajem rządów. I prosił o dalsze wytyczne.

W końcu, gdy wszystkie wojska walczące o władzę w kraju i w Kabulu straciły resztkę sił i gdy zniszczyły już wszystko, by dowieść, że tylko ich dowódcy mają prawo panować i rządzić, wrogowie nagle się pogodzili. Było już jednak za późno. Pod bramy miasta podeszła niespodziewanie nowa armia, której przywódcy uważali, że najlepiej nadają się na sprawiedliwych władców. Udręczeni wojną, nędzą i bezprawiem mieszkańcy stolicy oczekiwali nieznanych wybawców z nadzieją. Nie wiedzieli, kim są ani co zamierzają, ale wszystko wydawało im się lepsze niż to, co przeszli. Uznali, że może być już tylko lepiej.

Linia frontu przecinała wijącą się u podnóża Góry Lwiej Bramy drogę do Dar ul-Amanu, do Ghazni i Kandaharu. Droga ta wiodła przez zamieszkaną przez Hazarów Trzecią Dzielnicę, szczycącą się przed laty najbardziej postępowym w całej Azji Środkowej uniwersytetem, bogatymi bibliotekami, zbudowaną według podpowiedzi zagranicznych architektów, na wskroś nowoczesną. Jeśli serce miasta biło gdzieś na śródmiejskich bazarach nad rzeką, to tu osiadł jego rozum, jego marzenia i wyobraźnia. W bursach mieszkali studenci, a w specjalnie zbudowanych na koszt rządu domkach z ogrodami najwybitniejsi nauczyciele i uczeni. Prestiż dzielnicy sprawił, że z zatłoczonego i gwarnego śródmieścia zaczęły się tu powoli przenosić nawet ambasady. Trzecia Dzielnica, dzielnica najnieszczęśliwsza z nieszczęśliwych. Dla tych bowiem, którzy w niej mieszkali, najlepszych, najzdolniejszych, rokujących największe nadzieje, ściąganych z całego kraju uczonych, była nie tylko spokojnym i bezpiecznym domostwem, ale obietnicą awansu, niczym nieograniczonych możliwości.

Zadziwiało tempo, a także niepojęta dokładność, z jaką żołnierze burzyli ulicę po ulicy, dom po domu, mur po murze. Wędrując wąwozami wymarłych ruin, aż trudno było uwierzyć, że Trzecia Dzielnica nie była ofiarą upatrzoną specjalnie przez wojnę, lecz jedynie jej areną. Domostwa, szkoły, biblioteki i bursy zostały zburzone przez miliony rakiet, bomb lotniczych, pocisków czołgowych, artyleryjskich, granatów (z wyjątkiem bomby atomowej i okrętów podwodnych nie było chyba broni, której nie użyto by na afgańskiej wojnie). Ponad bezludnymi rumowiskami i kraterami sterczały wypalone kikuty wielopiętrowych domów i minarety meczetów.

Walki w Trzeciej Dzielnicy, choć nie ustawały niemal ani na chwilę, nie przepchnęły linii frontu gdzieś dalej, w jedną lub drugą stronę, co przyniosłoby wreszcie ulgę tej nieszczęsnej części miasta. Mudżahedini, którzy byli teraz jej jedynymi mieszkańcami, nie widzieli nawet takiej potrzeby. Zdążyli urządzić sobie w ruinach całe labirynty okopów, bezpiecznych kryjówek i wygodnych stanowisk strzeleckich, których nie zamierzali porzucać. Trwała pozycyjna wojna na wyczerpanie. Tylko z rzadka któraś ze stron decydowała się na szturm nieprzyjacielskich okopów.

– Niech będą po stokroć przeklęci! – głos Mohammada Szer Jara, historyka sztuki ze stołecznego uniwersytetu, załamywał się z rozpaczy. – Budzili w nas lęk, ale przyznawaliśmy, że ich sprawa była słuszna. Gotowi byliśmy im nieba przychylić, pomóc, we wszystkim doradzić. A oni okazali się najgorszymi z barbarzyńców. Życzę im teraz jak najgorzej.

Uczony wpadał w desperację za każdym razem, gdy przychodziło mu opuszczać swój cudem ocalały dom i wędrować do śródmieścia przez ruiny, w których ledwie rozpoznawał znajome zakątki.

W częściach miasta kontrolowanych przez komendantów wrogich rządowi i Massudowi ludziom żyło się może mniej bezpiecznie, ale dostatniej. Wszystkie drogi prowadzące z Kabulu do pakistańskiego Peszawaru, gdzie znajdowały się najbliższe bazary i gdzie zaopatrywali się afgańscy kupcy, wiodły bowiem przez ziemie opozycji. Rządowa część Kabulu była więc odcięta od niezbędnych do życia dostaw z Pakistanu, którego rząd w dodatku nie ufał Massudowi, ze wszystkich sił starał się mu zaszkodzić i wspierał każdego, kto rzucał mu wyzwanie. Natomiast z opozycyjnego południa miasta droga do Peszawaru była krótka, otwarta i bezpieczna.

Aby kupić coś do jedzenia, drewno na opał czy plastikową bańkę z naftą, kabulczycy z północy przechodzili front w tę i z powrotem. Trzeba było, czując na sobie wzrok gotowych do strzału snajperów, maszerować powoli i spokojnie, z ostentacyjnie rozpiętymi połami kurtek, płaszczy czy marynarek i rozłożonymi rękami, by widzieli, że nie jest się uzbrojonym i nie ma się złych zamiarów. Kiedy jednak żołnierze strzelali – z powodu podejrzeń, przez pomyłkę albo dla uciechy – woźnice smagali batami konie, zmuszając je do oszalałego galopu, a piesi, skuleni pod wyszczerbionymi ścianami opuszczonych domów, pędzili co tchu w piersiach ulicą, by wydostać się z pola ostrzału, którego zasięg wszyscy w mieście doskonale znali.

Najlepiej było przechodzić front o świcie, w południe i zmierzchu. Partyzanci odkładali wtedy na bok karabiny i modlili się o zwycięstwo.

Walcząc ze sobą w zaułkach miasta, wojownicy z gór i pustyń zniszczyli wszystkie pamiątki jego świetności. W gruzach legły królewskie pałace Dar ul-Aman i Golchana, zrównane z ziemią zostały ogrody Czehelsotun, starożytne twierdze Tadż Beg i Bala Hesar, mauzoleum Nadira Szaha, Błękitny Meczet – Pul-e Cheszti, górujący nad martwym, a rozkrzyczanym kiedyś bazarem Sara-je Szahzada. Uliczki straganów, kantorów i sklepów przemieniły się w rozświetlone płomieniami ognisk wąwozy ruin i pogorzelisk, zamieszkane przez watahy bezpańskich psów i szajki obdartych, długowłosych, odurzonych narkotykami rabusiów.

Dziwnym zrządzeniem losu z wojennej zawieruchy ocalał wykonany z białego marmuru grobowiec Babura, założyciela wspaniałej dynastii Wielkich Mogołów, która władała Indiami, zanim odebrali je im przybyli z Europy Brytyjczycy. Nikt chyba nie kochał Kabulu tak jak Babur. Może dlatego, że nigdy nie udało mu się go zdobyć. Ani jemu, ani żadnemu z jego dziedziców – Szah Dżahanowi, Aurangzebowi, Akbarowi. Wolał Kabul od całych Indii, a w swoich pamiętnikach wspominał, że żadne inne miejsce na świecie nie może się równać z tym miastem. Ujrzał je, gdy znęcony skarbami Dżajpuru, Delhi i Agry przemierzył góry Hindukuszu w drodze na południe. Wiedział, że nie wróci już do Kabulu, tak jak nie cofnie czasu ani nie przeżyje życia po raz drugi. Zapragnął tylko, by po śmierci tam go pochowano. Miał szczęście, bo jego potomek Szah Dżahan potrafił zrozumieć cierpienie. Po stracie ukochanej żony, Mumtaz, wzniósł dla niej w Agrze najpiękniejszy grobowiec Tadż Mahal. Spełnił też życzenie Babura. Kazał przewieźć jego szczątki do Kabulu, pogrzebać u podnóża Góry Lwiej Bramy, a wokół mogiły posadzić wspaniały ogród.

Okrutni wojownicy, którzy starli się ze sobą w wyniszczającej wojnie, nie ośmielili się zakłócić spokoju Babura. Wyrąbali ogromne platany, dęby i orzechowce, a drewno sprzedali na bazarach Peszawaru, ale nie tknęli grobowca. Białego marmuru nie drasnął żaden pocisk.

Mohammad Szer Jar, miłośnik francuskich impresjonistów, nienawidził ostrożności i strachu, towarzyszących mu podczas wędrówek po miejscach, które kiedyś dawały mu szczęście i pewność siebie. Nie poznawał ich, gubił się wśród ruin świata, w którym żył jeszcze tak niedawno. Przemierzając pobojowisko, starał się zapamiętywać nawet niepozorne szczegóły, które wskazywały właściwą drogę i uprzedzały o śmiertelnym niebezpieczeństwie. Wypatrywał czerwonych kamieni. Pomazane krwawą farbą głazy znaczyły szlaki Niewiadomej, ostrzegały i zakazywały zarazem. Przekroczenie wytyczonej przez nie granicy oznaczało

zejście z pewnej i znajomej drogi na obszary całkowicie

nieznane, pola śmierci, o których wiadomo było tylko tyle, że można z nich nigdy nie wrócić.

Obliczono, że w wyniku trwających od ćwierćwiecza wojen afgańska ziemia została usiana tak wieloma minami, że na każdego z kilkunastu milionów Afgańczyków wypadało przynajmniej po jednej. Wszystkie zbrojne armie, uczestniczące w afgańskich wojnach, ustawiały miny. Miały być śmiercionośną pułapką, ale także kordonem bezpieczeństwa. Nie ustawiano ich metodycznie, według planów i map, ale z dnia na dzień, w zależności od potrzeb. Nikt nie zaprzątał sobie głowy, by je oznaczyć czy choćby zapamiętać miejsca, gdzie rozciągnięto niewidoczne zasieki. Pola minowe pojawiały się wszędzie. Przecinano nimi drogi, mosty, wąwozy, przełęcze, zbocza gór, a nawet zwykłe pola ryżowe, wszystko, co mogło posłużyć za szlak przemarszu wrogich armii. Niektóre miny ustawiano tak, by zabijały ludzi, a nawet rozrywały pancerze. Inne tylko po to, by raniły, okaleczały.

Na pomysł, że kalectwo może okazać się dokuczliwsze niż śmierć, wpadli Rosjanie. Zabitego partyzanta jego towarzysze musieli tylko zgodnie z muzułmańskim obyczajem pogrzebać przed zmierzchem, rannym musieli się opiekować, taszczyć go ze sobą, szukać lekarza. Ranny opóźniał marsz, zmuszał do zmiany planów, a jeśli nawet przeżył – rzadko, bo rzadko, ale zdarzały się i takie wypadki – do końca życia pozostawał kaleką. Nie tylko nie mógł już być żołnierzem, ale stawał się ciężarem dla rodzin, czyniąc ich niedolę nie do zniesienia.

Rosjanie wpadli też na pomysł, by wypędzić Afgańczyków ze wsi do miast lub obozów uchodźców. Wymarłe wsie przestałyby partyzantów chronić, żywić i dostarczać rekrutów. Nie mogąc jednak w żaden sposób zmusić afgańskich wieśniaków do porzucenia domostw, postanowili zaatakować dzieci. Zrzucane ze śmigłowców i samolotów miny, wykonane na podobieństwo zabawek, przysmaków i innych kuszących przedmiotów o dziwnych, intrygujących kształtach, zwabiały dzieciaki w zabójcze pułapki. Ta metoda okazała się wyjątkowo skuteczna. Żaden ojciec, choćby najbardziej nieustraszony i najwytrwalszy, nie potrafił znieść lęku o dzieci, a tym bardziej ich cierpienia. Bezradni i zrozpaczeni zabierali dobytek i uciekali jak najdalej od minowych pól i patrolujących niebo śmigłowców.

Niektóre miny zakopywano w ziemi, inne, nie zadając sobie trudu, rozsiewano po prostu jak zboże. Aby jak najbardziej upodobnić je do terenu, na który miały zostać zrzucone, malowano je w odpowiednie barwy. Na lasy zrzucono miny zielone, na pustynie – żółte i brązowe, w koryta wyschniętych rzek – szarawe. Wielu mudżahedinów wierzyło, że rosyjskie miny potrafią zmieniać barwy.

W wojennym zapamiętaniu wycinano też lasy, sady i ogrody, mogące posłużyć za schronienie albo znakomitą kryjówkę. Wyrąbane zostały całe oazy. Z czasem przekształciły się one w martwe, nieprzyjazne ludziom pustynie, doskonale nadające się na pole bitwy. Nie mogli tam żyć kupcy, rolnicy, nauczyciele, inżynierowie i lekarze, coraz liczniej więc wyjeżdżali oni za granicę. Albo stawali się żołnierzami.

Usunięto lub zlikwidowano wszystko, co utrudniało prowadzenie wojny. Wyburzono wioski wzniesione tuż przy drogach, aby przejeżdżające czołgi nie musiały obawiać się zasadzek. Wyrąbano co do jednego kilkusetletnie drzewa w kabulskich ogrodach Babura. Zasłaniały widok kanonierom. Wojownicy wywieźli je do Peszawaru i sprzedali za bezcen na opał albo cieślom do wyrobu mebli. Podobny los spotkał sosny, dęby i drzewa orzechowe z bogatych w lasy prowincji Kunar i Nangarhar, skąd najbliżej było do Pakistanu.

Zrabowane zostały bezcenne dzieła sztuki z kabulskich pałaców i muzeów; posążki, malowidła, starożytne monety.

Wyłapano sokoły, orły i pawie, które z upodobaniem nabywali arabscy kupcy. Rabowano i wywożono na sprzedaż wszystko, co miało jakąkolwiek wartość – stada wielbłądów i dziką zwierzynę, samochody i maszyny z pozamykanych fabryk, cegły, drzwi i okna ze zburzonych domów, mąkę, cukier i lekarstwa przysyłane jako dary z zagranicy, a nawet złom. Na kabulskim lotnisku ktoś odkręcił i ukradł koła z ocalałych, unieruchomionych na pasach startowych samolotów, które nie mogły wzbić się w niebo, gdyż wcześniej ktoś inny opustoszył stojące w magazynach zbiorniki z paliwem.

W końcu cały Afganistan został przerobiony na pole bitewne, a jego mieszkańcy na wojowników, bo tylko oni mogli tam jeszcze żyć.

W Kabulu były dzielnice martwe, umierające i te, które miały szanse na przeżycie. O ich życiu lub śmierci decydował przypadek, a także zdolności adaptacyjne ludzi. Chair Chana przeżyła, ponieważ leżała na północy miasta, dokąd nie dolatywały rakiety. Nie było tu także ministerstw ani koszar. Nie było o co się bić. Dlatego w Chair Chanie zamieszkał prawie cały Kabul.

Po niespokojnym śnie Chair Chana zrywała się do życia gwałtownie i w pośpiechu. Okutani w brunatne szale kupcy podnosili sklepowe żaluzje z przeraźliwym zgrzytem. W piekarniach i szaszłykarniach rozpalano ogień w paleniskach. Za chwilę cała ulica pachniała smażoną baraniną, papryką i cebulą. Bosonodzy straganiarze pchali wózki z owocami i prażonymi orzeszkami ziemnymi. W warsztatach samochodowych wśród stert pogiętego żelastwa wiecznie wybrudzeni smarem chłopcy zgrzytali śrubokrętami i walili młotkami w blachy. Kobiety, zasłonięte od stóp do głów powłóczystymi szatami, sunęły wśrod kramów jak duchy.

Poza bazarem i wojskiem nic innego w Kabulu wtedy nie działało. Bazar był ostatnim mechanizmem obronnym utrzymującym miasto przy życiu. Wojsko zaś zadawało miastu śmierć. Między bazarem a wojskiem toczyła się nieustanna walka. Wystarczyło, że przez kilka dni było spokojnie, a bazar natychmiast rozszerzał się, wpełzał w nowe zaułki, zajmował kolejne place. Wycofywał się z nich, ilekroć wybuchała nowa strzelanina. Wtedy wojsko odzyskiwało stracony teren. Dopóki utrzymywała się równowaga między bazarem a wojskiem, miasto pozostawało przy życiu.

Oglądana z góry Chair Chana przypominała, tak jak cały Kabul, schodkową piramidę glinianych domostw o płaskich dachach, przycupniętych na zboczach wzgórz, które otaczały ze wszystkich stron miasto. Co rano z górnych kondygnacji krętymi, stromymi uliczkami spływał nieprzerwany strumień ludzi. W dole, na bazarze, strumień rozlewał się w zaułkach, wśród straganów. Pochłonięty sobą, krzyżował się z innymi strumieniami, wirował, szumiał.

Nagle tę monotonię przerywał krzyk: *Raketi!* – i zaraz potem eksplozja. Podnosiła się chmura kurzu i dymu, płonęły sklepiki. Tłum rozpryskiwał się na boki. Ludzie kryli się po rowach, chowali za mury. Na opustoszałej ulicy zostawał porzucony rower, jakiś tobołek, przewrócony stragan, rozsypane cebule, jabłka, pomarańcze. Wiatr rozpędzał dym, zapadał dziwny spokój, a po chwili ludzka rzeka znowu wypływała na bazar. Zrazu w ciszy, ostrożnie, potem coraz śmielej, żwawiej, przekrzykując się hałaśliwie. Omijała tylko miejsce, gdzie rozerwała się rakieta. Tam zbierał się tłum, oceniał straty, gasił pożary, wzywał pomocy.

Pojedyncze zabłąkane rakiety, jakie dolatywały do Chair Chany, i zrzucane z dużej wysokości bomby nie zagrażały życiu dzielnicy. Z czasem wyrwa w bazarze zabliźniała się jak rana. Krater zasypywany był gruzem, odpadkami, zalepiany na nowo lepiankami, kramami. Tam jednak, gdzie codziennie spadały dziesiątki rakiet, wystrzeliwanych przez opozycyjnych kanonierów z wyrzutni poustawianych pod miastem, a czasami nawet na południowych i zachodnich przedmieściach, ran było zbyt wiele, a czasu zbyt mało, by mogły się zrosnąć, i dzielnica umierała.

Tak umarła dzielnica bazarów wokół meczetu Pul-e Cheszti, położona nad rzeką, w samym śródmieściu. Wojna trwała tu prawie pół roku, zanim wojska Massuda wyparły oddziały Hekmatiara i Dostuma. Walczące strony dzieliła tylko rzeka.

Bitwę o Kabul mudżahedini toczyli według reguł, jakie stosowali podczas partyzanckiej wojny w górach. Nie uznawali walk o każdy dom i ulicę ani też szturmu. Wrogie armie bombardowały swoje pozycje, póki któraś z nich nie wycofała się ze zrujnowanej i spalonej dzielnicy. Przez pół roku bazarowe zaułki wokół Pul-e Cheszti stały w ogniu. Nikt nie gasił pożarów, nie grzebał trupów, nie szukał rannych.

Późną jesienią dziewięćdziesiątego czwartego Kabul – poza Chair Chaną, śródmieściem i północnymi przedmieściami – tworzyły bezludne wąwozy ruin i pogorzelisk. Wymarłe miasto ciągnęło się kilometrami, bez końca. W niektórych dzielnicach połowa domów była zburzona, w innych niemal wszystkie. Bywali w świecie cudzoziemcy z Międzynarodowego Czerwonego Krzyża twierdzili, że Kabul został zniszczony przynajmniej trzy razy bardziej niż Bejrut i pięć razy bardziej niż Sarajewo.

Za dnia w ciepłym, jesiennym słońcu nawet te wąwozy zgliszcz i rumowisk sprawiały wrażenie budzących się do życia, pełnych wigoru i nadziei. Zmierzch zmieniał szybko tonację i klimat, zburzone miasto znów stawało się upiornym cmentarzyskiem.

Nocą pozbawione prądu ruiny znikały w głuchej ciemności. Nie rozpraszały jej nieśmiałe ogniki świec ani światła naftowych lamp, przypominających raczej nagrobkowe 213 znicze zapalone za dusze zmarłych. Tylko zimne smugi samochodowych reflektorów wychwytywały w ruchomej kurzawie niewyraźne ludzkie sylwetki, równie nierealne, jak samo miasto. Zarośniętych mężczyzn z karabinami przerzuconymi przez plecy, żebraków walczących między sobą o jałmużnę, kobiet otulonych w chusty, które upodabniały je do zadusznych zjaw.

Nocą, jeśli wspięło się na otaczające miasto wzgórza, z łatwością można było odtworzyć historię i mapy kabulskiej wojny. Tam gdzie przebiegała linia frontu, nie widać było nic. Ani jednego światełka, żadnych sylwetek ludzi czy pojazdów. Nie dochodził żaden dźwięk. Mieszkańcy uciekali stamtąd początkowo niechętnie, z żalem. Potem nikt już tam nie zaglądał. Nikt nie próbował wracać, odbierać wojnie tego, co zagrabiła. Wojennych zdobyczy strzegły pomazane krwawą farbą kamienie, fetysze wytyczające granice ciągnących się całymi kilometrami minowych pól śmierci. Przy wejściu do tych labiryntów trzymali straż mudżahedini. Nocami palili ogniska, żeby się rozgrzać i rozproszyć ciemności.

Zdarzali się jednak śmiałkowie, desperaci i banici, dla których minowe pola stały się naturalnym środowiskiem. Nikt ich tu nie tropił, nie ścigał, nie prześladował. Wystarczyło przeskoczyć granicę z czerwonych kamieni, by poczuć się wolnym.

Ismael Lufti chciał wyjechać z Kabulu i z kraju.

– Mam odłożonych tysiąc pięćset sześćdziesiąt dolarów. Czy to wystarczy, aby żyć w Europie? – pytał w kółko. – Znam się na literaturze perskiej, mówię po angielsku. Może przydałbym się w twoim kraju?

Dopóki działał stołeczny uniwersytet, Ismael studiował literaturę perską. Kiedy wybuchła wojna, uczelnia została zamknięta, a potem zburzona, on zaś musiał zadbać o utrzymanie rodziny – rodziców i dwojga rodzeństwa. Znał angielski i francuski. Dzięki temu znalazł pracę w jednej z zagranicznych organizacji humanitarnych. W jeden dzień Ismael mógł zarobić tyle, ile urzędnik z ministerstwa w miesiąc. Uchodził więc za szczęściarza. W ciągu dnia Ismael był przewodnikiem zagranicznych dziennikarzy po kabulskich ruinach. Tłumaczył na angielski przerażające opowieści ich mieszkańców. Wieczorami pracował jako stróż i telefonista w biurze Międzynarodowego Czerwonego Krzyża w śródmiejskiej dzielnicy Szahr-e Nau.

Odwiedzałem go tuż przed godziną policyjną, by omawiać plany na następny dzień, a także by z jedynego w okolicy telefonu satelitarnego, którego był operatorem, nadać korespondencję do redakcji. Któregoś dnia pojechaliśmy do dzielnicy Chair Chana, która, jak podało radio, została zbombardowana przez nieprzyjacielskie lotnictwo.

Pilot pojedynczego samolotu, który o świcie pojawił się nad Kabulem, miał zapewne rozkaz zrzucić bomby na wielką bazę transportowo-paliwową położoną na północnych przedmieściach miasta. Może leciał zbyt wysoko, bojąc się pocisków dział przeciwlotniczych, a może zdenerwowany zbyt szybko otworzył luki bombowe, chcąc uciec spod ognia. Tak czy inaczej, pomylił się o pięćdziesiąt, sto metrów. Obie bomby spadły na dzielnicę Chair Chana.

Pierwsza, zamiast na wielkie cysterny z benzyną i ustawione w szeregu ciężarówki, trafiła na gliniane podwórze domostwa, w którym spał doktor Abdullah, jego najstarsza córka i sześcioletni syn. Druga bomba wybuchła w uliczce przed sklepem. Z lepianki Abdullaha został wielki, poszarpany na krawędziach lej. Córka i syn zginęli na miejscu. Ich ciała zawinięte w zszarzałe płótno pogrzebano zaraz na pobliskim zboczu góry wśród dziesiątków postrzępionych, spłowiałych zielonych chorągwi i piramidek kamieni wyznaczających stare groby. On niestety przeżył, przewieziono go rannego do szpitala. Kiedy druga bomba wybuchła przed sklepem, na ulicy stała gromadka dzieci z blaszanymi czajnikami. Rodzice wysłali je po chleb i herbatę na śniadanie. Zginęło kilkoro dzieci, czworo zostało rannych.

– Wszystko widziałem – opowiadał z dumą ośmioletni Dżarir i rozrzucił szeroko ramiona, naśladując pikujący samolot.

Dzielnica Chair Chana, gdzie znajdował się też dom Ismaela, cieszyła się opinią najbezpieczniejszego miejsca w stolicy. Odkąd jednak startujące z Mazar-e Szarif samoloty Dostuma zaczęły bombardować Kabul, Ismael Lufti przestał się czuć bezpieczny nawet we własnym domu. Bał się bomb zrzucanych na oślep przez uzbeckich lotników. Bał się też rządzących miastem mudżahedinów. Ismael wywodził się z Hazarów, a więc był rodakiem tych, przeciwko którym walczyli żołnierze ministra wojny Ahmada Szaha Massuda, jak on wywodzący się z doliny Pandższiru.

– Nocami chodzą po domach. Szukają Hazarów. Przedwczoraj przyszli do mojego sąsiada. Powiedzieli mu, że wiedzą o trzech karabinach, które trzyma w domu. Kazali mu je nazajutrz przynieść. Przysięgał, że nie ma żadnych karabinów, ale nie słuchali. Przyszli znowu i zabrali go – opowiadał Ismael, szarpiąc mój rękaw. – Jutro mogą przyjść po mnie.

Uważałem, że przesadza.

Ismael opowiadał, że w Kabulu żołnierze porywali Hazarów, by ich potem wymienić na swoich towarzyszy przetrzymywanych w niewoli. Wysyłali ich też na front, do kopania okopów, ale czasami zmuszali do walki na pierwszej linii. Po nocnej służbie, która kończyła się o piątej rano, Ismael przemykał się do domu przez pogrążone w ciemnościach, wymarłe miasto. Wędrował zaułkami, bo na głównych ulicach mógł wpaść na wojskowe patrole. W domu zamykał się na klucz i w ubraniu zasypiał na nigdy niescielonym łóżku. Nie palił świecy, która mogłaby zdradzić jego obecność. O świcie budził go grzmot działek przeciwlotniczych. Ustawione na krążących po mieście wielkich ciężarówkach strzelały do niewidocznych na granatowym niebie samolotów. Zwiastowały nadejście nowego dnia.

– Wciąż się boję. Muszę stąd wyjechać. – Kiedy Ismael był czymś wyjątkowo przejęty, mówiąc, wyłamywał sobie palce. – Chcę się uczyć. Tu się nie da żyć. Może kiedyś, ale nie teraz. Mam dopiero dwadzieścia jeden lat. Jeszcze nie jest za późno.

W Afganistanie dwadzieścia jeden lat oznaczało, że człowiek przeżył już połowę swojego życia. Ktoś wyliczył, że statystyczny Afgańczyk dożywał w tamtych czasach ledwie czterdziestki. Zabijano go, bo stał się przypadkowym świadkiem porachunków rozmaitych partyzanckich partii, ginął na polach minowych lub umierał na choroby, które w Afganistanie, wobec braku lekarzy, szpitali i lekarstw, wciąż zbierały śmiertelne żniwo.

Jeśli zawierzyć statystykom, Ismaelowi pozostało więc do przeżycia jakieś dwadzieścia, w najlepszym wypadku dwadzieścia pięć lat. Ponieważ, jak mówił, niczego jeszcze w życiu nie doświadczył, wszystko, co było przed nim, musiało wydarzyć się w najbliższym czasie. Dlatego tak gorączkowo wciąż za czymś gonił, wiecznie się spieszył. Musiał podświadomie przeczuwać, że może nie zdążyć, że nie zazna spełnienia w miłości, nie zdąży poznać wszystkiego, co chciał poznać, nie nacieszy się dziećmi ani spokojem dobrej starości, że nic nie stworzy, niczego po sobie nie zostawi, że odejdzie niezauważony, jakby go w ogóle nie było. Nie mógł czekać, co przyniesie los. W jego kraju ludzie umierali młodo i szybko stawali się starcami.

Długo zwlekałem z telefonem do Kabulu. Nie miałem dla Ismaela żadnych dobrych wieści. Właściwie wyłącznie złe. Wreszcie zdobyłem się na odwagę. Mężczyzna, który odebrał telefon, powiedział mi, że Ismael już tam nie pracuje. Nie potrafił powiedzieć, co się z nim stało. Już go więcej nie spotkałem, choć pytałem o niego po każdym powrocie do Kabulu. Nikt nie potrafił mi o nim niczego powiedzieć, nikt go nie pamiętał.

Mieszkało się wtedy w Klubie Niemieckim w śródmieściu albo w leżącym na wzgórzu, trochę za miastem hotelu „Intercontinental". Pozostałe hotele, jak choćby moje ulubione „Spinzar" i „Kabul", były zburzone lub, jak „Ariana", zajęte na kwatery przez wojsko. Klub Niemiecki był to niewielki budynek z recepcją, restauracją, kilkoma pokojami gościnnymi, salonikiem i salą bilardową plus kilkanaście parterowych pawilonów zbudowanych wokół niewielkiego basenu, w którym nigdy nie widziałem wody, choć jego brzegi zawsze zastawione były drewnianymi leżakami. W klubie mieszkali niemal wyłącznie dziennikarze i w pogodne dni wylegaliśmy nad basen, by grzejąc się w słońcu, pisać korespondencje. Kelnerzy w poszarzałych kitlach roznosili zieloną herbatę, kawę, a czasami nawet kanapki. Dyrektor klubu, Mohammad Aref, człowiek o chytrej, lisiej twarzy, dbał, by jego goście czuli się swobodnie i bezpiecznie. Baczył też, by nie musieli wyruszać w miasto w poszukiwaniu niczego poza ciekawymi, wartymi opisania historiami. Przed klubem zawsze czekali przewodnicy, tłumacze i kierowcy, gotowi spełnić każde życzenie. Zawsze była tu czysta woda, dobre jedzenie i zawsze działał satelitarny telefon. I tylko parę kroków dzieliło to miejsce od Klubu ONZ, jedynego w całym mieście lokalu, gdzie cudzoziemcom wolno było pić alkohol.

To wyjątkowo korzystne położenie klubu powodowało, że pokoje nigdy nie świeciły tam pustkami. Mohammadowi Arefowi nie zdarzyło się jednak nigdy odpędzić wędrowców sprzed bramy. Czynił cuda, byle znalazło się miejsce na nocleg. Choćby na podłodze, choćby na jedną noc. Kilka nocy przespałem u niego nawet na stole bilardowym.

Niezwykła nawet jak na Afganistan gościnność Mohammada Arefa wynikała po części z jego życzliwości. Nie bez znaczenia były też obietnica zysku i słabość, jaką Mohammad Aref miał do dziennikarzy. Bez dwóch zdań, opiekował się nami i szczerze zależało mu na tym, by każdemu z nas się powiodło. Witał nas w bramie, gdy zrzucając z siebie chmury kurzu, wracaliśmy z wypraw do miasta i na dzielące je linie frontów. Nalewał do czarek zieloną herbatę, wypytywał. Wieczorami siadał na klubowej kanapie w salonie i paląc papierosa za papierosem, przyglądał się, jak piszemy nasze codzienne relacje i przekazujemy je redakcjom. Był jednym z nas, bardziej utożsamiał się z nami niż ze światem, do którego wszak należał, a który my tylko opisywaliśmy.

Wielu partyzanckich komendantów koso patrzyło na Mohammada Arefa i jego rosnący w oczach majątek. Ze strachu chyba przed cudzoziemskimi gośćmi nie śmieli go jednak wywłaszczyć czy choćby zmusić do dzielenia się zyskami. Klub Niemiecki był w Kabulu enklawą, wyspą inności – innych obyczajów, innej mowy, innych ubrań, przyzwyczajeń, wszystkiego. Był czymś tak odmiennym, że nawet zazdrośni i żądni łupów żołnierze nie wiedzieli, co z nim począć, jak się do niego dobrać. W czasach gdy miastem władali mudżahedini Massuda, nasza odmienność była więc dla Mohammada Arefa listem żelaznym i gwarancją dalszych zysków.

Stała się śmiertelną groźbą i wyrokiem, gdy władzę przejęła armia talibów emira Omara. Nowi władcy nie mieli żadnych skrupułów, złudzeń ani wątpliwości. Niezwłocznie wydali zarządzenie, że wszyscy cudzoziemcy, którzy z jakichś niezrozumiałych powodów uparli się przebywać na afgańskiej ziemi, muszą mieszkać w miejscach wskazanych przez talibów.

Takim miejscem stał się hotel „Intercontinental". Klub Niemiecki opustoszał. Afgańskim podróżnym nie podobało się tam nic. Ani basen, ani leżaki, ani klubowa kanapa, ani stół bilardowy. Nie smakowało im podawane przez Mohammada Arefa jadło, które w dodatku było dużo droższe niż w przydrożnych gospodach. Kusząca odmienność Klubu Niemieckiego zniknęła wraz z nami. Odarty z niej, nie przyciągał już nikogo. Nie był już egzotyczną pięknością, ale upiorną zjawą.

Dyrektorem hotelu „Intercontinental" był Gholam Sachi Sofi. Od roku nie miał gości. Cudzoziemcy coraz rzadziej zaglądali do Kabulu i Afganistanu, a tych, którzy nie przelękli się wojen, biedy, bałaganu i bezprawia, od gościny u Gholama odstraszały ceny. Dyrektor rozkładał bezradnie ręce. Mówił, że rozumie, iż sto dolarów za wyziębiony pokój bez światła i wody jest ceną absurdalną. Obowiązywało go jednak wydane przed laty i nigdy nieodwołane zarządzenie ministra turystyki. Nie, nic nie da się zrobić, bo ministerstwo nie działa już od ponad dwóch lat. Gholam spotkał kilka razy ministra na bazarze w Chair Chanie. Ale ostatnio słyszał, że wyjechał z miasta do Dżalalabadu. Uciekł.

Uciekli zresztą wszyscy, których było stać na wynajęcie ciężarówek i przekupienie wojskowych patroli. Zostali tylko najmniej zaradni i najbiedniejsi, dla których sto dolarów to często roczny zarobek. Wieśniacy, którym życie w mieście nawet w czas wojny wydawało się łatwiejsze niż przymieranie głodem w wioskach pożeranych przez pustynie.

Uciekinierzy z miast wędrowali z kolei na pustynie pod Dżalalabadem i pakistańskim Peszawarem, gdzie cudzoziemcy wznosili dla nich brezentowe namioty, podobne do tych, w jakich żyli afgańscy koczownicy. Wciąż mówili o sobie: jestem profesorem, jestem inżynierem, jestem dyrektorem, jestem pułkownikiem. Pamięć o starym życiu nie pozwalała im rozpocząć nowego. Bo nie byli już ani profesorami, ani inżynierami, ani pułkownikami. Zaczynali wszystko od nowa. Ich dawne życie, wszystko, co było, skończyło się, należało już do przeszłości. Nie mogli, nie chcieli się z tym pogodzić. „Straciliśmy wszystko. Ile razy człowiek może zaczynać wszystko od początku?" – mówili, a w ich głosie brzmiały żal i pretensja. Poczucie niezasłużonej krzywdy odbierało im motywację. Nie zamierzali zaczynać niczego od nowa, bo to w ich przekonaniu oznaczało wyrzeczenie się przeszłości, którą wciąż żyli.

W namiotowym osiedlu Szer Sahi pod Dżalalabadem mieszkała jedna trzecia mieszkańców Kabulu. Urzędnicy, adwokaci, lekarze, policjanci, uczeni, wojskowi. Było ich tu więcej niż w stolicy, niż w Dżalalabadzie. Ponuro żartowali, że właściwie powinno się przenieść stolicę do Szer Sahi, a pusty Kabul oddać mudżahedinom na pole bitwy.

Zachowywali się tak, jakby mieli wrócić do domu za tydzień, dwa. Mieszkali tymczasowo, prowizorycznie, w namiotach, o które nawet nie dbali. Nic nie robili, żyjąc oczekiwaniem na to, co przyniesie los i co wydzielą cudzoziemcy. Nie wiązali swojej przyszłości z tą ziemią, która dała im schronienie. Nie dbali o nią. Gdy potrzebowali drewna na opał, rzucili się do wycinania akacji i zdziczałych drzew oliwnych i pomarańczowych rosnących wzdłuż drogi do Peszawaru i w pobliskich oazach. Puszczali mimo uszu ostrzeżenia, że jak tak dalej pójdzie, będą musieli żyć na jałowej, kamienistej pustyni wśród skorpionów i węży. 221

Nie zamierzali tu pozostać. Dopiero mieli się oswoić z myślą, że życie może zostać przerwane bez pytania ich o zgodę.

Afgańskim wieśniakom, którzy musieli uciekać ze swoich domów, kiedy miasta i ich mieszkańcy żyły jeszcze spokojnie i dostatnio, ta swoista reinkarnacja przychodziła znacznie łatwiej.

„Ile razy człowiek może zaczynać wszystko od początku? Tyle ile trzeba i ile Bóg pozwoli – odpowiadali. – Jeśli chce się żyć". I dziękowali za łaskę, że dane im było zaczynać tak wiele razy. Żyli nadzieją, smutną wdzięcznością i desperackim pragnieniem przetrwania, ci z miasta zaś – gorzkimi wspomnieniami i pretensją.

Afgańscy chłopi-uciekinierzy postępowali zupełnie inaczej. Natura nauczyła ich, że z przeznaczeniem i przyrodą trzeba żyć w zgodzie. Wiedzieli, jak to robić. Na wygnaniu od razu lepili z gliny nowe domostwa. Przeczuwali, że wojna nieprędko się skończy. Wokół Peszawaru, po pakistańskiej stronie granicy, takie osiedla afgańskich lepianek istniały już od dziesięciu lat. Ciągnęły się całymi kilometrami. Zostały zelektryfikowane, zbudowano tam szkoły, przychodnie zdrowia, sklepy. Uchodźcy wynajmowali się do prac przy budowach i na polu. Z czasem sami kupowali parcele i skrawki ziemi pod uprawę. Niektórzy zdobyli wykształcenie, powyjeżdżali do Arabii, Indii, Europy, Ameryki. Inni zbili nawet fortuny. Nie zawsze zgodnie z prawem. Władze irańskiego Meszhedu i pakistańskich Peszawaru i Karaczi narzekały, że afgańscy przybysze pozakładali gangi zajmujące się rozbojem, przemytem narkotyków i broni, a nawet zakazaną i wyklętą jako grzech prostytucją.

Zrodzona z przemocy, bezprawia i bezkarności zbrodnia kwitła też w Kabulu. Gholam nierzadko zostawał na noc w hotelu, by uniknąć wędrówek po mieście po zmroku. Pamiętał, by za każdym razem uprzedzać przez umyślnego żonę, że nie wróci na kolację. Brakowało mu towarzystwa.

Nie tylko wieczorami, które spędzał samotnie w swoim biurze. Także w dzień, w godzinach urzędowania, kiedy również nie miał nic do roboty. Chcąc zatrzymać choć na parę dni przybysza ze świata i wysłuchać wieczorami jego opowieści, zaproponował, że odstąpi mi pokój na czwartym, najlepszym piętrze za połowę ceny. Pokój był wyziębiony, ale schludny i czysty, tyle że aby się w nim znaleźć, musiałem odbywać codzienne wspinaczki surowymi betonowymi schodami, które dopóki był jeszcze prąd, służyły wyłącznie za drogę pożarową. Woda i światło – od szóstej do dziewiątej wieczorem.

Hotel był najlepszym w mieście punktem obserwacyjnym. Zbudowany na wzgórzu, jako najwspanialszy gmach w całym mieście, spoglądał w dół na pozostałe dzielnice. Jesienią dziewięćdziesiątego czwartego leżał niemal na samej linii frontu. Z jednej strony wzgórza rozciągały się dzielnice kontrolowane przez wojska rządowe, z drugiej tereny rebeliantów. Pośrodku był szeroki pas ziemi niczyjej. Wojska rządowe prowadziły właśnie ślimaczącą się i trwającą od późnej wiosny ofensywę, która odepchnęła front na bezpieczną odległość od hotelu. Walki toczyły się teraz na terenach opozycji. Wojska prezydenckie ostrzeliwały je niespiesznie ze wszystkich okolicznych gór. Z okien hotelu widać to było jak na dłoni. Spadające pociski armatnie wzbijały tumany kurzu, rebelianci odpowiadali ogniem. Hotel, jak myśliwska ambona, leżał poza polem rażenia. Strzelaniny, która nie milkła ani na chwilę, zupełnie nie było słychać w dole miasta, gdzie jarmarczny gwar przekupniów i straganiarzy zagłuszał nie tylko kanonadę, ale wszystkie inne dźwięki. Góry niosły jednak i wzmacniały huk wystrzałów. Siedząc w hotelu, wiedziało się więc, kto do kogo i z czego strzela. Wyraźnie słychać było serie z małokalibrowych działek, głuche wystrzały czołgów i armat, gwizd rakiet, jęknięcia moździerzy i wybuchy pocisków.

Hotel dopiero odżywał i stawał na nogi po dniach, gdy znajdował się na samej linii frontu i groziło mu, że legnie w gruzach, dzieląc los większości stołecznych budowli.

Był bliźniaczym bratem hoteli, jakie za czasów Związku Radzieckiego kremlowscy architekci kazali wznosić w każdym niemal większym mieście imperium dla rzadkich cudzoziemskich gości. Wszystkie wyglądały tak samo, czy to w białoruskim Mińsku, syberyjskim Irkucku, czarnomorskiej Odessie, pustynnym Aszchabadzie. Betonowy, kilkupiętrowy prostopadłościan z wyrzeźbionymi na frontonie robotnikami, wieśniaczkami, snopami, dzikimi zwierzętami. Do ogromnego hallu o marmurowych podłogach wiodły niezmiennie wielkie obrotowe drzwi, a do dyskoteki na ostatnim piętrze – lustrzana winda. Wszystkie miały identyczne restauracje, windy, długie korytarze wyłożone czerwonymi chodnikami, takie same meble w pokojach. Nawet kelnerzy, recepcjoniści i odźwierni wydawali się tacy sami.

Kabulski „Intercontinental" miał być w przekonaniu Rosjan szczytem szyku i luksusu. Afgańczycy byli zachwyceni. Hotel jawił im się jako znak postępu, światowości, dekadenckiego kosmopolityzmu. Latem trudno było tu znaleźć wolny pokój. W restauracji „Pamir" na ostatnim piętrze rosyjski szampan lał się strumieniami i mieszał z morzem wódki i koniaku, muzyka grała głośno. Potem, gdy w kraju wybuchła święta wojna, w hotelu zamieszkali rosyjscy oficerowie, a kiedy wyjechali, wprowadzili się do niego przybyli z gór i pustyń partyzanci.

Gmaszysko hotelu zostało trafione co najmniej dwudziestoma rakietami, które zmiażdżyły jeden z narożników, powybijały szyby we wszystkich oknach, strąciły balkony – ich resztki zwisały teraz podtrzymywane zbrojeniowymi drutami. W końcu wojska rządowe odepchnęły rebeliantów na bezpieczną dla hotelu odległość, lecz od tamtej pory 224 nie zawitał tu żaden cudzoziemiec. Byłem pierwszym gościem Gholama. Najlepszy pokój, do którego kazał zanieść moje bagaże, miał ściany i sufit poharatane odłamkami, a w oknach zamiast szyb przezroczystą plastikową folię.

Rano, przed wyruszeniem na codzienną wędrówkę po mieście, wychodziłem na balkon przekonać się, jaka jest pogoda i jak przedstawia się sytuacja na froncie. Jeśli nocą strzelano tylko z karabinów i małokalibrowych działek – a rano snajperzy strzelali z rzadka, jakby od niechcenia, można było spokojnie jechać na umówione wcześniej spotkania w mieście albo oglądać zburzone dzielnice. Jeśli jednak na drodze biegnącej wzdłuż pasa ziemi niczyjej panowała nerwowa krzątanina, rowerzyści i taksówkarze pędzili na złamanie karku i nigdzie nie było widać przydrożnych straganów, a w dodatku nocą wojska prezydenckie bombardowały rebeliantów z dział i rakiet, to należało się spodziewać ciężkich walk, nawet ataku rakietowego rebeliantów.

Wtedy wyludniały się bazary. Nawet jubilerzy, tkacze i kuśnierze z ulicy Kurzej z trzaskiem spuszczali blaszane żaluzje na drzwi swoich sklepów. Wszyscy w mieście wiedzieli, że rakiety rebeliantów najczęściej spadają właśnie na zatłoczone bazary.

Jeśli mimo zapadnięcia zmroku Ismatullah ze swojego posterunku przy drodze wiodącej do Majdan Szahr słyszał strzały, zostawał na noc w jednym z setek porzuconych glinianych domostw. Wtedy ostatnią modlitwę odmawiał na pancerzu stojącego w podwórzu czołgu.

– Niech przestaną do nas strzelać – mówił – to my też przestaniemy.

Jeśli jednak nie miał akurat służby, a na froncie panował spokój, wracał na noc do swojego domu, który kupił w dzielnicy Chair Chana. Starał się wrócić przed zmierzchem, by zdążyć do meczetu na wieczorną modlitwę. 225

Dzieciaki – dwie córki bliźniaczki i syn – już zwykle spały i dopiero następnego dnia rano budził je, żeby się z nimi pobawić. Potem zjadał przygotowane przez żonę Aminę śniadanie i wyruszał do pracy. Na front.

Swoich nieprzyjaciół nazywał buntownikami. O sobie i swoich towarzyszach mówił: armia rządowa. Z partyzanckiego komendanta przeistaczał się w oficera regularnej armii. Jego towarzysze broni zostali dyplomatami, urzędnikami, dyrektorami, ostrzygli długie włosy, przycięli długie brody, pożenili się z miejskimi dziewczynami, dochowali się dzieci. Zrzucili łachmany, w których wkroczyli do miasta. Z magazynów Ministerstwa Wojny powyciągali oliwkowe mundury i wojskowe regulaminy. Zaczynali czuć się w mieście jak u siebie. A przynajmniej bardzo się starali. Pokupowali domy w bezpiecznych dzielnicach miasta. Dorobili się na wojnie i dla nich mogłaby się już zakończyć.

Ismatullah ze zdziwieniem uświadamiał sobie, że zamiast walczyć, powinien zabrać się do gromadzenia pieniędzy, rozglądać się za wygodniejszym, lepszym, większym domem, szkołami dla dzieci, bezpieczną lokatą majątku, zapewniającą spokojną i dostojną starość.

Po latach walk o Kabul partyzanci zaczęli uważać miasto za swoje. Czuli się trochę winni tego, co się z nim stało. Bardzo chcieli, żeby kabulczycy ich zaakceptowali, a nie winili za nieszczęścia miasta. Strzygli się i golili, by już się nie wyróżniać. Wtapiając się coraz bardziej w miasto, ale przestrzegając wciąż partyzanckich praw, zatracili tożsamość. Nie byli już partyzantami, nie byli też obywatelami miasta, które nigdy nie zapomniało, że omal go nie zamienili w partyzancki obóz.

Kiedy więc pod Kabulem stanęła nieznana nikomu armia talibów, mieszkańcy stolicy nie uczynili nic, by pomóc 226 partyzantom, którzy w miejskich zaułkach zagubili drogę.

A partyzanci nie potrafili bić się o miasto tak, jak kiedyś bronili swoich dolin.

W biurze, które Gholam przeniósł ze względów bezpieczeństwa do piwnicy, odwiedzał go czasami doktor Aslam. Znali się jeszcze z czasów szkolnych.

Siorbiąc jaśminową herbatę, doktor Aslam opowiadał historie ze swojego szpitala. Pewnego dnia opowiedział o matce, której wyschło mleko w piersiach i od miesiąca karmiła niemowlę herbatą i rozmoczonym chlebem. Najpierw dziewczynka marudziła, ale jak nie dostawała mleka, to się przyzwyczaiła.

– Nigdy sobie nie wyobrażałem, że można tak żyć – mruknął zadumany Gholam, wciskając papierosa do eleganckiej papierośnicy. – Ale może to kwestia mojej ograniczonej wyobraźni.

9 Rozleniwiony jesiennym słońcem Peszawar doskonale nadawał się do czekania. A ja czekałem na przewodnika, który miał mnie bezpiecznie doprowadzić przed oblicze Gulbuddina Hekmatiara, już drugi rok bezskutecznie oblegającego afgańską stolicę. Przewodnik się nie zjawiał, więc poza wałęsaniem się po bazarowych zaułkach i czytaniem od deski do deski miejscowych gazet nie miałem nic do roboty. Tego dnia oprócz zwykłej porcji depesz o oblężeniu i szturmach na Kabul dziennik „Frontier Post" opublikował wiadomość, która trochę mnie ubawiła.

Krótka wzmianka mówiła o alumnach z pogranicznych medres, szkół religijnych, którzy skrzyknęli się w Kandaharze i odbili z rąk rozbójników wielką pakistańską karawanę, zmierzającą przez Afganistan do pustynnej Turkmenii. Waleczni młodzieńcy nie tylko przepędzili zbójców gdzie pieprz rośnie i wygnali z miasta sprzedajnych zarządców, ale ulegając błagalnym prośbom nieszczęsnych mieszczan, zgodzili się zaprowadzić w Kandaharze boży porządek. Wybawców Kandaharu gazeta „Frontier Post" nazywała talibami. Tymi, Którzy Poszukują Prawdy. Sporządziłem krótką notatkę, ot, ciekawostkę o świętobliwych klerykach, którzy równie dobrze radzą sobie z modlitwą, jak z wojaczką.

Dwa lata później ujrzałem ich na własne oczy. Już w Kabulu. Zdobyli go w powtórnym szturmie. Dwa lata, tylko tyle zajął im marsz po afgański tron. A może aż tyle, bo zmierzając po władzę, nie musieli staczać krwawych bitew ani oblegać warownych miast. Zwyciężali właściwie bez walki.

Lubiłem Peszawar.

Był mi bliższy niż gorące, ruchliwe Rawalpindi, bardziej niż wyniosły i sztywny Islamabad. Bliższy chyba niż wszystkie inne miasta świata.

Ilekroć wybierałem się w podróż do Afganistanu, zawsze starałem się planować ją tak, by móc zatrzymać się na dzień lub dwa w Peszawarze. Był przystankiem pozwalającym na powolną asymilację, czasem refleksji. Był też przedsmakiem tego, co czekało mnie po drugiej stronie ciężkiej, żeliwnej bramy.

Peszawar wraz z rozpoczynającą się zaraz za miastem i wiodącą przez Góry Sulejmańskie Przełęczą Chajberską był jedynym pomostem łączącym Afganistan ze współczesnością. Dwa światy, nieprzystawalne, funkcjonujące w odmiennych wymiarach. Peszawar był granicą między nimi, najdalej wysuniętym groźnym, warownym fortem, służącym do obrony i strzegącym porządku. Albo twierdzą, z której wyruszały armie na wyprawy wojenne, na podbój afgańskich ziem. Peszawar był też ogromnym targowiskiem, bazarem, który w czas pokoju pełnił rolę miejsca spotkań i wymiany towarów i myśli. Choć formalnie stanowił część pakistańskiego państwa, należał już do Afganistanu. Żył według afgańskich praw i reguł, po afgańsku myślał i odczuwał, po afgańsku mówił i wyglądał.

Z woli wielkich imperiów, Rosji i Wielkiej Brytanii, Afganistan miał rozdzielać je jako ziemia niczyja. Peszawar i otaczające miasto terytoria wolnych plemion pasztuńskich miały zaś odgrywać rolę strefy buforowej między podbitym przez Brytyjczyków, uprzemysłowionym, bogatym, zapatrzonym w zysk i postęp Pendżabem a niepokorną krainą afgańskich wojowników.

Peszawar sprawiał się z tą rolą marnie, bo trudno przychodziło mu zachować bezstronność w wiecznych sporach między dzikimi, twardymi jak skały afgańskimi wojownikami a wykształconymi, sprytnymi i zaradnymi Anglikami oraz powolnymi im Pendżabczykami, którzy marzyli o zagarnięciu dla siebie afgańskiej ziemi.

Afgańczycy byli dla Anglików niebezpieczni w dwójnasób. Nie godzili się na ich zwierzchność, odmawiali uznania wyższości, nie chcieli nawet podziwiać ich praw, obyczajów i niezwykłych wynalazków. Trwając w oporze, Afgańczycy odrzucali wszystko, co zdawało się już powszechnie akceptowane i zalecane jako uniwersalny wzór. Co gorsza, siali zwątpienie, a nawet zawstydzali tych, którzy wcześniej uznali opłacalność kompromisu i kolaboracji. Nie przemawiał do nich argument Anglików o bezcelowości buntów.

– Wiem, że przeszliście wiele w Europie, walcząc o wolność, że przelaliście wiele krwi – powiedział mi kiedyś pewien mułła z jednego z peszawarskich meczetów. – Ale czy byliście gotowi wszystko poświęcić i zginąć, byle tylko nie dać sobie odebrać wolności i prawa do życia po swojemu? Czy nie posłuchaliście tak zwanego zdrowego rozsądku, który w istocie rzeczy jest tylko obleczonym w piękne słowa zwykłym strachem przed cierpieniem i utratą tego wszystkiego, co się składało na dotychczasowe życie, strachem, który bywa silniejszy od tęsknoty za tym, co najcenniejsze, ale niewiadome i niepewne?

Żyjąc na granicy między obydwoma światami, rozsądku i emocji, akceptacji i kontestacji, między buntem a pogodzeniem się z wyższą koniecznością, zobowiązaniami i wynikającą z nich odpowiedzialnością, Peszawar przypominał targanego rozterkami człeka, pełnego lęków i marzeń, niepotrafiącego dokonać wyboru. Ceną za uniknięcie strachu i bólu było wyrzeczenie się marzeń.

Dla nas, dla których podróż do Afganistanu to coś więcej niż tylko wyprawa po nowe wieści i historie, Peszawar był poczekalnią, przebieralnią, gabinetem psychoanalitycznym, kwarantanną, pustelnią, miejscem dziwnych przeistoczeń. Przygotowywaliśmy się do podróży na Tamtą Stronę tak, by niczego nie zaniedbać, by wszystko w pełni przeżyć, niczego nie uronić i wrócić z mniejszym bagażem wątpliwości, za to z większym przekonaniem o słuszności wyborów. W drodze powrotnej zatrzymywaliśmy się w Peszawarze, by z pokorą wrócić do dawnego życia. Wyjazdowi z Peszawaru do Afganistanu towarzyszył niepokój. Wyjazdowi z Afganistanu – radość i tęsknota.

Położony w zielonej dolinie, szczodrze obdarowywanej życiodajną wodą z wielkich rzek, Indusu, Kabulu i Swatu, Peszawar aż do końca dziewiętnastego stulecia był afgańską zimową stolicą. W starej części miasta niewiele się od tamtych dni zmieniło. Czas tu stanął podobnie jak w całym Afganistanie.

Wędrowałem zwykle na bazar Wróżów – Kissa Chawani. Tu najłatwiej było zgubić się, zapomnieć i zatracić wśród labiryntów wąskich zaułków, w cieniu wysokich kamienic z drewnianymi, misternie rzeźbionymi okiennicami i balkonami, bram, kramów, miniaturowych gospód, gdzie ukryci przed palącym słońcem brodaci mężczyźni wzmacniali się popijaną niespiesznie zieloną, słodką herbatą, żuli sprasowany tytoń z domieszką opium i palili bulgoczące wodne fajki. Błąkałem się wśród starych księgarni, których właściciele, zadumani i cisi jak książki zalegające półki, wyglądali tak, jakby poznali całą mądrość świata.

Z bazaru Wróżów, niczego nie planując, bez celu i poczucia czasu, przez nikogo niezaczepiany i nikogo nie zagadując, wędrowałem wraz z tłumem na bazar Ptasi, obwieszony drucianymi klatkami pełnymi śpiewających ptaszków, potem na Chajberski, gdzie dentyści rwali zęby pacjentom wciśniętym w porozstawiane na chodnikach skórzane fotele, na bazar złotników – Andarszah, i wreszcie na największy, najważniejszy w mieście Jadgar Czowk.

W południe albo pod wieczór, gdy imamowie wzywali wiernych do meczetów na modlitwę, bezwiednie podążałem za innymi pod nazwany ku czci miłości meczet Mahabat Chan, którego strzeliste minarety w dziewiętnastym stuleciu służyły sikhom Sandżita Singha za szubienice.

Punktem orientacyjnym, który pozwalał w każdej chwili wydostać się z plątaniny zaułków i placów, był potężny, warowny fort Bala Hesar, przypatrujący się uważnie miastu z wysokości wzgórza, gdzie go przed wiekami wzniesiono.

Wąskimi zaułkami mnóstwa bazarów niespiesznie przechadzali się brodaci pasztuńscy wojownicy, najliczniejsi tu Afridzi, Szinwarowie, Mohmandowie, Chugjanidzi, Jusufzajowie, Alizajowie, w ogromnych turbanach zakrywających pół twarzy oraz – nierzadko – z przerzuconymi przez ramię, ledwie skrywanymi karabinami.

Swoje prawo do noszenia broni Pasztunowie wywodzą z odwiecznej tradycji, z umów zawartych z Brytyjczykami, a także władzami Pakistanu, gdzie przyszło im żyć. Nie mogąc znaleźć sposobu na podbicie Pasztunów z Przełęczy Chajberskiej czy chociażby na przekonanie ich, aby dobrowolnie zostali poddanymi Korony, Brytyjczycy zgodzili się, by żyli po swojemu, pobierali myto od przejeżdżających przez ich ziemie karawan, a nawet nosili i wyrabiali broń, byle tylko nie napadali i nie łupili garnizonów Ich Królewskich Mości.

Brytyjczycy poszli jedynie w ślady Wielkich Mogołów, z których żadnemu, mimo wielu prób i starań, nigdy nie udało się zmusić Pasztunów do uległości. Nie udało się to zresztą ani sikhom Sandżit Singha, którzy puścili z dymem Peszawar i wyrżnęli w pień jego ludność, ani Pendżabczykom, którzy przejęli rządy w niepodległym Pakistanie.

Aby uniknąć kosztownych wojen z Pasztunami, kolejni władcy Peszawaru zobowiązywali się do przestrzegania ich autonomii na plemiennych ziemiach, które ciągnęły się szerokim pasem wzdłuż afgańskiej granicy, rozmywając ją i czyniąc w praktyce nieistniejącą.

Na ziemiach Pasztunów pakistańskie prawo obowiązuje tylko na drogach bitych i tylko tam pakistańska policja odpowiada za bezpieczeństwo podróżnych. Na pozostałych ziemiach, nazywanych Krainą Bezprawia, działa tylko odwieczny pasztuński kodeks honorowy – *pasztunwali*. Nie dopuszcza on żadnych wyjątków, żadnej swobodnej interpretacji i nakazuje świętą wierność rodowi i plemieniu oraz przestrzeganie zasad gościnności i rodowej zemsty.

Wyprawiając się do którejś z pasztuńskich agencji – nie wszystkie są otwarte dla cudzoziemców – należało uzyskać najpierw stosowne zezwolenie, a także oświadczyć na piśmie, że nie będzie się zgłaszać żadnych pretensji i żądać jakiejkolwiek pomocy, że odtąd bierze się na siebie całą odpowiedzialność za swoje losy.

Opowiedziano mi kiedyś historię o Pasztunie idącym na targ w Peszawarze.

„Co chcesz kupić?" – zapytał jeden z towarzyszy. „Karabin" – odparł Pasztun. „Nie starczy ci przecież pieniędzy na karabin". „Nie szkodzi, sprzedam żonę". „Nie żal ci żony?" „Jak już kupię karabin, odzyskam ją z łatwością".

W afgańskim świecie ludzie dzielą się na dwie kategorie. Silnych i słabych. Silnym, którzy dzięki instynktowi, wiedzy czy doświadczeniu najlepiej i najpełniej poznali tajemnice okrucieństwa, dumy, męstwa, nieufności i zdrady, należy się wszystko i do wszystkiego mają prawo. Słabi nie mają prawa do niczego i do niczego nie mogą mieć pretensji. I sami są sobie winni.

Droga, zrazu, równa i prosta, biegnie wzdłuż torów kolejowych szeroką, rozłożystą i płaską doliną. Odważnie i pewnie wspina się coraz bardziej w górę, jakby chciała zaspokoić ciekawość i próżność, wdrapać na najwyższy punkt i rozejrzeć się stamtąd po okolicy. Potem jednak zwalnia, przestraszona swoją zuchwałością, ale choć dalsza wspinaczka już jej nie bawi, nie zawraca. Zaczyna kręcić i kluczyć, przystawać nad stromymi przepaściami, ostrożnie zsuwać w dół karkołomnymi uskokami skalnymi.

Za fortem Dżamrud zaczyna się właściwa Przełęcz Chajberska i Góry Sulejmańskie, przez długi czas uważane za kolebkę Pasztunów. To stąd, przepędzani przez kolejne armie obcych najeźdźców, rozeszli się w poszukiwaniu pastwisk i pól po półpustynnych płaskowyżach aż po łańcuchy Hindukuszu i pustynie Kandaharu.

Groźny fort Dżamrud i przypominająca łuk triumfalny brama są na tej drodze ostatnimi ostrzeżeniami i ostatnią możliwością odwrotu. Dalsza wędrówka oznacza uzależniające błądzenie w innych wymiarach i innych stanach świadomości, wśród rozmytych, znanych, ale dziwnie zmienionych kształtów, barw i dźwięków, wśród ludzi pozornie takich jak my, a jednak tak innych, że mogliby uchodzić za zjawy.

Za fortem Dżamrud kończą się wioski, oblepiające zwykle drogi w całej Azji. Dalej szosa wije się wśród coraz wyższych i bardziej stromych gór, aż zdyszana od wysiłku wpada niespodziewanie na rynek wciśniętego w górskie urwisko miasteczka Landi Kotal.

Tu urywają się tory kolejowe, które Anglicy chcieli pociągnąć aż do Kabulu. Przewiercili w górach trzydzieści cztery tunele, wznieśli nad przełęczami dziewięćdziesiąt dwa wiadukty i mosty, żeby stalową drogą połączyć z resztą świata kraj Afgańczyków, obłaskawić go, przerobić na własne podobieństwo. Afgańscy królowie przejrzeli zamysły Anglików i nie pozwolili im ciągnąć linii kolejowej ani kilometr dalej. Tory urywają się niespodziewanie w Landi Kotal, stanowiąc symboliczny dowód i pomnik bezsilności ekspansji.

Landi Kotal jest jak negatyw. To, co gdzie indziej przyjęto uważać za godne szacunku i podziwu, tu zasługuje najwyżej na politowanie. To, co gdzie indziej jest wyjątkiem, tu bywa normą, co gdzieś jest dobrem, tu bywa złem.

Landi Kotal to siedlisko przemytników, pokątnych handlarzy narkotyków, domorosłych rusznikarzy. Gdzie indziej ludzie ci natychmiast zostaliby wyjęci spod prawa. W Landi Kotal zaś i na całej Przełęczy Chajberskiej szanowani są jako poważni i uczciwi przedsiębiorcy i kupcy, posiadacze ziemscy i troskliwi mężowie stanu.

Na głównym bazarze, mieszczącym się nie jak w innych miasteczkach – na rynku, lecz w dole, poniżej drogi, jakby pod nią, w ukryciu – na straganach, obok cebuli, worków cukru, przypraw i poćwiartowanych połci mięsa, leżą lśniące od oliwy karabiny, a między sznurami czosnku wiszą brunatne placki haszyszu. Sprzedawcy zachwalają towar, ciągną do swoich kramów, namawiają do degustacji. Wciskają w dłonie kule pomarańczy, kraciaste chusty chroniące twarz przed słońcem, a nozdrza przed kurzem. Przełamują i podtykają pod nos grudki haszyszu wielkości orzecha laskowego, które gotowi są odstąpić za cenę paczki papierosów Marlboro.

Rusznikarze i handlarze bronią przybywają tu z wioski Darra Adam Chel, gdzie miejscowi Afridzi od stu lat wyrabiają wszelką możliwą broń i cieszą się zasłużoną sławą. Po dobiciu targu następuje próba jakości towaru. Kupujący i sprzedawca udają się z towarem na skraj wsi i tam, z dala od ludzkich domostw, wypróbowują celność i zasięg pistoletów, karabinów, granatników, miotaczy ognia, a nawet moździerzy.

Właścicielami kramów na bazarze w Landi Kotal są drobni kupcy, rzemieślnicy, sprzedający za marny procent towary chajberskich czarnoksiężników, mieszkańców majestatycznych pałaców i fortec pobudowanych z marmuru, granitu i najlepszych cegieł. O ich potędze i bogactwie krążą legendy.

Najbogatsi sprowadzają z Europy i Ameryki najsławniejszych pieśniarzy i uwielbiane przez tamtejszą młodzież zespoły muzyczne, by przygrywały podczas prywatnych przyjęć, wesel i rodzinnych uroczystości. Najpotężniejsi zasiadają w rządach, parlamentach, senatach, a o ich przyjaźń zabiegają najważniejsi politycy, których nazwiska chajberscy chłopi znają z radiowych dzienników, a twarze z gazet przywożonych przez podróżnych z Peszawaru.

Tylko oni mają pieniądze, całe fortuny. Tylko u nich można zaciągnąć pożyczkę, by przetrwać do następnych zbiorów. Gwarancją udzielonego kredytu są jednak najpierw poletka zubożałych wieśniaków, potem ich domy, dzieci, a w końcu oni sami, sprowadzeni do roli feudalnych wasali. Zadłużeni po uszy, bez szans na spłatę pożyczki, godzą się na wszystko, czego zażądają ich wierzyciele i właściciele. Uprawiają mak i konopie indyjskie, oddają synów do prywatnych armii watażków, córki do ich haremów i na narkotykowych kurierów.

Mając władzę nad ich duszami, chajberscy czarnoksiężnicy dysponują także ich głosami w wolnych wyborach do rad, parlamentów i senatów. Najmują sobie wyborców tak samo, jak najmowali robotników rolnych na swoich plantacjach maku i konopi indyjskich. Kupują władzę jak zwykły towar. Źródłem ich potęgi i bogactwa jest przemyt zakazanych prawem towarów – karabinów, potrzebnych tym, którzy śnią o rozwiązaniach ostatecznych, narkotyków, niezbędnych tym, którzy okazali się zbyt słabi, by rozwiązywać cokolwiek, i tym, którzy nie potrafili odnaleźć się w swoim ziemskim wcieleniu. I jednych, i drugich w Afganistanie nie brakowało nigdy.

Wojny, większe i pomniejsze, toczyły się tu niemal zawsze. Zanim największa z wojen zadomowiła się na dobre, Przełęcz Chajberska i Afganistan były kładką, przez którą w poszukiwaniu Absolutu i Ideału wędrowali pielgrzymi i uciekinierzy z Europy. Zbuntowani i rozczarowani wszystkim, z własnym buntem włącznie, szukali ratunku i olśnienia w narkotycznych oparach i odległych krainach, których nazwy brzmiały niezwykle, kusząco, magicznie: Peszawar, Chajber, Kandahar, Katmandu, Goa.

Przemierzając świat w poszukiwaniu prawdy o nim i o sobie samych, zbłąkani wędrowcy znajdowali przystań w gospodach takich, jak choćby hotelik „Alzar", w pobliżu śmietniska na peszawarskim starym mieście, tuż obok bazaru Jadgar Czowk, pamiętającego czasy Jedwabnego Szlaku i Wielkich Mogołów.

W ciągu dnia hotel rozpływał się w szaroblękitnym obłoku kurzu i spalin. Nawet przez zamknięte okna wdzierała się kakofonia samochodowych klaksonów, pokrzykiwań rikszarzy, wrzasków straganiarzy i dobiegającego zewsząd przenikliwego pisku indyjskich przebojów. Nic też nie było w stanie zabić odoru rynsztoków. Wieczorem, gdy spadał gwałtowny, ciepły deszczyk, uliczka przed hotelem tonęła w mazistej brei i odpadkach. Wraz z zapadnięciem nocy odrapany i rozkasłany trzypiętrowy gmach hotelu zdawał się unosić i kołysać nad ziemią na słodkiej chmurze haszyszowego dymu, wydobywającego się przez uchylone okna, przez szpary w dachu, przez dziurki od klucza w drzwiach. Oczy przestawały łzawić, podłoga chichocząc uciekała spod stóp i nawet liszajowate ściany ruszały w taniec.

Zakazana uliczka była wtedy pełnym mistyki, orientalnym zaułkiem, obskurny pokój hotelowy – łaskawym i bezpiecznym karawanserajem, a smród ze śmietnika – tajemniczym tchnieniem Azji, wielkiej obietnicy.

Miasteczko Torkham leży już na samej granicy z Afganistanem, w ostatniej zielonej oazie. Dalej są już tylko jałowe, sprawiające wrażenie wymarłych, jasnobrązowe afgańskie płaskowyże. Droga zbiega tu lekko z gór i zatrzymuje się przed wielką, żeliwną bramą, pomalowaną czarną farbą. Niemal zawsze zamkniętą. Na niewielkim, otoczonym wianuszkiem sklepików i rozlicznych urzędów placyku nie milknie harmider. Wpadają na siebie karawany wielbłądów i osłów, samochody trąbią co sił, podróżni wrzeszczą i przeklinają, sucho trzeszczą bambusowe pałki, którymi strzegący granicy żołnierze okładają napierający na bramę tłum. Czasem brama uchyla się, tworząc wąskie przejście, w które natychmiast i z całym impetem rzucają się podróżni. Przedzierają się ze swoimi tobołkami, pakunkami, zawiniątkami, osłami, wielbłądami, samochodami. Nerwowo, gwałtownie, pełni złości. Spieszą się, bo władcy tego miejsca, żołnierze, zniecierpliwieni czymś lub rozeźleni, w każdej chwili mogą zatrzasnąć bramę, odcinając dalszą drogę. Wędrówka jest tym trudniejsza, że z przeciwnej, afgańskiej strony z taką samą siłą i determinacją prze tłum ludzi, marzących tylko o tym, by się co prędzej stamtąd wydostać. Mają w oczach desperację i przerażenie, że nie zdążą przed zmierzchem przekroczyć bramy i przyjdzie im spędzić kolejną noc w świecie bez wymiarów i konkretów, gdzie nie ma nic pewnego, ale za to wszystko jest możliwe.

Spieszyłem się za każdym razem, gdy wyruszałem w podróż do Afganistanu. Kiedy jednak udało mi się przekroczyć granicę, przejść na drugą stronę lustra, natychmiast zapominałem o pośpiechu. Afganistan bowiem to wieczne czekanie. Zawsze, wszędzie i na wszystko. To godziny spędzone nad czarkami z bezbarwną herbatą, na rozmowach o niczym, a najczęściej w milczeniu, na przyglądaniu się sobie i wykrzywianiu twarzy w grymasie, który powinien wyrażać ciekawość i życzliwy uśmiech.

Odnosiłem wrażenie, że Afgańczykom nigdy i do niczego się nie spieszy, że na wszystko mają zawsze czas. Potem zrozumiałem, że w kraju, gdzie nie działa nic, mieszkańcy nie mają nic do roboty. Przybysz jest w Afganistanie zbyt cenny, by pozwolić mu po prostu przejść. Jak podróżnicy sprzed wieków, i on bywa rzadkim źródłem wieści z dalekiego świata, kontaktem z odmienną rzeczywistością, która kiedyś była udziałem Afgańczyków.

Rozmowa czy nawet kilka chwil spędzonych z cudzoziemcem jest więc okazją, by uzmysłowić sobie, ile się zmieniło, podumać, westchnąć, użalić się nad sobą. A czasami zdawało mi się, że spotkanie z cudzoziemcem jest dla Afgańczyków jedynym sposobem zaznaczenia swojej obecności. Jakby liczyli, że ich słowa, a przede wszystkim ich twarze zapisane na zawsze w źrenicy cudzoziemca staną się niezaprzeczalnym dowodem na to, że zostali dostrzeżeni, że nie przeminęli bez śladu.

– Wy, cudzoziemcy, marnotrawienie czasu uważacie za śmiertelny grzech – powiedział mi kiedyś Sulejman, urzędnik w afgańskiej ambasadzie w Islamabadzie. – My zaś szukamy wciąż sposobów na jego zabicie.

Tym razem spieszyłem się naprawdę. Pod Kabul ściągała bowiem nowa partyzancka armia, talibowie, dowodzeni przez wiejskiego mułłę, samozwańczego emira Mohammada Omara.

Chciałem zdążyć przed talibami. Nie zdążyłem. Kiedy dotarłem do Kabulu, talibowie rządzili już miastem, a jego dotychczasowy gospodarz i władca, Ahmad Szah Massud, wysadzał w powietrze góry, by zawalić wszystkie wejścia do doliny Pandższiru, swojej starej kryjówki, w której znów się schronił przed nieprzyjaciółmi.

Wymęczeni wojnami, bezprawiem i bezkrólewiem Afgańczycy witali tę najnowszą z partyzanckich armii jeśli nie z radością, to przynajmniej z ulgą. Ludziom rozpaczliwie łapiącym się wiary we wciąż możliwy ratunek talibowie dawali cień nadziei.

Maszerowali od miasta do miasta, od prowincji do prowincji, niosąc wysoko swoje białe sztandary, symbol czystości wiary i uczynków. Dla siebie nie chcieli nic, ani władzy, ani pieniędzy, ani sławy. Szło im tylko o to – tak przynajmniej zapowiadali – by odebrać ludziom karabiny, które przyniosły im tylko nieszczęścia, a sąsiadów i braci przemieniły w zażartych wrogów, przepędzić rabusiów grasujących na drogach i uczynić je przejezdnymi i wreszcie zaprowadzić w kraju prawdziwie boże porządki, o czym zapomnieli pochłonięci niezliczonymi wojnami mudżahedini. To była cała ideologia i strategia talibów. Pomysł, by odrzucić wszystko, co składało się na rzeczywistość, nie podejmując próby jej naprawy, okazał się celem wystarczająco jasnym. A poza tym talibowie byli przynajmniej uczciwi i nie zajmowali się grabieżą ani gwałtami.

Przemierzając kraj, nie musieli toczyć wielu bitew. Na wieść o nadciągających świętych mężach mieszkańcy miast, wiosek i kiszłaków w porywie desperackiej odwagi wymawiali posłuszeństwo miejscowym władcom, a ci, w obliczu nieuchronnej zguby, nie chcąc kusić losu ani wystawiać na próbę wierności swoich żołnierzy i własnej odwagi, woleli przystawać do talibów niż z nimi walczyć.

Tym bardziej że do takiego sojuszu zachęcali sami talibowie, którzy najpierw wyprawiali do wrogich obozów emisariuszy z Koranem i posłaniem pokoju oraz workami pieniędzy, a dopiero wobec odmowy wyciągali karabiny. Armia talibów, zastępy sprawiedliwych i pokrzywdzonych, rosła z dnia na dzień, stając się w okamgnieniu jedną z najpotężniejszych w całym kraju. Tym groźniejszą, że przystępowali do niej oficerowie i urzędnicy dawnych reżimów, doskonale znający się na rządzeniu krajem i prowadzeniu wojny. Nawet niedawni komuniści teraz kazali się nazywać świętobliwymi mężami, a żeby uwiarygodnić nowe życiorysy i wizerunki, zapuszczali brody i owijali skronie zwojami turbanów.

Mudżahedini odnajdywali w talibach swoje dawne, zapomniane wcielenia. Dopiero teraz dostrzegali, jak bardzo zbłądzili, jak daleko zeszli z drogi, którą kiedyś obrali. Drogi jedynej, prawdziwej, tak jasnej i oczywistej, że dziś sama myśl o porzuceniu jej wydawała im się absurdem. Wieczorami na swoich przydrożnych posterunkach, wypatrując wrogich wojsk albo kupieckich karawan, które dotąd z takim upodobaniem łupili, zbierali się wokół tranzystorowych radyjek, dzięki którym dowiadywali się o wydarzeniach w kraju. Nawet się nie dziwili, że o tym, co się dzieje w ich własnej stolicy, opowiadał im z jakiegoś dalekiego miasta ktoś, kto znał ich mowę, ale zapewne sam nigdy nie stanął na afgańskiej ziemi.

Słuchając wieści o zwycięskim marszu talibów, utwierdzali się w przekonaniu, że opór i walka z nimi byłyby bezcelowe i złe. Patrzyli sobie w oczy i nie mogli uwierzyć, że zawierzyli swe życie komendantowi, który nagle wydał im się zepsutym do szpiku kości hipokrytą. Nie chcieli się bić z talibami, których sprawę szybko uznali za słuszną. Strzelanie do świętobliwych mężów i zabijanie ich wydawało się grzechem.

Talibowie nie układali się z nikim, choć proponowali im to niemal wszyscy afgańscy komendanci. Prezydent Rabbani kusił nawet posadami w rządzie. „To nie dla nas – mówili. – Jeśli zaczniemy się z wami układać, jeśli się z kimkolwiek sprzymierzymy, staniemy się tacy jak wy. A nie jesteśmy". Rabbaniemu zaproponowali dymisję, a jego ministrowi wojny, Massudowi, kapitulację i złożenie broni.

Nie zawierali żadnych ugód. Nie prowadzili targów, odmawiali nawet wysyłania delegacji na rozmowy o pokoju.

Dla tych, którzy nie chcieli do nich przystać ani się im poddać, nie mieli litości.

W historii afgańskich wojen nie było chyba równie błyskawicznego, zwycięskiego marszu. Kandahar, Helmand, Ghazni, Herat, Majdan Szahr, Dżalalabad. Bojowy szlak talibów miał też swoją dodatkową symbolikę. Maszerowali na Kabul tą samą drogą, którą przed wiekami zmierzał z Kandaharu Ahmad Szah Durrani, by założyć pierwsze afgańskie państwo i pierwsze i jedyne afgańskie imperium sięgające od Persji po Indus i od wód Amu-darii po wybrzeża Morza Arabskiego.

Można było uwierzyć, że oto sam Najwyższy zlitował się nad Afganistanem i zesłał na afgańską ziemię swoich niezwyciężonych żołnierzy.

Massud, oblężony w Kabulu przez wrogie armie, też początkowo uważał talibów za zesłaną przez Niebiosa odsiecz. Zmuszany do wyczerpujących i nierozstrzygających niczego bitew, widział w talibach nie tyle nawet niespodziewanego sojusznika, co przeciwnika, który zanim stoczy z nim decydującą batalię, pomoże mu oczyścić i uporządkować bitewne pole.

Maszerując na stolicę, talibowie rozbili w puch wojska Gulbuddina Hekmatiara, a Pakistańczycy, zmęczeni i rozczarowani watażką, nie bronili go tym razem. Marząc wciąż o przyjaznym rządzie w Kabulu, otoczyli troskliwą opieką talibów.

– Wystarczyło parę tygodni, kilka zwycięskich bitew, a zrobiło się o nas głośno. Zaraz też zaroiło się od cudzoziemskich emisariuszy, którzy prześcigali się w umizgach i obietnicach – opowiadał mi o tamtych dniach niedoszły policjant, mułła Mohammad Abbas Stanakzaj, wtedy najważniejszy z sekretarzy emira Omara i jego minister dyplomacji. – Teraz porzucali swoich dawnych protegowanych i chcieli się przyjaźnić już tylko z nami. Bez tej przyjaźni i wsparcia trudniej by nam pewnie przyszło zwycięstwo, 243 ale i tak byśmy je odnieśli prędzej czy później, bo nasza sprawa była święta i Najwyższy nam sprzyjał.

Nie obawiając się już Hekmatiara, Massud mógł spokojnie ruszyć na Hazarów i pokonać ich na południowych przedmieściach stolicy. Wyparł też na daleką północ niedobitki uzbeckich oddziałów Dostuma i spokojnie sposobił się do walnej bitwy o Kabul, wierząc, że ją z łatwością wygra.

Pierwsze starcie niczego jednak nie rozstrzygnęło. Massud pobił talibów i odrzucił ich od miasta, ale nie zdołał zadać im ostatniego ciosu. Przeciwnie, mimo pierwszej w swej historii klęski, jeszcze urośli w siłę. W taborach armii Hekmatiara znaleźli arsenały tak wielkie, że równoważyły klęskę poniesioną z rąk Massuda. Pobici pod Kabulem, ruszyli na położony na zachodzie kraju Herat, gromiąc wojska tamtejszego władcy Ismaela Chana, a jego samego zmuszając do ucieczki do irańskiego Meszhedu.

Po roku znów stanęli pod bramami afgańskiej stolicy, gotowi do następnego, tym razem rozstrzygającego starcia.

– Wszystkiemu winny był sojusz, jaki zawarto z Hekmatiarem – Massud, którego odnalazłem w dolinie Pandższiru piątego dnia po tym, jak poddał Kabul talibom, nie sprawiał wrażenia upokorzonego dowódcy rozbitej armii. Przypominał raczej szachowego arcymistrza, który przez niezależne od niego okoliczności i niewybaczalną dekoncentrację przegrał ważną partię, ale już szykuje się do następnej. Nie pałał natychmiastową żądzą rewanżu – analizował przyczyny porażki, zdając sobie sprawę z przewagi rywala, obmyślał nową strategię. – Gdybyśmy się nie sprzymierzyli z Gulbuddinem, wygrałbym bitwę o Kabul i nigdy nie musiał porzucać miasta.

Kiedy talibowie po raz drugi ruszyli na Kabul, prezydent Rabbani, polityczny mistrz Massuda, wbrew jego przestrogom zaczął zawierać sojusze ze wszystkimi pokonanymi wcześniej wrogami. Ich poparcie było mu potrzebne, by wytrącić talibom najważniejszy z argumentów. „Rabbani nie reprezentuje nikogo poza samym sobą, a jedynym marzeniem Afgańczyków jest, by wreszcie złożył urząd – powtarzali coraz bardziej przekonująco. – Trzeba nam nowego, lepszego przywódcy".

Rabbani, sprzymierzając się z Uzbekami Dostuma, Hazarami, a nawet Hekmatiarem (którego kazał Massudowi wpuścić wreszcie do Kabulu i uznać w nim premiera i przełożonego), stroił się w szaty prezydenta wszystkich afgańskich ludów i chciał dowieść, że zarzuty talibów są niesprawiedliwe. Hekmatiar, Dostum i hazarscy komendanci, udobruchani posadami i zaszczytami, dawali się namówić do udziału w politycznym przedstawieniu. Ściskali sobie dłonie, uśmiechali się, zapewniali o przyjaźni i zgodzie.

Z nowymi rolami zupełnie jednak nie potrafili sobie poradzić żołnierze. Nijak nie mogli w sobie odnaleźć pokory, która pozwoliłaby im przedzierzgnąć się nagle w towarzyszy broni tych, którzy zadali im tyle klęsk i których w ostatnim czasie uważali za najbardziej znienawidzonych wrogów. Teraz mieli iść pod ich komendę? Słuchać rozkazów Massuda? Wierzyć, że nie posłuży się nimi jak mięsem armatnim, nie pośle celowo ich oddziałów na wytracenie?

Najbardziej wahali się pasztuńscy komendanci Hekmatiara. Mieli już dość jego samego, bo nie poprowadził ich do obiecywanych zwycięstw, naraził na upokorzenia ciągłych klęsk i cierpienie, a teraz kazał iść pod komendę Massuda. Żołnierze Hekmatiara także nie widzieli powodu, żeby narażać życie w obronie tych, których uważali dotąd za wrogów, a walczyć z tymi, którzy byli ich braćmi z pasztuńskich plemion.

– Talibowie dwukrotnie podchodzili pod Kabul. Za pierwszym razem odparłem ich atak. Wrócili rok później. Jako minister wojny miałem pod swoją komendą dwadzieścia 245 tysięcy żołnierzy. Faktycznie podlegali oni jednak swoim politycznym przywódcom, którzy choć pozostawali ze mną w sojuszu, prowadzili własne polityczne gry. Nie znałem ich, nie mogłem karać nieposłusznych, bo zagrażałoby to koalicji. Nie wiedziałem, którzy z nich wytrwają do końca, a którzy przejdą na stronę talibów – mówił Massud. Choć talibowie pokonali go w Kabulu, nadal nie wątpił w siebie. Nie potrafił jednak przewidzieć, jak jego żołnierze zniosą pierwszą, tak bolesną porażkę. Nie wiedział, czy nadal może liczyć na ich wierność. Odniosłem wtedy także wrażenie, że nie był nawet pewien, czy mieszkańcy doliny Pandższiru dadzą mu nową szansę, czy pozwolą mu stoczyć jeszcze jedną wojnę. Zapewniał ich o zwycięstwie, w które chyba szczerze wierzył. Musiał więc jeszcze raz zdobyć ich zaufanie, by znów uwierzyli w jego szczęśliwą gwiazdę. – Mówią, że otaczałem się w stolicy wyłącznie swoimi ludźmi, że nie ufałem innym. Ale czyż życie nie dowiodło, że miałem powody do podejrzeń? Kiedy talibowie ponownie podeszli pod bramy Kabulu, okazało się, że mogłem liczyć najwyżej na dwa, trzy tysiące swoich ludzi z Pandższiru. Ale nawet z nimi dałbym sobie radę lepiej niż z dwudziestotysięczną armią, której nie mogłem być pewny. W takiej sytuacji walka o Kabul nie miała sensu. Co by mi dała?

Sztab Massuda znajdował się w chałupie przy rynku w wiosce Bazarak. Wieczorami na tarasie zbierali się wyżsi rangą komendanci, by omówić sytuację.

Wybrano na kwaterę Bazarak, bo leży niemal w samym środku doliny i zaledwie kilkaset metrów dzieli go od kiszłaku Dżangalak, gdzie stał rodzinny dom Ahmada Szaha Massuda. Bazarak, jak wszystkie tutejsze wioski, rozciągał się nad rzeką, po obu stronach wyboistej drogi biegnącej z Golbaharu aż do Chawaku, na drugim końcu doliny. Odkąd zjechała tu pokonana armia Massuda, wioska zaroiła się od mężczyzn. Kobiety zniknęły nawet z bazarów. Znudzeni żołnierze snuli się zaułkami, oparci o ściany glinianych domów żuli winogrona i suszone morwy. Na łące za wioską stały ściągnięte ze stolicy działa, wyrzutnie rakietowe, czołgi, setki samochodów.

Komendanci, którzy zasiadali na tarasie, mieli zatroskane miny. Ich wojsko przegrywało. Po wieczornej modlitwie żołnierze wnosili wielkie, dymiące garnki z ryżem, zawinięte w sukno placki przaśnego chleba i blaszane czajniki z herbatą. Po wieczerzy komendanci nie rozchodzili się po kwaterach. Czekali na Massuda. Wieczorne narady z Massudem przeciągały się do późnej nocy. Na spotkania zapraszał nie tylko swoich podwładnych z doliny Pandższiru. Do wioski zjeżdżali ważni i pomniejsi komendanci z innych dolin, przełęczy i miast. Massud potrzebował ich, by wydostać się z potrzasku. Tak jak przed laty, gdy w pandższirskiej dolinie bił się samotnie z rosyjskimi żołnierzami.

Życie zatoczyło przedziwny krąg. Massud znalazł się w punkcie wyjścia, skończył tam, gdzie zaczynał. Nie starczyło mu poczucia sprawiedliwości, a może bezwzględności, by narzucić swoje panowanie innym dolinom. Pozostał tylko partyzanckim komendantem. Zwyciężał, póki dowodził pandższirską armią. Swoim partyzantom mógł ufać. Znał ich, wiedział, jak walczą. Był niezwyciężony. W Pandższirze.

W Kabulu jako minister wojny musiał włączyć do swojej armii także innych komendantów i ich oddziały. Potrzebował sojuszników do wojny z wrogami, których nigdy mu nie brakowało. Jego armia rozrosła się. Już nie znał żołnierzy, którymi dowodził. Nie mógł na nich polegać. Zdarzało się, że oddziały obcych komendantów ignorowały jego rozkazy. Nie mógł też ich ukarać ze zwykłą surowością, bo zagrażałoby to przymierzu. Potrzebował obcych komendantów także dlatego, że nie znał terenów, na których przyszłoby mu walczyć. Dolina Pandższiru, Kabul, przełęcze Hindukuszu – to był jego świat. Jadąc na linię frontu pod Sarobi, Massud musiał sięgnąć po mapy. Zaledwie sześćdziesiąt kilometrów na wschód od Kabulu! A był to już obcy kraj.

Pozostał nieufny. Niechętnie dzielił się władzą. Na każdym kroku wietrzył zdradę. I został zdradzony. Podlegli mu żołnierze obcych komendantów poddawali okopy, przechodzili na stronę nowego wroga, talibów. Do bitwy o Kabul nawet nie doszło. Losy stolicy rozstrzygnęły się w miasteczku Sarobi, gdzie straż trzymali żołnierze Hekmatiara.

Ruszając do drugiego natarcia na Kabul, talibowie tym razem maszerowali szeroką ławą. Szli od zachodu, południa, ale także od wschodu, a nawet od uważanej za bezpieczną północy. Wydawało się, że są wszędzie. Swoimi szybkimi terenowymi toyotami, wyładowanymi żołnierzami, bronią i amunicją, posuwali się błyskawicznie, zaskakując, wprawiając w osłupienie. Wdzierali się do miast i osad, strzelali w powietrze i wołali: „Allahu Akbar! – Bóg jest wielki!" Zagubieni dowódcy garnizonów, nie mogąc doczekać się instrukcji i odsieczy ze stolicy, poddawali się albo brali nogi za pas. A talibowie nie przystawali ani na chwilę. Nie zatrzymywali się nawet, by zaczerpnąć oddechu.

Ledwie zajęli Dżalalabad, a ich wojska już ruszyły na Sarobi, ostatnią twierdzę, strzegącą Kabulu od wschodu, od Przełęczy Chajberskiej. Obrońcy miasteczka, przekonani, że są zewsząd otoczeni, złożyli broń. Droga do bliskiej już stolicy stała otworem.

Szybkość marszu talibów zaskoczyła nawet Massuda. Tracił rozeznanie. Kiedy doniesiono mu, że nieprzyjacielskie oddziały pojawiły się na szosie z Kabulu do Pandższiru, jedynej drodze odwrotu z oblężonej stolicy, postanowił poddać miasto i uciekać do doliny. Tam był bezpieczny. Rozkazał żołnierzom, by ładowali na ciężarówki broń i amunicję, a to uzbrojenie, którego wywieźć nie zdołają, wysadzali w powietrze. Komendanci, którzy bronili przedmieść

Kabulu, dobiegające z miasta eksplozje uznali za dowód, że w centrum toczą się już walki i dalsza obrona jest daremna.

Massud musiał się spieszyć.

Nocą w Kabulu zapadła niepokojąca, absolutna cisza. Z pogrążonych w całkowitych ciemnościach ulic i zaułków nie dochodził żaden dźwięk. Czuło się wręcz, że miasto nasłuchuje, że zamarło w nerwowym oczekiwaniu, przerażeniu.

Jakże odmienne były ostatnie dwa dni i dwie noce. Ze wzgórz otaczających Kabul dochodziła nieustająca kanonada. Coraz bliższa, coraz wyraźniejsza. Jeszcze przed południem wojenny zgiełk zagłuszał gwar bazarów i klaksony taksówek. Wieczorem rządowe wojsko zaczęło wycofywać się z miasta. Nie była to paniczna ucieczka. Przeciwnie, manewr przypominał raczej planową ewakuację. Najpierw wyjechały czołgi, potem wozy pancerne, ciężarówki ciągnące wielkie działa, cysterny z benzyną, wreszcie kawalkada samochodów z żołnierzami.

Doktor Abdul Mumbin obejmował właśnie nocny dyżur w szpitalu dziecięcym nazwanym imieniem Indiry Gandhi.

– Pamiętam dobrze, że była dziewiąta wieczorem, kiedy wszystko ucichło. Wyszliśmy na dach, paliliśmy papierosy, czekając na to, co nastąpi. Nie, nikt nie uciekał z miasta. Ludzie nie mieli już siły na ucieczkę.

O północy Kabul został wyrwany z hipnozy ogłuszającym chrzęstem czołgowych gąsienic i wściekłą kanonadą.

– Strzelali w powietrze na wiwat. Krzyczeli: *Allahu Akbar!* – wspominał kabulski doktor. – Tuż obok szpitala stał dom prezydenta Rabbaniego. Z dachu słychać było, jak żołnierze biegają po ogrodzie, tłuką kolbami w okna, wyłamują drzwi. Krzyczeli: Wychodź, przyszliśmy po ciebie! Chyba naprawdę wierzyli, że znajdą go w domu, ale prezydent wyjechał z miasta już wiele godzin wcześniej. Potem kilkunastu mężczyzn z karabinami wbiegło do szpitala. Krzyczeli coś niezrozumiale w swoim języku, pasztu. Gorączkowo gestykulowali, widząc, że nic nie rozumiemy. Nawet nie znali języka dari, którym się mówiło w tym mieście. Wreszcie któryś z nich wykrztusił po angielsku: Lampa! Prosili o światło.

Nur Alam dowodził niewielkim oddziałem w armii Massuda. Walczył z Rosjanami, z Hekmatiarem, z talibami. Kiedy Massud nakazał odwrót z Kabulu, Nur Alama opuściło szczęście, które mu dotąd towarzyszyło. Podczas gdy jego przyjaciele wyjeżdżali bezpiecznie do pandższirskiej doliny, on miał pozostać w stolicy, by przyjąć talibów ogniem i opóźnić ich wkroczenie do miasta. W bitwie na przedpolach Kabulu jego trzydziestoosobowy oddział został rozbity. Dopiero gdy zostało ich tylko sześciu, Nur Alam uświadomił sobie, że sam może zginąć. Ta natrętna, prześladująca myśl popchnęła go do dezercji.

Poznałem go w dolinie Pandższiru, gdzie pojechałem szukać Massuda. Talibowie, rozochoceni łatwą wygraną w Kabulu, rzucili się za nim w pościg. U wejścia do doliny wybuchły walki, odcinając drogę powrotną do stolicy.

Nur Alam wraz z niedobitkami ze swojego oddziału szykował się właśnie do wędrówki przez góry na północ. Zgodził się przeprowadzić nas na przełęcz Salang, skąd wiodła już prosta droga do Kabulu. Talibowie byli jednak wszędzie i po siedmiu dniach konnej jazdy przez cały łańcuch Hindukuszu dotarliśmy dużo dalej, do Taloghanu po północnej stronie gór, gdzie się rozstaliśmy. Podczas drogi Nur Alam tłumaczył raczej sobie niż mnie, że porzucając świętą wojnę, nie czynił nic złego.

– Nie widzę już celu – mówił twardo.

W wysokich górach wyciągał pistolet i strzelał w powietrze dla przetkania uszu. Martwił się, że nie ma paszportu, który pozwoliłby mu przedostać się bezpiecznie do Uzbekistanu i dalej, do Rosji. Jego buty rozpadały się, a wieczorami dygotał z zimna pod cienkim kocem. Oszukiwał przy kupnie koni i wymianie dolarów na afgańskie pieniądze, ale nigdy nie próbował wykorzystać władzy, jaką dawał mu karabin.

Byłem gościem Nur Alama – obiecał przeprowadzić mnie przez góry na północ. Byłem jednocześnie jego jeńcem. Ale w Afganistanie jeńcy zawsze cieszyli się specjalnymi względami. Jeśli Afgańczyk decydował się nie zabijać jeńca, musiał go traktować jak swojego gościa. Choć wojna trwała już ćwierć wieku, nikt nie zabijał bez potrzeby.

Wieczorami Nur Alam jako dowódca oddziału podrywał swoich żołnierzy do modlitwy.

10 Kiedy wiatr podnosił z pobliskiej pustyni i pędził na oślep kłęby kurzu, wioska Chodża Bahauddin rozmazywała się w rozedrganych pastelach. Ulepione z gliny i otoczone wysokimi murami domostwa wtapiały się w wąskie, piaszczyste zaułki. Nawet ludzkie postaci przemykające ocienionymi stronami ulicznego labiryntu przybierały barwę kurzu i niknęły w ćmie. Wioska wyglądała tak, jakby nikt w niej nie mieszkał. Życie toczyło się tylko na podwórzach otoczonych murem i niedostępnych dla obcych. Wędrując uliczkami, przy odrobinie szczęścia można było usłyszeć dobiegające zza murów głosy, postukiwania domowych sprzętów, żałosne skargi zwierząt uwięzionych w zagrodach. Mieszkańcy fortec opuszczali je tylko po to, by pójść na targ i kupić wszystko, co niezbędne do życia, albo pomodlić się do Najwyższego w meczecie i prosić go o łaskę przetrwania.

Kazi Kabir, okutany turbanem i tunikami, opuszczał swój wiejski pałac tylko na modlitwę. Zgarbiony i wychudzony, z bladą twarzą ukrytą za ciemnymi szkłami okularów, udawał się do świątyni pieszo, jakby w ten sposób chciał złożyć dodatkowy hołd Bogu. Był władcą, a w pewnym sensie właścicielem, dziedzicem nie tylko Chodża Bahauddin, ale także okolicznych wiosek Jangi Ghala, Darkat i Daszt-e Ghala. Mógł kazać swojemu kierowcy wozić się do meczetu którymś ze wspaniałych samochodów. Najwyraźniej uznał 253 jednak, że byłby to przejaw grzesznej pychy, niewłaściwej zwłaszcza u kogoś, kto żegna się z doczesnym żywotem.

Kazi Kabir umierał. Mówiła o tym szeptem i z trwogą cała wieś. Nikt nie potrafił powiedzieć, jaka to choroba zżerała czterdziestokilkuletnie ciało tego niegdyś muskularnego mężczyzny, który dziś przypominał pustelnika. Mówiono, że Kabir zapadł na tę tajemniczą chorobę w więzieniu, gdzie wtrącili go przed laty rządzący wówczas w Kabulu komuniści. Rewolucyjny rząd, który ogłosił, że w ciągu kilku lat wyrwie Afganistan z zacofania i uczyni go nowoczesnym, odebrał wtedy ojcu Kabira, Dżumie Chanowi, wioski przypisane jego rodzinie na podstawie odwiecznych praw feudalnych. Kabir studiował w stolicy teologię, a do partyzantów przystał nie w zemście czy z pragnienia obrony włości, ale dlatego, że wierzył w rewolucję. Komuniści chcieli rewolucji wymierzonej przeciw Bogu, a on rewolucji w imię Allaha. Jako duchowny i syn feudalnego pana wezwał więc swoich poddanych na świętą wojnę przeciwko niewiernym. Wtedy chłopi nie potrafili jeszcze walczyć. Komuniści szybko schwytali Kabira i wtrącili do więzienia Pul-e Czarhi, ale gdy w lochu podupadł poważnie na zdrowiu, uwolnili go w obawie przed gniewem Uzbeków z podległych mu wiosek.

Kazi Kabir, schorowany i słaby, nie wyjechał jednak wzorem innych feudałów za granicę na leczenie, tylko skrzyknął nowy oddział i bił się z komunistami aż do zwycięskiego końca, po czym wrócił do Chodża Bahauddin i zamieszkał ze swoimi żołnierzami w rodowej fortecy, opustoszałej po śmierci ojca.

Twierdza z wieżami strzelniczymi, prochowniami i krużgankami dalej sprawiała wrażenie wymarłej. Po wypalonych słońcem trawnikach przechadzały się wypłowiałe pawie. Żołnierze, wyczerpani bezczynnością i monotonią, zastygali
w bezruchu na dziedzińcach pod wysokimi murami rzucają-

cymi zbawienny cień i potrafili tak trwać aż do wieczornej pory spoczynku.

Kazi Kabir spędzał dnie w ciemnej komnacie, w całkowitej samotności. Stronił od ludzi. Nawet nielicznych gości przyjmował nie w pałacu, lecz na pałacowym dziedzińcu, gdzie łatwiej się pożegnać i przerwać mękę konwersacji.

Przemawiał cichym głosem, gasnącym z każdą minutą rozmowy, nie wiadomo – z powodu wyczerpania czy ze znudzenia. Ledwie go było słychać, służący bowiem ustawiali jego fotel z dala od krzeseł wyniesionych dla gości. Kazi Kabir nie pozwalał nawet uścisnąć dłoni na powitanie. Kiedy wędrował pięć razy dziennie na modlitwę do meczetu, wybierał tę stronę uliczek, która akurat była wolna od przechodniów. Nawet w świątyni modlił się do Boga z dala od innych wiernych, w miejscu zastrzeżonym tylko dla niego. Dystans nie był jednak wynikiem wyniosłości uzbeckiego feudała, lecz wymuszonym sposobem na ostatnie lata życia. Unikał ludzi, nie chcąc zarazić ich chorobą, która jego samego powoli zabijała. Nie wiedział zapewne, co jest jej przyczyną i czy rzeczywiście kontakt z nim mógł stanowić śmiertelne zagrożenie.

Trudno było pojąć, dlaczego człowiek tak wpływowy, majętny i jak na tamtejsze warunki światowy nie usiłował walczyć z chorobą i nie zadał sobie nawet trudu, by poznać jej źródło. Jeśli nie chciał z jakichś powodów wyjeżdżać z kraju, mógł z całą pewnością sprowadzić medyków choćby z nie tak w końcu odległej Samarkandy. Nie tylko jednak sam tego nie uczynił, ale odrzucił niejedną ofertę pomocy zatroskanych przyjaciół. Kazi Kabir postanowił umierać powoli i spokojnie, wraz ze swoją wioską i ze swoją epoką, która na jego oczach nieubłaganie i bezpowrotnie przemijała. Stracił ochotę i siłę, by żyć. Tak poddają się czasami starcy, którzy widzą, że wszystko, co miało dla nich sens, przeminęło.

Przy życiu trzymał go jeszcze obowiązek, ciążąca na nim i jego rodzie powinność złagodzenia poddanym upokorzeń i męczarni śmierci z głodu i nędzy, spowodowanych klęskami wojny i suszy. Umrzeć godnie – to miała być jego ostatnia posługa. Ciążył też na nim obowiązek gościny, jakiej udzielił tym, którzy w swoim uporze i buncie nie poddali się i nie pogodzili z losem. Mieszkali teraz w starym młynie za wsią. Pozwolił im tam rozłożyć obóz przez pamięć o dawnych czasach, kiedy wszystko wydawało się możliwe, i w imię starej przyjaźni z człowiekiem, który nimi dowodził, Ahmadem Szahem Massudem, afgańskim Syzyfem, próbującym zawrócić czas. Tak długo jak on walczyli jeszcze tylko Jonas Savimbi z odległej Angoli i Manuel Marulanda z jeszcze odleglejszej Kolumbii. Na wojnie zeszła mu połowa życia, a marzenia, które go na nią poprowadziły, z roku na rok wydawały się coraz dalsze od spełnienia.

Massud nie zamierzał zabawić w dolinie Pandższiru zbyt długo. Chciał dać swoim żołnierzom czas, by ochłonęli po pierwszej klęsce, stanęli na nogi, nabrali dawnej wiary, niezbędnej, by odnosić zwycięstwa. Nie zdołał jednak szybko zwerbować nowej armii ani zebrać pod swoją komendą innych dowódców. Nie udało mu się odzyskać Kabulu, a nawet wejść na otaczające miasto góry. Nie dał się pokonać, ale sam też okazał się zbyt słaby, by myśleć o wygranych bitwach. Przyglądał się bezradnie, jak talibowie masakrują Hazarów z centralnego płaskowyżu, a potem rozbijają w puch armię Uzbeków na północy. Pozostał na placu boju sam i w końcu talibowie wyruszyli na wyprawę wojenną także przeciw niemu.

Nie mogąc dopaść go w twierdzy, nieprzyjaciele postanowili go w niej uwięzić. Przedarli się niepostrzeżenie przez hindukuskie przełęcze i zaatakowali znienacka, od tyłu, od północy, by przeciąć szlaki, którymi sprowadzał do Pandższiru karabiny, amunicję, żywność, paliwo. Zagrożony, jak zwykle wycofał się, poddając nacierającym talibom miasteczka i kiszłaki. Pozwolił im zepchnąć się aż na brzegi Amu-darii. A gdy rozochoceni powodzeniem rzucili się w pogoń, wierząc w rychłe, łatwe i ostateczne zwycięstwo, zaatakował ich i zmusił do rejterady aż za wzgórza nad Kokczą. Na wzniesieniach po północnej stronie rozłożyła obóz jego armia. Jego partyzanci zawładnęli też przełęczami na wschodzie i zachodzie, zamykając praktycznie wojska talibów w dolinie Taloghanu. Teraz pozostawało już tylko wybić przeciwnika do nogi na wrogim i nieznanym mu terenie. Ale nawet gdyby wygrał tę bitwę, tylko w niewielkim stopniu mogłoby to przybliżyć zwycięstwo w wojnie.

Jego dawni przyjaciele zginęli w bratobójczych walkach, wyjechali z kraju, zajęli się interesami, przeszli na partyzanckie emerytury, niektórzy, jak Dżalaluddin Haqqani, przystali do talibów. Massud nie mógł w pełni ufać wieśniakom z kiszłaków zagubionych w górskich dolinach. Wielu miało już dość wojny i nieraz zdarzało się, że wioskowa starszyzna wysyłała do niego delegacje z błagalnymi prośbami, by rozkazał swoim żołnierzom zostawić ich w spokoju i nie zaglądać do ich wsi w poszukiwaniu rekrutów, prowiantu czy choćby odpoczynku. Za partyzantami zawsze pojawiali się talibowie, którzy puszczali chałupy z dymem, a ich mieszkańców wyrzynali w pień albo przepędzali na cztery wiatry.

Massud i jego żołnierze zdawali sobie doskonale sprawę, że jeśli ich wojna zacznie zagrażać wieśniakom z Chodża Bahauddin, kazi Kabir poprosi ich, by wynieśli się i rozłożyli obóz gdzie indziej. Zrozumieliby go i pewnie z pokorą spełnili żądanie. Z punktu widzenia strategii wojskowej postawiłoby ich to jednak w sytuacji nie do pozazdroszczenia. Dlatego Massud dbał o przyjaźń z gospodarzem Chodża Bahauddin i zawsze znajdował czas, by złożyć mu wizytę, okazać szacunek i wdzięczność. Tego dnia spotkali się w dolinie nad rzeką Kokcza. Massud, który właśnie przybył do wsi z inspekcji swoich wojsk, spóźnił się nieco i dotarł na miejsce o zachodzie, gdy kazi Kabir i jego świta odmawiali już wieczorną modlitwę. Wojownicy Massuda wraz z komendantem w milczeniu przyłączyli się do modłów. Po wieczerzy przygotowanej przez żołnierzy na wzgórzu kazi i komendant zeszli na nadrzeczną równinę i oddalając się coraz bardziej, zniknęli w zapadającym zmroku i mgle.

Piaszczysta droga urywała się za rogatkami miasteczka. Dalej samochody szeroką ławą popędziły pustynną równiną w kierunku coraz wyraźniejszych gór. Kierowcy baczyli jednak, by nawet w tej szalonej gonitwie w tumanach kurzu nie wyprzedzić o cal białego pojazdu komendanta. Jechaliśmy do Chodża Gharu, wymarłej osady nad rzeczką Kokcza, gdzie zatrzymał się front afgańskiej wojny.

– Ta zima miała być dla mnie ostatnia. Pakistańczycy i przywódcy talibów uznali, że czas goni i muszą ze mną skończyć. Najpierw zaatakowali dolinę Pandższiru od południa, od Kabulu. Liczyli, że przebiją się do doliny, że wybiją moje najlepsze wojska, a przerażeni ludzie wypowiedzą mi posłuszeństwo i przejdą na ich stronę.

Kiedy tak siedząc na przednim siedzeniu, obok kierowcy, odwrócony do tyłu rozprawiał o swoich wojnach, Massud przypominał człowieka, który spotkawszy dawno niewidzianego znajomego, jak najszybciej pragnie mu opowiedzieć o wszystkim, co wydarzyło się podczas długiej rozłąki.

Choć kobiety w Pandższirze lamentowały, widząc siwe włosy w jego czuprynie i brodzie i zmęczone oczy, oznakę mijającego czasu, nie miał powodów, by narzekać na zdrowie. Walczył już ćwierć wieku, tylko raz został lekko ranny. Popsuł mu się co prawda wzrok i ponieważ nie chciał nosić przy swoich żołnierzach okularów, mrużył oczy, czytając sztabowe mapy. Nogi i ramiona miał wciąż mocne jak dawniej. Może właśnie dlatego, ilekroć zdarzało mu się niedomagać, wywoływało to sensację.

Tak było, gdy w Chodża Bahauddin złapały go korzonki i kuśtykał o lasce. Wioskowy weterynarz nie potrafił ulżyć jego cierpieniom. Nie na wiele przydał się też osobisty sekretarz doktor Abdullah, który zanim przyłączył się do partyzantów i został szefem dyplomacji, praktykował w Kabulu jako lekarz oftalmolog. Znał się na oczach, a nie na neurologii. Abdullah przyznawał zresztą, że dla niego i innych członków sztabu przykra, lecz niegroźna niedyspozycja komendanta oznaczała przede wszystkim zwolnienie z uciążliwych porannych gimnastyk, do których zaganiał ich szef znany z upodobania do cielesnych ćwiczeń.

– Dwa razy próbowali latem podbić Pandższir, za każdym razem bez powodzenia – ciągnął Massud. – Ponieśli wielkie straty, większe, niż się spodziewali. Wtedy postanowili zmienić taktykę. Zrezygnowali z frontalnego ataku na dolinę i uderzyli w nasze punkty na północy, które uważali za najsłabsze. Chcieli wyjść na granicę z Tadżykistanem i odciąć Pandższir od reszty świata. Pakistańczycy przepuścili ich nawet przez swoje terytorium, przełęcze w Czitralu. Na zdobycie naszej stolicy, Taloghanu, talibowie wyznaczyli sobie siedem dni. Bitwa o miasto trwała trzydzieści trzy dni i zdobyli je dopiero wtedy, gdy chcąc uniknąć strat, zarządziłem odwrót.

Mówił wciąż o tym samym, wyglądał tak samo, ta sama drelichowa kamizelka z tysiącem kieszeni narzucona na zgniłozielony wojskowy sweter, wysokie, czarne wojskowe buty, nonszalancko wciśnięty na skronie wojłokowy beret. Wszystko było takie samo. Obdarci wieśniacy przekopujący motykami zasypane skalnym pyłem poletka, oparci o mury glinianych domostw brodaci mudżahedini, wygrzewający się na słońcu i pogryzający słodkie winogrona. Tłumy żołnierzy w polowych mundurach i wieśniaków w długich kaftanach otaczające samochód Massuda, gdy tylko przystawał na drodze czy rynku, z nabożną czcią wsłuchujące się w jego słowa. Za każdym razem, gdy wracałem do Afganistanu, odnosiłem wrażenie, że od mojego wyjazdu wszystko i wszyscy zastygli jak kamienne posągi.

– Z wojskowego punktu widzenia Taloghan nie ma żadnego znaczenia – dodał. – Ważne były szlaki, którymi można sprowadzać pomoc z Tadżykistanu. Dlatego trzy dni po wycofaniu się z Taloghanu zaatakowaliśmy talibów i odzyskaliśmy kontrolę nad całą strefą przygraniczną. Nie zdobyli Badachszanu, nie stanęli na granicy z Tadżykistanem, nie zamknęli mnie w Pandższirze. Jak więc można mówić, że przegrywam? W czasach gdy walczyłem z Rosjanami, bywało, że nie kontrolowałem nawet całego Pandższiru, a jednak nikt nie trąbił wtedy, że to mój koniec.

Spychając Massuda na brzegi granicznych rzek Amu-darii i Pandżu, wyznaczających południowe rubieże byłego rosyjskiego imperium, talibowie przestraszyli nie na żarty Moskwę. W rządzonym przez nich Afganistanie Kreml widział siedlisko muzułmańskich buntowników zagrażających jego interesom w Azji Środkowej.

Rosjanie postanowili wesprzeć Massuda. Chcieli, aby zatrzymał w górach Afganistanu falę muzułmańskiego fermentu i nie pozwolił, by zalała ona środkowoazjatyckie oazy na północnych brzegach Amu-darii. Zadanie to spoczęło na dowództwie stacjonującej w Tadżykistanie dwieście pierwszej dywizji, dziedziczce czterdziestej armii, która kilkanaście lat wcześniej bez powodzenia próbowała pokonać Massuda i podbić Afganistan. Dawni wrogowie zostali sojusznikami.

Duszanbe, stolica Tadżykistanu, najwierniejszego sprzymierzeńca Rosji w Azji Środkowej, stała się faktycznie drugą, tymczasową stolicą Massuda. Miasto zapełniło się afgańskimi politykami, komendantami, żołnierzami, kupcami i uchodźcami. Tadżycy zawsze chętnie pomagali swoim kuzynom z Afganistanu. Wdzięczni afgańscy Tadżycy pomogli zaś zakończyć krwawą wojnę domową w Tadżykistanie. Massud przekonał tadżyckich mudżahedinów, którym udzielił gościny w Pandższirze, by podpisali pokój z rządzącymi w Duszanbe komunistami. W ten sposób zaskarbił sobie wdzięczność wszystkich Tadżyków, którzy widzieli w nim swego przywódcę. Choć nie lubił podróżować, w Duszanbe czuł się niemal jak w domu. Tu wywiózł swoją rodzinę, tu odwiedzał lekarzy. Rosyjskie śmigłowce z baz wojskowych w Duszanbe i Farharze dostarczały do afgańskiego Pandższiru i Badachszanu towary i ludzi, z lotnisk w Farharze piloci Massuda wyruszali na bombardowania obozów talibów.

– Bił się pan z Rosjanami, by zaprowadzić w Afganistanie muzułmańskie porządki. A dziś walczy pan z tymi, którzy w swoim mniemaniu takie właśnie porządki zaprowadzają. W dodatku w tej wojnie pomaga panu Rosja. Z wroga numer jeden stał się pan jej najważniejszym sojusznikiem w Azji Środkowej. Co się stało? Rosja się aż tak zmieniła? A może to pan się zmienił?

– Ja się nie zmieniłem, moje poglądy także. Zawsze walczyłem tylko o wolność dla mojego kraju. Zmieniły się czasy. To już nie jest Rosja komunistyczna, Rosja imperialna, choć stare przyzwyczajenia nieprędko idą w zapomnienie. Dwadzieścia lat temu Moskwa chciała nas zniewolić. Dlatego walczyliśmy z nią na śmierć i życie. Dziś Rosja nie myśli o podbojach, chce tylko mieć na swoich południowych rubieżach stabilny, zjednoczony i przyjazny Afganistan. Ze strony Rosji nic nam nie zagraża. Niebezpieczeństwo grozi nam ze strony Pakistanu, który okazał się najnowszym najeźdźcą. Kiedy najechała nas Rosja, Pakistańczycy nam pomagali i byliśmy im wdzięczni. Chcieli jednak, żebyśmy byli ich wasalami, nie przyjaciółmi. A my, Afgańczycy, nigdy nie będziemy niczyimi poddanymi. Dlatego dziś z nimi walczymy.

– Rzuca pan najcięższe oskarżenia pod adresem Pakistanu.

– Mam dowody. Mogę twierdzić, że walczymy nie z talibami, tylko odpieramy pakistańską napaść. Bez pomocy Pakistanu talibowie rozpadną się w ciągu miesiąca, a po trzech nie będzie po nich ani śladu. Mamy pakistańskich jeńców, znamy nazwy jednostek, które walczą w Afganistanie, nazwiska i stopnie dowódców, ich adresy domowe, a nawet nazwy szpitali, w których kurują się z ran.

– A jeśli za parę lat Rosja wystawi panu rachunek polityczny za dzisiejszą pomoc?

– Tej pomocy, jaką otrzymujemy dziś z Rosji, nie da się porównać ze wsparciem, jakie otrzymują od Pakistańczyków talibowie. Ale powtarzam, idzie mi tylko o wolność i będę walczył z każdym, kto spróbuje mi ją odebrać. Na przyjaźń zawsze odpowiadam przyjaźnią, na pomoc – wdzięcznością, a na wrogość – wrogością. Tak było, tak jest i tak będzie zawsze, niech Allah ma mnie w swojej opiece.

W swojej dolinie Massud znał każdą pieczarę, każdy skalny uskok. Niechętnie walczył poza doliną i niechętnie się stamtąd ruszał. Nawet sprawując władzę w Kabulu, na noc zwykle wracał, choć droga zabierała mu dwie godziny. Nie jeździł do Peszawaru ani nawet Heratu, Kandaharu czy Gardezu. Dopiero zapędzony przez talibów do doliny, zgodził się niechętnie na wyprawy do irańskiego Meszhedu i tadżyckiego Duszanbe, ale tylko dlatego, że inaczej nie zapewniłby sobie dostaw broni.

Podróże poza dolinę uważał za ekstrawagancję i stratę czasu. A może się po prostu, po ludzku bał. Kiedy francuski rząd zaprosił go do Paryża i nawet wysłał specjalnie po niego samolot, Massud w ostatniej chwili nagle przepadł bez wieści. Jego towarzysze, przerażeni dojrzewającym skandalem, odnaleźli go w końcu, ale długo jeszcze tłumaczyli, że musi jechać do Europy, choćby po to, by przekonać europejskich polityków, iż nie jest ani barbarzyńcą, ani wasalem Rosji, mimo że bierze od niej broń i pieniądze. I udało mu się znakomicie. Sposobiąc się do letniej ofensywy przeciwko talibom, miał już wsparcie nie tylko Rosji, Iranu, Indii i Chin, ale także Europy. Do pełni szczęścia brakowało mu tylko akceptacji Amerykanów. Ci jednak, jak zawsze przekonani o jego rychłej klęsce, jak zawsze podejrzewali wszystkich afgańskich Tadżyków o przyrodzoną niemal skłonność do Rosji, nawet nie chcieli słuchać, co ma im do powiedzenia. Mówili o nim: umiarkowany radykał. Czyli taki, z którym nie wiadomo, co począć, z którego nie może być żadnego pożytku. Ani się go bać, ani się z nim przyjaźnić.

Massud od lat przestrzegał świat przed ukrywającymi się w Afganistanie arabskimi banitami, z którymi musiał walczyć. Nie wierzono mu jednak. Żegnając się z Paryżem i wracając z pierwszej i jak się miało okazać, ostatniej podróży do Europy, na pytanie amerykańskiego dziennikarza, czy coś chciałby powiedzieć prezydentowi z Waszyngtonu, Massud odparł: „Ci terroryści wkrótce zniszczą Amerykę i Europę. Powinniście mi uwierzyć i pomóc, zanim będzie za późno". Pół roku później arabscy straceńcy uprowadzili pasażerskie samoloty i przypuścili samobójczy atak na Waszyngton i Manhattan. Dwa dni wcześniej zabili Massuda.

W okopach wyrytych na szczytach wzgórz pod wioską Aj Chanom umorusani jesiennym błotem żołnierze jak zahipnotyzowani wpatrywali się w sylwetkę Massuda, przemierzającego szybkim krokiem strzeleckie stanowiska, punkty dowodzenia i schrony. W dole srebrzyły się ryżowe pola w rozlewisku Kokczy, która zaraz za wsią wpadała do Amu-darii. Zmierzchało już i chłopi zapędzali do zagród osły, kozy i owce. Strudzone kobiety, stojąc po kolana w wodzie ryżowisk, prostowały krzyże i przysłaniając

dłońmi oczy przed słońcem, zwoływały do domów roz-
biegane dzieci.

Mimo zmroku u podnóża stromych wzgórz wciąż ciem-
niały tajemniczymi otworami wykute w piaskowcu groty,
pamiątka po wspaniałym niegdyś mieście założonym tu
przez Aleksandra Macedońskiego. Macedończyk pojął za
żonę miejscową dziewczynę, od której imienia nazwano potem wieś. Niegdyś miasto i tamtejsze pałace, teatr, świąty-
nię i arsenał otaczały wysokie, kamienne mury i wieże warowne, a prowadziły do niego cztery monumentalne bramy.
Przybywający z całego świata archeolodzy wydobyli spod
jego ruin tysiące bezcennych przedmiotów, dających świa-
dectwo tego, jak żyli współcześni Aleksandrowi. Kiedy
przed ćwierćwieczem w Afganistanie wybuchła wojna,
archeologów zastąpili na wykopaliskach przygodni poszuki-
wacze skarbów, którzy zdobywali figurki i skorupy z Aj Chanom na zamówienie cudzoziemskich marszandów albo
sami sprzedawali je na bazarach w Peszawarze, Kwetcie,
Meszhedzie, Duszanbe.

Dla żołnierzy z okopów na wzgórzach, którzy Macedoń-
czyka nazywali Iskanderem, groty Aj Chanom i sama wioska
miały wartość wyłącznie wojskową. Przystań nad rzeką służyła do transportowania paliwa, a groty nadawały się do
obrony. Można w nich było trzymać skrzynie z amunicją,
ukryć czołgi i działa, a nawet schronić się przed artyleryjską
kanonadą. Byli też zgodni co do tego, że groty lepiej wysadzić niż pozwolić, by dostały się w ręce przeciwników.
Istniało bowiem podejrzenie, że wędrując nimi, można się
przedostać podziemnymi tunelami aż na brzegi Amu-darii
i odciąć drogi ucieczki obrońcom miasta.

Chłopak marzył tylko o tym, by zapaść się pod ziemię.
Wyprężony na baczność, czerwony ze wstydu, nieprzy-
264   tomnym wzrokiem wpatrywał się w Massuda, który repe-

towal jego karabin. Przed chwilą, na oczach towarzyszy i dowódców, komendant zlustrował jego stanowisko strzeleckie w okopie i rozkazał, by zaprezentował, jak będzie odpierał wroga. Chłopak wskoczył do własnoręcznie wykopanego okopu i próbował złożyć się do strzału. Drżącymi ze zdenerwowania palcami mocował się z zamkiem. Massud wyjął mu karabin z rąk, po czym sam wszedł do okopu, by obnażyć jego wszystkie wady. Okop był niedorzecznie głęboki. Znakomicie chronił przed kulami nieprzyjaciela, ale strzelić z niego można było tylko na oślep.

– Czyimże ty jesteś synem, chłopcze? – zapytał z politowaniem komendant, a chłopak wiedział już, że swoją bezmyślnością ściągnął hańbę nie tylko na siebie, ale także na ojca, który przed laty walczył w oddziale Massuda. Na szczęście komendant nie czekał odpowiedzi i coraz bardziej rozzłoszczony brakiem wojskowego kunsztu, beształ kolejnego żołnierza, który strzelając zamykał oczy.

– Boisz się własnego karabinu, a może jesteś takim strzelcem, że trafiasz do celu z zamkniętymi oczami? – komendant był bezlitosny. – Wy młodzi tak niewiele jeszcze umiecie, wszystkiego trzeba was uczyć, wszystko tłumaczyć. Kiedy myśmy zaczynali w Pandższirze, nie mieliśmy czasu na naukę. To był przyspieszony i surowy kurs partyzantki. Do nas strzelano naprawdę. Ci, którzy popełniali błędy, źle kopali okopy czy źle strzelali, nie dostawali nagan, tylko po prostu ginęli. Kiedy nieustannie grozi ci śmierć, błyskawicznie uczysz się, jak przetrwać.

W świetle naftowych lamp, zwyczajne, powszednie za dnia twarze wioskowych komendantów przemieniały się w tajemnicze, niemal mistyczne oblicza brodatych wojowników z *Baśni z tysiąca i jednej nocy*. W tonącej w mroku ziemiance, skupieni, wpatrzeni w gestykulującego Massuda sprawiali wrażenie, jakby chcieli nauczyć się na pamięć wszystkiego, co mówił, zapamiętać każde jego słowo. Komendant przemawiał krótkimi zdaniami, zwracając się do kolejnych dowódców. Mówiąc zaś przebijał ich palącym spojrzeniem, jakby chciał przeniknąć ich najskrytsze myśli. Czy może na nich liczyć? Na kim może polegać? Kto zawiedzie? Kto zdradzi?

– Talibowie może i sprawują władzę nad ziemiami, ale nad ludźmi już nie – tłumaczył. – Sprawy nie mają się wcale tak źle. Z wojskowego punktu widzenia zdobycie Kabulu nie przedstawia najmniejszej trudności. Ale zdobyć władzę i utrzymać ją to już dwie różne sprawy. Nie wolno sięgać po władzę, jeśli nie jest się pewnym, że będzie się ją mogło skutecznie sprawować. Nie musimy się spieszyć. Czas działa na naszą korzyść.

Jak dawniej, rozmawiał codziennie z dziesiątkami komendantów i cywili, by utrzymać ich bojowego ducha, przekonać o konieczności dalszej walki i dalszych poświęceń. Codziennie emisariusze Massuda krążyli między Taloghanem, Kulabem, Duszanbe, Mazar-e Szarif, Majmaną, Kunduzem.

– Wciąż musimy się upewniać, kto jest z nami, a kto już nie. To dziś największy problem – mówił Bismillah, jeden z najmłodszych i najzdolniejszych komendantów, w którym wielu upatrywało następcę Massuda. Przyznawał, że wśród młodych mudżahedinów obserwuje się niepokojący upadek morale. Nie chcieli już walczyć dla samej sprawy, kazali sobie płacić za służbę.

– Wojna robi się coraz kosztowniejsza – ciężko wzdychał Bismillah, rozglądając się bacznie, czy aby Massud nie usłyszał jego słów.

Na kolację był ryż. Parujący, tłusty, biały, z kawałkami baraniny. Migdały, południowe owoce i zielona herbata.
266 Kiedy służba uprzątnęła izbę, Massud rozłożył na dywanach

wielkie płachty sztabowych map. Pochylony, niemal leżąc, odczytywał nazwy miejscowości, wzgórz, rzek. Było już dobrze po północy. Zmęczoną twarz komendanta żłobiły głębsze bruzdy.

– Gdyby tak udało się wziąć pod kontrolę drogę wiodącą z Kunduzu do Taloghanu, talibowie znaleźliby się w potrzasku. W Kunduzie jest wielkie lotnisko, najważniejsza baza zaopatrzeniowa dla ich wojsk na północy kraju. Gdybyśmy im to zabrali, nie mogliby sprowadzać z południa ani posiłków, ani broni, ani amunicji. Szyici Karima Chalilego odbili część prowincji Bamian, hadżi Abdul Kadir siedzi w Nuristanie i odbudowuje swoją armię w Laghmanie i Nangarharze, nasi ludzie panują nad większością Samanganu. Gdyby jeszcze wrócił z Meszhedu Ismael Chan i zaczął powstanie w Heracie, talibowie musieliby walczyć na wiele frontów. Nie mają na to siły. A ja, odkąd poddałem Kabul, nie korzystałem jeszcze w walkach ze swoich najlepszych ludzi z Pandższiru, wystarczało mi pospolite ruszenie. Nie brałem też rekruta z Badachszanu, a w każdej chwili mogę postawić pod bronią nawet dziesięć tysięcy tamtejszych ludzi. Już w przyszłym roku mogę mieć wielką armię.

– Uważa pan, że pokonując talibów i wracając do władzy w Kabulu, cokolwiek pan załatwi?

– Nie, wojna, nawet zwycięska, niczego nie rozwiąże. Celem mojej walki jest zmuszenie talibów, żeby zgodzili się na wolne i uczciwe wybory pod międzynarodowym nadzorem. Twierdzą, że cały kraj ich popiera. Tak było, gdy maszerowali od miasta do miasta, zapowiadając, że chcą położyć kres wojnie i zaprowadzić porządek. Ale wystarczyło kilka miesięcy ich rządów, by ludzie pojęli, kim są naprawdę. Komunistów, a nawet rosyjskich żołnierzy też witano w Afganistanie jako zbawców. Nie chcemy zawierać z talibami pokoju tylko po to, by podzielić się władzą. Jeśli są tak pewni swojej popularności, to proszę bardzo, daję im szansę, by wzięli całą władzę, i w dodatku w sposób najbardziej prawowity. Wybory! Jeśli wygrają, wyjadę z kraju, bo nie uśmiecha mi się żyć w ich państwie. Ale nikt na świecie nie ośmieli się podważyć ich wiarygodności. Dlaczego więc nie chcą tego spróbować? Bo wiedzą, że w wyborach nie mają szans. Ludzie nie chcą żyć według ich praw. Co wspólnego z islamem ma długość brody? To fanatycy, niewiele różniący się od komunistów. Nie umieją rządzić, mogą tylko dalej podbijać i podbijać. Dlatego nigdy się im nie poddam. Dlatego będę z nimi walczył.

– Czy po dwudziestu pięciu latach spędzonych na wojnach może pan sobie wyobrazić siebie w jakiejś innej roli? Czy potrafi pan jeszcze robić coś innego?

– Nie ja tę wojnę zacząłem. Ale co miałem zrobić? Poddać się Rosjanom, Hekmatiarowi, Dostumowi, talibom? Czy tak byłoby lepiej? Czy miałem inny wybór niż walczyć? I jeśli będzie trzeba, gotów jestem walczyć do końca swych dni. W czas pokoju chciałbym przydać się przy odbudowie kraju. Jestem w końcu niedoszłym architektem. A zamiast budować domy, wciąż wysadzam mosty. Nie uważam jednak, żebym zmarnował życie.

– A czy nie uważa pan, że ideał, któremu poświęcił pan życie, sprawiedliwy i wolny Afganistan, z każdym rokiem staje się coraz odleglejszy? Czy mimo wszystko nie czuje się pan przegrany?

– Przegrany? Przecież wciąż walczę.

Od czasu pierwszej nocnej wizyty w Dżabal us-Seradż spotykałem Massuda regularnie, mniej więcej co dwa lata. Jesienią dziewięćdziesiątego szóstego, gdy umykając przed żołnierzami emira Omara poddał Kabul, odnalazłem go w dolinie Pandższiru, gdzie szykował się do kontrnatarcia. Ani ten, ani żaden następny atak się nie powiódł. Kiedy widziałem się z nim wiosną dziewięćdziesiątego ósmego, nadal tkwił w dolinie oblężonej przez talibów, którzy rozpuszczali plotki, iż Massud sposobi się do ucieczki z kraju i że jego koniec jest bliski.

W grudniu dziewięćdziesiątego dziewiątego w zagubionej na pustyni, zasypywanej piaskowymi burzami wiosce Chodża Bahauddin Massud, wciąż pełen nadziei, szykował się do nowej wojny.

Pozwolił sobie towarzyszyć podczas inspekcji wojsk, a potem przez pół nocy, wreszcie zrelaksowany i mniej oficjalny, opowiadał o swoim życiu i pochylony nad mapami objaśniał plany przyszłych operacji. Umyśliłem sobie, że uczynię go bohaterem książki o buntownikach, którą zamierzałem napisać. Nieco zakłopotany zgodził się na następne wizyty. Wyjeżdżałem zadowolony, przekonany, że zrobiłem dobry początek.

Widzieliśmy się wtedy po raz ostatni. Zbyt długo odkładałem następną podróż do Afganistanu, gdzie czas wydawał się stać w miejscu i gdzie nic się nie zmieniało, a więc można było zawsze i ze wszystkim zdążyć.

11 Nikt na świecie nie stawia swoim przywódcom tak licznych wymagań, jak Afgańczycy nieznający świata poza własną doliną. Afgański władca powinien być nie tylko mądry, mężny i – najlepiej – stary. Powinien też być szlachetnie urodzony, zamożny, uczony i pobożny. Powinien dowieść swojej samodzielności i pogardy wobec obcych. A przede wszystkim powinien jak najmniej rządzić i dać jak największą swobodę zagubionym wśród gór i skalistych pustyń dolinom.

Po afgański tron można oczywiście sięgnąć przemocą. Dowódca armii, który okaże się na tyle potężny, by pobić wszystkich konkurentów do władzy, i na tyle przebiegły, by potem zjednać ich sobie podarkami lub groźbami, może rządzić Afganistanem, a Afgańczycy przyjmą jego panowanie z fatalistyczną obojętnością. Musi jednak okazać się władcą bezwzględnym, sprawiedliwym i odważnym. Bezwzględnym, żeby bez litości tłumić wszystkie przejawy buntu, który zawsze będzie się tlił w niepokornych dolinach. Sprawiedliwym, żeby władając całym krajem, zapomnieć o obowiązku rodowej solidarności, nie otaczać się wyłącznie przyjaciółmi z rodzinnej doliny. Odważnym, żeby być bezwzględnym i sprawiedliwym. Nade wszystko zaś nie wolno mu uczynić niczego, co jego poddanym dałoby podstawy do podejrzeń, że nadmiernie korzysta z poparcia obcych i zbyt wiele im zawdzięcza. Taki władca natychmiast tracił szacunek i posłuch rodaków. Rychło przychodziło mu też żegnać się zarówno z tronem, jak krajem, a nierzadko z życiem.

Kabul to albo tron, albo trumna – mówi afgańskie porzekadło. Tylko jednemu ze współczesnych władców Afganistanu, emirowi Abdurrahmanowi, udało się umrzeć we własnym, królewskim łożu i we własnym, królewskim pałacu. Wszyscy pozostali tracili tron w sposób gwałtowny.

Afgańczycy mordowali swoich władców, jakby wierzyli, że tylko poprzez dopełnienie krwawego rytuału, tylko poprzez złożenie ofiary z królów, którzy ich zawiedli i których odrzucili, będą mogli odciąć się też od ich epok, starych porządków, co do których się rozczarowali. Gwałtowna śmierć zadana nieudanemu władcy dawała przynajmniej pewność, że on sam więcej nie wróci, a zatem nie wróci także przeszłość. Przewrotów pałacowych, skrytobójczych zamachów, rewolucji i puczów wojskowych dokonywano niemal bez wyjątku nocami. Nazajutrz wstawał nowy dzień, zaczynały się nowe czasy. Stara epoka z jej przywódcami i porządkami odchodziła w zapomnienie wraz z ostatnimi cieniami nocy.

Syn Abdurrahmana, Habibullah, został zamordowany, a wnuk, Amanullah, okrzyknięty przez poddanych szaleńcem i wypędzony z kraju. Jego pogromca, Habibullah Kalakani – który jako władca przybrał imię padyszacha Habibullaha Ghaziego – zginął od armatniej kuli. Następnego króla, Nadir Szaha, zastrzelił uczeń w szkole, do której przybył, by monarszą obecnością uświetnić uroczystość rozdania świadectw. Syna Nadira, Zahir Szaha, pozbawił tronu kuzyn, Mohammad Daud, który zakazał mu powrotu do kraju. Daud z kolei został rozstrzelany wraz z osiemnastoma wujami, braćmi, synami i kuzynami (przeżyła go tylko żona, najmłodszy z synów i dwie córki) przez oficerów, którzy niegdyś pomogli mu obalić króla, a potem otworzyli epokę komunistycznych rządów w Kabulu.

Nowi władcy zachowali zwyczaj królobójstwa. Pierwszy komunistyczny władca, chłopski poeta Nur Mohammad Taraki, został uwięziony i uduszony poduszką na rozkaz swojego towarzysza Hafizullaha Amina, cieszącego się zasłużoną opinią brutala i psychopaty. Wcześniej, zmagając się o władzę, do spółki wymordowali dziesiątki tysięcy ludzi, wywołali wojnę domową, która grożąc samozagładą komunistycznego reżimu, skłoniła Moskwę do wysłania do Afganistanu swoich wojsk.

W zasadzie Rosjan sprowadził kolejny pretendent do tronu, inny komunistyczny dygnitarz, Babrak Karmal, wróg zarówno Tarakiego, jak Amina. Pragnąc władzy jak oni, nie dorównywał im jednak zdecydowaniem i bezwzględnością. Nie potrafił zgładzić rywali i bał się przemocy, wybrał więc intrygę. Fałszywie doniósł rządzącym na Kremlu starcom, że Amin spiskuje z Amerykanami, którzy już wysadzili desant w Karaczi i lada dzień wylądują w Dżalalabadzie. Kreml dał się nabrać.

Amin faktycznie próbował uniezależnić się od rosyjskiej kurateli. Trudno mu się zresztą dziwić. Rosjanie popierali jego rywala Tarakiego i sami podpowiadali mu, jak ma się pozbyć Amina. Za każdym razem bez powodzenia. W końcu to Aminowi udało się zgładzić Tarakiego. Główny kremlowski sekretarz Breżniew, gdy doniesiono mu o zabójstwie Tarakiego, był wstrząśnięty postępkiem Amina. Jakże mógł pozbawić życia swojego nauczyciela, starca? Breżniew sam był stary i sam uważał się za nauczyciela młodszych towarzyszy z politbiura. Oburzało go okrucieństwo Amina. Miał przecież i władzę, i Tarakiego w areszcie. Po co było go zabijać?

Rosyjski ambasador w Kabulu, który dotąd pomagał knuć przeciwko Aminowi, próbował uspokajać sytuację. *Bogiem a prawdą, Taraki był fajtłapą i safandułą, nigdy nie można było na nim polegać* – pisał w tajnym raporcie dla Kremla. – *Amin... ten przynajmniej jest zdecydowany i mocny. Trzeba go poprzeć* 273 *i robić z nim interesy*. Na wszelki wypadek Amin odrzucił zaproszenie do złożenia wizyty na Kremlu. Próbował też usuwać rosyjskich doradców, którym wcześniej Taraki oddał stery kraju.

Amin był ponad wszystko żądny władzy. Gdy już ją miał, tak mu zawróciła w głowie i odebrała trzeźwość sądów, że przechwalał się, iż jest bardziej potrzebny Rosji niż ona jemu.

Rosyjscy żołnierze, którzy wylądowali w Kabulu rzekomo po to, żeby wesprzeć Amina, przybyli z rozkazem zgładzenia go. Kilka godzin przed atakiem na jego podmiejską twierdzę Tadż Beg, dokąd po kilku zamachach na jego życie przeniósł się ze swoją świtą, rosyjscy kucharze (Rosjanie, strasząc go zamachami, nalegali, by tylko im powierzał przygotowywanie dla siebie posiłków) dosypali mu do zupy środków odurzających. Czując, jak opuszczają go siły, Amin wezwał zaufanych lekarzy, również rosyjskich. Nawet gdy za jego oknami słychać już było karabinowe serie, a rosyjscy komandosi wdzierali się do jego twierdzy, Amin dzwonił do rosyjskiego ambasadora po pomoc. Zginął ponoć w windzie, w której usiłował skryć się przed zabójcami. Owinięty prześcieradłami wyglądał przed śmiercią jak rzymski cesarz w udrapowanej todze. W pałacu zginęli wszyscy dworzanie i adiutanci Amina, nawet przydzieleni mu rosyjscy lekarze i kucharze, a także tysiąc ośmiuset żołnierzy gwardii prezydenckiej broniącej twierdzy. Rannych dobijali rosyjscy komandosi, by nie ostał się żaden świadek nocnej masakry, który mógłby kiedyś o niej opowiedzieć.

Osadzony na tronie Karmal nie nadawał się na władcę. Nie robił nic, wyręczając się we wszystkim Rosjanami, którym oddał praktycznie we władanie cały kraj wraz z trwającą w najlepsze wojną domową.

Początkowo władcy Kremla wierzyli, że samymi pieniędzmi, bronią i dobrymi radami uda im się utrzymać swoich faworytów na czele rządów w Kabulu, co przybliżyłoby spełnienie ich marzeń o ciepłych wodach od Zatoki Perskiej po Ocean Indyjski. Następnym po Afganistanie etapem marszu na południe miała być buntownicza pakistańska prowincja Beludżystan, granicząca od północy z Afganistanem i sięgająca wybrzeży Morza Arabskiego.

Karmal, pijak, bezbożnik, człowiek, który sprowadził do Afganistanu obce wojska, był przez swoich rodaków uważany za zdrajcę i wyrodka. Pojęli to rychło Rosjanie, którzy widząc, jak beznadziejnie grzęzną w afgańskiej wojnie, ściągnęli go z tronu i zesłali do pustynnej Turkmenii, gdzie zapijał się na śmierć. Umarł na obczyźnie, w Moskwie. W Kabulu zaś zastąpił go nowy faworyt Moskwy, doktor nauk medycznych i szef tajnej policji, młody, energiczny i brutalny Nadżibullah.

Gdyby przyszło mu panować i rządzić w innych czasach, Nadżibullah – podobnie zresztą jak Mohammad Daud – zapisałby się może w afgańskiej historii jako jeden z najwspanialszych władców. Obaj rządzili jednak w czas najfatalniejszy. Daud – gdy Wschód i Zachód, toczące globalną wojnę o podział świata, nowe wcielenie Wielkiej Gry, wybrały Afganistan na rozstrzygające pole bitwy. Nadżibullah – gdy bitwa dogasała, a świat sposobił się do pokoju, który miał trwać wiele lat. Obaj zapłacili najwyższą cenę za błąd w żaden sposób niezawiniony: objęli rządy w niewłaściwej chwili.

W przeciwieństwie do swojego królewskiego krewniaka, króla Zahira Szaha, któremu odebrał tron, Daud kochał władzę. Miał wielkie ambicje i pomysły na miarę tych ambicji. Żądny poklasku i sławy, łatwo ulegał jednak wpływom i modom. Najpierw podziwiał Amerykę, której potęgę, tuż po zakończeniu drugiej ze światowych wojen, poznał jako afgański ambasador w Paryżu. Później zachwycił się Związkiem Radzieckim, dokąd pojechał na pogrzeb Stalina

Na Zachodzie zaczęto go nazywać „czerwonym księciem", a on sam, głaszcząc wielką wygoloną czaszkę, powtarzał, że jest najszczęśliwszy, mogąc zapalać amerykańskiego papierosa rosyjską zapałką. Do swojego rządu wziął komunistów i młodych oficerów, którzy pomogli mu obalić króla. Zachwyt komunizmem minął mu, gdy poznał irańskiego szacha Rezę Pahlawiego, który wyjawił mu sekrety swojej „białej rewolucji". Daud natychmiast porzucił czerwień na rzecz bieli. Tajna policja irańskiego szacha szkoliła agentów Dauda w zwalczaniu zarówno czerwonych komunistów, jak i zielonych islamistów.

Kiedy Daud obalił króla, cała afgańska opozycja uważała go za swojego stronnika. Liberałowie dostrzegali w nim przede wszystkim biel, a więc zapał do umiarkowanych reform i walki z archaicznym islamem, monarchią, a także aż nadto awangardowym komunizmem. Komuniści byli przekonani, iż Daud jest czerwony – zachwycał się przecież Związkiem Radzieckim, tępił religię. Islamiści dostrzegali w nim początkowo odcień zieleni – obalił monarchię, którą uważali za swojego największego wroga. Największe rozczarowanie przeżyli islamiści. Okazało się, że Daud postanowił przejść do historii jako afgański Piotr Wielki czy Atatürk i zbudować państwo niekomunistyczne i nade wszystko niereligijne, lecz obywatelskie.

Zimna wojna między Wschodem i Zachodem nie była dobrym momentem na poszukiwanie trzeciej drogi. Ci, którzy sami nie przystępowali do któregoś z obozów, byli natychmiast zaliczani do wrogów. Zapotrzebowanie na przywódców takich jak Daud zaczęło się dopiero po zakończeniu zimnej wojny. Jak na złość, za wzrostem popytu dramatycznie nie nadążała podaż. Kiedy trwała w najlepsze, byli zbędni.

Nadżibullah zaś, złożony w ofierze pokojowi zawartemu przez Wschód i Zachód, został doświadczony tak licznymi zdradami rodzimych, a przede wszystkim zagranicznych sojuszników, że historia jego życia i panowania może służyć Afgańczykom za najlepsze ostrzeżenie przed wiarołomnymi cudzoziemcami.

Zdawał się spełniać wszystkie warunki pasztuńskiego wzoru mężczyzny i przywódcy. Choć nie dorównywał Daudowi szlachetnym pochodzeniem, nie był też parweniuszem. Wywodził się z bogatej pasztuńskiej rodziny z Gardezu, z plemienia Ahmadzajów, zaliczającego się do największych i najbardziej wpływowych w całym kraju. Jako dobrze urodzony, zachował szacunek pasztuńskich wiosek, mimo że jego żywiołem było miasto, gdzie wyrósł, gdzie się wychował i wykształcił na lekarza.

W rozpolitykowanym miasteczku akademickim w Kabulu znalazł się po stronie komunistów. Ale choć do nich przystał, dalej wierzył w Boga i nie wstydził się do niego modlić. Polityką zajmował się jakby mimochodem, nie chcąc się wyróżniać wśród kolegów, którzy oddali się jej bez reszty. Pochłaniały go przede wszystkim nauka i ćwiczenia cielesne. Dźwigał ciężary, pływał, grywał w tenisa. Wyglądał jak gladiator – wysoki, zwalisty, muskularny, o niedźwiedziej sile. W czasach studenckich przezywano go Bawołem. Po latach, gdy został szefem tajnej policji ChAD, zyskał złowieszczy przydomek Rzeźnika. Typowy pasztuński pragmatyzm oraz wynikająca z niego wstrzemięźliwość wobec ideologicznych dysput i niemożność wykrzesania z siebie rewolucyjnego zapału sprawiły, że był raczej świadkiem niż uczestnikiem krwawych frakcyjnych porachunków w partii między chłopskimi radykałami i znacznie ostrożniejszymi miejskimi intelektualistami.

Widząc w nim pełnego wątpliwości burżuja, nie na tyle jednak groźnego, by od razu posłać go na stryczek, chłopscy przywódcy Taraki i Amin uznali, że Nadżibullaha wystarczy pozbyć się z kraju i wysłać na ambasadora do Teheranu. 277

Wrócił na wezwanie Karmala, który wwieziony na rosyjskich czołgach do Kabulu, przejął władzę w kraju i zapragnął mieć w nim wiernego szefa tajnej policji.

Nadżibullah grał tę rolę przez pięć długich lat i stał się postrachem zarówno rodaków, jak sąsiadów. Opowiadano o nim, że lubił osobiście uczestniczyć w przesłuchaniach i torturach, jakim poddawano ludzi podejrzanych o działalność wywrotową. Na jego rozkaz rozstrzelano prawie sto tysięcy nieszczęśników uznanych za wrogów państwa. Bali się go i przeklinali przeciwnicy, ale także ci, których jako szef tajnej policji miał strzec. Dysponując bowiem nieograniczoną wprost władzą, armią szpicli i agentów, a przede wszystkim swobodą stosowania przemocy, posiadł też bezcenną dla polityka wiedzę o najskrytszych tajemnicach i słabościach swoich towarzyszy. Miał ich w garści. Pod jego zarządem tajna policja ChAD stała się niemal w majestacie prawa i z błogosławieństwem Moskwy jedną z największych i najgroźniejszych organizacji terrorystycznych na świecie. Mszcząc się na Pakistanie za wsparcie, jakiego udzielał mudżahedinom, agenci Nadżibullaha podkładali bomby w peszawarskich meczetach i na bazarach, wysadzali w powietrze pociągi, dworce kolejowe, samoloty.

Nie był jednak diabolicznym demonem zła. Znał granice i znalazł w sobie siłę, by nie zapamiętać się w przemocy. Okrucieństwo nie było dla niego celem, lecz jedynie sposobem, przydatnym, a czasami koniecznym. Wierzył nie w przemoc, tylko w skuteczność. Posługiwał się przemocą równie sprawnie jak intrygą, pochlebstwem, manipulacją. Inteligentny, wygadany, błyskotliwy i odważny, radził sobie z władzą zręcznie i pewnie, jak wprawny żongler, który na cyrkowej arenie bezbłędnie panuje nad wirującymi w powietrzu maczugami.

Generał Borys Gromow, dowódca rosyjskiego korpusu ekspedycyjnego, zapisał w swoich pamiętnikach taką notatkę o Nadżibullahu: *Kochający władzę, nieznoszący żadnego sprzeciwu, wymagający wobec podwładnych, pewny siebie, uparty, chytry. Przerastał o głowę wszystkich swoich poprzedników.*

Do władzy wyniósł go nowy, młody gospodarz Kremla, Michaił Gorbaczow. Nadżibullah został władcą już jednak nie po to, by pomóc Rosjanom wygrać wojnę, lecz by wyplątać się z beznadziejnej afgańskiej awantury. Rosyjskie imperium rozpadało się – także za przyczyną kosztownej afgańskiej wyprawy wojennej – i Kreml marzył, żeby wycofać się co prędzej z Afganistanu, a jednocześnie utrzymać w Kabulu przychylny Moskwie reżim.

Nadżibullah nie był wcale nawróconym liberałem czy demokratą. Rozumiał jednak potrzebę zmian, wyczuwał ich konieczność i czas. Wrócił do starego imienia, Nadżibullah (Szlachetny Bogu), które zmienił na Nadżib (Szlachetny) w czasach, gdy publiczne wypieranie się Boga stanowiło podstawową normę politycznego savoir-vivre'u. Zrzucił garnitur, włożył tradycyjne pasztuńskie luźne szaty i turban. Przestał się kryć z modlitwą, a nawet przemówienia zaczynał od chwalenia Imienia Pańskiego. Przemawiając zaś do poddanych, opowiadał nie o rewolucji czy o wojnie do zwycięskiego końca, lecz o konieczności pojednania narodu afgańskiego, zawieszenia broni, pokojowych rokowań, dzielenia się władzą.

Cudzoziemscy dyplomaci, którzy go znali, nie kryli zauroczenia. Czarował ich łagodnym uśmiechem, manierami, estetyczną wrażliwością, poczuciem humoru, znajomością obcych języków, perskiej poezji i indyjskiej prozy, tak bardzo niepasującymi do jego postaci i życiowej historii. Z groźnego tyrana, okrutnika i barbarzyńcy stał się bywalcem politycznych salonów i ich główną atrakcją. Zapytano go kiedyś: „Czy nie jest ironią losu, że demokrację w Afganistanie ma wprowadzać były szef tajnej policji?" Odparł natychmiast: „Cóż, jeśli prezydentem Ameryki, matki i nauczycielki demokracji, może być dawny szef Centralnej Agencji Wywiadowczej, to dlaczego by tego udanego eksperymentu nie powtórzyć w Afganistanie?"

Na prezydenta kazał się wybrać nie Biuru Politycznemu, nawet nie parlamentowi, ale Loja Dżirdze, zgromadzeniu starszyzny plemiennej, duchownych i mędrców, które Afgańczycy zwoływali, gdy przychodziło im rozstrzygać sprawy najważniejsze.

Nawet nazwę partii kazał zmienić z ludowo-demokratycznej na ojczyźnianą. Niczym już nie przypominał niedawnego komunisty. Był raczej kolejnym afgańskim władcą, kierującym się wyłącznie pasztuńską solidarnością (nagły przypływ pasztuńskiego nacjonalizmu Nadżibullaha nie spodobał się Pakistańczykom jeszcze bardziej niż jego niedawna wiara w komunistyczną utopię) i troską o wolność i niezależność swojego kraju. Zachowywał się tak, jakby chciał rodakom i całemu światu wmówić, że był taki zawsze.

Rosyjski dyplomata Julij Woroncow, który w imieniu Kremla negocjował warunki wycofania armii rosyjskiej z Afganistanu, przyznał po latach, że gdyby Moskwa pozwoliła Nadżibullahowi prowadzić własną politykę, zaufała mu i dała swobodę działania, nie pozostawiając go jednocześnie samemu sobie, mógłby nie tylko utrzymać się u władzy, ale dobić politycznego targu przynajmniej z częścią wrogich mu powstańców i plemiennych wodzów. Z wieloma z nich prowadził potajemne rozmowy i kupował ich lojalność, póki starczyło mu pieniędzy. Rosjanie jednak wciąż próbowali go we wszystkim wyręczać, we wszystko się wtrącali, nie pozwalając zapomnieć poddanym Nadżibullaha ani o tym, komu zawdzięczał władzę, ani że jego panowanie przypadło na czas dziesięcioletniej okupacji i wojny, w której tylu z nich zginęło. Zamiast pomóc swojemu faworytowi i choćby udawać, iż traktuje go jako ważnego sojusznika, partnera, Moskwa po staremu odnosiła się do niego jak do wasala, winnego jedynie ślepe posłuszeństwo.

„Każdy, komu przyszłaby do głowy myśl o podboju czy choćby podporządkowaniu sobie Afganistanu, powinien najpierw poznać historię tego kraju – powiedział Nadżibullah dziennikarzowi z Indii. – Afgańczycy nigdy nie oszczędzili żadnego z władców, który zasiadł na tronie dzięki poparciu obcych lub choćby uchodził za zbyt im posłusznego". Nie miał na myśli, uchowaj Boże, siebie, lecz mudżahedinów, Pakistan i Amerykę. Przepowiedział jednak swój własny los.

Zdradzili go wszyscy. Mimo jego nalegań Rosjanie wycofali z Afganistanu swoje wojsko, porzucając go na pastwę partyzantów, którzy wkrótce spadli na Kabul jak szarańcza na kukurydziane poletko. Spodziewając się nieuniknionego upadku stolicy i reżimu Nadżibullaha, rosyjscy żołnierze szykowali już na uzbeckim brzegu Amu-darii namiotowe miasteczka dla afgańskich uciekinierów.

Nadżibullah nie tylko jednak przetrwał, nie tylko powstrzymał natarcie, ale zadał mudżahedinom wiele ciosów, boleśniejszych nawet od zadawanych przez Rosjan. Nie zaniedbywał jednocześnie układów i obietnicami pieniędzy oraz posad w rządzie starał się przeciągnąć mniej wytrwałych komendantów partyzanckich na swoją stronę. Negocjował nawet z najważniejszymi: Massudem i Hekmatiarem. Massudowi w zamian za sojusz przeciwko Hekmatiarowi obiecał posadę ministra wojny. Hekmatiarowi – posadę premiera, byle tylko zgodził się przystać do niego i wspólnie ruszyć na Massuda.

Amerykanie, którzy po zwycięskiej zimnej wojnie przeciwko Rosji marzyli – podobnie jak Rosjanie – by jak najszybciej wycofać się z niepotrzebnego już afgańskiego pola bitwy i zapomnieć o trudnych i coraz bardziej kłopotliwych sprzymierzeńcach, chętnie zgodzili się pozostawić Nadżibullaha u władzy aż do czasu wolnych wyborów, przeprowadzonych pod międzynarodowym nadzorem. Zniszczenie kraju i wciąż tląca się już nie globalna, lecz jedynie lokalna wojna nie zapowiadały rychłej elekcji. Wszystko to obiecywało Nadżibullahowi trudne, ale długie rządy, pod warunkiem jednak, że Rosja nie pozwoli mu zginąć. Nie potrzebował już rosyjskich wojsk, a nawet dostaw rosyjskiej broni, czego Moskwa i tak nie mogła mu zapewnić, bo najważniejszym i najwygodniejszym warunkiem ugody z Amerykanami było obopólne wyrzeczenie się dalszej pomocy wojskowej dla wszystkich stron afgańskiego konfliktu. Potrzebował tylko rosyjskich rubli, by móc kupować karabiny, czołgi, wierność plemiennych wodzów, a także własnych poddanych, ministrów i generałów. Rosja jednak niespodziewanie odwróciła się do niego plecami.

Chcąc ukryć własne bankructwo, a także przypodobać się Amerykanom, odciągnąć ich uwagę od rozpadającego się rosyjskiego imperium, Kreml porzucił Afganistan i wyparł się Nadżibullaha. Rosjanie nie tylko przestali wysyłać broń, ale wstrzymali wszelką pomoc, nawet humanitarną, w której Amerykanie nie widzieli nic złego. Władcy z Kremla zgadzali się z żądaniami najbardziej radykalnych mudżahedinów, by Nadżibullah niezwłocznie zrzekł się władzy na rzecz dowódców swojej armii. Ci zaś powinni nie dopuścić do jego ucieczki z kraju i zatrzymać go w stolicy, aby w przyszłości postawić go przed trybunałem jako zdrajcę i zbrodniarza wojennego.

Nadżibullah napisał prywatny list do Eduarda Szewardnadze, ostatniego ministra dyplomacji imperium. *To wyście przekonali mnie, bym wziął władzę. Ja jej wcale nie chciałem.*
Naciskaliście, obiecywaliście pomoc. A teraz porzucacie mnie na

pastwę losu. Co ja mam teraz robić? Co mam o tym wszystkim myśleć?

Szewardnadze nie odpisał. Wkrótce też przestał być ministrem imperium, które nagle zniknęło. Jego następca, Andriej Kozyriew, oznajmił zaś: „Jedyną przeszkodą na drodze do pokoju w Afganistanie była rosyjska pomoc dla grupki ekstremistów z Nadżibullahem na czele", a wiceprezydent Ruckoj, który sam jako rosyjski oficer walczył w Afganistanie z mudżahedinami, powiedział im, że tylko oni mają prawo do władzy w kraju. Widząc, że nawet Rosjanie porzucają Nadżibullaha, partyzanci uznali, że dalsze rozmowy z nim o podziale władzy i koalicyjnym rządzie nie mają sensu. Gwóźdź do trumny wbił rosyjski ambasador Ostrowienko: „Nadżibullah i jego rząd są już przeżytkiem – oznajmił w rozmowie z dziennikarzem – i my, Rosjanie, nie mamy z nim nic wspólnego".

To był wyrok śmierci dla Nadżibullaha i memento dla wszystkich innych – także przyszłych – przywódców państw, którzy zawierzyli Rosjanom i obcym. Dla tych, którzy z niezrozumiałych względów uznali, że właśnie oni nie podzielą losu ormiańskich czy kurdyjskich powstańców w Turcji, azerskich buntowników w Iranie, rewolucjonistów z Komunistycznej Międzynarodówki, zachęcanych przez Moskwę i ufających jej buntowników. Kiedy przestawali być użyteczni, Kreml bez żalu składał ich na ołtarzu wielkiej polityki.

Pozbawionego nadziei, a przede wszystkim przyszłości Nadżibullaha zaczęli opuszczać najbliżsi towarzysze. Niektórzy sami próbowali się go pozbyć i zająć jego miejsce. Zdradzili go nawet dyplomaci z Organizacji Narodów Zjednoczonych, którzy za przykładem Rosjan uznali za nieważne wszystkie zawarte z nim umowy i złożone obietnice. Cypryjczyk Benon Sevan pilił, by dobrowolnie zrzekł się władzy w zamian za bezpieczny wyjazd z kraju.

Długo się bronił, do ostatniej chwili usiłował wytargować choć okruch władzy w zamian za abdykację. W końcu zaufał Cypryjczykowi. Wysłał do Indii żonę Fatimę, trzy córki, teściową, brata, szwagra. Sam nie zdążył na samolot. Zabrakło mu kilku minut. Zatrzymany na lotnisku przez zbuntowanych żołnierzy, musiał prosić Sevana o bezpieczny azyl w przypominającej bunkier kwaterze ONZ w Kabulu.

Zbuntowani żołnierze stołecznego garnizonu otworzyli bramy miasta przed rebeliantami, a generałowie, którzy wymówili Nadżibullahowi posłuszeństwo, ogłosili, że nie jest już prezydentem. Mieli jeszcze nadzieję, że za jego głowę uda im się wytargować jakieś stanowiska w przyszłym rządzie. Wobec zdecydowanej odmowy mudżahedinów zgodzili się poddać miasto i oddać władzę w kraju pod warunkiem, że nowi władcy nie będą się mścić na ludziach starego reżimu i pozwolą im spokojnie przejść do nowego czasu.

Zamknięty w gmachu ONZ Nadżibullah stał się więźniem we własnej stolicy. Zajęci własnymi wojnami mudżahedini nie mieli czasu ani pomysłu, co z nim począć. Nieliczni uważali, że należy go puścić wolno, wypędzić z kraju bez prawa powrotu, co dla Pasztunów równało się najsurowszej karze. Inni, równie nieliczni, uważali, że trzeba mu co prędzej poderżnąć gardło. Większość domagała się publicznego procesu. Nie wiedzieli jednak, jak się do tego zabrać. Nie potrafili wszak stworzyć zgodnego rządu ani parlamentu, ani sądu, które by się tym zajęły. Sam naród powinien zadecydować, co z nim zrobić – mówili mudżahedini. Ale nie bardzo też wiedzieli, jak poznać opinię narodu.

Kłopot z obalonym władcą był tym większy, że pozostawał on oficjalnie gościem ONZ, któremu przysługiwał przywilej nietykalności. Poczuwając się do winy i odpowiedzialności za los Nadżibullaha, dyplomaci ONZ wciąż nieśmiało próbowali wytargować dla niego wolność. Nadaremnie. Mudżahedini pozostawali równie bezradni, co uparci.

Oswojony z nową sytuacją Nadżibullah nie tracił rezonu. Przeklinał odwiedzających go gości z ONZ za to, że przez nich znalazł się w pułapce. „Kto wam teraz zaufa?! – grzmiał nie jak skruszony i zdany na ich łaskę więzień, ale jak dawny, wszechmocny władca. – Ciekaw jestem, jak teraz przekonacie któregoś z prezydentów, by zrzekł się władzy w imię pokoju i zawierzył wam swój los!" Zapewniał buńczucznie, że nie boi się trybunału. Nie sprawiał wrażenia, by zamierzał kajać się i przepraszać. „Chętnie się na to zgodzę, pod warunkiem wszakże, że na ławie oskarżonych zasiądą potem ci, którzy chcą być moimi oskrżycielami i sędziami – mówił. – Wielu z nich to moi dawni towarzysze. Miałbym do nich sporo pytań. Sądzę, że bawiłbym się lepiej niż wielu z nich".

W budynku, który stał się jego więzieniem, przyjmował gości jak na audiencjach w prezydenckim pałacu. Był wyniosły, dumny, oficjalny. Nie mówił, lecz przemawiał. Wiedział, co się działo w kraju. Regularnie przynoszono mu pakistańskie gazety i tygodniki, słuchał radiowych wiadomości, oglądał telewizję satelitarną, dzwonił do Indii do żony i córek. Jednemu z odwiedzających powiedział kiedyś: „Proszę tylko zauważyć: dziś w Kabulu urzęduje nie jeden, ale dwudziestu emirów i każdy z nich rządzi po swojemu. A ilu takich emirów działa w całym kraju?" Był przekonany, że wkrótce wybuchnie nowa wojna, która przyniesie mu wolność, a kto wie, może również władzę. Wyśmiał dyplomatów, którzy namawiali go, by korzystając z czasu, zaczął spisywać pamiętniki. Podsumowywanie życia wydało mu się absurdem. Wciąż miał plany na przyszłość. Animusz zaczął go opuszczać, gdy z miasta, w którym wybuchły uliczne walki, wyjechali wszyscy cudzoziemcy. Przestał dostawać świeże gazety, zniknęli goście, ktoś skradł telewizyjną antenę i odtąd zamiast dzienników oglądał już tylko stare indyjskie filmy puszczane z magnetowidu.

Nie licząc paru krewnych, którzy by dotrzymać mu towarzystwa, dobrowolnie zgadzali się na więzienie, był jedynym mieszkańcem trzypiętrowego ponurego gmachu, otoczonego wysokim murem. Z obcych widywał jedynie wartowników, wystawionych przez Massuda na usilne prośby ONZ, i dozorców zaopatrujących go w jedzenie. Z powodu ciągłych bombardowań przeniósł się do piwnicy, gdzie zabijał czas przeglądaniem starych, dawno przeczytanych książek i żurnali. Dźwigał ciężary i gimnastykował się, żeby nie przybrać na wadze. Modlił się też i czytał Koran. Z czasem zaczęły mu dokuczać kamienie nerkowe, przebąkiwał, że najchętniej na dobre wyjechałby z kraju, zapomniał o władzy i polityce.

Nikt już jednak nie zwracał na niego uwagi. Nikt nie pamiętał, że jest, że był. Nikt, poza strażnikami, trzymającymi wartę przed jego twierdzą-więzieniem.

Według ich relacji, tego dnia, gdy talibowie podeszli pod miasto, a Massud nakazał ewakuację, Nadżibullah sprawiał wrażenie zdenerwowanego i przestraszonego. Już o świcie zniknęli nocni stóże i służba. Ze swojego satelitarnego telefonu Nadżibullah wydzwaniał do wszystkich możliwych przedstawicieli ONZ. „Wszyscy zniknęli. Nikogo nie ma. Przyślijcie kogoś do ochrony albo zorganizujcie mi wyjazd z kraju" – prosił. Ale w Kabulu nie było już nikogo, kto mógłby się nim zająć.

Wczesnym popołudniem przybyli umyślni od Massuda.

– Dlaczego nie uratował pan Nadżibullaha i pozwolił, by talibowie powiesili go na ulicznej latarni? – zapytałem o to, co wydarzyło się tamtej nocy.

– Przed wyjazdem z miasta wysłałem do niego ludzi. Zaproponowaliśmy mu, żeby wyjechał razem z nami do Pandższiru. On jednak odmówił, nie chciał wychodzić poza teren budynku ONZ. Był dumnym i upartym Pasztunem. Bał się chyba, że zabijemy go, gdy tylko znajdzie się na ulicy. Nie miał się czego bać. Nie tknęliśmy go przez cztery i pół roku. W dolinie Pandższiru trzymaliśmy w areszcie jego poprzednika na stanowisku szefa tajnej policji, prawdziwego łajdaka. Siedział już osiem lat, czekając na proces, jaki zamierzaliśmy mu urządzić. A Nadżibullah powiedział, że jest pod ochroną ONZ, więc nie spadnie mu włos z głowy. Postanowił zostać w mieście, był Pasztunem, wierzył, że talibowie, jego rodacy, nie zrobią mu krzywdy, że go wypuszczą na wolność. A oni powiesili go jak koniokrada. Czy mi go żal? Cóż, zasłużył na najsurowszą karę. Tyle że powinien zostać osądzony przez trybunał, a nie zgładzony przez gromadę zbirów.

Z opowieści mieszkańców Kabulu wynika, że talibowie początkowo wcale nie zamierzali zabijać Nadżibullaha. Pięciu żołnierzy, którzy tuż po północy odnaleźli go w piwnicy, wymieniło z nim serdeczne uściski. Powiedzieli, że zaprowadzą go do pobliskiego pałacu prezydenckiego. Wyraził zgodę. Nikt nie krępował mu rąk, nie groził karabinem.

Miasto było wymarłe. Porzucone przez jednych władców, nie zostało jeszcze zajęte przez nowych. W pobliżu pałacu grupa konwojująca Nadżibullaha natknęła się na inny oddział talibów. Doszło do gwałtownej, krótkiej wymiany zdań, po czym talibowie rzucili się na Nadżibullaha. Zatłuczony karabinowymi kolbami leżał na asfalcie, ale prześladowcy przywiązali go do samochodu i wlekli ulicami wokół pałacu. Potem jeden z żołnierzy przystawił mu lufę do głowy i strzelił w tył czaszki. Inny strzelił mu w krocze, w pierś, przeszył serią nogi. W końcu, skrępowanego sznurami, powieszono go na słupie sygnalizacji świetlnej na placu Ariany. Chwilę później na tej samej latarni talibowie powiesili jego brata Szahpura, towarzyszącego mu podczas czteroipółletniej niewoli.

Do zabójstwa przyznał się mułła Abdul Razzak, któremu emir Omar powierzył dowództwo szturmu na Kabul, a później wynagrodził posadą ministra policji. Wyrok zaś miał ponoć wydać mułła Mohammad Rabbani, późniejszy premier talibów, który kilka dni później ogłosił, że Nadżibullah był komunistą i nie wierzył w Boga, zasłużył więc na śmierć. Mówiono też, że jeszcze jako szef tajnej policji wtrącił do więzienia ojca i dwóch braci Rabbaniego, a później kazał ich wypchnąć z lecącego nad górami śmigłowca.

Kiedy nad miastem wstało słońce, zwłoki Nadżibullaha wciąż wisiały na placu Ariany. Zalana krwią twarz utrudniała gromadzącym się gapiom rozpoznanie wisielca.

„To ten pies Nadżibullah. Taki był potężny, a zobaczcie, jaki teraz jest niegroźny" – krzyczeli zebrani wokół szubienicy żołnierze talibów. Radowali się, rzucali sobie w ramiona, wpychali Nadżibullahowi i Szahpurowi do ust, nozdrzy, kieszeni papierosy i zwitki brudnych banknotów, popychali trupy, żeby dyndały.

Był już piątek, muzułmański dzień święty. Zmaltretowany trup Nadżibullaha na ulicznej latarni wisiał cały dzień. Talibowie nie pozwalali odciąć sznura, choć zgodnie z obrządkiem ciało powinno zostać pogrzebane jeszcze przed zachodem słońca. Wydali ciała Czerwonemu Krzyżowi, dopiero gdy kategorycznie zażądali tego pakistańscy dyplomaci, którzy straszyli talibów, że bezczeszcząc zwłoki Nadżibullaha, narażają się na wojnę z jego potężnym plemieniem Ahmadzajów.

Wiszący na głównym placu trup Nadżibullaha był makabrycznym przesłaniem dla miasta od jego nowych władców, zapowiedzią rządów surowych, ale sprawiedliwych. Nowi władcy uczynili z niego upiora przeszłości, z którą postanowili zerwać raz na zawsze.

Mieszkańcy miasta, którym rządy Nadżibullaha kojarzyły się z porządkiem, skuteczną administracją, dobrymi płacami, wykształceniem, pełnymi sklepami dzięki subwencjom, z ogrzewaniem, światłem i rozrywką, byli przerażeni nie śmiercią byłego tyrana, ale okrucieństwem, z jakim mu ją zadano.

12 Pewnej nocy, jeszcze zanim ogłosił się emirem, przywódcy talibów, mulle Mohammadowi Omarowi, objawił się we śnie Prorok Mahomet. Powiedział, że Kabul musi zostać zburzony, bo Allah pogniewał się na miasto, które żyło w grzechu, tolerowało przemoc, lichwę, wyzysk, cudzołóstwo i pijaństwo. Prorok rozkazał Omarowi, by zebrał z medres uczniów, talibów, sformował z nich armię sprawiedliwych, wyplenił grzech i zło, zaprowadził prawdziwie boże porządki w Afganistanie. Tak też się stało.

Kiedy we wrześniu dziewięćdziesiątego szóstego przyglądałem się, jak talibowie badali nieufnie dopiero co zdobyty Kabul, doznawałem nieodpartego wrażenia, że już kiedyś to przeżyłem, że znalazłem się w pętli czasu.

Wiosną dziewięćdziesiątego drugiego tak samo bacznie, ostrożnie, nawet strachliwie obwąchiwali nieznane miasto mudżahedini, którzy z powodu wojny spędzili pół życia w górskich pieczarach i zagubionych na pustyni kiszłakach. Wielu z nich przypominało sobie miasto, bo wyruszyli na wojnę ze stołecznych domów akademickich i meczetów, w których narodził się pomysł na muzułmańską rewolucję. Przyglądali się, wstydliwie dotykali palcami, dziwowali nigdy niewidzianym wynalazkom. W mieście zachowywali się jak w pieczarach. Nieśmiało, bojąc się szyderstw. Przyglądali mu się z ciekawością, z chęcią jak najszybszej adaptacji, a nawet żądzą posiadania tych wszystkich wspaniałości. 291

Z czasem oswoili się, zadomowili, zasiedzieli. Niektórzy, naśladując wielkomiejskich elegantów, postrzygli brody i czupryny. Cieszyli się miastem cztery lata jak ukochaną zabawką. Nie rozumiejąc jednak jego mechanizmów, nie wiedząc, jak działa, zniszczyli je, zanim odebrano im zdobycz.

Talibowie przyglądali się miastu bez ciekawości, wrogo. Zrozumiałe, zważywszy, że większość z nich nigdy miasta nie widziała, a wychowani przez wioskowych mułłów, mieli je w najgłębszej pogardzie. Widzieli w nim samo zło: grzech, zepsucie, przyczynę wszystkich nieszczęść, rozczarowań, wojen, obcych mód i wpływów. Mieszkańców miast uważali za wyrzutków, którzy zerwali z odwiecznymi prawami regulującymi życie wioskowych wspólnot. A wiedzieli przecież ze swego dawnego życia, że tych, którzy je naruszali, karano wygnaniem ze wsi, wykluczeniem z rodziny. Oznaczało to powolną, straszliwą śmierć z głodu, chorób, wyczerpania albo w kłach dzikich zwierząt. Śmierć samotną, bez godnego pochówku. Poza wspólnotą przestawali istnieć, znikali nawet z ludzkiej pamięci. Dla wioskowych wojowników i dowodzących nimi mułłów miasto było sztucznym, nieczystym tworem, siedliskiem banitów, którzy znajdowali w nim ratunek przed zgubą i zapomnieniem oraz okazję do wskrzeszenia w nowej postaci. Mając za nic uświęcone tradycją, wioskowe prawa ludzkie, a nawet boskie, żyli odtąd po swojemu, wywyższając się i wodząc na pokuszenie nieszczęśników obietnicą nieograniczonych możliwości i braku wszelkich zakazów i zahamowań.

Talibów, czyli Tych, Którzy Poszukują Prawdy, ściągnęła do miasta nie pokusa i nie chęć przystosowania się, lecz niezłomne pragnienie narzucenia mu surowych wiejskich i bożych praw i porządków. Tylko one mogły stać się ostatnim ratunkiem dla kraju, cudownym lekarstwem, strzegącym przed zarazą zepsucia, chaosem i bratobójczymi wojnami. To nic, że miasto widziało w nich barbarzyńców, prymitywnych chłopów z biednego południa, rządzącego się okrutnymi, zupełnie niepojętymi prawami: prawem rodowej zemsty, rodowej solidarności, muzułmańskim prawem religijnym, a raczej najprymitywniejszą z jego wersji, która nakazywała kamienować cudzołożnice i odrąbywać ręce złodziejom.

Wojownicy z południa czuli się w Kabulu nieswojo. W milczeniu snuli się małymi grupkami po ulicach miasta, którego języka nawet nie znali. Nie zaczepiali miejscowych, nie zagadywali. Jakby zdawali sobie sprawę, że są tu obcy i mają tacy pozostać, dopóki nie przerobią go na własną modłę. Już nazajutrz po zajęciu miasta ogłosili, że została powołana sześcioosobowa rada, która miała nim odtąd zarządzać. Żaden z rajców nigdy nie mieszkał w wielkim mieście, większość z nich wcześniej nie była w Kabulu, którym teraz mieli rządzić. Nie przeszkadzało im to. Nie rozumieli bowiem, że miastem, by nie umarło, trzeba rządzić inaczej niż wioską.

Zdarzało się, że porównywano ich z kambodżańskimi Czerwonymi Khmerami, o których istnieniu zapewne nawet nie wiedzieli, a którzy burząc Stary Świat i tworząc Państwo Idealne, wymordowali milion ludzi. Tak jak oni uważali miasta za główną przyczynę zniewolenia człowieka, jego upadku i deprawacji. Tak jak oni uznawali wieś za jedyną zdrową tkankę w chorej rzeczywistości.

Mieli szczęście. Los, jakby zahipnotyzowany rozmachem i radykalizmem eksperymentów, postanowił dać im niepowtarzalną szansę. Nigdy wcześniej i nigdy potem nie udałoby się im zdobyć takiej swobody działania. W Kambodży Zachód przegrał wojnę, a upojony triumfem Wschód uważał Czerwonych Khmerów za godnych zaufania uczniów, tak samo oportunistycznych jak nauczyciele. Zawierzył im i nie patrzył na ręce.

W Afganistanie stygły zgliszcza globalnej zimnej wojny, a wycofujące się do swoich obozów armie Wschodu

293

i Zachodu nie zamierzały nawet oglądać się za siebie, zakłopotane rozmiarem zniszczeń, jakich dokonały. Świat, zachwycony sobą i upojony pokojem, który miał być wieczny, odwrócił się plecami do nieszczęśników, wojennych sierot i kalek.

Uznając, jak Czerwoni Khmerzy, że całe zło sprowadzające nieszczęścia na kraj tkwiło w miejskiej cywilizacji, talibowie nie zamierzali jednak ani jej naprawiać, ani niszczyć. Nie pomyśleli nawet o tym, by wyznaczyć jakiś punkt zerowy i od niego zacząć wszystko od nowa. Nie chcieli niczego wymyślać. Zapatrzeni w Koran wioskowi mułłowie postanowili zawrócić czas od razu o blisko półtora tysiąca lat, cofnąć się do epoki i wartości, jakie obowiązywały, gdy w Arabii żył i nauczał Prorok Mahomet. Chcieli zbudować w Afganistanie państwo na wzór muzułmańskiej wspólnoty pierwszych kalifów.

Zadanie wydawało im się dziecinnie proste. Wszystko było gotowe, każde rozwiązanie, każdy niemal szczegół został zapisany w świętej księdze islamu, Koranie. Wystarczyło tylko dostosować rzeczywistość do litery i zlikwidować tę resztę, o której Koran nie wspomina ani słowem. Ponieważ wszyscy Afgańczycy byli muzułmanami, talibowie spodziewali się, że szybko poradzą sobie z misją zawrócenia zbłąkanych owieczek na właściwą drogę. Święta Księga była wszak doskonała i nie podlegała żadnym osądom. Ratunek był możliwy, pod jednym wszakże warunkiem: cały świat należało przekuć na podobieństwo opisanego tak dokładnie w Koranie. W pełni, bez żadnych odstępstw, wyjątków, wahań. Tylko wtedy ludzie zostaliby uwolnieni od wątpliwości i trosk. Tylko wtedy staliby się szczęśliwi.

Ahmad Fadar Szirazi, kupiec z kabulskiej ulicy Kurzej, otworzył swój sklep z dywanami dopiero tydzień po zajęciu miasta przez talibów.

– Z każdym dniem boję się coraz mniej – mówił radośnie, podciągając o poranku pordzewiałe żaluzje w witrynach kantoru.

Przypominał jesienne słońce – wygrzewał się w nim całymi dniami, siedząc na krzesełku, oparty plecami o drewniane drzwi. A słońce, wciąż jasne i rześkie, ochoczo wspinało się o świcie na granatowe niebo. Nie miało już jednak w sobie tyle ciepła co latem. Wciąż świeciło, ale już nie rozgrzewało. Nie miało też już wiosennej siły ani determinacji, by walczyć z chmurami, nie dać się przesłonić. Do południa królowało jeszcze na niebie, ale wystarczyło, by pojawił się pierwszy obłok, a ulegało mu, gasło. Tak samo rozbłyskał i gasł kupiec Szirazi. Zrywał się na nogi pełen wiary i nadziei, ale już po drodze do sklepu zaczynał je gubić, a wieczorem, gdy z chrzęstem spuszczał na okna druciane żaluzje, nie było już w nim nic z porannej pogody.

Śródmiejskie ulice, Kurzą i Kwiatową, uważano w Kabulu za najbogatsze, najlepsze. Wyznaczone przez równe szeregi piętrowych kamieniczek przechodzą jedna w drugą na niewielkim skrzyżowaniu. Ulica Kwiatowa zawdzięcza nazwę kramom, w których sprzedaje się róże, chryzantemy i tulipany, wyrabiane z plastikowej masy, szmat i papieru. Tandetne, wymalowane jarmarcznymi kolorami, cieszą się w Kabulu niezmiennie ogromnym wzięciem. Choć sztuczne i szkaradne, w przeciwieństwie do oryginałów są trwałe. Z kramami ze sztucznym kwieciem sąsiadowały niezliczone i pełne wszelkich towarów drogerie oraz słynne niegdyś, a teraz wymarłe i zakurzone antykwariaty i księgarnie. Nikt w Kabulu od lat już nie kupował książek i od wielu lat nie wydrukowano ani jednej. Kiedyś zagadnąłem o to ministra kultury talibów Kwadratullaha Dżamala. Sprawa ta nie wydawała się go kłopotać.

– Cóż mogę poradzić? – wzruszył ramionami. – Książki to strawa dla ducha, a ludzie, ku naszemu najwyższemu ubolewaniu, nad troskę o duszę przedkładają troskę o ciało. Martwią się nie o umysłowy rozwój, nawet nie o zbawienie, ale o to, co włożyć do garnka.

Przy ulicy Kurzej rozsiadły się po obu stronach sklepy z antykami, skórami i dywanami. Brunatno-czerwono-granatowe kobierce były dosłownie wszędzie. Rozwieszone na murach, w oknach i na drzwiach kusiły klientów swoją urodą, oryginalnymi barwami i wzorami. Kobiercami wymoszczona była też brukowana uliczka. Rozdeptywane przez przechodniów, zgniatane przez samochody i dorożki nabierały patyny. Zniszczone i zszarzałe, mogły uchodzić za stare, a jako takie, ku bezbrzeżnemu zdziwieniu afgańskich kupców, natychmiast zyskiwały na wiarygodności i cenie.

Swój dokan – kram przy ulicy Kurzej – kupiec Szirazi przejął po ojcu, a on po swoim ojcu. Można więc powiedzieć, że sprzedawali dywany od zawsze. Mieszczący się na parterze sklepik tonął w zwojach dywanów. Jeszcze więcej było ich w składziku, na piętrze. Kiedy Szirazi zasiadał pomiędzy nimi przy odrapanym biurku, by poprawiać księgi rachunkowe, przypominał utrudzoną pszczołę wśród tysięcy dziurawych plastrów miodu. To był cały jego świat, całe jego życie, wszystko, do czego doszedł. To był ślad, jaki miał po sobie zostawić.

Kiedy talibowie zajęli miasto, przez tydzień, który wydał mu się wiecznością, w ogóle nie zaglądał do swojego sklepu. Przed kapitulacją stolicy mudżahedini rozgłaszali, że jeśli Kabul padnie łupem pasztuńskich wojowników z Kandaharu, nie pozostanie tam kamień na kamieniu.

Wcześniej to samo rozpowiadali o mudżahedinach urzędnicy komunistycznego rządu. I rzeczywiście, gdy miasto zostało wydane świętym wojownikom, długowłosi uzbeccy powstańcy z północy splądrowali kramy na ulicy Kurzej, spustoszyli domy, pokradli samochody, zgwałcili wiele pasztuńskich kobiet. A Szirazi jeszcze kilka razy został obrabowany.

– Podjeżdżali samochodami pod sklep i zabierali, co chcieli – opowiadał trwożliwie, niepewny, czy wspomina jedynie przeszłość, która minęła, czy też przepowiada dopiero to, co nastąpi. – Nigdy nie było wiadomo, kim byli. Mudżahedinami czy zwykłymi bandytami przebranymi za mudżahedinów. Mieli karabiny, i to wystarczyło. Nikt nie dochodził, nikt nie szedł na skargę. Po co? I tak bym niczego nie odzyskał. A co by było, gdyby złodziejami okazali się ci, do których poszedłem na skargę?

Potem w mieście zaczęły się mnożyć porwania kupieckich rodzin, Szirazi odesłał więc córki do Pakistanu, a najpiękniejsze dywany przeniósł ze sklepu do domu.

– To poczucie ciągłej niepewności, ciągłego zagrożenia! Życie stało się nieznośne. Dlatego ludzie odwrócili się od mudżahedinów – snuł swoją opowieść.

Zmianę rządu przyjął bez żalu. Ale i bez radości. Trudno było mu wykrzesać z siebie wiarę, że nowi władcy okażą się lepsi. Bał się mieć nadzieję, gdyż jeszcze bardziej się bał kolejny raz ją stracić.

Talibowie byli inni i nikogo nie przypominali. Pojawili się, gdy wszystko i wszyscy zawiedli, kiedy upadły ostatnie świętości i autorytety, gdy wszystko i wszystkich przeklinano. Wydawało się, że potrafią uratować to, co ocalało i co udało się odgrzebać w popiołach powojennych zgliszcz. Minął tydzień od ich wkroczenia do Kabulu, a w mieście nie doszło do żadnych gwałtów ani grabieży. Żadnych aktów zemsty na Tadżykach, rodakach Massuda, którzy rządzili przy nim przez ostatnie cztery lata i dorobili się w Kabulu majątków. Pasztuńscy wojownicy niespiesznie przechadzali się wśród kramów, leniwie tkwili całymi dniami na posterunkach przed podziurawionymi kulami ministerstwami, jakby w ogóle nie interesowały ich te nędzne reszki bogactwa wielokrotnie grabionego miasta. „Jesteśmy wojownikami świętej wojny – zaperzali się komendanci talibów, nagabywani przez mieszkańców miasta i cudzoziemskich

korespondentów, co zamierzają począć ze zdobytą władzą.
– Zajęliśmy Kabul, żeby przepędzić bezbożnych łupieżców.
Nasza religia zabrania kraść. Zaprowadzimy muzułmańskie
prawa. Będziemy robić to, co powiedzą mułłowie".

Rządząca miastem Wielka Rada nie miała zbyt wiele czasu na wydawanie rozkazów, bo ciągle odbywała narady
i spotkania z zagranicznymi dyplomatami, którzy nagle
w ogromnej liczbie zapragnęli odwiedzić Kabul i poznać
nowych przywódców kraju. Wobec braku rozkazów i dyrek-
tyw nowe rządy sprowadzały się do tego, że porządku
w mieście żelazną ręką pilnowali pomniejsi rangą mułłowie
i ich żołnierze. To oni baczyli, by ludność uczestniczyła
w modłach i stosowała się do tych nielicznych przepisów,
jakie zostały wydane. Mieszkańcom miasta wydały się one
przesadą właściwą wszelkim rewolucyjnym władzom, nie-
poważnym dziwactwem, które z upływem czasu zostanie
zaniechane i zapomniane.

Bramy do wznoszącego się pośrodku stuletniego parku
pałacu prezydenckiego, Argu, i wszystkie posterunki, całe
niemal miasto zostało obwieszone brunatnymi wstążkami
taśm powyciąganych z magnetofonowych i magnetowido-
wych kaset. Te szeleszczące na wietrze girlandy z celuloidu,
a także telewizory powieszone na powrozach na przydrożnych drzewach i ulicznych latarniach, jak zbrodniarze przyłapani na gorącym uczynku, miały stać się symbolem nowej
epoki. Egzekucje telewizorów, głucha cisza, jaka zapadła
w mieście po ogłoszeniu zakazu słuchania grzesznej według talibów muzyki, obowiązkowe modły w meczetach,
zepchnięcie kobiet na, a nawet poza margines społeczeństwa były ceną, jaką mieszkańcy Kabulu byli gotowi zapłacić
za to, co ich zdaniem zyskiwali: za pokój i spokojne życie.

Miasto wreszcie stało się bezpieczne, drogi przejezdne
i wolne od rabusiów, a ceny na bazarach niższe, bo
talibowie otworzyli szlak do pakistańskiego Peszawaru.
W domach pojawił się nieobecny od dawna prąd. Rzeźnicy,

przyłapani przez patrol talibów na sprzedawaniu mięsa po zawyżonych ich zdaniem cenach, byli karani odrąbaniem dwóch palców.

Kabulscy mieszczanie z cierpliwą pokorą pozwalali zapędzać się pięć razy dziennie na modlitwę do meczetów i odwracali głowy, gdy brodaci wojownicy okładali kijami kobiety, które z hardości albo przyzwyczajenia wsiadły do miejskiego autobusu razem z mężczyznami lub ośmieliły się wyjść na ulicę bez eskorty męża, ojca, brata czy dorosłego syna.

– Szanowni panowie – zwracał się do dziennikarzy zebranych na konferencjach prasowych mułła Szer Mohammad Stanakzaj, wiceminister dyplomacji. – Kobiety mogą pozostać na sali, ale na ich pytania odpowiadać nie będę.

„Czego naprawdę chcą talibowie?" – zachodzili w głowę mieszkańcy miasta, którym ciężko było pojąć, iż nowe rządy mają się sprowadzić do kilku niezbyt dokuczliwych zakazów, tak śmiesznych i absurdalnych, że nie wierzyli, aby miały być przestrzegane. „Nie oni pierwsi zamierzali dostosować prawa ludzkie do boskich – pocieszali się nawzajem kabulczycy. – I tak jak poprzednicy będą musieli się pogodzić, że to się nie może udać. Ludzie nie są święci, nie chcą takimi być".

Obawy i niepewność zastąpiły wkrótce irytacja i szyderstwo. Nowi władcy, którzy nie potrafili mówić o niczym innym jak tylko boskich porządkach, budzili nie tyle strach, co rozbawienie, zażenowanie, a nawet bunt. W Heracie wybuchło powstanie. Wywołali je żołnierze talibów, którzy wtargnęli do miejskiego szpitala, by sprawdzić, jak przestrzegany jest tam edykt o obowiązkowym rozdziale kobiet i mężczyzn w życiu publicznym. Oburzeni odkryli, że w sali operacyjnej, w której chirurdzy przeprowadzali zabieg, przebywały też pielęgniarki. W dodatku lekarze byli gładko ogoleni, mimo że emir wyraźnie nakazał wszystkim mężczyznom zapuszczać brody na podobieństwo Proroka

Mahometa. Talibowie wyciągnęli ze szpitala lekarzy na podwórze, gdzie zamierzali ogolić im za karę głowy. W tym czasie pozbawiony opieki pacjent zmarł na stole operacyjnym. Rozzłoszczeni lekarze i sanitariusze pobili talibów, przepędzili ich ze szpitala, po czym, skrzykując po drodze wielotysięczny tłum, ruszyli na jego czele do siedziby gubernatora, a ten o dziwo wysłuchał ich skarg i skarcił talibów za naganną nadgorliwość.

– Nie sposób zrobić wszystko naraz, potrzebujemy czasu – zapewniał na konferencjach prasowych mułła Stanakzaj. – Ale wiemy, dokąd zmierzamy i co chcemy osiągnąć. Islam zna recepty na wszystko. Wystarczy, by wszystko było zgodne z islamem. Oczywiście, trochę to musi potrwać.

Kupiec Szirazi, rozparty za ladą, bez lęku przyglądał się talibom podziwiającym jego dywany. Cieszył się, że w mieście zapanował dawno zapomniany spokój. Najlepsze dywany Szirazi wciąż jednak trzymał w domu. Może kiedyś wywiesi je znowu na wystawie, mówił, ale jeszcze nie teraz. Jego pogodę mąciła refleksja, że ten niespodziewany spokój przypomina nieco ciszę cmentarzy.

Czas mijał, a talibowie nic nie tracili ze swojego rewolucyjnego, a raczej kontrrewolucyjnego ferworu. Bo rewolucja talibów była właściwie kontrrewolucją. Chłopską, prowincjonalną i konserwatywną. Wszystko miało być, jak Pan Bóg przykazał. A przykazania boże zostały zapisane w Koranie, który talibowie odczytywali najbardziej dosłownie. Zakazali tańca, muzyki i instrumentów muzycznych, które jako grzeszne, nieczyste palili na ulicznych stosach. Zakazali hazardu i wszystkich innych rozrywek i przyjemności, bo odciągały uwagę wiernych od modlitwy. Zakazali wesel, zabaw, hucznych uroczystości, a nawet świętowania Nowego Roku. Zakazali hodowli śpiewających ptaszków, które wystawiane w klatkach za okna domów napełniały zaułki hałaśliwym świergotem. Zakazali latawców, które mali chłopcy wypuszczali z dachów w niebo jak skrzydlate smoki. Zakazali niezwykle popularnych w Afganistanie walk kogutów. Zabronili nawet używania papieru pakowego, gdyż nikt nie mógł zagwarantować, iż nie został wyprodukowany z makulatury powstałej ze zniszczonych stronic Koranu. Zakazali wiernym wędrówek w cyberprzestrzeni, prowadzących niechybnie na manowce.

Zakazali czerwonej barwy, grzesznej, bo wybranej na sztandar przez bezbożnych komunistów. Wszystkich tych, którzy otrzymali kiedyś od komunistycznych władz najmniejsze choćby wyróżnienie, nagrodę pieniężną, dyplom, pochwałę z wpisaniem do akt personalnych, talibowie kazali wyrzucać z pracy. Rozjechali gąsienicami czołgów tysiące puszek piwa Heineken i setki butelek wina, whisky, wódki i koniaku, które jakimś cudem przetrwały w hotelowych piwnicach rządy mudżahedinów.

Nowe porządki sprawiały wrażenie, że talibowie chcą zakazać samego życia. Wszystko, co nie było wyraźnie dozwolone, było zakazane.

– Rozumiemy, że ludzie potrzebują rozrywki – tłumaczył mi cierpliwie minister kultury Kwadratullah Dżamal. – Ale jest przecież tyle sposobności. Można pójść na spacer do parku, można podziwiać kwiaty. Nie zakazaliśmy też przecież wszelkiej muzyki. Słuchanie pieśni i wierszy opowiadających o męczeństwie i chwale umierania dla Allaha jest jak najbardziej dozwolone.

Za grzeszne, świętokradcze uznali także fotografie, malowidła i rzeźby przedstawiające żywe istoty. Kazali niezwłocznie zniszczyć dziecinne zabawki – lalki, ołowiane żołnierzyki, pluszowe misie i pieski, a także wszystkie posążki, obrazy i fotografie przedstawiające żywe istoty. Nawet fryzjerzy musieli co prędzej pochować reklamujące ich zakłady portrety z modnymi fryzurami. Fotografom zabroniono robienia ludziom zdjęć, z wyjątkiem koniecznych do dowodów tożsamości, a malarzom nie wolno odtąd było malować ani ludzi, ani zwierząt.

Talibowie żądali, by poddani nie tylko żyli jak przed wiekami, ale i wyglądali jak dawniej. Tak daleko nie poszedł żaden z rewolucjonistów. Determinacja i konsekwencja, z jaką pilnowali przestrzegania szczegółowych przepisów mody, nasuwała myśl, że w wyglądzie ludzi doszukują się siły sprawczej ich zachowań.

Mężczyznom nakazali nosić zarost i fryzurę na podobieństwo Proroka Mahometa, a nawet ubierać się jak on. Czupryny miały być krótkie, a brody niestrzyżone i długie – gdy chwyciło się je w dłoń, końce miały wystawać z zaciśniętej pięści. Talibowie ogłosili, że włosy spadające na czoło są grzechem. Jeśli bowiem grzywki są za długie, podczas modlitwy spadają na czoło i głowa wiernego nie dotyka podczas pokłonu ziemi. W ten sposób Szatan staje między wiernym i Najwyższym. Pod groźbą zamykania zakładów zabronili stołecznym fryzjerom układania klientom włosów według amerykańskich i brytyjskich mód. Choć edykt nie precyzował, jakie fryzury należałoby za takie właśnie uważać, fryzjerzy szybko odgadli, w czym rzecz.

Mimo surowego zakazu posiadania telewizorów, Afgańczycy oglądali po kryjomu przemycane z Pakistanu na kasetach filmy, przede wszystkim zaś ten o historii „Titanica", która podbiła afgańskie serca, równie waleczne, co ckliwe. Zauroczenie filmem było tak wielkie, że nie bacząc na talibów, stołeczni modnisie kazali fryzjerom strzyc się na wzór Leonarda DiCaprio.

Talibowie nie ograniczyli się do gróźb wobec fryzjerów, ale z nożycami w rękach zatrzymywali na ulicach i placach miasta rowerzystów, przechodniów i kierowców coraz rzadszych samochodów, ściągali im czapki z głów i ścinali
302 zbyt długie grzywki.

„Choć wielu muzułmanów, w tym także przywódcy muzułmańskich krajów z domem Saudów na czele, tego nie przestrzega, noszenie bród jest nakazem Proroka – ogłosili w specjalnym edykcie. – Najświętszą tradycją jest nie tylko noszenie brody, ale także kategoryczny zakaz jej podstrzygania. W Afganistanie jest miejsce tylko dla tych, którzy gotowi są pozostawać tej tradycji wierni. Ci zaś, którzy będą golić brody lub choćby je strzyc, zostaną wtrąceni do więzienia, a to, jak długo pozostaną w lochu, zależeć będzie od ich zachowania, skruchy i obietnicy poprawy".

Talibowie dali mężczyznom sześć tygodni na zapuszczenie brody. Zapowiedzieli też, że tylko brodacze będą mogli liczyć na posady w administracji i tylko brodacze będą przez urzędników obsługiwani. Choć brak odpowiedniego zarostu oznaczał niechybne kłopoty – obicie pałką przez brodatego taliba z patrolującej miasto milicji obyczajowej, grzywnę, utratę pracy, a nawet kilkutygodniowe więzienie – w mieście wciąż nie brakowało śmiałków, którzy na znak sprzeciwu albo ulegając próżności, przystrzygali sobie brody. Ci, którym brody po prostu nie rosły, mogli uzyskać zwolnienie od obowiązku ich noszenia. Musieli jednak przejść sześciotygodniową kwarantannę w więzieniu, gdzie strażnicy naocznie przekonywali się, że żałosny zarost podejrzanego nie był polityczną demonstracją i nie wynikał z jego złej woli, lecz z defektu, jakim został naznaczony przez Naturę.

Męskie owłosienie i przyodziewek, od lat pozostające nieodłączną częścią politycznych zawirowań w Afganistanie, za panowania talibów stały się jedną ze spraw zasadniczych. Pod rządami premiera Mohammada Dauda zapatrzonego w irańskiego szacha Pahlawiego, a także za panowania komunistów, którzy go obalili, turbany i tradycyjne afgańskie kaftany wypuszczone na workowate spodnie były nie tylko niezgodne z politycznymi modami, ale trąciły kontestacją. Daud i komuniści zalecali europejskie fryzury, gładko golone policzki, garnitury, a kobiety przekonywali do pantofli na obcasie i spódniczek. Długowłosi i brodaci mudżahedini, którzy obalili komunistów, byli tak zajęci bratobójczymi walkami o władzę i łupy, że nie mieli czasu zająć się modą. Mieszkańcy Kabulu na wszelki wypadek pochowali jednak w szafach szyte na europejski wzór ubiory, a mężczyźni przestali się golić. Talibowie, którzy przegnali mudżahedinów, uznali modę za jeden z priorytetów.

Wiosną dwa tysiące pierwszego, piątego roku rządów talibów, poprosiłem w Kabulu starego golibrodę Raufa, by usunął mi z policzków trzytygodniową szczecinę. W jego oczach zapaliły się dzikie ognie, a powykrzywiane reumatyzmem dłonie zaczęły drżeć. Proponowałem mu oto, by w majestacie prawa dopuścił się paskudnego występku, zakazanego pod groźbą surowej kary.

– Od lat nie trzymałem w rękach brzytwy – tłumaczył, miotając się nerwowo między szafami, gdzie jak zapewniał, odłożył kiedyś fryzjerskie narzędzia.

Moją nagłą rejteradę przyjął z wyraźnym rozczarowaniem, ale i z ulgą. Najwidoczniej miał obawy, czy zgolenie brody cudzoziemcowi i niewiernemu nie zostanie aby poczytane przez talibów za zbrodnię.

W trosce o pobożny wygląd poddanych talibowie zalecili unikać wszelkich strojów wzorowanych na cudzoziemskich oraz nakazali mężczyznom chodzić w turbanach i zabronili pojawiać się na ulicy bez nakrycia głowy. Turbany stały się obowiązkowym strojem służbowym wszystkich urzędników. Obowiązek ich noszenia wprowadzono nawet do szkół. Uczniom szkół podstawowych zalecono nosić turbany w kolorze czarnym, licealistom i studentom – w białym. Zapowiedziano też, że ci, którzy pojawią się w szkole lub na uniwersytecie bez nich, nie zostaną wpuszczeni do klasy lub do sali wykładowej.

Z czasem poszli jeszcze dalej i ogłosili zakaz składania powitalnych ukłonów, w tym także pochylania głowy na znak szacunku. Bicie pokłonów należy się wyłącznie Allahowi – orzekł emir Omar – kłanianie się komukolwiek innemu, także starszym i przełożonym, jest poważnym grzechem. Dobry muzułmanin, witając się, powinien patrzeć prosto w oczy i pozdrawiać słowami: Pokój niech będzie z tobą.

Nad przestrzeganiem tysięcy edyktów porządkujących każdy, najdrobniejszy nawet zakamarek egzystencji poddanych czuwało Ministerstwo Sprawiedliwości, a nade wszystko podlegający bezpośrednio i wyłącznie emirowi Departament Wspierania Cnoty i Walki z Występkiem wraz z podległymi mu patrolami milicji obyczajowej i tysiącami opłacanych szpiclów i donosicieli.

Sam minister sprawiedliwości, partyzancki komendant i mułła Nuruddin Turabi, sławny z pobożności, surowości i szaleńczej odwagi, lubił wysiadywać w słońcu na krześle przed swoim ministerstwem i osobiście doglądać, czy mieszkańcy miasta odpowiednio ubierali się i zachowywali. „Nie idzie nam o to, czy mężczyźni noszą brody właściwej długości, a kobiety ubierają się przyzwoicie – mawiał. – Chodzi o to, by wyplenić wszelki grzech, najdrobniejsze odstępstwa od tego, co jedynie słuszne, co zapisane w Koranie".

Pod karą śmierci zakazali muzułmanom wierzyć w inne bóstwo niż Allah, a wszystkich cudzoziemców, których przyłapali na działalności misyjnej, natychmiast wyrzucali z kraju. Emir wydał też specjalny edykt, nakazujący wyznawcom hinduizmu, by wychodząc z domów, zakładali na ramię szafranowe opaski pozwalające odróżnić ich od prawowiernych muzułmanów, a przed domami wystawiali wysokie na dwa metry maszty z przymocowanymi do nich chorągwiami w kolorze szafranu. Dzięki temu, tłumaczyli talibowie, mieli uniknąć kar, jakie spadały na niewystarczająco pobożnych wyznawców islamu.

Przywódcy talibów zaczęli rozważać, czy aby nie wypędzić z kraju wszystkich cudzoziemców, także tych z Organizacji

Narodów Zjednoczonych i Czerwonego Krzyża, ponieważ są one, jak zapewniali mułłowie, jaskiniami żydowskich szpiegów.

Przedstawiciel Czerwonego Krzyża z Heratu donosił: tutejszy gubernator wezwał mnie do siebie i przekonywał, że najlepszą przysługą, jaką moglibyśmy im wyświadczyć, byłoby wyniesienie się stąd gdzie pieprz rośnie, razem z naszą pomocą, dobrocią i współczuciem. Moglibyśmy też przejść na ich wiarę i przyłączyć się do ich świętej wojny.

Aż wreszcie, podczas piątkowego kazania w meczecie w Pul-e Cheszti, najwyższy sędzia Nur Mohammad Sakib wezwał wiernych, by zerwali wszystkie znajomości i przyjaźnie z giaurami. „Przyjaźń z niewiernym jest grzechem takim samym jak pederastia" – zawyrokował.

Odkąd w mieście zapanowali talibowie, cudzoziemskim dziennikarzom wolno było mieszkać już tylko w odbudowanym ze zniszczeń hotelu „Intercontinental" na podmiejskim wzgórzu. Mieliśmy tu wszystko, co potrzebne. Światło, ciepłą wodę, sklepik z papierosami, restaurację, czynny telefon satelitarny i telefaks. Czasami zjawiali się nawet przywódcy talibów na zapowiadane zawczasu konferencje prasowe. Nowy dyrektor hotelu z dumą zapowiadał rychłe otwarcie jedynego w mieście publicznego basenu pływackiego, w którym w słoneczne dni zagraniczni goście będą mogli zażywać kąpieli. Nieco zakłopotany, a może rozbawiony nie potrafił powiedzieć, czy z basenu będą mogły korzystać także cudzoziemki. Zapewniał jednak, że mężczyźni, odziani w zalecane przez talibów sięgające kolan kalesony, będą mogli pływać dzień i noc. Twierdził też, że w drodze wyjątku otrzymał od emira obietnicę zgody na zainstalowanie telewizorów, odbierających zagraniczne stacje, CNN, amerykańską i arabską Al-Dżazirę. Pod wejściem zawsze czekali taksówkarze, gotowi nawet tuż przed godziną policyjną wozić zagranicznych gości do śródmiejskiego Klubu ONZ.

Hotel miał być kolorową, pogodną i wygodną enklawą, kuszącą przybyszów z dalekiego świata i zniechęcającą ich do podejmowania niewdzięcznego trudu wędrowania po szarym, milczącym, umierającym mieście.

Jeśli sam hotel nie okazał się dość silną barierą, talibowie wzmacniali ją zasiekami tysięcy zakazów i barykadami przeszkód. Cudzoziemskich dziennikarzy objął więc również zakaz fotografowania i filmowania żywych istot. Wolno było robić zdjęcia krajobrazów, lasów, gór czy domów pod warunkiem, że nie pojawiali się na nich ludzie lub zwierzęta. Przybywającym z zagranicy dziennikarzom nie wolno było odwiedzać domów korespondentów przebywających w Kabulu na stałe. Nie wolno było też rozmawiać z afgańskimi kobietami, chyba że w obecności i za pośrednictwem ich mężów lub ojców.

Zapowiedziano też, że relacje nieprawdziwe, narażające na szwank dobre imię Afganistanu i jego władców, a także godzące w afgańskie tradycje, prawa i uczucia religijne będą uznawane za przestępstwo i karane więzieniem. Wypisując oficjalne akredytacje, urzędnicy z ministerstwa dyplomacji pouczali, że zagraniczni korespondenci powinni wystrzegać się spekulacji, analiz, przepowiedni, komentarzy, ocen. Radzili też, by w artykułach o sytuacji na froncie nie powoływać się na relacje świadków, którzy nigdy nie są godni zaufania, ale odwiedzać sztaby, okopy i bitewne pola. Aby jednak pojechać na front, konieczne były specjalne przepustki, których nie wystawiano. Według talibów jedynym wiarygodnym, obiektywnym i wartym uwagi źródłem wszelkich wieści z Afganistanu były oficjalne komunikaty poszczególnych ministerstw, które dziennikarze mieli obowiązek przywoływać w swoich relacjach w całej rozciągłości.

W hotelu czekali na cudzoziemców wyznaczeni przez Ministerstwo Dyplomacji kierowcy, tłumacze i przewodnicy, z których usług, chcąc pozostać w mieście, nie miało się prawa zrezygnować. Wszystko było zorganizowane, przygotowane – odtąd dotąd. Każdego dnia rano należało dostarczyć urzędnikom listę osób, z którymi zamierzało się rozmawiać nazajutrz, czasami także pytania, oraz program i kalendarz wszelkich podróży. Jakiekolwiek próby wprowadzania niespodziewanych zmian były natychmiast torpedowane przez przydzielonych kierowców i przewodników. A to nagle psuł się gaźnik w samochodzie, a to okazywało się, że konieczna jest jakaś kolejna, poświadczona pieczęciami przepustka.

Nie sposób było urwać się choć na chwilę, choćby po to, by bez celu ruszyć w miasto, pooddychać nim, poczuć, czym żyje. Wśród brodaczy w turbanach nawet najbardziej zarośnięty cudzoziemiec w europejskim stroju i nieznający miejscowej mowy wyglądał i czuł się jak przebieraniec, albinos. Nie można się było ukryć, wtopić w tłum, zniknąć, przestać zwracać uwagę. Natychmiast pojawiał się patrol z Departamentu Wspierania Cnoty i Walki z Występkiem, który wzywał przed swe oblicze drżącego ze strachu przewodnika, a ten, nerwowo tłumacząc się, rzucał ku cudzoziemcom pełne wyrzutu spojrzenia, że dla uciechy i z ciekawości, która przystoi dzieciom, ale nie dorosłym, narażają dobre imię, a kto wie, może i życie.

Przydzielonym mi z urzędu tłumaczem i przewodnikiem po państwie talibów był pan Jadgar, wysoki i chudy jak tyczka, siwowłosy wykładowca psychologii na uniwersytecie. Wynajmował się do towarzystwa cudzoziemcom nie z ochoty, ale by dorobić. Rychło przekonał się, że ze swoimi pytaniami i notatnikiem stanowię dla niego zagrożenie o niebo mniejsze niż uzbrojeni w długolufowe aparaty fotografowie, pozwalał mi się więc oddalać na parę kroków – do sklepu, na bazar.

Dzięki temu, błądząc bez przewodnika po kabulskich zaułkach, mogłem się przekonać, że nie tylko pan Jadgar, ale niemal cała stolica jest sparaliżowana strachem. Sprzedawcy dywanów, którzy kiedyś potrafili godzinami targować się o cenę przy filiżance zielonej herbaty, teraz woleli zawierać transakcje na ulicy. Nie zapraszali do sklepów. Przeciwnie, ogarniała ich trwoga na samą myśl, że cudzoziemiec zapragnie obejrzeć dywany. Po odwiedzinach zagranicznego gościa w kabulskim domu z następną wizytą mogli przybyć już tylko brodaci milicjanci z Departamentu Wspierania Cnoty i Walki z Występkiem. Talibowie przestrzegli wszak Afgańczyków, by pod żadnym pozorem nie wpuszczali do swoich domów cudzoziemców, którzy będą ich namawiać, kusić, przekupywać, by wyrzekli się wiary w Allaha i uwierzyli w innego Boga.

Pewnego dnia, wolny akurat od opieki pana Jadgara, na ulicy Kwiatowej wpadłem na starego znajomego, Mumbina, lekarza. Nie widziałem go od jesieni dziewięćdziesiątego szóstego, kiedy przeprowadzał mnie przez linię frontu do twierdzy opozycji, Doliny Pandższiru. Mumbin, dumny ze swojej mieszczańskości, przepowiadał wtedy, że rządy talibów nie przetrwają długo. Ale mimo to nie był dobrej myśli. Pamiętam jego słowa: „Miasto nie może żyć według wiejskich praw. Albo zbuntuje się i będzie nowa wojna, albo przestanie być miastem. Tyle że talibowie nie mogą się już wycofać, bo powstanie przeciwko nim wieś. Wojna więc wybuchnie tak czy inaczej. Jutro będzie gorsze niż dziś. Tak mówi Koran. To nam pozwala cieszyć się dniem dzisiejszym". Nie potrafił nazwać sury, która o tym mówiła. Uwielbiał zadawać szyku, wywierać wrażenie. Twierdził, że zna Dolinę Pandższiru jak własną kieszeń, a zabłądził po paru kilometrach. Utrzymywał też, że zna mowę arabską, co pozwala mu obcować ze Świętą Księgą równie swobodnie jak mułłom. Dopiero po wielu dniach, podczas którejś z rozmów wśród hindukuskich przełęczy, przyznał, że po 309 arabsku potrafi jedynie czytać, ale nie rozumie ani słowa. Potem zginął mi z oczu, nikt niczego nie potrafił o nim powiedzieć.

I oto po czterech latach stał przede mną zmartwych-wstały brodaty doktor Mumbin, który czytał po arabsku Koran, lecz go nie rozumiał. Na mój widok łzy stanęły mu w oczach. Po chwili jednak zesztywniał i zaciągnął mnie do taksówki. Tłumaczył, że w gwarze ulicy trudno jest rozma-wiać, ale widziałem, że się boi. Gdy chciałem się z nim umówić, wykręcił się brakiem czasu.

Miasto zamknęło się przede mną. Wciąż w nim mieszka-łem, pierwszy raz jednak poczułem, że nie tylko do niego nie należę, ale nigdy nie należałem i należeć nie będę. Osa-czony i skrępowany więzami zakazów, strachu, godziny po-licyjnej, straszony potrząsanymi groźnie karabinami straci-łem rozeznanie. Nie wiedziałem, co myślą, co mówią mie-szkańcy miasta. Niby dalej rozmawiałem z nimi, a oni odpo-wiadali na moje pytania. Mówili, ale oczy mieli puste.

– Nie tak miało wyglądać moje życie, o nie – powtarzał nieustannie i niestrudzenie pan Jadgar. Współczułem mu i ze zrozumieniem potakiwałem głową, gdy jak co dzień zaczynał litanię żalów.

Swoje przekonanie o pomyłce Opatrzności czerpał ze wspomnień o odległych czasach, gdy żył dostatnio, godnie i bezpiecznie i miał w sobie nie zgorzknienie i żal, ale ma-rzenia i niezachwianą wiarę, że się ziszczą. Były to z pew-nością najlepsze dni w życiu pana Jadgara. Cieszył się wtedy szacunkiem jako mędrzec ze stołecznego uniwersytetu i nie zaprzątał sobie głowy sprawami tak przyziemnymi, jak pieniądze. Te dobre czasy były już jednak tak od-ległe, że zatarła się nawet pamięć o tym, jak krótko trwały. W dostatku i złudnym poczuciu bezpieczeństwa przeżył za-ledwie kilka krótkich lat, ale uznał, że taki właśnie los był mu wyznaczony. Lata strachu, biedy i pogardy, które dawny uczony uważał za okres absurdalny i tylko tymczasowy, trwały jednak już kilkakrotnie dłużej. Może więc właśnie tak, nędznie i podle, miało wyglądać jego życie, a tamte odległe krótkie chwile szczęścia były ułudą.

Pan Jadgar świetnie wiedział, kiedy jego życie zaczęło zbaczać z prostego, szczęśliwego szlaku. Pamiętał każdy najdrobniejszy szczegół i jeszcze to, że panował nad wszystkim, wszystko kontrolował. Godził się na ustępstwa i kompromisy, wiedząc doskonale, gdzie jest dopuszczalna granica i co należy zrobić, by zawrócić na stary szlak. Traktował otaczającą go rzeczywistość i wszystko, co się wokół niego działo, jako partię, którą musi rozegrać. Można w niej wiele zyskać, ale można też coś stracić. Pan Jadgar uważał się w tej grze za mistrza. Dziejowe burze i rewolucje były to dla niego kłopotliwe epizody, przez które po prostu należy przejść, płacąc możliwie najniższą cenę.

Najpierw, gdy młodzi oficerowie pod wodzą królewskiego kanclerza obalili monarchę i wydali wojnę zacofaniu, pan Jadgar wyparł się swego rodu z prowincji Logar i rodowej tradycji, która od wieków regulowała życie jego narodu, a którą nowi władcy uznali za przeżytek. To wyrzeczenie przyszło mu stosunkowo łatwo. Obowiązek wyświadczania ciągłych przysług niezliczonym krewnym ciążył mu tym bardziej, im wyżej wspinał się po drabinie w społecznej hierarchii.

Sam był już zasiedziałym mieszczuchem, przesiąkł nową, wielkomiejską kulturą, wykpiwającą wiejską tradycję. Rodzina i tradycja nie wydały mu się wartościami, na których ołtarzu miałby złożyć swoje życie i karierę. Zwłaszcza że nie spodziewał się, by kiedykolwiek były mu jeszcze potrzebne. Tłumaczył zresztą sobie, że przecież nie przestał być ani Pasztunem, ani kuzynem swoich kuzynów. Ogłoszony zaś przez władze nakaz golenia bród i noszenia europejskiego przyodziewku przyjął z rozbawieniem. Nigdy nie nosił przecież turbanu, a bród wprost nienawidził, widząc w nich symbol najgorszego zacofania i ciężaru przeszłości, z których zamierzał się wyrwać raz na zawsze. Długa broda kojarzyła się panu Jadgarowi z życiową klęską, zagrożeniem.

Potem oficerów i postępowego premiera zastąpili komuniści. Pan Jadgar już mniej regularnie chodził do meczetu, a w swoich książkach i artykułach coraz częściej używał dziwacznych sformułowań: walka klas, dyktatura proletariatu, centralizm demokratyczny. Nie wierzył w ani jedno słowo. Wydawało mu się tylko, że tego właśnie spodziewają się po nim nowi władcy. Nie widział problemu, wszystko to go bardziej bawiło, niż irytowało. Podobnie jak zalecane teraz wzorowanie się nie na Zachodzie, lecz Wschodzie. Zapewniał, że wcale niestraszna mu była tajna policja i groźba więzienia za nieposłuszeństwo. Sam był sobie panem. Mógł kryć się z modłami, nie przestał jednak być muzułmaninem. Wciąż też pozostawał sobą, tym samym, wyjątkowym panem Jadgarem.

Następni byli brodaci mudżahedini, którzy pobili komunistów, ale nie bardzo wiedzieli, co począć ze zdobytą władzą. Panu Jadgarowi najtrudniej było odgadnąć, czego nowi władcy spodziewają się po nim, jakiej ofiary, jakiego poddańczego hołdu, który zadowoliłby ich, a jemu pozwolił nadal pozostawać sobą. Poruszał się więc po omacku. Schował do szafy swoje najlepsze garnitury i zaczął ubierać się w powłóczyste koszule, wypuszczane na workowate spodnie. Znów zaczął chodzić do meczetu. Ale wciąż nie wiedział, czy to wystarczy. Wydawało się zresztą, że nowi władcy, zaprzątnięci bez reszty wojną o łupy, w ogóle nie zwracają uwagi na poddanych.

Aż przyszli ostatni z władców, talibowie, prości wieśniacy dowodzeni przez wioskowych mułłów. Ci wydawali nakazy i zakazy całymi tysiącami. Pan Jadgar wyniósł do piwnicy telewizor, wyrzucił z domu gramofonowe płyty, zabronił żonie i córkom wychodzić na ulicę. Choć pogardzał talibami, bo głosili nauki obce mu i wrogie, najął się do nich na służbę. Nie uważał, że się im wysługuje. Po prostu korzystał z okazji. Potrzebowali ludzi potrafiących mówić po angielsku, francusku. Płacili za to, że służył cudzoziemcom za przewodnika i tłumacza, pilnował, by nie łamali narzuconych nowych praw, których zrozumienie przychodziło z trudem nawet samym Afgańczykom. Z czasem dotarło do niego, że posada u talibów jest jedyną, jaką może zdobyć w mieście, i że pozbawiony jej stanie się żebrakiem i nie zdoła zapewnić opieki rodzinie. Wtedy się przestraszył.

Któregoś dnia baczniej zerknął w zwierciadło i przerażony nie znalazł już tam swojego dawnego odbicia. Z lustra spoglądał na niego obcy o rozbieganych oczach, rozedrganych ustach i długiej, zmierzwionej brodzie. Przysięgał, że nawet nie zauważył, kiedy to się stało.

Pan Jadgar trząsł się ze strachu i wcale tego nie krył. Choć najął się na mojego przewodnika i tłumacza, nie miał najmniejszego zamiaru niczego pokazywać ani objaśniać. Robił wszystko, co było w jego mocy, bym nic nie zobaczył, niczego się nie dowiedział, z nikim się nie spotkał. Płaciłem mu za to astronomiczną jak na Afganistan sumę pięćdziesięciu dolarów dziennie. Taką cenę za usługi pana Jadgara, w poprzednim wcieleniu profesora afgańskiego uniwersytetu, wyznaczyła instytucja, której bał się najbardziej – Departament Wspierania Cnoty i Walki z Występkiem.

– Oni są wszędzie. Wszystko widzą i wszystko słyszą. Nic nie umknie ich uwagi, a każde wykroczenie zostanie surowo ukarane – szeptał stary profesor, błagając, bym nie robił niczego, na co nie otrzymałem wyraźnego zezwolenia.

Dla pana Jadgara decyzja o zatrudnieniu się w roli tłumacza i przewodnika była jedną z najdramatyczniejszych w życiu. Dochował się czterech córek. Kiedyś cieszył się, że nie ma synów, których musiałby oddać do wojska na pewną śmierć. Teraz przeklinał, bo choć wykształcił córki (dwie były lekarkami, jedna adwokatem i jedna dziennikarką), żadna nie mogła pracować, a on, miast dożywać starości, bawiąc się z wnukami, musiał tyrać, by utrzymać cztery dorosłe panny. Po wykładach uczył czytać i rachować straganiarzy ze śródmiejskiego bazaru. Albo dorabiał, wynajmując się jako tłumacz dla nielicznych cudzoziemców odwiedzających Kabul. Mógł tego nie robić. Nie narażałby się tak bardzo, biorąc odpowiedzialność za nieodpowiedzialnych przybyszów. Ale nie zarobiłby też wyznaczonych przez ministerstwo dolarów, które dają mu jednak od czasu do czasu kuszące poczucie wolności, bezpieczeństwa i spełnionego obowiązku.

Właśnie nędza i desperacja, spowodowane trwającą od ćwierć wieku wojną, sprawiły, że mieszkańcy Afganistanu pokornie dali sobie narzucić drakońskie prawa i reżim talibów. Nie akceptowali terroru, ale nie mieli też siły, by mu się sprzeciwić. Nie mieli również żadnej nadziei, że zmiana obecnych porządków byłaby zmianą na lepsze.

– Myśmy nigdy nie wybierali sobie władców – powiedział kiedyś mój tłumacz i przewodnik w chwili szczerości. – Mogliśmy się co najwyżej modlić, by byli to dobrzy władcy. Ale Bóg wysłuchiwał nas rzadko.

Idąc na służbę do talibów, pan Jadgar wkroczył na pole minowe, na którym nie mógł wykonać żadnego fałszywego kroku. Kiedy w rozmowie zahaczałem o jakąś drażliwą kwestię, szybko zmieniał temat.

– Tu stał kiedyś wspaniały budynek – mówił, pokazując palcem jakieś zgliszcza czy ruiny. – Ale w wyniku postępowania niedouczonych i nieodpowiedzialnych ludzi wszystko zostało niestety zniszczone.

Na posiłki pan Jadgar zabierał mnie do restauracji „Herat" w śródmiejskiej dzielnicy Szahr-e Nau. Jedliśmy zamknięci na cztery spusty, a przewodnik towarzyszył mi nawet do ustępu. Któregoś dnia do restauracji wpadł patrol milicyjny.

– Nikt nas nie zwiedzie – krzyczał dowódca, wymachując pistoletem. – Na pewno robiłeś ludziom zdjęcia, choć wiedziałeś, że to zabronione!

Pana Jadgara spotkanie to kosztowało dwudniowy zarobek przewodnika.

Nazajutrz zbladł z przerażenia, kiedy poprosiłem, żeby zaprowadził mnie do Departamentu Wspierania Cnoty i Walki z Występkiem i umówił z jego szefem.

Mohammad Salem Haqqani, na pierwszy rzut oka koło trzydziestki, sprawiał wrażenie nieśmiałego, zakłopotanego prowincjusza. W czasie rozmowy niespokojnie szarpał palcami długą, rzadką brodę, przygryzał wargi, usiłując opanować nerwowy chichot, tak nieprzystający wysokiej godności, jaką sprawował. Haqqani był wiceministrem od wspierania cnoty i walki z występkiem. Był sędzią i katem. To jego resort rozstrzygał takie kwestie, jak długość męskich bród i spodni, stosowność damskiej odzieży, częstotliwość modlitw, zachowanie kibiców na boisku. To jego szpiedzy donosili, kto przestrzegał przepisów, a kto miał je za nic, kto narzekał. To jego milicjanci, grający rolę wszechobecnej tajnej policji politycznej i obyczajowej, tłukli niepokornych pałkami, wtrącali do więzień. To on wreszcie, decydując, co jest pobożne, co nie, miał prawo rozstrzygać, kto z obywateli jest lojalny wobec władz, a kogo należy zaliczyć do wrogów.

Mając tak rozległe kompetencje i nieograniczone niemal możliwości wpływu na rzeczywistość Afganistanu, Departament Wspierania Cnoty i Walki z Występkiem uważany był za najpotężniejszy po armii resort. Brodaty olbrzym, mułła Kalamughin, który najdłużej kierował tym urzędem, stał się uosobieniem reżimu talibów. Kto wie, może właśnie z tego powodu został odsunięty od szczytnego dzieła wspierania cnoty i walki z występkiem i przerzucony do Ministerstwa Sportu, gdzie nie miał już takiego wpływu na politykę.

Następca Kalamughina, mułła Wali Mohammad, nie miał już tej charyzmy, a jego imię nie budziło wśród kabulczyków tak panicznego strachu jak imię poprzednika. Wzorem emira i większości jego ministrów Wali Mohammad nie dbał zresztą o stolicę i na krok nie ruszał się z rodzinnego Kandaharu. W stolicy panował więc w jego zastępstwie pasztuński mułła i wojownik Mohammad Salem Haqqani, który łączył w sobie nieśmiałość parweniusza i okrucieństwo fanatyka.

Historia jego krótkiego żywota była typowa dla większości przywódców talibów. Dzieciństwo spędził w obozach uchodźców w pakistańskim Peszawarze, gdzie ponad cztery miliony Afgańczyków schroniło się przed wojną. Podobnie jak dla tysięcy rówieśników, jego jedyną szkołą była medresa Haqqanija, kierowana przez pakistańskiego mędrca, mułłę Sami ul-Haqa.

Widząc bezprawie, wyzysk i bezeceństwa, jakie zamiast bożego państwa zapanowały w Afganistanie po zwycięstwie mudżahedinów, zachęcani przez Pakistan talibowie skrzyknęli się w partyzancką armię i ruszyli na Kabul.

Mohammad Salem wraz z kolegami też ruszył na wojnę z błogosławieństwem nauczyciela, który zastąpił mu ojca. Nie mając pojęcia o otaczającym świecie ani jego historii, nawet tej najnowszej, Haqqani kroczył przez życie, kierując się jedynie literą Koranu i zaleceniami mądrych mułłów, których przywykł uważać za jedyne autorytety.

Zwykle nie spotykał się z cudzoziemskimi dziennikarzami. Dla mnie jednak uczynił wyjątek. Zarośnięty i zakurzony nie wyglądałem może na Araba, ale na pewno nie przypominałem Europejczyka. Nie byłem muzułmaninem, ale nie byłem też Amerykaninem ani Rosjaninem, ani Brytyjczykiem, których Haqqani i jego sekretarze zdawali się utożsamiać z Europą. Zgoda na audiencję i rozmowę wynikała najpewniej z tego, że moje dobrowolne wizyty w unikanym przez wszystkich Departamencie Wspierania Cnoty i Walki z Występkiem wprawiały go w zakłopotanie. Podczas gdy wszyscy inni starali się obchodzić ponury gmach i jego mieszkańców jak najdalej, ja się napraszałem. Godząc się w końcu na rozmowę, Haqqani zażyczył sobie jedynie, bym nie przedłużał jej zanadto i żebym nie pytał o szczegóły, bo i tak nie będę ich w stanie pojąć.

– Czy w kraju zamieszkanym przez samych muzułmanów, którzy w dodatku od lat byli przykładami pobożności, konieczne było powołanie Departamentu Wspierania Cnoty i Walki z Występkiem?

– Naszym zadaniem jest pomagać ludziom, żeby byli lepsi. Sami tego chcą. Zawsze chcieli. Walczyliśmy z komunistami nie tylko o wolność, ale także, a może przede wszystkim, o islam. Tylko bowiem w muzułmańskim państwie można być prawdziwie wolnym. Mudżahedini pobili komunistów i Rosjan, ale zdradzili sprawę, okazali się zbyt słabi i zbyt małostkowi, by wprowadzić w kraju prawo Koranu. My to zadanie realizujemy ku radości wszystkich Afgańczyków.

– Skoro wszyscy Afgańczycy marzą jedynie o tym, by być lepsi, i cieszą się z rządów talibów, to dlaczego podlegli panu milicjanci muszą pałkami zapędzać ich do meczetów na modlitwy i pilnować, by przypadkiem nie strzygli bród? Czy rzeczywiście w tym wielkim dziele naprawy nie da się uniknąć przemocy?

– Nie stosujemy przemocy. Moi ludzie mają tylko pouczać i przekonywać.

– A wczoraj widziałem, jak tłukli pałkami straganiarzy, którzy ociągali się z pójściem do meczetu na modlitwę wieczorną. To było przekonywanie czy pouczanie?

– Jesteśmy dobrymi pasterzami, którzy mają bezpiecznie przeprowadzić stado. Zdarzają się zbłąkane owce, które czasem trzeba siłą zapędzić do stada i na właściwą drogę. Dla ich dobra.

– Gdzie było panu trudniej radzić sobie z tym zadaniem? W rodzinnej prowincji Laghman, gdzie ludzie zawsze tak żyli, czy w stołecznym Kabulu, wielkim, kosmopolitycznym, zepsutym mieście, którego mieszkańcy, wystawieni na pokusy świata, przywykli żyć w grzechu?

– Dla nas to bez różnicy. W Laghmanie, Kandaharze czy Kabulu pracujemy ze wszystkich sił, służąc narodowi. Nic nas nie powstrzyma. Kabulczycy to dobrzy ludzie. Chcą być pobożnymi muzułmanami. Wielu ludziom bardzo pomogliśmy.

– Czy naprawdę nie można być pobożnym, ale ogolonym muzułmaninem?

– Jest się wtedy nadal muzułmaninem, ale muzułmaninem grzesznym. Koran i hadisy, opowieści o życiu Proroka Mahometa, regulują każdy szczegół codziennego życia. Nie ma potrzeby niczego zmieniać ani niczego dodawać.

– Ale czy naprawdę zbyt krótka broda jest tak strasznym grzechem?

– To wy sprowadzacie problem do długości brody i wyśmiewacie nasze prawa. A nam chodzi o zasady i uczciwość. Nie ma znaczenia, czy się zejdzie z właściwej drogi na krok, czy na milę. Błądzi się tak czy inaczej. Tłumaczenie, że to tylko krok, a nie mila, jest samooszukiwaniem się, a więc największą hipokryzją. Jeśli się chce zmierzać we właściwym kierunku i właściwą drogą, nie wolno z niej schodzić. Taka droga wymaga wyrzeczeń. Trzeba być twardym, żeby osiągnąć Królestwo Boże.

– A telewizja czy kasety magnetofonowe, o których Koran przecież nie wspomina choćby dlatego, że w czasach, gdy spisywano Świętą Księgę, po prostu ich nie było?

– I nie ma potrzeby, żeby były. Niosą tylko grzech i zepsucie. Ale nie wdawajmy się w szczegóły, których wytłumaczenie zajęłoby mi mnóstwo czasu, a panu jeszcze więcej ich zrozumienie.

– Nieraz słyszałem, że decydując o zgodności wszystkiego z prawem koranicznym i porządkami, pańskie ministerstwo decyduje w praktyce o wszystkim, co się dzieje w Afganistanie.

– To nie my stanowimy prawo. Źródłem prawa jest Koran i hadisy, a ich właściwe odczytanie należy do naszego przywódcy, mułły Omara, Emira Wszystkich Wiernych, i jego Rady Mędrców, ulemów. Naszym zadaniem jest jedynie zapewnienie, żeby te prawa i porządki zostały wprowadzone w życie.

– Co pańskim zdaniem jest większym zagrożeniem: komunizm, który twierdzi, że Boga nie ma, i zakazuje się do niego modlić, czy może zachodni liberalizm, który samym ludziom pozostawia kwestię, czy Bóg jest, czy go nie ma?

– Komunizm jest gorszy od liberalizmu, bo mówi, że Boga nie ma. Ale liberalizm jest też zły. Nie potrzebujemy ani jednego, ani drugiego. Ale to już wasze zmartwienia. Myśmy odnaleźli właściwą drogę.

W Afganistanie, jak chyba nigdzie indziej na świecie, władcy bywają zwierciadlanym, upiornym odbiciem kraju i jego mieszkańców. Talibowie byli kalekami. Dusze i smagłe twarze poorane mieli głębokimi bruzdami blizn, stracili na wojnie nogi, ręce, oczy. Kaleką był sam emir i niemal co drugi jego minister, generał czy dworzanin. Jednonogi i jednooki był minister sprawiedliwości mułła Nuruddin Turabi, jednooki – minister od walki cnoty z występkiem mułła Wali Mohammad, jednonogi i prawie ślepy minister dyplomacji mułła Mohammad Ghaus, jednonodzy wicepremier i gubernator Kandaharu mułła Hasan Rahmani i burmistrz Kabulu Abdul Madżid.

– Ze wszystkich partyzanckich partii walczących z komunistami najmniej broni i pieniędzy od Amerykanów, Saudyjczyków i Pakistańczyków dostawali partyzanci z Kandaharu. – Mułła Stanakzaj, który na dworze emira doszedł do pozycji ministra dyplomacji, wiedział doskonale, co mówił. W tamtych czasach był księgowym partii muzułmańskich rewolucjonistów Abdurraba Rasula Sajjafa, mieszkał w pakistańskiej Kwetcie, gdzie kwitował przyjmowane pieniądze i rozdzielał je między pomniejszych komendantów. – Nie ufano im, ponieważ wywodzili się z pasztuńskich plemion durrańskich, które wydały prawie wszystkich afgańskich królów i prezydentów. Nie byli więc dobrymi kandydatami na pokornego i posłusznego sojusznika, biernie wypełniającego rozkazy obcych. Posłuszny był Gulbuddin Hekmatiar, więc to on dostawał niemal całą zagraniczną pomoc. Kandaharczykom brakowało pieniędzy nie tylko na karabiny, ale i na lekarstwa. Rannych musieli wozić wielbłądzimi karawanami przez pustynię i góry do lazaretów w Pakistanie. Dlatego tylu ich żołnierzy i komendantów zostało po wojnie kalekami.

Komendantami kandaharskiej partyzantki nie byli zbuntowani studenci stołecznych uniwersytetów, sfrustrowani zacofaniem i brakiem przyszłości, ale wioskowi mułłowie, którzy świętą wojnę pojmowali nie jako rewolucję, burzenie starych porządków, zmiany i postęp, tylko jako obronę utrwalonego od wieków porządku rzeczy.

W Afganistanie jest co najmniej dwadzieścia pięć tysięcy wsi, a w każdej są przynajmniej dwa meczety. W każdym z nich służbę Panu sprawował imam, mający do pomocy kilku uczniów, talibów, którzy pod okiem mistrza sposobili się do roli mułłów. Łącznie dawało to ponadstutysięczną armię, groźną, bitną, wyruszającą na wojnę nie w nadziei zdobycia władzy, łupów, zaszczytów czy jakiejkolwiek nagrody, lecz z religijnego obowiązku.

I właśnie mułłowie, nierozumiejący, co to jest rewolucja, niewyznający się w politycznych zawiłościach, ogłaszali świętą wojnę, dzięki czemu stawała się ona dla wiernych taką samą oczywistą powinnością jak modlitwa. Do mułłów należało rozstrzyganie, czy cel wojny został osiągnięty, czy też może zdradzony. Wioskowi mułłowie nie byli ani mędrcami, ani przywódcami z namaszczenia. Służyli raczej swojej wioskowej wspólnocie wiernych, niż nią rządzili. Jeśli biedna była wieś, biedny był także wioskowy mułła, utrzymujący się z dziesięciny, jaką płacili mu wieśniacy za to, że pięć razy dziennie prowadził modły w meczecie i żegnał modlitwą zmarłych na wioskowych cmentarzach. Mułłowie byli sędziami rozstrzygającymi sąsiedzkie spory, a także nauczycielami, gdyż nierzadko jako jedyni we wsi potrafili składać litery i odczytywać arabskie inskrypcje. Ich władza wynikała z autorytetu, ten zaś z ich pobożności, użyteczności i dostępności. Dla zagubionych wieśniaków, zapomnianych i porzuconych przez dalekich królów, prezydentów i ministrów, mułłowie byli wyrocznią orzekającą, co jest dobrem, a co złem, co grzechem, a co cnotą. W świecie, w którym jedynymi emisariuszami stołecznego rządu byli znienawidzeni poborcy podatków i rekruta, oprócz plemiennej starszyzny słuchano tylko mułłów i jedynie z ich zdaniem się liczono. Z Kabulu co prawda przybywali od czasu do czasu nauczyciele, ale zazdrośni o rząd dusz mułłowie szybko ich przepędzali jako wichrzycieli. Wizyty intruzów były jednak rzadkością.

Wrośnięci w wioski mułłowie byli przedstawicielami ludzi najbiedniejszych, najmniej światłych, najbardziej konserwatywnych i przywiązanych do tradycji i starych porządków. Byli ich przewodnikami i nauczycielami, choć sami niewiele wiedzieli. Na ogół ledwie radzili sobie z czytaniem i pisaniem, tylko nieliczni posiedli choćby podstawową wiedzę o matematyce, historii czy geografii. Ale w świecie niepiśmiennych mieli absolutny monopol na odczytywanie i tłumaczenie wszystkiego, co zapisane w Świętej Księdze, w której według nich zawarta była uniwersalna recepta na pokój i dobrobyt. Powoływali się na Koran, ale potrafili jedynie recytować jego sury wyuczone na pamięć, podobnie jak hadisy. Nawet ci, którzy poznali arabskie pismo, potrafili tylko odczytywać Księgę spisaną w języku Proroka Mahometa. Niewielu wioskowych mułłów nim władało.

Dla zaniedbywanych, pozostawionych samym sobie chłopów posłanie synów na naukę do mułły w szkole przy wioskowym meczecie i tak było jedyną szansą, by zapewnić im jakiekolwiek wykształcenie, ot, choćby umiejętność pisania, czytania, rachowania. Tak było i jest nie tylko w Afganistanie. Skorumpowane, zakłamane i pochłonięte bez reszty swoimi sprawami władze muzułmańskich krajów nie dbały o poddanych. Przeznaczane z budżetu pieniądze na szkoły rozkradali urzędnicy z Ministerstwa Szkolnictwa, a nauczyciele domagali się pieniędzy za dobre oceny na egzaminach. Medresy natomiast nie tylko za darmo kształciły, ale i wychowywały. Zapewniały uczniom naukę, strawę, dach nad głową, a nawet czułość oddanych im bez reszty opiekunów i nauczycieli. Pieniądze na utrzymanie szkół pochodziły od możnych mecenasów, którzy widzieli w nich szansę na odnowę upadłych społeczeństw. Pozostawali najczęściej anonimowi, bo choć głęboko rozczarowani hipokryzją i nieuczciwością reżimów, woleli przedwcześnie nie zdradzać swoich sympatii, nie narażać się na prześladowania, utratę ważnych posad, przywilejów, wygodnego i dostatniego życia.

W czasach świętej wojny szkoły takie wyrosły w licznych obozach afgańskich uciekinierów w pakistańskich Peszawarze i Kwetcie. Kształcili się i wychowywali w nich przyszli mudżahedini, dla których jedynym życiowym drogowskazem pozostawały nauki szkolnych imamów i mułłów.

Mułłowie i talibowie walczyli w każdej z partyzanckich armii świętej wojny. Po jej zakończeniu powracali do swoich meczetów i szkół, skąd z coraz większym niesmakiem i goryczą przyglądali się rządom tych, którym pomogli przejąć władzę i którzy w ich imieniu zobowiązali się budować państwo boże. W końcu uznali, że święty cel został zbrukany, a im, jedynym sprawiedliwym, jedynym, którzy pozostali mu wierni, pozostaje do spełnienia obowiązek doprowadzenia wojny do końca. Wioskowi mułłowie znów przemienili się w partyzanckich komendantów, a ich uczniowie, talibowie – w żołnierzy.

Byli zbyt młodzi, by pamiętać życie bez wojny. Być oznaczało dla nich być żołnierzem, walczyć. Nawet gdyby chcieli porzucić taki żywot, zmienić go, nie mogliby, ponieważ nie posiadali dosłownie nic. Mogli więc być żołnierzami albo nikim. Kwestia wyboru była jedynie hipotetyczna. Nie wiedzieli nawet, co to znaczy mieć rodzinę. Jedni walczyli zbyt długo i zapomnieli, co to jest zwyczajne życie. Inni, osieroceni przed laty, wychowali się w internatach medres, gdzie wpajano im nie tylko wersety Świętej Księgi, ale także obowiązek ślepego posłuszeństwa, karności i kult męczeństwa.

Niezłomne przekonanie o słuszności sprawy, w jakiej stawali, wynikało więc z głębokiej, niezachwianej wiary, a także z mitu, którym żyli od wieków, że Pasztunowie wywodzą się od Abdurraszida Ghaisa, towarzysza Proroka i uczestnika pierwszych świętych wojen. Byli więc muzułmanami od zawsze, w przeciwieństwie do innych wyznawców islamu, którzy na wiarę Allaha tylko się nawracali. Wiara i tradycja splotły się w niezwykły kodeks moralny, któremu od zawsze pozostawali wierni, według którego żyli i którego kanony uważali za równie święte, jak boże przykazania, niemal z nimi tożsame. Teraz jednak wpajano im, że nie liczy się nic poza przynależnością do wspólnoty wiernych i Jedyną Prawdą zapisaną w Świętej Księdze. Wierność rodowi czy przywiązanie do odwiecznych praw i obyczajów miały odciągać tylko uwagę od myśli o Bogu, sprowadzać na złą drogę.

Nie znali własnej historii, tradycji, mitów, legend. Tego ich w medresach nie uczono. Nie znali swojego kraju, z którego jako dzieci musieli uciekać przed wojną. Nie znali, nie pamiętali swoich wiosek, sąsiadów, dolin, oaz. Nie mieli nawet wspomnień z przeszłości ani planów na przyszłość.

Niczego nie umieli. Nie posiadali nawet tych umiejętności, które ich przodkowie przekazywali sobie z pokolenia na pokolenie. Nie wiedzieli więc, jak uprawiać ziemię, hodować zwierzęta, tkać, lepić garnki, zbijać meble, budować domy. Nawet święta wojna, którą prowadzili ich ojcowie i starsi bracia, dla nich była jedynie mglistym wspomnieniem z dzieciństwa. Nie czcili ich wcale jako bohaterów, nie podziwiali ich męstwa, straceńczej odwagi, gotowości do największych poświęceń. Wojna nie była dla nich czasem wyjątkowym, lecz powszednim. Kiedy przychodzili na świat, już trwała. Udział w niej nie był więc dla nich niczym wyjątkowym, przeciwnie, był tożsamy z istnieniem. Cóż to więc za bohaterstwo? Mułłowie z medres, ich mistrzowie, opiekunowie i wychowawcy, nauczali przecież, że mudżahedini zawiedli rozpaczliwie. Zawłaszczyli sztandary świętej wojny, a chodziło im jedynie o władzę, sławę, majątek. W kłótniach i bratobójczych swarach roztrwonili zwycięstwo i przynieśli krajowi tylko rozczarowanie, bezprawie i nowe wojny. Mieli uważać ich za bohaterów? Szanować ich i podziwiać? Nie, dla talibów mudżahedini byli jedynie żałosnymi i małostkowymi hipokrytami, zasługującymi na pogardę i wieczne potępienie.

Podobnie gardzili komunistami, którzy obiecywali zaprowadzić sprawiedliwość, a musieli ściągnąć obce wojska, by utrzymać w posłuchu tych, których chcieli uszczęśliwić.

Gardzili rewolucjonistami, monarchistami, republikanami, liberałami, miejskimi intelektualistami o głowach pełnych ksiąg i nauk, plemiennymi wodzami, którzy nie potrafili zapewnić bezpiecznego życia.

Nie znając ciepła domowego ogniska, nie mieli dla niego żadnego zrozumienia ani szacunku. Ich światem były koszary i życie na rozkaz. Świat mężczyzn. Nie znali kobiet. Ani gdy byli dziećmi, ani gdy dorastali. Wielu z nich nie widziało nawet kobiecej twarzy. Gdzie bowiem mieliby ją ujrzeć? Plemienne prawo nakazywało, by chłopcy oddzielani byli od dziewcząt natychmiast po ukończeniu siódmego roku życia. Od tej chwili aż do wyswatanego ożenku nie mieli żadnego kontaktu z kobietami, z wyjątkiem tych z najbliższej rodziny. Kobietom wolno było odsłaniać twarz tylko w domu i tylko przy najbliższych krewnych. Skoro talibowie wychowali się poza rodzinami, a widoki na to, że założą kiedykolwiek własne, były mizerne, kobieta pozostawała dla nich istotą niemal mityczną. Miłość, tęsknota, czułość, pożądanie – jeśli je odczuwali, nie wiedzieli, co z nimi począć. Nie wiedzieli, skąd się biorą, do czego prowadzą, jak je w sobie stłumić. Albo jak zaspokoić.

Niewiedza wywoływała strach, a strach – agresję. Niewiedza, strach i agresja były dla talibów kamieniem i spoiwem, z których zamierzali zbudować państwo boże.

Sądząc z liczby edyktów, nakazów i zakazów dotyczących ich praw i miejsca w społeczeństwie, ich zachowań i wyglądu, kobiety stanowiły największy problem talibów i największe zagrożenie dla ich panowania. I w rzeczy samej, sposób, w jaki talibowie potraktowali kobiety, ściągnął na nich pierwsze słowa potępienia, pierwsze kary, sankcje, które w końcu doprowadziły do ich izolacji, wojny i do upadku.

Kobietom zabroniono tak wiele, że niemal zakazano im życia. Nie wolno im było wychodzić z domów bez powłóczystych szat zasłaniających ciało, głowę i twarz. Nie wolno było im w ogóle wychodzić z domów bez towarzystwa ojców, mężów czy braci, a także bez wyraźnego celu i powodu. Nie wolno im było odzywać się do obcych, a także – regulował to oddzielny przepis – wychodzić na miasto w pantoflach na wysokim obcasie, które stukając głośno na trotuarach, ściągały uwagę na ich posiadaczkę.

Uprasza się nasze wielce szanowne siostry, by bez powodu nie opuszczały swoich domostw, a jeśli już będą musiały wyjść na ulicę, niech wkładają szaty okrywające je od stóp do głów – brzmiał specjalny edykt emira, wydany na czas świętego miesiąca postu, ramadanu. – *Kobiety mogą wychodzić z domu, by kupić żywność, odwiedzić w szpitalu chorych albo na przykład pójść na pogrzeb. Ale nie wolno im plątać się bez celu po bazarach i parkach, gdyż sam ich widok w miesiącu postu będzie prowokować mężczyzn do grzechu lub grzesznych myśli.*

Wobec nakazanego milczenia nawet żebraczki zaczepiały przechodniów bez słów, wyciągając prosząco rękę, a pozbawione opieki dorosłych mężczyzn wdowy nie mogły wychodzić na miasto, by odebrać dary i zasiłki, jakie otrzymywały dotąd z zagranicy. Kobietom zabroniono pracować razem z mężczyznami, razem z nimi się uczyć, podróżować, a nawet chorować.

– Pewnie, że kiedyś pootwieramy szkoły dla dziewcząt, zapewnimy pracę kobietom, taką jednak, żeby były odseparowane od mężczyzn. Ale potrzebujemy na to czasu i pieniędzy – tłumaczył mi mułła Stanakzaj, najbardziej światowy i światły z talibów. – Budując dom, nie można zaczynać od kładzenia dachu, najpierw trzeba położyć fundamenty. Na razie dziewczynki chodzą razem z chłopcami do szkół przy meczetach, a kiedy stają się podlotkami, mułłowie odsyłają je do rodziców.

Kupcom zabroniono wpuszczać do sklepów kobiety, których strój w jakimkolwiek szczególe uchybiałby nowym przepisom, a kierowcom autobusów i taksówek pod groźbą surowych kar przykazano, by nie brali ich do swoich pojazdów. Kierowcy uznali, że na wszelki wypadek lepiej będzie w ogóle nie wozić kobiet.

Lekarzom zakazano leczyć, a nawet badać pacjentki, które nie były z nimi spokrewnione. Mężczyźni mieli odtąd leczyć wyłącznie mężczyzn, a zdrowiem kobiet zajmować się miały kobiety. Ponieważ jednak wcześniej zabroniono im pracować, afgańskie kobiety nie mogły już liczyć na opiekę medyczną. Nie przyjmowano ich do szpitali, które nie posiadały specjalnych kobiecych oddziałów z wyłącznie kobiecym personelem. Matki, żony, siostry i córki nie mogły nawet odwiedzać w szpitalach synów, mężów i braci, jeśli w izbach, w których leżeli, przebywali też obcy mężczyźni, pacjenci.

Pozamykane zostały publiczne łaźnie dla kobiet, a właścicielom domów przykazano zamalować okna, aby nikt przechodzący ulicą nie mógł dostrzec przez nie kobiet, krzątających się po domostwach bez obowiązkowego stroju zasłaniającego twarze i włosy. Talibowie zalecili też architektom i budowniczym tak budować nowe domy, by okna nie wychodziły na ogrody i podwórka sąsiadów, bo tam również mogłyby się pojawiać kobiety.

Kobiety zniknęły z życia. Pojawiały się na bazarach i ulicach bez twarzy i kształtów, bez głosu. W swoich powłóczystych szatach sunęły między straganami bezszelestnie jak duchy. W Afganistanie nigdy nic od nich nie zależało, nigdy się nie liczyły. To był świat mężczyzn. Kobiety znikały. Było ich mniej już w pakistańskim Peszawarze, jeszcze mniej w wioskach na Przełęczy Chajberskiej. W Ghazni, Kabulu czy Kandaharze zapominało się już, że w ogóle istnieją.

Żaden z moich afgańskich znajomych nigdy nie opowiadał mi o kobietach w swojej rodzinie. Przechwalali się sławnymi przodkami, synami, braćmi, wujami. To o ich zdrowie pytało się kurtuazyjnie przy powitaniu. Pytania o kobiety należały do najbardziej osobistych, najbardziej kłopotliwych. Po prostu się ich nie zadawało. Nawet Massud, ten najbardziej postępowy i otwarty ze świętych wojowników, krzywił się na każde pytanie o rodzinę. Nigdy nie widziałem jego żony, Parigol, choć podejmował mnie w swoich domach w Dżabal us-Seradż i Dżangalaku. Przygotowywała w kuchni wieczerzę, ale wnosili ją adiutanci komendanta.

Jak trafnie zauważył Robert Kaplan, Afgańczycy zdają sobie doskonale sprawę, że kobiety są niezbędne do prokreacji, ale fakt ten wprawia ich tylko w jeszcze większe zakłopotanie i gdyby było to możliwe, natychmiast by w tej materii coś zmienili. Miłość, pożądanie, miłosny akt są dla nich wyjątkowo upokarzające, nie licują z wizerunkiem mężnego wojownika, rycerza, oddanego bez reszty walce i sprawie, z wzorem mężczyzny doskonałego, któremu każdy z Afgańczyków pragnąłby dorównać. Kobiety i obcowanie z nimi zdawały się temu światu mężczyzn i męskich spraw zagrażać. Należały do niego, ale wyłącznie jako atrybuty mężczyzn, najświętsze ze świętości, najwspanialsze ze skarbów. Ceniono je, strzeżono przed obcymi, czasami nawet wynoszono na ołtarze. Walczono o nie jak o pastwiska, wodopoje, poletka. Toczono przez pokolenia krwawe, rodowe wendety w obronie ich honoru. Nigdy jednak o nic ich nie pytano, nie słuchano, nigdy nie pozwalano im mówić. Dopuszczenie kobiet do świata mężczyzn zachwiałoby jego filarami, podważyło wartości, odsłoniło tajemnice, odarło z magii, uczyniło go zwyczajnym, a więc podałoby w wątpliwość jego istnienie, doprowadziło do samozniszczenia wszystkiego, na czym się opierał. Strzegąc tego świata, powodu własnego istnienia, po swojemu odczytywali prawa boskie, szukając potwierdzenia i uświęcenia odwiecznych porządków.

– Święte prawo stanowi, że kobiety mogą mieć odsłonięte twarze, jeśli nie pojawi się na nich najmniejszy grymas, który mężczyźni mogliby odczytać jako zachętę czy żądzę

– tłumaczył Naim. To on podjął się dowiedzenia mi wyższości praw talibów nad europejskimi. Podpierał swoje argumenty dyplomem sławnego uniwersytetu Al-Azhar z Kairu, tytułował się dyrektorem w Ministerstwie Kultury, a za salę wykładową służył nam popołudniami gabinet ministra Kwadratullaha. – Wcale nie uważamy kobiet za kusicielki, siewczynie zła. Przeciwnie, pragniemy chronić je przed mężczyznami, którzy na sam ich widok, na widok ich pięknych, przyciągających uwagę twarzy, nie mogą się oprzeć grzesznym myślom o cudzołóstwie. Z żalem muszę przyznać, że wielu naszych braci nie potrafi się godnie zachować w obecności obcych kobiet. Po tylu latach wojen i bezprawia znaleźliśmy się w wyjątkowej sytuacji. Uznaliśmy, że perskie czadory odsłaniające oczy mogą w naszym kraju okazać się niewystarczające, nieprzydatne. Widok kobiecych oczu może okazać się zbyt wielką pokusą, której mężczyźni nie zdołają się oprzeć. Nie pojmiesz ani nas, ani tego, co czynimy, gdyż należysz do zupełnie odmiennego świata, z kolei niepojętego dla nas. Nie rozumiesz nas, ale zapewniam cię, że tak samo nie zrozumie cię żadna normalna afgańska kobieta, kiedy powiesz jej, że w twoim kraju będzie mogła biegać półnaga jak dzikie zwierzę po parkach i ulicach i oddawać się każdemu mężczyźnie, na którego przyjdzie jej ochota – przemawiał Naim, a przytaczane jako kontrargumenty przykłady z innych muzułmańskich krajów kwitował machnięciem ręki i komentarzem: ich mieszkańcy może i mienią się sługami Najwyższego, ale nie żyją według jego przykazań. Kiedyś powołałem się na opinię muftiego Egiptu, pewien, że przed takim autorytetem Naim musi się ugiąć. Odparł spokojnie, że ubolewa, iż nawet jego nauczyciele błądzą, ale nie dziwi go to, zważywszy, że Egipt, choć zamieszkany przez muzułmanów, nie jest wcale krajem muzułmańskim. – A poza wszystkim, jeśli kobieta dozna uszczerbku na honorze, mężczyźni z jej rodu zgodnie z naszym plemiennym prawem muszą ją pomścić. Dla rodziny stanowi to wielki problem. Trzeba przelać krew, rozkręcić spiralę krwawej wendety, zginie wielu ludzi.

W afgańskiej historii kobiece stroje w równej mierze co męski zarost były barometrem zmieniających się politycznych frontów. Ilekroć na afgańskim tronie zasiadał władca pragnący otworzyć kraj na świat, upodobnić go do innych, doścignąć obcych w ich wyścigu do postępu, zalecał kobietom, a nawet nakazywał, by ściągały zasłony nie tylko z twarzy, ale z ciał.

Namawiał do tego król reformator Amanullah, ten sam, który kazał golić brody plemiennym wodzom i ubierał ich w meloniki i surduty. Wioskowi mułłowie, stojący na czele rebelii, która zmiotła go z tronu, natychmiast ukryli kobiety pod jeszcze grubszymi zasłonami.

Komuniści, którzy nie wierzyli w Boga, nie tylko nakazali kobietom chodzić z odsłoniętymi twarzami, ale zachęcali, by wzorem Europejek odsłaniały ramiona i kolana. Przyjmowali je do pracy w urzędach na równi z mężczyznami, a nawet zmuszali wioskowych starców, by w wiejskich szkołach uczyli się składać litery razem z dziewczętami. Tych zaś, którzy się na takie porządki nie zgadzali, całymi tysiącami wtrącali do więzień jako wichrzycieli i buntowników.

Mudżahedini i talibowie zabraniali tego, co komuniści zalecali. Jedni pozwalali, drudzy zakazywali, ale z samymi kobietami nie miało to nic wspólnego. Zawsze były jedynie elementem rozgrywki o władzę, kierunek polityki, strategię.

Perski czador czy afgańska burka stawały się politycznym manifestem. Nieliczne dzielne kobiety (za panowania talibów jedynie najdzielniejsze odważały się wychodzić samotnie na ulice miast i żebrać), które ośmielały się nie zgadzać z obowiązującymi porządkami, wykorzystywały swój ubiór jako przejaw buntu.

Za rządów komunistów zasłaniały twarze zwolenniczki monarchii. Wywodziły się z możnych rodów i od wieków nosiły czadory, wysławiane przez poetów jako symbole tęsknoty i tajemniczości, choćby po to, żeby odróżnić się od prostych wieśniaczek, odsłaniających twarze podczas pracy na poletkach kukurydzy lub ryżowiskach. Zasłaniały twarze czadorami także wtedy, gdy chciały okazać sprzeciw wobec przymusowej obyczajowej swobody, którą uważały za obcą.

Te same wykształcone i światowe kobiety z Heratu i Kabulu znienawidziły czadory, gdy talibowie nakazali im nosić je pod groźbą chłosty i więzienia. Odebrali im czadory i z oręża stosowanego w obronie wolności przemienili w narzędzie upokorzenia i zniewolenia. Powłóczyste, zakrywające całe ciało i twarz szaty, wyposażone tylko w niewielki, przysłonięty w dodatku gęstą siecią z tasiemek otwór na oczy, z obronnego pancerza stały się ruchomym więzieniem, tym dokuczliwszym, że dającym ułudę swobody, która zniechęcała do buntu i wszelkiego działania.

„Wszystko nagle stało się inne, nabrało innych wymiarów – zwierzała się jedna z afgańskich kobiet mojej znajomej, amerykańskiej dziennikarce. – Bałam się wychodzić z domu nie ze strachu przed patrolami talibów, ale dlatego, że przez wąskie szparki w czadorze ledwie widziałam, niczego nie poznawałam. Błądziłam, gubiłam się w miejscach, w których wyrosłam i żyłam. Traciłam orientację. Słyszałam głosy, też inne niż dotychczas, ale nie wiedziałam, skąd dochodzą. Straciłam poczucie odległości, wciąż się potykałam, potrącałam. Bałam się, że wpadnę pod rower czy samochód. Stale bolała mnie głowa, szumiało w uszach. Czułam tylko, jak bije mi serce. Pewnego dnia ujrzałam na ulicy dawno niewidzianą przyjaciółkę. Przynajmniej wydawało mi się, że to ona. Tak jak ja zakryta była od stóp do głów. Ale zdawało mi się, że poznaję ją po ruchach, po chodzie. Chciałam ją zawołać, przestraszyłam się jednak. Nam, kobietom, zabroniono podnosić głos, gdyż ściągało to uwagę. Wtedy dopiero poczułam, że odebrano mi moje dawne życie, że nie pozostało już z niego prawie nic".

Pan Jadgar, który był świadkiem narodzin i upadków wszystkich współczesnych afgańskich władców, twierdził, że były jeszcze przynajmniej dwie przyczyny, dla których przywódcy talibów skazali kobiety na niewidzialność. Bali się, że samo ich istnienie i swoboda obcowania z nimi odciągnie myśli ich żołnierzy od walki. Że odkrywszy w sobie nadzieję na posiadanie czegokolwiek, żołnierze nie będą już gotowi do poświęceń, co dotąd przychodziło im z taką łatwością. Walka i męczeńska śmierć przestaną być ich jedynymi celami w doczesnym życiu. Wreszcie, zerwą z braterstwem mężczyzn. Przecież tak właśnie skruszała potęga dawnych armii świętych wojowników, którzy przeniesieni z górskich wąwozów i pustynnych oaz do dekadenckich miast, zgubili drogę, mudżahedinów, nieujarzmionych lwów, którym wyrosły brzuszyska, wyliniały ich wspaniałe grzywy, stępiały pazury, powypadały kły.

Pozbawieni wszystkiego talibowie byli zaś żołnierzami doskonałymi, bezkompromisowymi i fanatycznymi. Polec na polu bitwy było w końcu spełnieniem żołnierskiego obowiązku i żołnierskiego żywota. Wierzyli tylko w wojnę i żyli na rozkaz, bez którego nie potrafili odnaleźć celu ani sensu istnienia. Nie mieli rodziców, a jeśli ich mieli, gardzili nimi, gdyż byli słabi, bezbronni, bezradni i nie potrafili zapewnić bezpieczeństwa ani sobie, ani rodzinom. Podziwiali zaś potężnych, wszechmocnych dowódców i surowych mułłów, którzy potrafili ich zmusić do posłuszeństwa. Czcili siłę, przemoc, brak skrupułów i wątpliwości. Zniszczeni jak kraj, w którym przyszli na świat, wyrwani z korzeniami, nieceniący sobie życia ani własnego, ani tym bardziej cudzego, byli ukochanymi dziećmi wojny i jej największą nadzieją. Wojna ich rodziła, a oni czynili wojnę. Im dłużej trwała, tym było ich więcej i więcej. Bezwzględni i okrutni, pozostawali wierni tylko samym sobie i takim jak oni, a także kodeksowi własnych świętych praw. Dla słabych, dla tych, którzy choćby w najmniejszym stopniu naruszali je albo próbowali obchodzić, nie mieli przebaczenia.

Przywódcy talibów bali się iść na ustępstwa, czynić wyjątki, żeby nie sprzeniewierzyć się świętym ideałom. Jeśli raz nazwali kobiety siewczyniami grzechu, nie mogli już od tego odstąpić. Jeśli nazwali Massuda zbrodniarzem i zdrajcą, nie mogli się z nim układać.

To była straszna armia, o jakiej marzy każdy tyran, każdy rewolucjonista. Mieć takich żołnierzy rzeczywiście znaczy być panem ich życia i śmierci. Będąc jednak ich panem, jest się jednocześnie ich niewolnikiem. Wystarczy bowiem jeden błąd, jeden najniewinniejszy fałszywy krok, by zwątpili, przestali bezgranicznie wierzyć, a nawet skierowali swe bagnety przeciwko dawnym mistrzom, którzy okazali się zdrajcami.

Stadion przypominał krater wygasłego wulkanu. Betonowe trybuny wznosiły się groźnie wokół wypalonej słońcem, pożółkłej murawy boiska. Najbardziej przejmujące wrażenie robiły piwniczne labirynty pod trybunami wspartymi na potężnych, zwieńczonych łukami kolumnach. Wąskie, mroczne korytarze prowadzące na zalane światłem boisko przywodziły na myśl starożytne areny, na których dla uciechy gawiedzi walczyli na śmierć i życie przyuczeni do zabijania niewolnicy, gladiatorzy.

Śmierć istotnie gościła na kabulskim stadionie. Poza sportowymi zmaganiami odbywały się tam bowiem publiczne kaźnie i ćwiartowania.

Mohammad Chaled Motmain, którego przed czterdziestką los obdarował zaszczytnym tytułem prezesa Afgańskiego Komitetu Olimpijskiego, idealnie pasowałby do roli nauczyciela i strażnika gladiatorów. Może dlatego, że sam był mistrzem wschodnich sztuk walki kung-fu i prowadził szkołę dla kilkudziesięciu uczniów.

W zrujnowanym mieście nie było prądu ani bieżącej wody. Zburzone zostały szpitale, urzędy, szkoły. Nikt nie miał ani pieniędzy, ani serca, by je odbudowywać. O odbudowie czy budowie stadionów, boisk i sportowych sal nikt nawet nie myślał. Uczniowie prezesa Motmaina na swoje treningi kung-fu zbierali się więc w miejskich parkach, w prywatnych mieszkaniach, okradzionych do cna fabrycznych halach, a czasami w gabinecie mistrza. Ćwiczenia nie były zabronione. Ale zalecając swoim uczniom jogę jako metodę na rozciągnięcie mięśni i medytację przed treningami i walkami, nieświadomy, bo nieoczytany w teologicznych rozprawach prezes wiele ryzykował. Jego przełożonym mogłoby się nie spodobać, że zaleca praktyki związane z buddyzmem. Za takie przestępstwo zaś Motmain mógłby zapłacić nie tylko stanowiskiem, ale kto wie, może nawet głową.

Muskularny, krępy i nieśmiały opowiadał o swoim stadionie cudem uratowanym z wojny, której front przecinał w pewnym momencie boisko. Z dumą i rozrzewnieniem wspominał, jak wspólnie z uczniami wydłubywał gołymi rękoma miny z murawy, uprzątał sale ćwiczeń, szatnie, łaźnie. Czuł się tu gospodarzem i z radością przyglądał się, jak o poranku, zanim żar południa zniechęcił do wszelkiego wysiłku, bieżnię i boisko zapełniali coraz liczniej biegacze, piłkarze, zapaśnicy, pięściarze. Ściągali z całego miasta na tę jedyną choćby w ciągu dnia gimnastykę, a Motmain był dumny, że dzięki niemu mogą wciąż żyć nadzieją i marzeniami. Te chwile dumy i radości zatruwała mu jednak jak zawsze świadomość, że jedyne, co może im zapewnić, to sposobność do ćwiczeń. Nawet swoich własnych uczniów potrafił tylko szkolić. Nie mógł natomiast w żaden sposób sprawić, by ziścił się ich najpiękniejszy sen o rywalizacji z cudzoziemskimi rywalami na boisku, ringu czy macie, by poznali smak prawdziwej walki i zwycięstwa.

– Wziąć udział w międzynarodowych zawodach to często
334 jedyne marzenie tych chłopców – tłumaczył, poprawiając

na głowie zwoje turbanu. Nosił go dopiero od dwóch lat, kiedy to przystał do najnowszych władców Afganistanu, talibów. Ci zaś w uznaniu dla jego sportowej sławy i zasług uczynili go gospodarzem największego w stolicy stadionu i zarządcą sportu w całym kraju.

Talibowie na sporcie się nie znali. Musieli jednak rozumieć, jak jest ważny, gdyż nie zakazali go jak muzyki czy kina, ale podjęli trud oczyszczenia go z grzechu, uporządkowania i przekształcenia pospolitej rozrywki w boże igrzyska. Pierwszą rocznicę objęcia władzy uczcili ulicznym wyścigiem kolarskim w labiryntach ruin Kabulu. Jako pierwszy na linię mety przybył dwudziestoletni Mohammad Aman, żołnierz z Ministerstwa Bezpieczeństwa, który wyprzedził rywali o ponad cztery minuty.

– Sport jest ważny – dla Motmaina było to oczywiste od zawsze. – Wznosząc modły, wykuwamy nasze dusze. Podejmując ćwiczenia cielesne, hartujemy i doskonalimy ciała. Modląc się i gimnastykując, stajemy się więc lepszymi istotami.

W rządzonym przez talibów Afganistanie sport pozostawał w zasadzie jedyną dozwoloną rozrywką.

Zakazane zostało przecież wszystko, co bodaj trochę trąciło hazardem. Nawet gra, w której zawodnicy stukają się trzymanymi w rękach jajkami, a przegrywa ten, czyja skorupka pęknie. Nawet ta niewinna gra wyzwala w Afganistanie niezwykłe emocje, a przed zawodami przyjmuje się zakłady. W pasztuńskim Choście z powodu zakazu gry w jajka omal nie doszło do wojny z talibami. W strzelaninie, która wybuchła, gdy talibowie usiłowali zabronić gry, zginęło kilkanaście osób i dopiero żony zacietrzewionych wojowników przywiodły ich do opamiętania.

Żyjąc w zasiekach zakazów i nakazów, Afgańczycy szukali bezpiecznych miejsc, gdzie nie narażając się, mogli bez reszty oddać się choć na parę chwil amokowi rywalizacji. 335

Amokowi, który w równym stopniu udziela się zawodnikom i kibicom.

Rozgrywany w Kabulu za zgodą talibów turniej siatkarskich drużyn reprezentujących rozmaite międzynarodowe organizacje humanitarne zakończył się zbiorową bijatyką. Bójka wybuchła, gdy w finale rozgrywanym między reprezentacjami Międzynarodowego Czerwonego Krzyża i Afgańskiego Stowarzyszenia Czerwonego Półksiężyca sędzia przyznał „krzyżowcom" sporną piłkę, dającą im jednocześnie zwycięstwo w całym meczu. Oburzeni zwolennicy „półksiężyców" wdarli się na boisko, okładając kijami oraz połamanymi krzesełkami sędziów i zawodników. Awanturę przerwał dopiero patrol talibów z Departamentu Walki z Występkiem i Wspierania Cnoty, który nie roztrząsając już, kto miał rację, złoił pałkami skórę wszystkim. Fatalny turniej rozgrywany był o Puchar Pokoju.

– Kiedy na moim stadionie rozgrywane są mecze piłkarskie, przychodzi po pięćdziesiąt, sześćdziesiąt tysięcy ludzi – opowiadał Motmain. – A gdy grają najlepsze drużyny, widzów jest tak wielu, że nie wystarcza miejsc na trybunach, stają na bieżni i tuż przy liniach bocznych boiska. Gdy piłka wypada z gry, zawodnicy muszą się przedzierać przez tłum gapiów.

Ale nie tylko piłkarskie mecze wypełniały rozgorączkowaną publiką kamienne trybuny kabulskiego stadionu. Widownia zapełniała się także wtedy, kiedy wykonywano publiczne egzekucje.

Zwykle o planowanych egzekucjach powiadamiało zawczasu Radio Szariat. W rządowym komunikacie podawano nie tylko termin kaźni, ale także nazwiska skazańców i zbrodnie, za jakie zostali ukarani. Za zabójstwo karą była śmierć przez rozstrzelanie lub powieszenie, rzadziej przez poderżnięcie gardła. Kradzież karano odrąbaniem dłoni lub stopy (w przypadku recydywy), pijaństwo i nieobyczajne zachowanie, jak na przykład nazbyt poufała znajomość kobiety z obcym mężczyzną – chłostą, cudzołóstwo, pederastię czy sodomię – ukamienowaniem.

Winowajców ustawiano przed wzniesionym naprędce, wysokim na kilka metrów murem, a potem go na nich obalano. Przysypanych gruzami skazańców pozostawiano bez pomocy przez czas wyznaczony przez przypatrującego się egzekucji sędziego. Raz były to dwa, trzy kwadranse, kiedy indziej dwa, trzy dni. Jeśli przeżyli, odchodzili wolno. Miejsca kaźni pilnowali żołnierze, którzy baczyli, by żaden z widzów, wzruszony dobiegającymi spod gruzów jękami konających, nie przyszedł im z pomocą.

Zdarzało się też, że w przeddzień egzekucji talibowie obwozili skazańców po mieście, jak przybyły z daleka cyrk obwozi dzikie bestie, akrobatów i błaznów, żeby zachęcić ludzi do obejrzenia widowiska. Zabójcy, złodzieje i pederaści, skuci łańcuchami, skrępowani powrozami, zataczali się na otwartej platformie ciężarówki. Twarze mieli wysmarowane na czarno olejem i sadzą albo węglem drzewnym, a w ustach garści brudnych banknotów, które wypadały, gdy poszturchiwani karabinami przez żołnierzy wykrzykiwali w głos wyznanie winy: „Ukradłem! Każdego, kto zrobi to co ja, spotka taki sam los!" Ośmieszając skazańców przed kaźnią, talibowie odbierali im ostatnią nadzieję. Skazani nie budzili już współczucia, lecz szyderstwo i złowrogi, bezlitosny śmiech.

Pierwszą publiczną egzekucję w Kabulu talibowie przeprowadzili na boisku śródmiejskiego liceum Amanija. Zginął wtedy niejaki Gholam Mohammad, skazany za to, że zadźgał nożem brzemienną kobietę i trójkę jej dzieci. Wyrok na niegodziwcu wykonał mąż zamordowanej kobiety, któremu jeden z więziennych strażników wcisnął w dłonie karabin maszynowy. Ukląkł, przymierzył i wypalił dwukrotnie w stronę Gholama, a kiedy ten upadł, ciśnięty na ziemię pociskami, podszedł i wystrzelił w niego całą serię. Następnego zabójcę powieszono na budowlanym dźwigu. Potem jednak miejscem kaźni został stołeczny stadion olimpijski. Talibowie uznali, że najbardziej nadawał się na makabryczne igrzysko.

Gdy termin rozpoczęcia kaźni zbliżał się, a trybuny, co się jednak zdarzało, świeciły pustkami, mistrz ceremonii dawał znak żandarmom z Departamentu Walki z Występkiem i Wspierania Cnoty, którzy wyruszali na okoliczne bazary i pałkami zapędzali przekupniów na stadion. Kiedy widownia była już pełna i zaczynała powoli okazywać zniecierpliwienie przedłużającym się oczekiwaniem, którego nie byli w stanie złagodzić krążący między ławkami sprzedawcy orzeszków pistacjowych, lodów i napojów chłodzących, mistrz ceremonii ponownie dawał znak swoim żołnierzom. Brama stadionu otwierała się i na żużlową bieżnię okalającą pożółkłą trawę boiska wjeżdżały samochody ze skazańcami. Zazwyczaj mieli zawiązane oczy, a czasami kaptury na głowach. Kiedy samochody zatoczyły już koło i pokazały publiczności skazańców, żołnierze wpychali ich lufami karabinów na środek boiska, na zbity z surowych desek szafot. Na złodziejów czekały tam specjalne łoża i sprowadzeni przez talibów medycy ze stołecznych szpitali, którzy przyodziani w niebieskie fartuchy i maski podawali skazańcom środki znieczulające, po czym, w zależności od werdyktu, odcinali im dłonie albo stopy. Odrąbane kończyny przejmował mistrz ceremonii i podnosząc nad głową prezentował publiczności.

– Oto złodziejskie ręce! Oto kara, jaka spotka wszystkich złoczyńców – wołał.

– *Allahu Akbar!* – odpowiadał tłum na widowni.

Amputacji dokonywali chirurdzy wyznaczeni przez Ministerstwo Zdrowia spośród lekarzy ze stołecznych szpitali. Ministerstwem zarządzał mułła Stanakzaj, ten sam, który cieszył się opinią najliberalniejszego z talibów, bywałego w świecie i najbardziej na świat otwartego.

– Tak, to prawda, odejmujemy złodziejom ręce i zabijamy zabójców. I powiem panu, że nie tylko jest to zgodne z ludzką naturą i literą Świętej Księgi, ale przynosi pożądany skutek. – W swoim gabinecie w ministerstwie mułła Stanakzaj stoczył już niejeden retoryczny pojedynek z cudzoziemcami, zarzucającymi talibom barbarzyńskie prawa i maniery. – Wystarczyło parę publicznych egzekucji, i wszystko się uspokoiło. Zadziałały. Drogi stały się bezpieczne, a w mieście ludzie przestali nawet zamykać na noc drzwi. Przerwaliśmy egzekucje i złoczyńcy natychmiast się rozzuchwalili.

Ze wszystkich przywódców talibów Stanakzaja lubiłem najbardziej. Odnosiłem wrażenie, że on także lubił ze mną rozmawiać. Jako wytrawny polityk i policjant wyczuwał we mnie łatwą ofiarę, zbłąkanego wędrowca, pełnego wątpliwości i szukającego desperacko odpowiedzi.

– Pozwalamy krewnym wykonywać wyroki śmierci na zabójcach ich najbliższych. Gdybym był lekarzem, bez wahania odjąłbym rękę złodziejowi. Czy uwierzy mi pan, gdy powiem, że te tysiące ludzi przychodzących na stadion oglądać egzekucje nie czyniły tego z przymusu czy nudy, ale z chęci ujrzenia, jak sprawiedliwości staje się zadość – mówił. – Publiczne kaźnie szokują pana, nieprawdaż? A czy był pan tak samo oburzony, kiedy w moim kraju codziennie ginęły dziesiątki ludzi? Nie na szubienicach, ale na polu bitwy, a ich zabójcy pozostawali bezkarni? Sprawiliśmy, że każdy, kto zabija, może być pewien, iż sam zginie, a śmierć zada mu najbliższa osoba ofiary, której odebrał życie. Nie uwierzy pan, jak to odstraszająco działa.

Któregoś dnia Stanakzaj zapytał mnie, czy w moim kraju praktykuje się prawo do odwetu.

– Wie pan – powiedział – to jest jak wyścig zbrojeń. Nikt nie buduje bomby atomowej, by zrzucić ją na wroga, zabić tysiące niewinnych ludzi. Bomba potrzebna jest po to, by przerazić nieprzyjaciela i rozmiarem odwetu zniechęcić go do uderzenia. Nasze plemienne prawo nakazuje rodową zemstę. Żadne plemię, żaden szczep, żadna rodzina nie zaryzykuje krwawej, wyniszczającej do cna wendety, która potrafi się ciągnąć przez wiele pokoleń. Będą pilnować swoich, by nie popełnili żadnej zbrodni i nie ściągnęli na nich samych nieszczęścia. To jest bardzo pouczające i wychowawcze.

Spierając się, nie przytaczał własnych argumentów, lecz podważał najsilniejsze punkty adwersarza.

– Wyobraźmy sobie taką sytuację. Wszyscy wiedzą, że pewien człowiek, nazwijmy go Iksem, popełnił zbrodnię, ale ponieważ jest bogaty, stać go było na najlepszych adwokatów. Ci zaś nie zajmowali się nawet kwestią, czy był winny, czy nie, ale czy oskarżając go i skazując, sąd dopuścił się jakichś proceduralnych uchybień. Jeśli tak, to według waszych praw jest niewinny, przepraszam, nie jest winny. W rezultacie uniewinniacie zbrodniarzy, co podważa cały sens sprawiedliwości. Dla was ważniejsza jest forma, dla nas treść – mówił. – Według naszych praw ktoś popełniający zbrodnię uruchamia proces odpowiedzialności zbiorowej, według was absurdalnej i niesłusznej. Ale powiem inaczej. Za każdą zbrodnię popełnioną przez jakiegoś pańskiego dalekiego, nieznanego nawet kuzyna zapłaci niczemu niewinny pański syn. Czy wówczas nie zrobi pan wszystkiego, by ocalić siebie i syna? Czy nie zrobi pan wszystkiego, by żaden z pańskich kuzynów nie popełnił nigdy zbrodni?

Lekarze zasłaniali twarze chirurgicznymi maskami, żeby nie rozpoznali ich przyjaciele i pacjenci, a także rodziny skazańców czy wreszcie oni sami, na wypadek gdyby swoją złość i rozpacz z powodu kalectwa próbowali przenieść z sędziów na bezwolnych katów. Mój znajomy, doktor Mumbin, chirurg ze szpitala dziecięcego imienia Indiry Gandhi, najbardziej się bał, że któregoś dnia dyrektor szpitala do roli kata wyznaczy właśnie jego, a on nie znajdzie w sobie dość przyzwoitości i odwagi, by odmówić.

Jesienią dziewięćdziesiątego szóstego przypatrywaliśmy się talibom wkraczającym do porzuconego przez Massuda Kabulu. Mumbin wiedział, co go czeka. W Kandaharze czy Heracie, gdzie talibowie rządzili od dawna, lekarze byli zmuszani do wykonywania obowiązków katów i oprawców. Teraz takie same prawa miały zapanować w Kabulu.

W swoim szpitalu doktor Mumbin nie raz odejmował ręce i nogi dzieciom, poranionym wybuchającymi w mieście bombami, rakietami i minami.

– Amputacji dokonuje się za pomocą specjalnego noża, przypominającego nożyce. To stosunkowo prosty zabieg – wyjaśniał, ściskając palcami jednej dłoni przegub drugiej. – Głębokie cięcie wokół przegubu, a potem wystarczy mocniej skręcić dłoń, jakby się ją odkręcało, i odpadnie, koniec, gotowe. Cały zabieg można przeprowadzić w kwadrans.

– Co będzie – pytałem go – jeśli dyrektor szpitala wyznaczy ciebie do obcięcia dłoni złodziejowi skazanemu przez trybunał?

– Cóż, będę musiał to zrobić. Takie jest ich prawo. Nie sądzę, by pozostawiono nam wybór. Nie chcę zabijać ani jako lekarz, ani jako człowiek. Ale jeszcze bardziej nie chcę dać się zabić. – Mumbin mimo wszystko liczył, że jemu, chirurgowi z dziecięcego szpitala, przynajmniej ten dylemat i wybór zostanie oszczędzony. – Wszyscy, którzy mają dość przyzwoitości i pieniędzy, odmówią i wyjadą z kraju. Ci, którym zabraknie jednego albo drugiego, będą się musieli podporządkować.

Mumbin został, ale rzucił lekarską praktykę. Kiedy po latach wpadliśmy na siebie przypadkiem na ulicy Kwiatowej, zdążył mi powiedzieć, że znalazł pracę jako administrator w jednej z zagranicznych organizacji niosących pomoc mieszkańcom Kabulu.

Egzekucję skazanych na śmierć poprzedzały wystąpienia sędziów i mułłów, którzy najżarliwiej, jak potrafili, starali się przebłagać krewnych ofiar, by darowali winy zbrodniarzom, czym zyskają sobie pewną przepustkę do Królestwa Niebieskiego. Lub żeby zgodzili się w zamian za darowanie życia zabójcom przyjąć od władz pieniądze jako rekompensatę za śmierć najbliższych, krzywdę i cierpienie. Rodziny ofiar po trzykroć odmawiały. Nigdy nie zdarzyło się inaczej.

Wówczas mistrz ceremonii dawał znak i któryś z kuzynów wykonywał wyrok, strzelając z bliska do skazańca, wykopując mu spod nóg stołek pod szubienicą albo przecinając szyję rzeźnickim nożem. Czasami skazańców rzucano na kolana, innym razem zgadzano się, by czekali na śmierć, stojąc. Jednym wiązano oczy, innym pozwalano patrzeć śmierci w twarz. Niektórzy związanymi rękoma zasłaniali przed kulami twarz, inni jeszcze w ostatniej chwili próbowali uciekać nie wiadomo dokąd. Jedni ginęli od pierwszej kuli lub pchnięcia nożem. Zdarzało się jednak, że niewprawnemu katu, mszczącemu w dodatku śmierć kogoś bliskiego, zadrżała ręka i pociski szły w powietrze albo tylko raniły skazańca. W takich przypadkach złoczyńcę dobijano.

– *Allahu Akbar*! – wołała publiczność, a mistrz ceremonii wygłaszał kazanie piętnujące zbrodnie i zapowiadające najsurowsze kary dla złoczyńców.

Motmain ważył każde słowo, by nie zostało zrozumiane opacznie. Rozmowa z cudzoziemcami sprawiała mu nieopisaną przyjemność i za nic nie potrafiłby jej sobie odmówić, a jednocześnie pomstował w duchu, że zagraniczni dziennikarze odwiedzili go akurat wtedy, gdy jego zwierzchnik, minister sportu mułła Ghalamuddin, udał się z pielgrzymką do Mekki. Gdyby groźny zwierzchnik przebywał w stolicy, Motmain nie musiałby cztery razy zastanawiać się nad każdą odpowiedzią, nie wiedząc do samego końca, czy jest właściwa, czy też ściągnie na niego nieszczęście. W ogóle nie rozmawiałby z cudzoziemcami, odesłałby ich do ministra, który zanim przejął resort sportu, zarządzał Departamentem Walki z Występkiem i Wspierania Cnoty.

Sprawując tamten urząd, Ghalamuddin wydał tuziny zarządzeń i przepisów wykonawczych, które regulowały każdy najdrobniejszy szczegół afgańskiego codziennego życia tak, by stało się lustrzanym odbiciem czasów sprzed czternastu stuleci, z epoki proroka Mahometa i sprawiedliwych pierwszych kalifów. Podlegając jedynie emirowi Omarowi, Ghalamuddin orzekał, co jest zgodne z islamem, a co nie. Jego oddziały szturmowe baczyły, by zarządzenia mułły były spełniane co do joty. Zbierały donosy opłacanych szpiclów, urządzały w mieście łapanki, wtrącały do więzień wszystkich nieposłusznych lub po prostu roztargnionych, których zachowanie, słowa czy wygląd stanowiły pogwałcenie rozkazów Ghalamuddina.

Przeniesiony z resortu moralności do sportu, od pierwszych dni zabrał się do dzieła cudownego przemieniania sportu, hazardu i pozbawionej głębszej refleksji rozrywki w boże igrzyska. Afgańskim kibicom zabronił więc klaskać, śpiewać, wznosić okrzyki na cześć ulubionej drużyny. Odtąd zgromadzeni na sportowych arenach swój zachwyt, radość, w ogóle wszystkie emocje mogą wyrażać jedynie wołając: „Allahu Akbar! – Bóg jest wielki!", albo: „Alhamdu-lillah! – Bogu niech będą dzięki!" Przepisy talibów stwierdzały też, że jeśli mecz lub walka pięściarska rozgrywana była w porze wyznaczonej na jedną z pięciu obowiązkowych dla muzułmanina modlitw, sędzia musiał przerwać zawody bez względu na to, co się działo na boisku czy ringu. Zawodnicy i kibice pogrążali się we wspólnej modlitwie. Przepisy drobiazgowo regulowały też kwestię sportowych przyodziewków. Dyktując nowe sportowe mody, mułła Ghalamuddin ostatecznie zatrzasnął przed afgańskimi sportowcami bramy światowych aren. Obowiązkowe długie brody oznaczały dla afgańskich pięściarzy i zapaśników skazanie na izolację, międzynarodowe przepisy zakazywały bowiem bokserskim sędziom wpuszczać na ring zawodników z długimi brodami. Goląc się, a nawet strzygąc brody, afgańscy pięściarze złamaliby edykt emira, a po powrocie do kraju wtrącono by ich do więzienia i nigdy więcej nie otrzymaliby zgody na wyjazd. Nie goląc się jednak, nie zostaliby dopuszczeni do żadnego pięściarskiego turnieju. Taki właśnie los spotkał afgańskich bokserów, którzy wybrali się na zawody do pakistańskiego Karaczi. Odmówili zgolenia bród przed walką, zostali więc zdyskwalifikowani.

– Po piłce nożnej boks jest najpopularniejszym sportem w Afganistanie i bardzo nas boli, że nasi zawodnicy nie mogą dowieść swojego mistrzostwa w starciu z zagranicznymi rywalami – ubolewał prezes Motmain, nie kryjąc zadowolenia, że w jego ukochanej dyscyplinie, kung-fu, zawodnicy mają jednakowe prawa bez względu na długość zarostu. – Napisaliśmy w tej sprawie listy zarówno do Międzynarodowej Federacji Boksu Amatorskiego, jak do emira. Może coś z tego będzie. Wciąż czekamy na odpowiedzi. Wierzę, że osiągniemy jakiś kompromis. Pobożni muzułmanie powinni nosić brody na podobieństwo Proroka Mahometa. Niedopuszczanie brodatych zawodników do turniejów pięściarskich jest wyrazem dyskryminacji religijnej.

Na brodzie nie kończyły się jednak problemy afgańskich bokserów. Zaraz po objęciu urzędu ministra sportu mułła Ghalamuddin napisał do Międzynarodowego Komitetu Olimpijskiego list, w którym domagał się wyłączenia boksu z listy dyscyplin sportowych. *Pięściarstwo, w swojej istocie, nie jest sportem* – pisał mułła. – *Nie tylko powoduje fizyczne kontuzje, ale prowadzi do szaleństwa. Należy tego zakazać*.

Nie mogąc doczekać się odpowiedzi, zabronił afgańskim pięściarzom bicia rywali po głowach. Wyjątek uczynił tylko dla tych, którzy jakimś cudem zostaliby dopuszczeni do zagranicznych zawodów. Cudzoziemców mogliby okładać po głowach tak, jak stanowią barbarzyńskie, według Ghala-muddina, światowe przepisy.

Do sportu i ustanawianych przez cudzoziemców reguł gry Afgańczycy podchodzili równie nieufnie i podejrzliwie, jak do wszystkiego, co obce i nowe. Tak było nawet wtedy, gdy władze pakistańskie zaprosiły do Rawalpindi afgańską drużynę, by nauczyć ją grać w krykieta.

Ten ulubiony sport Brytyjczyków został z doskonałym efektem zaszczepiony przez nich w całej podbitej przez Koronę Azji. Pakistańczycy, Hindusi, Cejlończycy uważają krykiet za narodowy sport i należą w tej dyscyplinie sportu do najlepszych na świecie. Pojedynki reprezentacji Indii i Pakistanu traktowane są jak narodowe święta. Afganistan jest jedynym krajem Azji Południowej, gdzie krykiet zupełnie się nie przyjął. Afgańczycy z alergiczną nieufnością odnosili się nieodmiennie do wszystkiego, co przynosili ze sobą obcy. Zaproszenie, jakie wpłynęło z Rawalpindi dla afgańskich adeptów krykieta, zostało więc w Kabulu przyjęte z ogromną podejrzliwością, a w końcu odrzucone.

Pewnego lata wybuchł skandal podczas turnieju piłkarskiego w Kandaharze, w którym uczestniczyła drużyna z Pakistanu. Pakistańscy zawodnicy rozgrzewali się właśnie przed kolejnym meczem, gdy zaatakował ich patrol milicji z Departamentu Walki z Występkiem i Wspierania Cnoty. Oburzenie świętobliwych milicjantów wywołał wygląd zawodników, Pakistańczycy ubrani byli bowiem w krótkie spodenki i koszulki z krótkimi rękawami. A co gorsza, żaden z nich nie nosił brody. Piłkarze z Pakistanu zostali ściągnięci siłą z boiska, a w miejskim areszcie ogolono im za karę głowy. Żeby załagodzić skandal, emir Omar musiał wysłać list z przeprosinami do pakistańskich władz, jedynego sojusznika reżimu talibów.

– Według naszych przepisów długość spodni, jakie powinien nosić mężczyzna, także sportowiec, wynosi trzy palce **345** poniżej kolana – wyjaśnił prezes Motmain. Podkreślił jednak, że nie pozwoliłby, aby na jego stadionie jakiegokolwiek cudzoziemca potraktowano tak jak pakistańskich piłkarzy. – Ale przecież nie będziemy się spierać o trzy palce poniżej czy powyżej kolana.

Wiosną dziewięćdziesiątego drugiego, kiedy po raz pierwszy odwiedziłem Kabul, w mieście roiło się od zatłoczonych maleńkich siłowni i sal gimnastycznych, w których Afgańczycy, wpatrzeni w pożółkłe, porozklejane na ścianach plakaty najsłynniejszych siłaczy i atletów, rzeźbili w pocie czoła swoje mięśnie. Wydane przez talibów przepisy dotyczące stroju sportowego uśmierciły niezmiernie popularną w Afganistanie kulturystykę. Jak bowiem mają prezentować swoje bicepsy, ramiona i uda zawodnicy odziani od stóp do głów w powłóczyste kaftany i portki? A co powiedzieć o pływaniu? Przecież zawodnicy startują praktycznie nago.

– W tych sprawach także zwróciliśmy się do emira i Rady Ulemów, by łaskawie rozpatrzyli ponownie ten problem, i liczymy na pewną wyrozumiałość – dodał prezes Motmain i wyraził nadzieję, że jaskółką zapowiadającą wiosnę będzie obiecywana zgoda na otwarcie pierwszego w kraju publicznego basenu w hotelu „Intercontinental". Choć miano zamykać go na czas modłów i wpuszczać na basen tylko dorosłych mężczyzn odzianych w długie za kolana kalesony, to jednak sam pomysł traktowano jako przejaw elastyczności talibów w kwestii zarówno sportowych strojów, jak teologicznej oceny poszczególnych dyscyplin.

Rządy talibów, które w praktyce wykluczyły kobiety z życia publicznego, zamknęły dla nich także sport.

– Nie, na razie nie ma mowy, by kobiety mogły uczestniczyć w zawodach sportowych – prezes Motmain był zdziwiony i wyraźnie rozbawiony samym pytaniem. – Może kiedyś, kiedy w kraju zapanuje spokój i dobrobyt, może 346 wówczas Rada Ulemów postanowi inaczej...

Właśnie z powodu urządzanych na boiskach makabrycznych igrzysk oraz sposobu, w jaki talibowie sprawowali władzę i traktowali kobiety, nikt nie chciał zapraszać do siebie afgańskich atletów. I nikt nie przyjmował zaproszeń na kabulski stadion. Świat zdecydował, że talibowie nie są godni, by ich przyjmować na światowych salonach i stadionach.

Niepodległy od tysiąc dziewięćset dziewiętnastego roku Afganistan występował na letnich Igrzyskach Olimpijskich, począwszy od olimpiady berlińskiej w trzydziestym szóstym. Olimpiady niesławnej, bo po raz pierwszy chyba zdominowanej przez brutalną politykę. Podjęta przez Hitlera próba zawłaszczenia igrzysk na potrzeby faszystowskiej ideologii sprawiła, że już wtedy pojawiły się głosy żądające bojkotu olimpiady i deklaracje, iż nie na wszystkich stadionach należy występować. W roku osiemdziesiątym olimpiada została po raz pierwszy zbojkotowana. Wspólnota międzynarodowa, a przynajmniej ta jej część, którą przyjęto nazywać Zachodem, uznała, że nie wypada występować na stadionach Moskwy, skoro kraj, którego stolicę wybrano na arenę igrzysk, okupuje jednocześnie sąsiedni Afganistan. W odwecie Wschód zbojkotował następną olimpiadę, którą w osiemdziesiątym czwartym organizowało amerykańskie Los Angeles. Afgańczycy oczywiście nie pojechali do Ameryki.

Przypadający na przełom lat osiemdziesiątych i dziewięćdziesiątych koniec zimnej wojny uwolnił olimpijskie igrzyska od politycznych intryg, ale afgańskim sportowcom nie dane było skorzystać z tego dobrodziejstwa. W pogrążonym w domowej wojnie kraju atleci przemienili się w żołnierzy i partyzantów. Wiosną dziewięćdziesiątego drugiego, kiedy mudżahedini obalili komunistyczny reżim i zajęli Kabul, w stołecznym hotelu „Spinzar" poznałem Alego, lewego obrońcę piłkarskiej reprezentacji Afganistanu. Wojna przerwała jego karierę na samym początku. Nie zdążył nawet posmakować sławy. Rozegrał raptem trzy mecze w reprezentacji kraju, wszystkie na turnieju zorganizowanym w turkmeńskim Aszchabadzie. To były złote lata afgańskiego futbolu. Piłkarze z Afganistanu ogrywali nie tylko drużyny z Indii czy Pakistanu, ale walczyli jak równy z równym z Irańczykami, zaliczanymi do najlepszych w Azji.

Kiedy wybuchła wojna, Ali przystał do konspiracyjnej organizacji zbrojnej. Śledził przemarsze rządowej armii i wspierających ją wojsk rosyjskich i donosił o tym partyzantom. Wpadł, został wtrącony do więzienia Pul-e Czarhi, poznał izby tortur. Gdy zapytałem go, czy chciałby jeszcze grać w piłkę, uśmiechał się zażenowany, jakby rzecz dotyczyła jakiejś wstydliwej zachcianki, dziecinnego marzenia, które nie przystoi dorosłemu mężczyźnie. Nie było w nim goryczy, no, może odrobinę.

– Cóż – mówił – kariera sportowa trwa tak krótko, krócej nawet niż młodość. Moja młodość przypadła na nie ten czas i nie na to miejsce.

W latach dziewięćdziesiątych Afgańczycy podejmowali desperackie próby powrotu na sportowe areny. Przeszkodą okazały się rachunki za podróże samolotem i pokoje hotelowe, których afgańskie władze nie były w stanie uregulować. To właśnie z braku pieniędzy afgańscy sportowcy nie pojechali na przykład na Igrzyska Azjatyckie do Bangkoku. Wysłali do Tajlandii tylko urzędników i tylko po to, by jako poczet sztandarowy wzięli udział w uroczystym otwarciu zawodów i zaznaczyli obecność państwa. Afganistan przestał też płacić składki członkowskie międzynarodowym federacjom sportowym.

W dziewięćdziesiątym szóstym afgańskiemu rządowi udało się jednak zebrać pieniądze, by wysłać na olimpiadę do Atlanty biegacza, maratończyka i jednego pięściarza wraz z trenerem. Wyprawa zakończyła się upokarzającą klęską. Biegacz Abdul Baszir Wasigi jeszcze przed startem naciągnął ścięgno i dobiegł na metę ponad dwie godziny za zwycięzcą. Jeszcze fatalniej zakończył się występ pięściarza

Mohammada Dżawida. Bokser z Kabulu spóźnił się na oficjalne ważenie przed walkami i nie został w ogóle wpuszczony na ring. Okazało się zresztą, że ważył za dużo jak na kategorię, w jakiej miał występować. Bojąc się spojrzeć w oczy rodakom, wraz z trenerem poprosił o azyl polityczny w Kanadzie.

W roku dwutysięcznym Afganistan został wykluczony z olimpiady w Sydney.

Prezes Motmain wydawał się to wszystko rozumieć.

– No cóż... to było dosyć makabryczne... ale w te świąteczne, piątkowe popołudnia naprawdę nie było co ze sobą począć – tłumaczył zawsze pełną widownię podczas publicznych egzekucji na stadionie. Zawieszał głos, rzucając niespokojne spojrzenia: – Nie mamy nic, sal treningowych, stadionów, boisk, nawet piłek, butów, dresów. Nie mamy nic, a mimo to nie tracimy ducha, trenujemy. Zatrzaskując nam przed nosem drzwi, odbieracie nam nadzieję i marzenia. Nie czyńcie tego. Zaproście nas do siebie. Albo wpadnijcie na mój stadion. Mogę tylko powiedzieć, że od ostatniej egzekucji na stadionie minęło już ponad dziewięć miesięcy. Pobieliliśmy też poprzeczki bramek, na których wieszano ludzi.

Ku zaskoczeniu talibów rząd dusz nie przychodził im jednak lekko. Bierną akceptację, z jaką zostali powitani przez rodaków, zastąpiły szybko niechęć i przerażenie. Coraz więcej Afgańczyków, szczególnie tych z miast, było szczerze wstrząśniętych, kiedy żołnierze talibów zapędzali ich na piłkarskie stadiony, by odmawiali modlitwy i przyglądali się publicznym kaźniom zabójców, ćwiartowaniu złodziei, kamienowaniu cudzołożnic.

Znajomość karabinu i Koranu okazały się niewystarczające, by wskrzesić umierający Kabul, z którego uciekła już połowa mieszkańców, a druga szukała tylko sposobności, by umknąć. Afgańskie miasta poumierały najwcześniej. Najpierw zabrakło prądu, potem z kranów przestała lecieć woda. Przestano zbierać śmieci, a potem podatki. Przestano też płacić pensje. Zniknęły kliniki, poczta, ciepło, prawo. Wszystko to ulatywało z ludzkiej pamięci. W końcu zabrakło nawet żywności. Nie działały urzędy. Porankami jeszcze ktoś się w nich krzątał, przechadzał, przekładał papiery, przyjmował interesantów. W południe drzwi gabinetów zamykano na głucho, a urzędnicy zgodnie z zaleceniem talibów udawali się do meczetu na modlitwę i już nie wracali do pracy. Kiedy zaś ministrowie wraz z podwładnymi wyruszali na rozkaz emira na wojnę, urzędu nie otwierano przez długie tygodnie.

Zbankrutowały wszystkie fabryki w kraju, pozamykano szpitale, uczelnie. Przy życiu utrzymywały Afganistan już jedynie rolnictwo, bazary, przemyt, a przede wszystkim mizerna cudzoziemska jałmużna, która zdejmowała z talibów przykry obowiązek troszczenia się o poddanych. Z radością pozwalali wyręczać się obcokrajowcom, pod warunkiem jednak, że przybysze nie będą się wtrącali w żadne inne sprawy. Powtarzali zresztą, że nie poczuwają się do odpowiedzialności za nic, przegnali wszak rozbójników z dróg, a na skutek surowych kar i publicznych egzekucji w mieście zapanował dawno niewidziany spokój i porządek. Reszta była w rękach Wszechmogącego.

Talibowie nie pojmowali przyczyn swoich niepowodzeń. Nie potrafili zrozumieć, dlaczego ludzie odwrócili się od nich i ukradkiem wspierali ich wrogów, którzy wypędzeni ze stolicy, ukryli się w wysokich górach na północy kraju. Dziwiło ich, że ludzie zaczynali tęsknić za tymi, którzy już raz ich tak bardzo zawiedli. Nie znali się na rządzeniu, nawet nie uważali, że powinni się znać. Pochłonięci pobożnością, która miała załatwić wszystko, niestrudzenie budowali świat tysięcy zakazów, kar, dyscypliny, bezwzględnego posłuszeństwa, braku wątpliwości.

Świat nie uznał w nich prawowitych przywódców, choć nie oni pierwsi zdobyli władzę, wygrywając wojnę domową. Nie uznano ich prawa do władania krajem, choć rządzili nim już tak długo. Nie przyjęto ich do Organizacji Narodów Zjednoczonych, nikt ich nie zapraszał do siebie, nikt nie przyjeżdżał w gości. Głównym zarzutem, jaki im stawiano, były prawa, które wprowadzali.

Tego talibowie także nie rozumieli. W pasztuńskich wioskach, skąd pochodzili, zawsze żyło się według tych praw, zawsze tak się traktowało kobiety, a one jako pobożne muzułmanki nie tylko nie protestowały, ale nie wyobrażały sobie, by można żyć inaczej. Skąd więc to oburzenie cudzoziemców? Nie rządzili krajem w sposób okrutniejszy niż dyktatorzy z Iraku, Korei Północnej, Afryki czy Kuby. Dlaczego potępiano ich, a nie Arabię Saudyjską, gdzie skazańców także ścina się publicznie mieczem? Talibowie nie pojmowali też swych braci w wierze, Arabów, Persów, Turków, którzy zamiast brać z nich przykład i zmierzać najprostszą drogą do Królestwa Niebieskiego, potępiali ich, szydzili, wytykali. Kiedy wiosną dziewięćdziesiątego siódmego, a więc w szóstym miesiącu ich rządów, wysłannicy talibów przybyli na wielką naradę muzułmanów do Islamabadu, byli wstrząśnięci tym, co zobaczyli. Ludzie, którzy wyznawali tego samego Boga co oni, nie tylko nie modlili się wystarczająco często i gorąco, nie tylko chodzili gładko ogoleni, ale o zgrozo, pozowali do fotografii i to oddawanie się świętokradztwu sprawiało im nieukrywaną przyjemność.

Talibowie mieli resztę świata za pozbawionych zasad hipokrytów, którzy gotowi byli wszystkiego się zaprzeć, dla których nie było żadnych świętości poza skutecznością. Zaczęli podejrzewać, iż świat oczekuje od nich, że będą tacy sami. Że żąda się od nich, by wyrzekli się samych siebie, zaparli swojej religii, tradycji, obyczajów. Dla nich, przywiązanych do tradycji, gotowych na męczeńską, otwierającą bramy Niebios śmierć i przekonanych o swojej nieomylności, była to cena zbyt wysoka za wejście na światowe salony.

Uznali, że świat wystąpił przeciwko nim, ponieważ ośmielili się rzucić wyzwanie przyjętym porządkom i normom. Nie chcieli być jak inni, ani myśleli się zmieniać, komukolwiek wysługiwać, z kimkolwiek się liczyć. Ani z postarzałymi wraz z ich rewolucją irańskimi ajatollahami, którzy wymyślali teraz talibom od dzikusów i barbarzyńców. Ani z wiarołomnymi Amerykanami, którzy ukradkiem zachęcali ich do przejęcia władzy w Kabulu, upatrując w nich sprzymierzeńców w rywalizacji z Rosją i Iranem. Ani nawet z Pakistanem, który poparł talibów także dlatego, by pozbyć się z kraju kilku milionów afgańskich uchodźców, parających się na obczyźnie kontrabandą narkotyków i broni, a także rodzimych muzułmańskich fanatyków i zabijaków, którzy walcząc między sobą, podkładali bomby w meczetach i bazarach. W Islamabadzie uznano, że jeśli już koniecznie postanowili ginąć męczeńsko za sprawę, niech żegnają się z tym światem po sąsiedzku, w Afganistanie.

Wielu ministrów, generałów i dworzan przelękło się perspektywy samotnej konfrontacji z resztą świata i by jej uniknąć, gotowych było zejść z jedynie słusznej drogi, a nawet zaprzedać się wrogom. W swojej przenikliwości emir Omar kazał ich jednak zawczasu zgładzić, wtrącić do lochów lub przegnać z kraju.

Odrzuceni przez wszystkich talibowie, jedyni sprawiedliwi, którzy w końcu zostaną nagrodzeni, odgrodzili się murem swojej pobożności i stali się najbardziej izolowanym reżimem świata.

Hekmatiar i Massud nie buntowali się przeciwko nowoczesnemu światu. Talibowie go ignorowali, nie zauważali, nie zamierzali nawet podejmować wysiłku, by go zrozumieć. Odrzucili Zachód i wszystko, co zachodnie, Organizację Narodów Zjednoczonych z jej kodeksami dobrego zachowania, Czerwony Krzyż z jego współczuciem i miłosierdziem. Odrzucili banki i prawa ekonomii. Odtąd, ilekroć brakowało im pieniędzy, drukowali nowe, nie zawracając sobie głowy konsekwencjami. Odrzucili polityczną poprawność i umiarkowanie, kompromisy i rzekomą konieczność ustępstw i zawierania ugód.

Ich pozbawiony logiki, wydawałoby się, straceńczy bunt stał się inspiracją dla młodego pokolenia muzułmanów, zmęczonych zakłamaniem świata, w którym żyli, i upokorzonych służalczością swoich przywódców, ulegających we wszystkim bogatej Ameryce i Europie i we wszystkim ślepo je naśladujących. Talibowie stali się dla nich radykalną alternatywą. Rzucając wyzwanie światu, uznanym porządkom, wartościom i kryteriom logicznym, przypominali swych starszych braci, mudżahedinów, wyruszających na beznadziejną, wydawałoby się, wojnę przeciwko niezwyciężonej rosyjskiej armii imperialnej. Stawali do bitwy, nie zdając sobie sprawy z potęgi wroga i własnej słabości. Ta naiwna niewiedza dawała niezłomne przekonanie o własnych nieograniczonych możliwościach. „Pokonaliśmy Wschód – mówili – pokonamy i Zachód".

Stali się spełnieniem mrocznych przepowiedni europejskich i amerykańskich bajarzy, wieszczących nieuchronny konflikt cywilizacji. „Konflikt? Tak. Jeśli pokój ma polegać na tym, że wszystkie cywilizacje podporządkowują się tej jednej, najsilniejszej i najbogatszej, i zgadzają się postępować według jej życzeń, zaleceń i praw" – odpowiadali ci nieliczni przywódcy talibów, którzy potrafili przekładać swoje poczynania na retoryczne konstrukcje.

Uparci i bezkompromisowi, jednych przerażali, innych zachwycali. Odrzucili żądania Ameryki, domagającej się wydania saudyjskiego banity Osamy ben Ladena, który z afgańskiej ziemi wypowiedział wojnę wszystkiemu, co amerykańskie. Na próżno Amerykanie obiecywali talibom, że uznają ich reżim w zamian za wydanie Saudyjczyka. Na nic zdało się pięć milionów dolarów wyznaczonych za głowę ben Ladena i rakietowy atak na jego kryjówki.

Dla talibów Osama ben Laden był bratem, towarzyszem broni z czasów wojny z Rosją. Ale nie wydaliby go, nawet gdyby był złoczyńcą, skoro poprosił o gościnę. Poza obowiązkiem krwawej rodowej zemsty prawo udzielenia gościny przybyszowi jest najświętszym z kanonów pasztuńskiego prawa plemiennego pasztunwali. Choćby do drzwi zapukał najgorszy wróg, nie tylko nie wolno go prześladować, ale należy udzielić mu schronienia i wszelkiej pomocy i strzec, by nie spotkała go najmniejsza krzywda, dopóki sam nie podziękuje za gościnę.

Z podobnym uporem odmawiali wymiany chrześcijan – aresztowanych pod zarzutem nawracania muzułmanów – na ślepego egipskiego szejka Omara Abdurrahmana, skazanego w Ameryce za zamachy bombowe i terroryzm. „Chrześcijanie zostaną osądzeni według naszych praw. Jeśli zostaną uniewinnieni, wyjadą wolni do swoich krajów. Jeśli sąd uzna ich za winnych, poniosą zasłużoną karę – mówili talibowie. – Nie są zakładnikami pojmanymi dla okupu. Zostali aresztowani, gdyż popełnili zbrodnię".

Odrzucili też wszystkie oferty odsprzedania cudzoziemcom największych na świecie i liczących półtora tysiąca lat posągów Buddy wykutych w skałach Bamjanu. Talibowie postanowili je zniszczyć, gdyż wzniesione na podobieństwo istot ludzkich zostały przez nich uznane za grzeszne. Zagranicznym dyplomatom, którzy zjeżdżali do Kandaharu targować się o zagrożone posągi Buddy, uznawane za zabytki klasy zerowej i wpisane na listę dziedzictwa ludzkości, odpowiadali słowami afgańskiego sułtana Mahmuda z Ghazni, który najeżdżając i plądrując Indie, burzył tamtejsze świątynie. Odprawiając kapłanów braminów ofiarujących mu niezmierzone skarby, byle zostawił w spokoju ich kaplice, niewzruszony Mahmud odparł: „Wolę być wspominany jako ten, który obalał bożki, niż jako ten, który nimi kupczył".

– Różnica między talibami i poprzednimi reżimami jest taka, że jeśli talibowie zapowiadają, że coś zrobią, to nie ma wątpliwości, że tak będzie – szepnął mi w Kabulu pewien afgański dyplomata, który dzięki niezwykłemu darowi przystosowywania się i przybierania właściwych barw ochronnych przetrwał rządy króla, komunistów, mudżahedinów i talibów, zachowując niezmiennie posadę dyrektora w ministerstwie.

Wiosna dwa tysiące pierwszego roku miała się okazać dla talibów ostatnią.

Uznali, że mogły istnieć tylko dwie, niewykluczające się nawzajem, przyczyny ich porażek – spisek niewiernych oraz to, że być może wciąż żyli niewystarczająco pobożnie, wciąż grzeszyli, a Allah się na nich gniewał. Na spisek niewiernych niewiele mogli poradzić. Szukając zaś winy w sobie, pomyśleli o wzniesionych przed wiekami przez niewiernych posągach, przedstawiających ludzi i zwierzęta, co – jak wyczytali w Koranie – jest obrazą Najwyższego.

Już przed laty, gdy talibowie zajmowali położony w sercu kraju Bamjan, ich komendanci próbowali zniszczyć wyryte w tamtejszych skałach monumentalne posągi Buddy. Komendant Ahmadzaj odstąpił wówczas od dzieła zniszczenia na błagania miejscowej starszyzny, a także na cichy rozkaz przywódców, którzy liczyli się wtedy jeszcze z międzynarodowymi protestami.

Talibowie poczuli się oszukani. Choć oszczędzili posągi, narażając się na karę bożą, świat i tak ich nie uznał, a Hazarowie po staremu popierali opozycję. Kiedy więc Organizacja Narodów Zjednoczonych obłożyła Afganistan nowymi sankcjami, a Hazarowie wpuścili do swojej stolicy, Bamjanu, pułki mudżahedinów, emir Omar postanowił być nieubłagany. Skoro cudzoziemcy nie szanowali wartości dla niego najświętszych, on nie zamierzał zawracać sobie głowy ich wartościami.

„Allah jest jeden, a te posągi zostały wzniesione, by je czcić, co jest grzechem – postanowił w wydanym specjalnym edykcie. – Należy je zniszczyć, aby nie wiodły na pokuszenie ani teraz, ani nigdy w przyszłości. Nie obchodzi mnie reakcja wyznawców innych religii. Nie liczy się nic z wyjątkiem wiary w jedynego prawdziwego Boga".

Posłuszni emirowi żołnierze natychmiast zabrali się do żmudnego dzieła niszczenia wszystkich napotkanych w kraju posągów, posążków i figurek przypominających żywe istoty, ludzi, zwierzęta, ptaki.

– Zniszczenie wykutych w skale posągów nie jest wcale takie łatwe – skarżył się minister kultury Kwadratullah Dżamal, któremu emir powierzył to zadanie. – Ale jeszcze parę dni i powinniśmy się z tym uporać. Nasi ludzie pracują co sił. Zniszczyliśmy już dwie trzecie pomników w całym kraju. Według moich informacji nasi żołnierze odstrzelili już głowy i nogi największym posągom z Bamjanu.

Pochwalił się, że jego żołnierze zniszczyli już większość z sześciu tysięcy posągów i rzeźb zgromadzonych w skarbcu muzeum w Kabulu, a także zbiory w Haddzie pod Dżalalabadem, Ghazni i Heracie.

– To były małe posągi. Ich rozbicie poszło łatwo i szybko – krygował się minister Kwadratullah. Wspomniał też, że skorupy z rozbitych figur kazał żołnierzom rozdać wieśniakom jako materiały budowlane.

Cudzoziemcy, jeden przez drugiego, ruszyli na pielgrzymkę do Kandaharu, by przebłagać emira. Najwytrwalniejsi znawcy islamu i Afganistanu udawali się na dwór emira z prośbami i pieniędzmi. Próbowali nakłonić talibów, by pozwolili wywieźć wszystkie grzeszne według nich zabytki do któregoś ze światowych muzeów. Z ofertami odkupienia buddyjskich posągów wystąpiły Indie, Iran, a także nowojorskie Metropolitan Museum of Art.

– Idźcie do naszych wrogów, idźcie do Rabbaniego, którego uznajecie za prawowitego prezydenta Afganistanu, choć kontroluje ledwie parę wiosek w Badachszanie – powiedział Motawakkel, minister dyplomacji talibów. – Idźcie do niego, by bronił waszych posągów. On kupczy, my nie.

Pewien francuski dyplomata uznał wypowiedź mułły za dającą nadzieję. Doszukał się w niej obietnicy, iż zarządzona przez mułłę Omara kampania niszczenia pomników była tylko elementem politycznej rozgrywki, że talibowie próbują w ten sposób zaszantażować wspólnotę międzynarodową i zmusić ją do uznania ich reżimu. Motawakkel sprostował te pogłoski:

– My nie stosujemy waszych miar. Posągi miały zostać zburzone i tak się stanie. Nie idzie w tym o nic więcej.

Aż wreszcie, pewnego słonecznego marcowego poranka, Naim Safi, dyrektor z Ministerstwa Kultury, wezwał wszystkich zagranicznych korespondentów w Kabulu do swojego gabinetu i oznajmił, że kampania niszczenia posągów została zakończona. Wszystkie figurki, duże i małe, już zniszczono. Także te największe, wykute w skałach Bamjanu.

Naim zabrał nas do kabulskiego Muzeum Narodowego, otwartego wyjątkowo dla cudzoziemskich dziennikarzy. Dyrektor muzeum Ahmad Jar unikał jak ognia pytań o zniszczone zabytki, które liczyły dobrze ponad tysiąc lat. Żołnierze talibów półgębkiem, ale z przechwałką w głosie odpowiadali, że posążki zniszczono w samym muzeum i na dziedzińcu.

– Nic nie wiem, nic nie powiem – wił się, nękany pytaniami dyrektor Ahmad.

– Gdzieś je zapewne wyrzucono – wyjaśniał Mohammad Naim Safi, prowadząc nas wśród muzealnych szaf z tysiącletnią ceramiką. – Po co mielibyśmy je trzymać? Sprawa jest zamknięta, koniec, kropka. Nie zniszczyliśmy wszystkich buddyjskich zabytków, lecz jedynie posągi wzniesione na podobieństwo człowieka. Mówicie, że przedstawiały ogromną wartość. Wam może ich szkoda, nam nie. Dla nas były świętokradztwem. Odbudujemy muzeum i wystawimy eksponaty, z których jesteśmy dumni.

– Islam zabrania nam prześladować innowierców, a nawet wtrącać się w ich sprawy – tłumaczył w Ministerstwie Zdrowia mułła Stanakzaj. – Gdyby w Afganistanie żyła choć garstka buddystów, nie tknęlibyśmy ich posągów, mimo iż składanie czci bożkom uważamy za bałwochwalstwo. Ponieważ jednak nie ma już u nas buddystów, posągi zburzono, by nigdy więcej nie służyły bałwochwalstwu. To był najodpowiedniejszy moment.

Kupcy i przekupnie na stołecznych bazarach, jakby przeczuwając najgorsze, martwili się, że zburzenie posągów Buddy skaże Afganistan na potępienie i jeszcze większą izolację. „To było zupełnie niepotrzebne" – mówili, prosząc, by nie zapisywać ich imion, i nerwowo rozglądali się, szukając w tłumie brodatych talibów z milicji obyczajowej.

Posągi zburzono akurat wtedy, gdy talibowie zaczęli przez palce patrzeć na to, jak obywatele przestrzegają ich drakońskich praw. Żołnierze w turbanach po staremu zapędzali pałkami straganiarzy na modlitwę do odbudowanego przez talibów Błękitnego Meczetu, ale nie zaczepiali już kobiet, które niemal swobodnie mogły wychodzić na ulicę bez eskorty ojców, mężów lub braci. Nie odbierali też dzieciom zakazanych jeszcze niedawno latawców.

Afgańczycy narzekali na brutalność talibów, ale z uznaniem pokazywali budynki odbudowane po czteroletniej ulicznej wojnie, jaką stoczyli w Kabulu poprzedni władcy. Talibowie odgruzowali ulice, wyremontowali domy, doprowadzili prąd do większości dzielnic, odebrali cywilom broń i przepędzili rabusiów. Nawet publiczne egzekucje zabójców i odrąbywanie rąk złodziejom zdarzały się coraz

rzadziej.

– Wszystko powoli szło ku lepszemu. Teraz jeden Allah wie, co oni zrobią – wzdychali kabulczycy, którym też z trudnością przychodziło zrozumieć oburzenie świata. Dla nich, pochłoniętych bez reszty rozpaczliwą walką o przetrwanie, posągi z Chazaradżatu, w których obronie stanął murem cały świat, były tylko kamiennymi obeliskami. Dlaczego cudzoziemcy tak przejęli się kamieniami, a okazali się tak nieczuli na los ludzi? Czyżby największą zbrodnią talibów było niszczenie pomników?

Na kabulskich bazarach plotkowano, że pomysł zburzenia posągów podsunęli emirowi wszechobecni, wszędobylscy Arabowie i ich przywódca Osama ben Laden. Nie dowierzając stałości i szczerości Omara, Saudyjczyk obawiał się, że emir może go pojmać i wydać Amerykanom dla zarobku albo dla świętego spokoju. Czasy przyjaźni między talibami i szejkiem zaczynały bowiem powoli przechodzić do przeszłości. Talibowie byli mu wdzięczni za pomoc okazaną na bitewnych polach. Podziwiali odwagę i męstwo arabskich wojowników. Było im ono tym bardziej potrzebne, że wraz z kolejnymi zwycięstwami coraz to nowi komendanci i żołnierze uznawali, iż dla nich wojna się skończyła, i wracali do swoich wiosek. Arabowie, a także ochotnicy z Azji Środkowej, Kaukazu, Bałkanów, Pakistanu, Kaszmiru, Chin i Afryki trzymali więc straż na frontach, i to głównie dzięki nim władza emira Omara rozciągała się niemal nad całym afgańskim terytorium. Talibowie byli też wdzięczni Osamie za to, że budował drogi, meczety, medresy, szpitale, piekarnie. Irytowała ich jednak coraz większa pycha i bogactwo Arabów. W kraju, gdzie najpowszechniejszą profesją było żebractwo, oni mogli sobie pozwolić na wszystko. Tylko ich stać było na wykup żony, co budziło szczególną zazdrość i złość ubogich Afgańczyków.

Arabowie początkowo unikali ostentacji, starali się nie rzucać w oczy. Z czasem jednak zrezygnowali z dyskrecji i z wiejskich kryjówek przenosili się coraz liczniej do miast,

359

gdzie w najlepszych dzielnicach kupowali ocalałe z wojny domy. Było ich z każdym dniem więcej i spoglądali na miejscowych z rosnącą, wcale nieukrywaną już pogardą. Coraz większa liczba Arabów, ich potęga militarna i bogactwo sprawiły, że talibowie stawali się ich zakładnikami. Uzależniając się zaś zanadto od obcych, tym razem Arabów, podzielili los tych wszystkich poprzednich afgańskich władców, którym poddani odmówili zaufania, szacunku i posłuszeństwa.

Wśród przywódców wciąż wybuchały kłótnie z powodu arabskich sojuszników. Dla wielu pasztuńskich komendantów i mułłów nie do przyjęcia okazywały się prawa i kodeksy Arabów, uznających za bezbożny zabobon święte dla Afgańczyków przywiązanie do plemiennej tożsamości.

Kiedy Osama zorientował się, że sam emir Omar zaczyna się wahać, skusił go ponętną wizją: że zostanie mahdim, przywódcą wszystkich wiernych świata. Kiedy Omar wreszcie zrozumiał, że Saudyjczyk sam przymierza się do roli już nawet nie mahdiego, mesjasza, ale kalifa, następcy Proroka, i przemyśliwa o odebraniu Omarowi afgańskiego państwa, było już za późno.

Ujmując się za Osamą przed swoimi towarzyszami, poddanymi i światem, emir Omar sprawił, że obrona Saudyjczyka stała się niemal najważniejszą kwestią polityki i ideologii talibów. Nie mógł już wyrzec się ben Ladena nie tylko dlatego, że bez jego żołnierzy ich emirat nie przetrwałby nawet paru tygodni. Obwieścił, że wydanie Saudyjczyka byłoby grzechem. Postawił się w obliczu nieuniknionego fizycznego zagrożenia (ze strony Osamy lub jego wrogów), a także grzechu i najcięższej w mniemaniu rodaków zbrodni – hipokryzji i tchórzostwa.

Namawiając Omara do zburzenia posągów Buddy i wojny z krzyżem, Osama uczynił afgańskiego emira banitą na swoje podobieństwo i sprawiał, że ich losy splotły się w jedno.

Mułła Stanakzaj, dawny minister dyplomacji, zepchnięty ze szczytów piramidy władzy w czeluście ministerstwa zdrowia, wyśmiewał jednak lęki Ameryki przed Osamą.

– Nie wierzyłem własnym uszom – mówił z przekąsem w swoim kabulskim gabinecie. – Osama, ten cichy, nieśmiały buchalter Osama okazał się nagle najgroźniejszym terrorystą świata. Zrobiono z niego potwora, winnego wszystkim nieszczęściom świata. Tyle że nie udowodniono mu żadnej zbrodni. Mówią: wydajcie go nam. Możemy odpowiedzieć: a weźcie go sobie sami, skoro samiście go tu nam sprowadzili. Czyżby Amerykanie nie znali go wcześniej, czyżby udało mu się aż tak wyprowadzić w pole waszyngtońskich specjalistów od wywiadu? Nawet sprzedawcy dywanów w Peszawarze wiedzieli, że jest w Afganistanie, z kim się zadaje i w jakim celu. Spotykał się z dziennikarzami, urządzał konferencje prasowe na pustyni w Nangarharze. Sądzi pan, że CIA tego nie wiedziała? Problemem Amerykanów jest ta ich niezwykła pewność siebie, która każe im wierzyć, że zawsze i wszędzie potrafią nad wszystkim zapanować. Nie wydamy go, nie ma mowy. Pewnie, że z jego powodu cierpieć będzie cały kraj, że gdyby wyjechał sam, wszystkim nam byłoby łatwiej. Ale nic nie da się zrobić. Niektóre rzeczy są konieczne, czy się tego chce, czy nie. Czasami nie ma innego wyjścia, jak czynić rzeczy, których konsekwencje są najboleśniejsze.

13 Choć rok siedemdziesiąty dziewiąty rozpoczął się w huku karabinowych salw, w zgiełku ulicznych demonstracji i wieców, nic nie zapowiadało, że aż tak bardzo odmieni los tylu młodych, wiernych i pokornych sług Allaha. Że aż tak wielu z nich porzuci swe domy, rodziny i dotychczasowe życie. Szli w nieznane, zostawiając za sobą wszystko i ze wszystkim zrywając. Szli jak na zatracenie, nie wiedząc, co im przyniesie jutro. Woleli jednak to od życiowych ról, przypisanych im przez tradycję, konwenanse, przyzwyczajenia, obowiązki, oczekiwania, jakie z nimi wiązano, i ubezwłasnowalniające długi wdzięczności. Ról, w których wszystko było od początku do końca jasne i przewidywalne. Szukając własnego miejsca pod słońcem, wyrzekali się tego, które im podarowano, i wszystkiego, co je określało. Wyrzekali się kuszącej stabilizacji, dostatku i poczucia bezpieczeństwa, a zdarzało się, że nawet imion i nazwisk, stanowiących o ich tożsamości. Zrzucali ją, jak krępujące i znienawidzone szaty.

Przybierali nowe imiona i nie posiadając już niczego, ani skrupułów, ani wątpliwości, ani nawet wspomnień, wyruszali na święte wojny, bo miały ich oczyścić i uwolnić z zakłamania i upokorzeń, na które godzili się ich ojcowie, nauczyciele i przywódcy.

Uwolnieni od przeszłości, gotowi byli rzucić wyzwanie wszystkiemu, co uznali za niesprawiedliwe i złe. Odurzeni wizją bohaterstwa i męczeństwa, bez strachu stawali do kolejnych bitew, żeby burzyć ustanowione stare porządki. Przeklęci i wyjęci spod prawa, stali się skazanymi na wieczną tułaczkę koczownikami świętych wojen.

Tego roku na wojnę wyruszył też dwudziestodwuletni Saudyjczyk Osama ben Mohammad ben Awad ben Laden, który blisko ćwierć wieku później miał zostać okrzyknięty najbardziej niebezpiecznym z wywrotowców.

Kiedy przychodził na świat w Dżiddzie nad Morzem Czerwonym jako siódmy syn jemeńskiego przedsiębiorcy budowlanego Mohammada ben Ladena, wydawało się, że będzie mu pisany zupełnie inny los. Że dożyje swych dni jako bogaty kupiec czy fabrykant, dziedzic rodzinnej fortuny, pędząc żywot równie dostatni, co monotonny, żywot typowy dla większości saudyjskich bogaczy, wśród których wyrósł i się wychowywał.

Jego ojciec Mohammad ben Awad ben Laden, biedny chłop z górzystego Jemenu, przywędrował do Arabii Saudyjskiej, skuszony legendami o bajecznych skarbach i bogactwie, jakie kryje ziemia, która wydała Proroka Mahometa. Jemeńczyk nie dorobił się jednak na ropie naftowej, tylko na budownictwie.

Przebogaci Saudowie, pragnąc uczynić użytek ze swojego majątku, potrzebowali fachowców znających się na inżynierii, buchalterii, przemyśle. Sprytny Jemeńczyk uznał, że w ojczyźnie islamu i ropy naftowej największy popyt będzie na asfaltowe drogi, przepyszne pałace dla naftowych szejków i meczety. Dzięki pożyczonym pieniądzom z robotnika portowego w Dżiddzie Mohammad ben Laden stał się właścicielem niewielkiej, ale znakomicie prosperującej firmy budowlanej, której potęga miała odtąd rosnąć wraz z zamożnością saudyjskiego królestwa.

Saudyjskim książętom niezmiernie przypadła do gustu droga, którą sam zaprojektował i wybudował dla pielgrzymujących do Mekki, a jeszcze bardziej ta, która wijąc się serpentyną wśród górskich uskoków tuż nad brzegiem morza, prowadziła do letniego pałacu królewskiego at-Taif. Jemeńczyk zyskał również przychylność przykutego do fotela inwalidzkiego króla Sauda, gdy w jego pałacu pobudował mu podjazdy i windy, dzięki którym władca mógł przemieszczać się z piętra na piętro.

Saudyjskiemu królowi Abdulowi Azizowi zaś tak spodobał się wybudowany przez Jemeńczyka pałac, że dopuścił go do zażyłej komitywy i rozkazał powierzać mu odtąd najważniejsze kontrakty budowlane w kraju, co sprawiło, że parweniusz stał się nie tylko bogaczem, ale przyjacielem saudyjskiego dworu. Jego synowie mogli uczyć się już w najlepszych i najdroższych prestiżowych szkołach. Spoufalony z książętami Mohammad ben Laden włączył się nawet do pałacowych intryg o dziedzictwo tronu. Postawił na księcia Fajsala, choć wydawało się, że akurat on ma niewielkie szanse na zwycięstwo. Ryzyko jednak się opłaciło. Dzięki pieniądzom Jemeńczyka Fajsal wygrał rywalizację o tron, a w dowód wdzięczności wydał edykt, zlecający ben Ladenowi i jego firmie niemal wszystkie prace budowlane w królestwie, które wkraczało w epokę naftowego bogactwa. Już po śmierci Mohammada jego rodzinna firma otrzymała wyłączne prawo na prowadzenie robót remontowych w najświętszych dla muzułmanów meczetach w Mekce, Medynie, i na Górze Świątynnej w Jerozolimie. Kontrakty przyniosły synom ben Ladena sławę i szacunek, a także kolejne miliardy, które uczyniły ich jedną z najbogatszych rodzin świata.

Po śmierci Mohammada ben Ladena, który zginął w katastrofie śmigłowca, jego synowie uczynili z firmy prawdziwe imperium, z filiami w Ameryce, Azji i Europie, zajmujące się praktycznie każdą dziedziną, która mogła przynosić zyski – ropą naftową, chemią, telekomunikacją, turystyką, budownictwem. Koordynacją działań wszystkich filii zajmowało się specjalnie stworzone biuro w Szwajcarii. Przejęło ono z czasem rolę kwatery głównej. Magazyny „Forbes" i „Fortune" uznały klan ben Ladenów za jeden z najbogatszych na świecie.

Bracia ben Ladenowie nadal byli zausznikami i doradcami saudyjskiego dworu, a wielu książąt miało swoje udziały w firmie. Zyskali w Arabii renomę tak wielką, że interesom firmy nie zaszkodziła nawet zła sława Osamy. Ścigany listami gończymi ukrywał się już w Afganistanie, gdy jego bracia wygrywali przetargi na budowę luksusowych hoteli w Syrii i odbudowę zniszczonego wojną domową Bejrutu. Otrzymali zlecenie na odbudowę amerykańskiej bazy wojskowej w saudyjskim Dahranie, którą wcześniej wysadzili w powietrze terroryści działający ponoć na zlecenie Osamy. Bracia nie tylko odbudowywali to, co niszczył Osama, ale niezmiennie zaliczali się do najbliższych i najbardziej zaufanych przyjaciół tych, których Osama uznał za swoich największych wrogów. Dbali o przyjaźń i wspólnotę interesów z przedstawicielami amerykańskich elit politycznych. Firma ben Ladenów współpracowała z przedsiębiorstwami, w których radach nadzorczych zasiadali byli amerykańscy prezydenci, sekretarze stanu i obrony. W gości do Dżiddy chętnie zjeżdżali George Bush i jego dawni ministrowie dyplomacji, James Baker i George Shultz. Wielu członków klanu ben Ladenów osiadło zresztą na stałe w Ameryce, a jeden z braci ufundował nawet stypendia na uniwersytecie harwardzkim dla studentów, którzy zamierzali poświęcić się badaniom islamu. Bracia nie tylko robili z Amerykanami interesy, ale wyświadczali im także przysługi polityczne. Umożliwiali Amerykanom potajemną sprzedaż broni irańskim ajatollahom, wystawiając faktury na nazwiska nikaraguańskich powstańców zwalczających komunistyczny reżim w Managui. Transakcje te nadzorował Salem ben Laden aż do swej tragicznej śmierci w katastrofie prywatnej awionetki.

Osama, któremu los i familia zapewniły rolę jednego z dziedziców rodzinnego bogactwa, przygotowywał się do niej w najlepszych szkołach, a później na uniwersytecie króla Abdula Aziza w Dżiddzie, gdzie studiował zarządzanie i przedsiębiorczość. Jako uczeń i student niczym się nie wyróżniał. Poza wzrostem oczywiście; prawie dwa metry przy sześćdziesięciu paru kilogramach wagi sprawiało, że przerastał kolegów o dwie głowy. Nie był jednak ani najbystrzejszy, ani najpracowitszy. Nie był najładniejszy ani najbrzydszy. Nawet w rodzinie grał rolę przeciętniaka. Nie był najstarszy ani najmłodszy. Nie był najukochańszym z synów, ale też nie znienawidzonym. Wszędzie był jedynie najwyższy. Takiego zresztą, jako cichego, skromnego, nieco nieśmiałego i niewyróżniającego się absolutnie niczym poza wzrostem, zapamiętali go rówieśnicy z lat szkolnych i uniwersyteckich. Dorastał w dostatku i samotności. Jego matka, dumna syryjska piękność Alija, była czwartą i ostatnią oficjalną żoną ojca. Jako cudzoziemka nigdy nie została zaakceptowana przez resztę rodziny, wywodzącą się z konserwatywnych rodów saudyjskich i jemeńskich. Osama był jej jedynym dzieckiem. Ponieważ żony ben Ladena mieszkały w oddzielnych domach, Osama rzadko spotykał się z rodzeństwem, które z powodu matki traktowało go zresztą jak czarną owcę. Między innymi dlatego bracia nie dopuścili go do kierowania rodzinnymi interesami, a jego pretensje zbyli oddaniem mu pod kontrolę kilku niewielkich firm w Jemenie, Sudanie i Kenii oraz procentami od przypadającej mu części rodzinnego kapitału, nad którym nadzór patriarcha rodu, umierając, powierzył królowi Saudowi.

Fortuna, jakiej dorobił się ojciec, sprawiała, że Osama mógł sobie pozwolić na wszelkie zachcianki, kaprysy. Miał ledwie jedenaście lat, gdy po śmierci ojca odziedziczył prawie sto milionów dolarów z rodzinnej fortuny. Miał lat piętnaście, gdy został właścicielem pierwszej stadniny koni wyścigowych, które miały stać się jego życiową pasją. Zwiedził całą Arabię, pół Europy i Ameryki. Jeździł cadillakami i nosił modne rozszerzane u dołu spodnie. Wraz z kolegami i towarzyszami, beneficjantami naftowego boomu, wychowywanymi przez niańki i prywatnych nauczycieli dziećmi saudyjskich szejków i książąt, przepuszczał pieniądze w barach, dyskotekach i nocnych klubach, wdając się nierzadko w pijackie awantury o tancerki i ladacznice. Wiódł życie bez trosk, ale i bez celu.

Nagłe i niezmierzone bogactwo, jakie spłynęło na ich ojców, otworzyło przed tymi młodymi ludźmi niedostępny dotąd świat ze wszystkimi rozkoszami i rozrywkami. Oddając się dekadenckiej konsumpcji, żyli w zawieszeniu pomiędzy surowymi obyczajami, tradycją i nakazami religii krajów, w których wyrośli, a oszałamiającą nowoczesnością i kwestionującym wszystko bluźnierczym relatywizmem Europy i Ameryki. Zatracali się, gubiąc tożsamość, nie wiedząc, kim są, do czego przynależą ani czego chcą. W świecie nowoczesności i postępu wstydzili się swojej religii i obyczajów, które wydawały się im prowincjonalne i nie na miejscu. Chcąc się upodobnić do europejskich i amerykańskich elit, które uznawali za wzory zachowań, mód i wartości, kupowali pałace, kamienice, hotele, samoloty, limuzyny. Nigdy jednak nie zostali zaakceptowani. Traktowano ich jako nowobogackich parweniuszy, wartych tylko tyle, ile ich książeczki czekowe i portfele wypchane petrodolarami.

Nie potrafili też odnaleźć się w rodzinnych domach, gdzie chcąc nie chcąc musieli poddawać się starym prawom i rytuałom, które dawno stały im się obce. W patriarchalnych arabskich rodach obowiązek szacunku dla starszych i posłuszeństwa należał do najświętszych, równych żarliwej pobożności i poszanowaniu tradycji. Konserwatyzm i hierarchiczna piramida społeczna zapewniały bezpieczeństwo i porządek, w którym każdy zawczasu znał swoje miejsce i przyszłość. Struktura ta i jej mechanizmy nie pozostawiały żadnego marginesu swobody, wykluczały wątpliwości, wolność wyboru, jakikolwiek sprzeciw.

Wysyłani na naukę do najlepszych szkół w Arabii i na świecie, bogaci młodzi Arabowie dorastali pełni rozterek i wahań. Mieli iść śladami swoich ojców, ale osiągnąć znacznie więcej. Ojcowie, reprezentujący pierwsze pokolenie awansu społecznego, zapewnili im wszak niewspółmiernie większe możliwości. W krajach tak zwanego Trzeciego Świata przynależność do elity oznaczała zawsze dostęp do nieprzebranych dóbr i możliwości. Tym bardziej więc winni im byli spełnienie ich marzeń.

Poczucie długu i obowiązkowej wdzięczności oraz ojcowskie oczekiwania i nadzieje do spółki z konserwatyzmem i przywiązaniem do odwiecznych i niezmiennych porządków ubezwłasnowolniały młodych Arabów i czyniły ich wygodne, dostatnie życie bezcelowym. Wegetowali bez najmniejszego poczucia, że to, co robią, ma sens. Wybór własnej drogi życiowej oznaczał w większości przypadków nieposłuszeństwo wobec ojca, konieczność popełnienia grzechu głównego.

Arabowie, których młodość przypadła na połowę lat siedemdziesiątych, należeli do pokolenia, dla którego wartości i świat ich ojców były już za ciasne. Nauka w obcych miastach i podróże po świecie otworzyły im oczy i pokazały, że można żyć inaczej. Byli dziećmi kryzysu. Dorastali w epoce nieustannych upokorzeń i klęsk, doznawanych przez muzułmanów na świecie, bitych we wszystkich wojnach, podjudzanych i szczutych przeciwko sobie. Ich przywódcy okazywali się skorumpowanymi łajdakami i tyranami, którzy marnotrawili bogactwo i których jedyną legitymacją do sprawowania władzy była użyteczność dla obcych mocarstw.

Dojrzewali do buntu przeciwko wszystkiemu, co składało się na ich dotychczasowe życie. Dostrzegali erozję i korupcję najwznioślejszych idei i wartości. Industrializacja, nacjonalizm, socjalizm lub liberalizm, które w magiczny sposób miały przenieść ich kraje w epokę nowoczesności, pogłębiły tylko schizofrenię ich przywódców i przewodników. Za granicą pozwalali sobie na to, co w kraju potępiali i czego zakazywali. Ich synowie widzieli teraz, że nakaz posłuszeństwa służył wymuszaniu niezasłużonego szacunku, tradycją maskowano hipokryzję i prowincjonalizm, a wiarę sprowadzano do bezmyślnego rytuału.

Nie czując się nigdzie na swoim miejscu, w nieunikniony sposób stawali przed wyborem: pogodzenie się lub bunt. Bogactwo stwarzało młodym szansę ucieczki, ale było też zabójczą pułapką.

Mieli przed sobą dwie drogi: stłumić wewnętrzny bunt, wrócić do kraju i zająć miejsce w życiu wskazane przez stary porządek i ojca albo zerwać z rodziną i całym dotychczasowym życiem, wyrzec się swoich korzeni i jak miliony innych przybyszów z Azji i Afryki osiąść w Nowym Świecie. Żyć życiem jego mieszkańców. Trzecią drogę, o której wspominali na zagranicznych uczelniach tylko nieliczni, uważani za niepoprawnych marzycieli albo groźnych szaleńców, wskazało im życie.

Nastał rok siedemdziesiąty dziewiąty. W dalekim Afganistanie wybuchła wojna, którą muzułmańscy duchowni nazwali świętą. Tysiącom młodych Arabów, poszukujących równie desperacko, co na oślep drogi w życiu, afgańska wojna wydała się zbawieniem. Czymś czystym, sprawiedliwym, czymś, co mogło stać się zaczątkiem odrodzenia, życiodajnym deszczem, o który modlili się ich przodkowie na spalonych słońcem pustyniach. Młodzi wyruszali na wojnę wbrew woli ojców, ale bunt łatwiej im było teraz usprawiedliwiać nakazem wiary.

W siedemdziesiątym dziewiątym roku Osama ben Laden ukończył studia. Pięć lat wcześniej, jako siedemnastolatek, pojął za pierwszą żonę daleką syryjską kuzynkę, i była to ostatnia rzecz, jaką uczynił powodowany uległością wobec związanych z nim oczekiwań. Odtąd miał zmierzać wyłącznie drogą, którą uznał za jedynie słuszną i prawdziwą. Samotny, odrzucony i zepsuty wygodnym życiem, zaczął szukać pociechy w islamie. Jako dziecko zawsze wyróżniał się wśród rodzeństwa pobożnością, a w czasach studenckich stał się niemal fanatykiem i wstąpił do religijnej milicji Bractwa Muzułmańskiego. Podjudzał kolegów do bicia mniej pobożnych czy nawet libertyńskich studentów, sam jednak unikał bijatyk jak ognia. Trzymał z tymi, którzy nie cierpieli odmiennych poglądów, wątpliwości, próżnych akademickich dyskusji.

Jego mistrzem stał się wykładowca teologii, palestyński szejk Abdallah Azzam, jeden z przywódców Bractwa Muzułmańskiego, organizacji coraz bardziej wpływowej, bezkompromisowej i zwalczanej przez arabskie reżimy. Przed laty szejk Azzam był jednym z towarzyszy Jasera Arafata, który na czele młodych straceńców z organizacji al-Fatah zamierzał walczyć o wolność Palestyny. Kiedy jednak Arafat ze świętego wojownika zaczął zmieniać się w polityka zawierającego ugody z wrogami i spychającego na drugi plan nakazy wiary, Azzam okrzyknął go zdrajcą, zerwał z nim i przystąpił do tworzenia nowej organizacji bojowej pod nazwą Hamas, która miała wywołać w Palestynie powstanie przeciwko Izraelowi.

Osama odnalazł w szejku Azzamie nauczyciela i przewodnika, opiekuna i mistrza. Kiedy w grudniu siedemdziesiątego dziewiątego rosyjska armia najechała Afganistan, świątobliwy Azzam był jednym z pierwszych, którzy wezwali muzułmanów do świętej wojny przeciwko niewiernym. Osama postanowił wyruszyć na tę wojnę wraz ze swoim mistrzem. Szejk Azzam odkrywał młodemu Saudyjczykowi tajemnice teologii i światowej polityki. Pod jego wpływem Osama zaczął wątpić w uczciwość przywódców krajów muzułmańskich i ich moralne prawo do sprawowania rządu dusz półtora miliarda wiernych. Wystarczyłoby wszak, by zjednoczyli się pod jednym sztandarem i jednym przywództwem, a z pogardzanych, słabych i skłóconych wasali staliby się równoprawnymi partnerami tych, którzy z racji swojej wojskowej, gospodarczej i politycznej potęgi rościli sobie prawo do panowania nad światem.

Wojna w Afganistanie była tylko jednym z wydarzeń roku siedemdziesiętego dziewiątego, które Osamie i podobnym mu buntownikom wydały się sygnałem i zapowiedzią wielkich zmian. Prezydent Egiptu Anwar Sadat, dokonując w ich mniemaniu kolejnej zdrady, wyłamał się ze wspólnego frontu państw arabskich i podpisał separatystyczny pokój z Izraelem, a egipska stolica stała się stolicą bezkompromisowej muzułmańskiej kontestacji. W Iranie bezbronni i bezsilni, zdawałoby się, muzułmańscy buntownicy obalili wspierany przez potężną Amerykę reżim szacha i ogłosili kraj muzułmańską republiką opartą na prawach Koranu i rządzoną przez ajatollahów, najświętszych z mędrców. Do rebelii doszło też w ojczyźnie islamu, Arabii Saudyjskiej, gdzie cztery lata wcześniej zamordowany został król Fajsal. Kilkuset buntowników, którymi kierował Dżuhajman al-Otajbi, zajęło Wielki Meczet w Mekce i wezwało wiernych do obalenia monarchii Saudów, rozdania ich bogactwa poddanym królestwa i zerwania stosunków z chrześcijańskim Zachodem aż do czasu, gdy uzna w muzułmańskiej wspólnocie równoprawnego partnera i zacznie poważnie wsłuchiwać się w jej życzenia i aspiracje. Po dwóch tygodniach okupowania meczetu służby bezpieczeństwa krwawo stłumiły rebelię. Ci przywódcy powstania, którym udało się pojmać, zostali skazani na śmierć przez ścięcie.

Bunt dojrzewał w całej Arabii.

Afgańska wojna, która wybuchła wkrótce po rebelii w Mekce, okazała się niespodziewanie odsieczą zarówno dla rodziny Saudów, jak wszystkich reżimów w świecie islamu. Mogli teraz odwrócić uwagę poddanych od oskarżeń kierowanych pod ich adresem przez coraz liczniejszych buntowników nawołujących do powstania. Udzielając poparcia świętej wojnie, mogli poprawić swoją nadszarpniętą reputację. I co najważniejsze, mogli pozbyć się wywrotowców, wysyłając ich na wojnę i pewną śmierć do Afganistanu.

Dla rodu ben Ladenów wojna afgańska stała się okazją, by jeszcze raz przysłużyć się Saudom. Firma ben Ladenów jako jedna z pierwszych zaczęła wysyłać pieniądze afgańskim mudżahedinom, wyręczając w tym trudnym i niewdzięcznym dziele saudyjskich władców. A kiedy Osama oznajmił, że pragnie pojechać na wojnę, rodzina była wniebowzięta i dumna. Przyklasnęła temu pomysłowi i dała mu swoje błogosławieństwo. W równym stopniu liczyła na zasługi w niebie, co na wdzięczność saudyjskich władców.

Wojna afgańska okazała się też ratunkiem dla Ameryki, w której z powodu jej przyjaźni z Izraelem muzułmanie widzieli teraz już nie tylko zdradzającego przyjaciela, ale wroga.

Dla skłóconego świata islamu wojna ta była drugą po konflikcie palestyńsko-izraelskim okazją do zademonstrowania jedności. W roku siedemdziesiątym trzecim muzułmanie sprzymierzyli się przeciwko Stanom Zjednoczonym. Naftowy szantaż Arabów przeraził Amerykanów bardziej niż wizja muzułmańskich terrorystów podkładających bomby i porywających zakładników.

Wrogowie Ameryki, Rosjanie, zawsze trzymali stronę Arabów, zyskując sobie ich wdzięczność i przyjaźń, a także polityczne wpływy, głosy w ONZ i kontrakty na dostawy broni. Nawet irańscy ajatollahowie, potępiając bezbożny komunizm, uznali go za mniejsze zło niż amerykański imperializm.

Rewolucja irańskich ajatollahów z roku siedemdziesiątego dziewiątego była wymierzona w równej mierze w szacha, co w Amerykę, jej styl życia, arogancję i szarogęszenie się na Bliskim Wschodzie. I kiedy wydawało się, że już nic nie uratuje Amerykanów przed sromotną ewakuacją z Arabii, Rosjanie najechali na Afganistan, stwarzając Waszyngtonowi szansę na poprawę paskudnego wizerunku w oczach muzułmanów. Tocząc z Kremlem śmiertelną wojnę na wyniszczenie, Biały Dom dostrzegł też w afgańskim konflikcie dodatkową okazję wykrwawienia wyczerpanego wroga. Amerykanie nie tylko postanowili udzielić zbrojnego i finansowego wsparcia afgańskim mudżahedinom, ale przy ich pomocy podburzyć przeciw Moskwie pięćdziesiąt milionów muzułmanów zamieszkujących południe Imperium Zła. Misję wzniecenia powstania powierzono nie uzbeckim i tadżyckim demokratom, wierzącym w wolny rynek, prawa człowieka i tolerancję, ale najzajadlejszym religijnym fanatykom i szowinistom, gotowym ginąć dla sprawy i zabijać wszystkich, którzy ośmieliliby się z nimi nie zgadzać. Ku radości Amerykanów afgańska wojna przeciwko Kremlowi została ogłoszona wojną świętą, w której udział był religijną powinnością, a śmierć na polu bitwy otwierała bramy niebios.

Sojusznicy amerykańscy na Bliskim Wschodzie i w Azji otrzymali wskazówkę, by nie tylko nie utrudniali ochotnikom wyjazdu na wojnę w Afganistanie, ale zachęcali ich do tego i pomagali w przygotowaniach do podróży. Świeckie reżimy z Bliskiego Wschodu, północnej Afryki i Azji Południowej chętnie pozwalały rodzimym fanatykom na wyjazd. Wierzyły, że w ten sposób pozbywają się kłopotliwych buntowników. Wojskowy dyktator Pakistanu generał Zija ul-Haq polecił swoim ambasadorom na świecie, by bez specjalnych ceregieli i w przyspieszonym trybie wydawali wizy każdemu, kto wyrazi życzenie wyjazdu na wojnę w Afganistanie. Gorącymi orędownikami wysyłania na afgańską wojnę międzynarodowych brygad ochotniczych stały się też reżimy państw arabskich. Saudowie liczyli, że stając na czele świętej wojny, zmażą nieco piętno przyjaźni z Ameryką i odzyskają przywództwo świata islamu, zagrożone przez irańskich ajatollahów i ich rewolucję. Rola przewodnika muzułmanów śniła się też Zija ul-Haqowi, widzącemu w afgańskiej wojnie wspaniałą okazję uwiarygodnienia w oczach świata i współobywateli swojego reżimu, który przejął władzę w wyniku krwawego przewrotu.

Po latach Olivier Roy, francuski znawca Afganistanu i islamu, zapytał Zbigniewa Brzezińskiego, ówczesnego doradcę amerykańskiego prezydenta Jimmy'ego Cartera do spraw bezpieczeństwa narodowego, czy muzułmańscy fanatycy z Afganistanu nie stali się przypadkiem ubocznym skutkiem świętej wojny z komunizmem. Co było ważniejsze z punktu widzenia dziejów świata? – odparł pytaniem Brzeziński. – Upadek komunistycznego imperium Związku Radzieckiego, wyzwolenie Europy i koniec globalnej zimnej wojny czy pojawienie się kilku muzułmańskich fanatyków?

Osama i inni koczownicy świętej wojny stali się w ten sposób skutkiem ubocznym uzdrowieńczej terapii. Jako nieuniknione powikłanie brawurowego zabiegu stali się też mimowolnymi świadkami czasów, gdy wrogowie byli jeszcze sprzymierzeńcami.

Amerykanom marzyło się, by na czele międzynarodowych brygad stanął któryś z saudyjskich książąt, co dodatkowo uwiarygodniłoby w oczach muzułmanów afgańską wyprawę. Żaden jednak z Saudów nie zamierzał ginąć za Afganistan, a nawet ryzykować życia w dalekim i obcym Hindukuszu. I wtedy szef saudyjskiego wywiadu, książę Turki ben Fajsal, przypomniał sobie o młodym ben Ladenie, który, jak mu doniesiono, wybierał się do Afganistanu. Osama nie pochodził co prawda z królewskiego rodu, ale jego rodzina cieszyła się powszechnym szacunkiem i pozostawała z Saudami w zażyłej przyjaźni. Był też wystarczająco zamożny. Książę Turki uznał, że Osama świetnie się nada – przynajmniej do czasu znalezienia lepszego kandydata –

by poprowadzić muzułmańskich ochotników na świętą wojnę przeciwko niewiernym.

Ośrodkiem werbunkowym dla tysięcy muzułmańskich zabijaków, marzycieli i fanatyków z całego świata stał się pakistański Peszawar, tuż nad granicą z Afganistanem. To krzykliwe, barwne miasto, słynne dotąd z bazarów i dywanów, było też stolicą afgańskich mudżahedinów, wielką bazą wojskową i miejscem spotkań muzułmańskich rewolucjonistów wszelkiej maści. Szacuje się, że przez Peszawar przewinęło się w latach osiemdziesiątych ponad sto tysięcy wolontariuszy z ponad czterdziestu państw świata.

Osama zjawił się w Peszawarze dwa tygodnie po wybuchu świętej wojny. Znał już wcześniej przywódców afgańskich mudżahedinów, białobrodego Burhanuddina Rabbaniego i jego ucznia Abdurraba Rasula Sajjafa, którzy, podobnie jak wielu innych pielgrzymów w drodze do Mekki, zatrzymywali się w domu ben Ladenów w Dżiddzie. Początkowo krążył między Peszawarem i Arabią Saudyjską, prowadząc wśród możnych kupców i dygnitarzy kwestę na pomoc dla mudżahedinów oraz namawiając młodych Saudyjczyków na udział w oczyszczającej wyprawie wojennej. Potem osiadł w Peszawarze na stałe. Brak jakichkolwiek przywódczych cnót sprawił, że nie został ważnym komendantem i nigdy nie poprowadził nikogo do boju. Sam wziął udział ledwie w jednej bitwie z Rosjanami pod wioską Ali Chel w prowincji Paktia. W strzelaninie zginęło pół setki arabskich ochotników i zostaliby zapewne wybici do nogi, gdyby nie to, że Rosjanom skończyły się pociski. Oszołomiony śmiercią, która po raz pierwszy przeszła tak blisko, Osama zatracił poczucie rzeczywistości i w jego opowieściach bitwa pod Ali Chel, o której nikt w Afganistanie pewnie by nawet nie wspomniał, urosła do rangi batalii decydującej o dalszych losach świętej wojny. To wtedy Saudyjczyk pierwszy raz dostrzegł w sobie wcielenie dwunastowiecznego arabskiego bohatera Saladyna, który powstrzymał armię krzyżowców i wyzwolił Jerozolimę.

Osama nie został jednak ani wojskowym, ani duchowym przywódcą muzułmańskiej międzynarodówki. W roli tej wyręczył go dawny mistrz, szejk Abdullah Azzam, który przewodził wolontariuszom niemal do końca wojny, gdy bomba podrzucona w jego samochodzie przez nieznanych zabójców rozerwała go na strzępy. W zamachu zginęło też dwóch synów i dziedziców szejka. Abdullah Azzam otworzył w Peszawarze przedstawicielstwa Bractwa Muzułmańskiego i Światowej Ligi Muzułmańskiej i przekształcił je w Biuro Służby Świętej Wojnie, ośrodek werbunkowy i centrum koordynacyjne dla ochotników przybywających z całego świata na afgańską wojnę. Za pieniądze, w których zdobywaniu Osama ben Laden okazał się prawdziwym mistrzem, Biuro Służby Świętej Wojnie kupowało wolonatiuszom bilety lotnicze w jedną stronę i karabiny, wynajmowało w Peszawarze domy, hoteliki i obozy szkoleniowe, w których mieszkali i przygotowywali się do wyruszenia na front.

Osama, który mieszkał wtedy w miasteczku uniwersyteckim w zachodniej dzielnicy Peszawaru, prowadził kancelarię biura i odpowiadał za kontakty z pakistańską biurokracją. Stworzył też pajęczą sieć kurierów, dzięki którym utrzymywał kontakty z mudżahedinami walczącymi już w Afganistanie. Z ochotą wypełniał swoją ulubioną rolę wzorowego, ale pozbawionego inicjatywy ucznia i pomocnika. Na prośbę szefa saudyjskiego wywiadu księcia Turkiego ben Fajsala zorganizował kanały, którymi Saudyjczycy mogli bezpiecznie przerzucać pieniądze do Afganistanu.

W Peszawarze najbliższymi sojusznikami Azzama byli afgańscy komendanci Gulbuddin Hekmatiar i Abdul Rasul Sajjaf, cieszący się zasłużoną opinią największych fanatyków. Głównie do ich oddziałów przydzielano arabskich ochotników i głównie między nich rozdzielano pieniądze i broń przysyłane przez Amerykanów i Saudyjczyków.

Osama poznał też wtedy agentów amerykańskich i pakistańskich służb specjalnych, którzy wtajemniczyli go w sekrety przemytu broni oraz innych sposobów, w jaki afgańscy komendanci zdobywali pieniądze. Podstawowym źródłem dochodów był transport afgańskich narkotyków do Europy i Ameryki. Na procederze tym zarabiali zresztą nie tylko Afgańczycy. Korzystając z milczącego przyzwolenia wszystkowiedzącej amerykańskiej CIA, wielu pakistańskich generałów zbiło na haszyszu i opium prawdziwe fortuny. Zdobyte znajomości i wiedza o organizowaniu tajnych przedsięwzięć miały się przydać Osamie w czasach, gdy stał się znienawidzonym wrogiem swoich dawnych przyjaciół, nauczycieli i dobroczyńców. Zawierał też inne znajomości i wyjątkowo starannie je pielęgnował. W peszawarskich hotelikach, szpitalach, obozach i biurach poznawał muzułmańskich mędrców i buntowników, którzy za wywrotowe poglądy lub działalność zostali przez przywódców swych ojczyzn skazani na banicję. Wówczas też poznał przywódcę muzułmańskich rewolucjonistów z Chartumu, Hasana al-Turabiego, który wkrótce, po zbrojnym przewrocie dokonanym do spółki z wojskowymi, miał się stać faktycznym władcą Sudanu. W Peszawarze spotkał ślepego egipskiego szejka Omara Abdurrahmana, ściganego za zabójstwo prezydenta Anwara Sadata. Niewidomy szejk został po latach skazany na dożywocie i wtrącony do więzienia w amerykańskiej Minnesocie za kierowanie spiskiem mającym na celu wywołanie terrorystycznej wojny w amerykańskich miastach. Jego uczniowie stali się zaś najwierniejszymi towarzyszami Osamy.

Ben Laden ściągnął do Peszawaru należące do rodzinnej firmy maszyny budowlane, by w skalistych górach na afgańsko-pakistańskim pograniczu kopać dla mudżahedinów podziemne schrony, lazarety, magazyny i kanały, którymi bezpiecznie mogli przechodzić ze swoich pakistańskich baz na afgańską stronę. Tak powstały ufortyfikowane cytadele Tora Bora, Dżawar Cheli, Dżadżi. Wiele z tych kryjówek w późniejszych latach było bezpiecznym azylem dla banitów i desperatów.

Wśród afgańskich i arabskich mudżahedinów Osama cieszył się sympatią i szacunkiem. Może dlatego, że zawsze miał pieniądze. A może dlatego, że nie miał przywódczych ambicji, nie wywyższał się, nie wymądrzał. Ściągający z całego świata muzułmańscy ochotnicy chętnie zgłaszali się pod jego komendę, przysparzając mu sławy jednego z najsprawniejszych werbowników. W Peszawarze nazywano go Saudyjskim Księciem. Opowiadano, że potrafił zjawiać się niespodziewanie w polowych szpitalach, do których przywożono rannych mudżahedinów. Wędrował od łóżka do łóżka, zamieniając z każdym chorym choć parę słów i każdemu ofiarowując choćby drobny podarek, garść orzechów, czekoladowy batonik. Zapisywał w zeszycie ich nazwiska i adresy i nie uprzedzając nawet o tym, wysyłał ich rodzinom pieniądze. Po latach powiedział, że swój udział w wojnie w Afganistanie uważa za niezasłużony zaszczyt, jakiego dostąpił z woli Opatrzności, i że jeden dzień spędzony na świętej wojnie był dla niego ważniejszy niż tysiąc dni i nocy w rodzinnym domu.

Ale kiedy po dziesięciu latach krwawej, wyniszczającej i nierozstrzygniętej mimo tylu okrucieństw wojny przerażony kryzysem i bankructwem swojego państwa Kreml nakazał armii pospieszną ewakuację z Afganistanu, ben Laden niespodziewanie wyjechał z Peszawaru.

Rozczarowany bratobójczymi walkami i sporami afgańskich komendantów błagał ich, by zawarli pokój, obiecywał pieniądze i straszył, że nie da ani grosza, jeśli natychmiast nie przestaną walczyć między sobą. „Nie marnujcie zwycięstwa, jakie zesłał sam Najwyższy. Dam wam wszystko, czego zażądacie, ale na miłość boską, przestańcie walczyć i zacznijcie budować sprawiedliwe boże państwo" – apelował do Massuda, Hekmatiara, Sajjafa, Nabiego. W końcu zrezygnowany machnął ręką i wyjechał do Arabii Saudyjskiej, do Dżiddy, by zająć się rodzinnym biznesem.

Wcześniej jednak, po tragicznej i zagadkowej śmierci swego mistrza, szejka Abdullaha Azzama, jako najzdolniejszy i najwierniejszy z uczniów przejął po nim Biuro Służby Świętej Wojnie. Po staremu prowadził kwestę wśród możnych mecenasów, którzy w ogromnej większości z uwagi na charakter darów i swoją publiczną działalność woleli pozostawać anonimowi. Po staremu werbował ochotników na świętą wojnę, dbał o ich szkolenie wojskowe i pamiętał o regularnym wysyłaniu zapomóg ich rodzinom w ojczyznach. Wprowadził pewne zmiany w działalności biura. Przybywającym kazał na przykład wypełniać szczegółowe kwestionariusze osobowe, które zatrzymywał w archiwach. Stworzył w ten sposób niezwykły bank danych o wszystkich ochotnikach z każdego zakątka świata, którzy gotowi byli wyruszyć na świętą wojnę. Zmienił też nazwę biura. Organizację, którą stworzył, nazwał al-Kaida, Baza.

Wrócił do kraju, ale nie zapomniał o towarzyszach broni z Afganistanu. To z myślą o nich założył Bazę. Stała się ona połączeniem związku kombatantów z kasą zapomogowo-pożyczkową, bankiem międzynarodówki muzułmańskiej, do którego Osama wniósł resztki z datków spływających z całego świata na świętą wojnę. Baza wysyłała pieniądze wdowom i sierotom po poległych mudżahedinach, pomagała utrzymywać łączność między weteranami, którzy przeżyli, ale nie potrafili sami uporać się z powojenną frustracją. Wielu z nich ściągnęło zresztą po wojnie do Arabii Saudyjskiej za ben Ladenem, którego przywykli już uważać jeśli nie za swego duchowego przywódcę, to przynajmniej za dobroczyńcę, zawsze gotowego wyświadczyć przysługę, wesprzeć, wyratować z opresji. Dla większości z nich bowiem powrót do domu okazał się zbyt trudny, by stawić mu czoło w pojedynkę.

Wracali ze zwycięskiej świętej wojny i spodziewali się
powitania godnego najprawdziwszych bohaterów. W do-

mach jednak życie toczyło się dawnym, starym rytmem, ich kuzyni, przyjaciele, narzeczone mieli zwyczajne zmartwienia i marzenia. Święta wojna w odległym Afganistanie w ogóle ich nie obchodziła. Nikt tak naprawdę nie zauważył nawet ich nieobecności. Wracali w swoim mniemaniu jako bohaterowie, bezimienni, ale jednak rozpoznawalni żołnierze partii Boga, a w domach witano ich jako wyrzutków. Zamiast łuków triumfalnych, defilad i przemówień czekali na nich agenci tajnej policji, którzy mieli dla nich nie słowa podziwu i otuchy, lecz pogróżki. Wyrwani gwałtownie z pięknego snu o bohaterstwie, nie potrafili już włączyć się do dawnego życia, którego beznadziejność była wszak jedną z przyczyn ich ucieczki do Afganistanu. Pociechę, ukojenie i zrozumienie znajdowali tylko w meczetach. Odnaleźć się w nowej rzeczywistości, tak obcej od prostoty i klarowności partyzanckiego obozu i wojny, było im tym trudniej, że wracali bardzo odmienieni. Na bitewnych polach Hindukuszu, a także w obozowiskach na afgańsko-pakistańskim pograniczu nauczyli się pogardy dla śmierci, kultu męczeństwa, a także i religijnej ortodoksji, zawierającej katalog prostych wartości i jasnych wskazówek. Poznali też smak braterstwa broni i strachu, wyzwalającego z kompleksów i stanowiącego podstawę męstwa.

W Afganistanie przeszli nie tylko bojowy chrzest, ale poznali podobnych sobie desperatów z innych krajów. W obozach pod Peszawarem ci fanatycy z całego świata spali, jedli, uczyli się, rozmawiali, walczyli. Była to dla nich pierwsza okazja, żeby dowiedzieć się, jak wygląda ruch muzułmański w innych częściach świata. Połączyła ich jedność myślenia, która odtąd kazała im trzymać się zawsze razem. Dziesięcioletnia wojna afgańska nauczyła ich nie tylko żołnierskiego rzemiosła, ale też rozbudziła poczucie misji i wiarę w swoje możliwości i potęgę.

Afganistan stał się pierwszym bitewnym polem, na którym spotkali się muzułmańscy wojownicy, mudżahedini. Nigdy wcześniej tak nie walczyli, nie tworzyli pułków i nie ruszali na wojny, by wesprzeć swoich braci. Nie było mudża-hedinów ani na półwyspie Synaj, ani w górach Libanu. Były jedynie formacje terrorystyczne, zajmujące się uprowadza-niem samolotów i podkładaniem bomb.

W ten oto sposób obozy stworzone do walki z komuniz-mem stały się wylęgarnią i uniwersytetem muzułmańskich fanatyków, zaprawionych w bojach i posługiwaniu się wszelkim orężem, pełnych wiary w swoją potęgę i żądnych nowych zwycięstw. Pokonali wszak jednego szatana – ko-munizm i rosyjskie imperium. Dlaczego nie mieliby zwycię-żyć drugiego – Ameryki? A przede wszystkim czemu nie mieliby obalić wszystkich skorumpowanych i bezbożnych reżimów, jakie usadowiły się w krajach islamu?

Chcieli kolejnych zwycięstw. Wystarczyło więc parę mie-sięcy, by w swoich krajach poczuli się obcy i niepotrzebni. Szara codzienność cywilnego żywota szybko wydała im się nudna, a w przekupnych, lekceważących przykazania Ma-hometa władcach, których żałosne zakłamanie dopiero w afgańskich górach dostrzegli tak wyraźnie, zaczęli wi-dzieć wrogów równie nienawistnych, jak niewierni, z który-mi bili się w Afganistanie. Sfrustrowani mudżahedini wypo-wiedzieli im wojnę. Wracając do swych domów w Algierze, Kairze, Chartumie, Adenie, zabierali ze sobą rewolucyjną, czystą, niczym niezmąconą wiarę w Sprawę. Po zwycięskiej świętej wojnie byli zdecydowani na wszystko. Do konfron-tacji dochodziło natychmiast.

Błędni rycerze zdradzonej świętej wojny zaczęli żyć włas-nym życiem. Nikt nie pomyślał, że poza ślepym wykonywa-niem rozkazów mogą mieć jakiś cel, że skierują oręż prze-ciwko tym, którym zawdzięczali istnienie. Rzucili wyzwanie światu, który ich stworzył po to, by mieć z nich posłusz-ne narzędzie. Marionetki zbuntowały się, zagrażając moż-nym tego świata, przekonanym o swojej nieomylności i omnipotencji.

Amerykanie, zajęci urządzaniem świata po zakończeniu
zimnej wojny, nie znaleźli czasu ani chęci, by pomyśleć

o Afganistanie i arabskich wolontariuszach, którzy teraz zagrażali przyjaznym Ameryce świeckim reżimom na Bliskim Wschodzie. Egipski prezydent Hosni Mubarak ledwie uszedł z życiem z zamachu, jaki zorganizowali na niego w Addis Abebie owi weterani. W Algierii zaś afgańscy kombatanci wywołali wojnę domową, która utopiła kraj w morzu krwi. Bezwzględni, pozbawieni wątpliwości i skrupułów, ślepo słuchający rozkazów, uwolnieni od tęsknoty za rodziną i dawnym życiem byli żołnierzami doskonałymi. Ginęli w potyczkach, trafiali do więzień, ścigani przez tajne policje. Gdy ich schwytano, bez strachu stawali przed plutonami egzekucyjnymi i katami, którzy zakładali im na szyje stryczki lub odrąbywali głowy. Ścigani wyrokami sądowymi, przeklinani jako wywrotowcy i barbarzyńcy, ruszali w świat w poszukiwaniu nowych, sprawiedliwych wojen, na których znów mogliby spotkać dawnych towarzyszy broni. Czuli się zdradzeni przez cały świat i chcieli z całym światem walczyć, ufni w ostateczne zwycięstwo. Śmierć, która – jak zapewniali mułłowie – otworzy im bramy Raju, wydawała się lepsza niż życie w upodleniu i nędzy.

Po afgańskiej następną świętą wojną mogła być ta przeciwko irackiemu władcy Saddamowi Husajnowi, który ledwie zakończywszy dziesięcioletnią wyniszczającą wojnę z sąsiednim Iranem, najechał maleńki, lecz przebogaty Kuwejt, by go złupić i zapełnić pusty skarbiec w Bagdadzie. Grabieżcza wyprawa na sąsiadujący z Arabią Saudyjską Kuwejt miała też przekreślić irackie długi wobec obu państw, których władcy, w trosce o własne trony, opłacali armię Saddama Husajna w jego wojnie przeciwko irańskim ajatollahom, nawołującym do światowej rewolucji w imię Allaha.

Saudyjskich książąt i tak już niepokoiło, że po latach znojów, wyrzeczeń i niebezpieczeństw w Afganistanie Osama ben Laden w rodzinnym domu zamiast pławić się w poczuciu dobrze spełnionego obowiązku, wciąż głosi potrzebę 383 rewolucji i otacza się dawnymi towarzyszami broni. Ani myślał ukrywać, że jego zdaniem sprawy królestwa miały się coraz gorzej, naftowy majątek był marnotrawiony i dzielony niesprawiedliwie między książąt i szejków, którzy rządząc apodyktycznie, coraz bardziej przypominali satrapów. Starzy przyjaciele, szef wywiadu książę Turki i burmistrz Rijadu książę Salman, najpierw próbowali przemówić Osamie do rozsądku, ale gdy ten zaczął wzywać do świętej wojny przeciwko rządzącym w Jemenie Południowym komunistom, a nawet, o zgrozo, przeciwko niedawnemu sojusznikowi, potężnemu Saddamowi Husajnowi, zakazali mu przemawiać i niemal zamknęli w areszcie domowym.

Kiedy pancerne pułki Saddama Husajna najechały Kuwejt, plądrując tamtejsze banki i szyby naftowe, Osama ben Laden zgłosił się niezwłocznie do króla Fahda i zaoferował, że skrzyknie wiarusów afgańskiej świętej wojny i na ich czele pomaszeruje przez pustynię na Bagdad. Pewny królewskiej zgody i nagrody, rozesłał nawet wici wśród tych arabskich wojowników, którzy mając zamknięte drogi powrotne do domu, po wojnie w Hindukuszu wstąpili na służbę do afgańskich komendantów i chanów.

Ku zaskoczeniu i oburzeniu Osamy saudyjski monarcha jednak nie skorzystał z jego wolontariuszy, ale pozwolił, by w ojczyźnie Proroka Mahometa i islamu wylądowało pół miliona niewiernych cudzoziemców. Nieszczęsny król wolał prosić o pomoc Amerykanów splamionych przyjaźnią z Izraelem niż świętych wojowników, którzy w swoim rewolucyjnym i pobożnym zapale mogliby się okazać większym zagrożeniem dla tronu niż odsieczą.

Osama uznał to za osobistą zniewagę, a zarazem potwierdzenie, iż Saudowie, podobnie jak niemal wszyscy przywódcy muzułmańskich państw, byli jedynie marionetkami Ameryki. Fakt zaś, że pobiwszy Saddama, Amerykanie pozwolili mu pozostać na tronie, uznając jego reżim za mniejsze zło niż rewolucyjny ferment, jaki mógłby go zastąpić, stał się dla Osamy i jego towarzyszy kolejnym i ostatecznym dowodem amerykańskiej hipokryzji i wiarołomstwa. A już za oczywiste świętokradztwo uznał ben Laden zgodę króla Fahda na to, by po wygranej wojnie z Irakiem dwadzieścia tysięcy amerykańskich żołnierzy pozostało w Arabii Saudyjskiej jako żandarmi Zatoki Perskiej.

Amerykańskie wojska na saudyjskiej ziemi były dla niego taką samą bluźnierczą armią okupacyjną, jak rosyjska armia w Afganistanie. Wojna z Amerykanami, a także z domem Saudów, którzy ich zaprosili, była w jego przekonaniu równie święta, jak ta przeciwko Rosjanom i komunistom z Kabulu. Zaprzyjaźnieni z ben Ladenem szejkowie Safar Hawali i Salman Audah ogłosili, że wojna o wyzwolenie ojczyzny Proroka spod okupacji niewiernych jest religijnym obowiązkiem. Osama zaczął nazywać królewski ród Saudów lokajami amerykańskich imperialistów i syjonistów. Miarka przebrała się, gdy podczas kłótni z ministrem policji księciem Naifem zwymyślał go od zdrajców. Książę poszedł na skargę do króla, ten zaś wygnał Osamę z kraju. A kiedy arabscy straceńcy zaczęli wysadzać w powietrze amerykańskie bazy w Rijadzie i Dharhanie (firma ben Ladenów znów odbudowywała to, co na rozkaz Osamy zostało zniszczone), monarcha odebrał mu obywatelstwo i zakazał poddanym królestwa spotykać się z ben Ladenem. Banita, którego wyparła się nawet rodzina, nie miał już nic do stracenia. Rozsierdzony wydał wojnę Ameryce i domowi Saudów. „Nie spocznę, dopóki ostatni niewierny nie wyniesie się ze świętej ziemi islamu, a muzułmańskie kraje nie zostaną uwolnione od skorumpowanych hipokrytów, którzy przywłaszczyli sobie trony – zapowiedział. – Obalimy ich reżimy i państwa grzechu, a na ich gruzach zbudujemy Boże Królestwo, w którym jedynym prawem będzie Święta Księga Koranu. Oto początek wojny sług Allaha z Ameryką".

Odtąd jego szlak miały znaczyć już tylko wojny, krwawe zamachy i zgliszcza. Tropiony i ścigany przez wrogów, wybierał na kolejne kryjówki kraje pozbawione struktur państwowych, Sudan, Somalię, w końcu Afganistan, współczesne Jądra Ciemności, gdzie zaradni przedsiębiorcy i watażkowie, bogatsi i potężniejsi niż prezydenci i ich rządy, biorą na utrzymanie i w zastaw całe państwa wraz z ich obywatelami. Krok w krok za Osamą wędrowała wielotysięczna armia podobnych mu straceńców, tułaczy, banitów i buntowników z Algierii, Tunezji, Egiptu, Syrii, Jemenu, Arabii Saudyjskiej, Palestyny, a także Filipin, Kenii, Somalii, Zanzibaru, Bośni, Albanii, Kaukazu. Prowadząc swoją wojnę przeciwko Ameryce i zdeprawowanym przez nią muzułmańskim władcom, Osama pomagał wszystkim, którzy wespół z nim w każdym zakątku świata pragnęli prowadzić walkę o stworzenie sprawiedliwego kalifatu, rządzonego według bożych praw.

Saudyjczyk nie pretendował do roli kalifa ani nawet naczelnego dowódcy własnej armii. Robił to, co umiał najlepiej. Był kwatermistrzem, księgowym, szefem działu kadr. Kierowana przez niego Baza stała się skrzynką kontaktową, bankiem udzielającym nieoprocentowanych kredytów, biurem doradztwa i pośrednictwa pracy dla bezrobotnych rewolucjonistów i błędnych rycerzy. A jego farmy nad brzegami Nilu Błękitnego, na somalijskich pustyniach, w oazach Kandaharu czy wąwozach Hindukuszu – przytułkiem i wojskowymi obozami dla bezdomnych i ściganych mudżahedinów oraz tych, którzy pragnęli do nich dołączyć.

Wkrótce wszystkie terrorystyczne zamachy zaczęto kojarzyć z ben Ladenem: eksplozje w Adenie przed hotelami, w których mieszkali amerykańscy żołnierze, nieudaną próbę zabójstwa prezydenta Clintona podczas jego podróży na Filipiny i prezydenta Egiptu Mubaraka w etiopskiej Addis Abebie, zamachy na amerykańskie bazy wojskowe w Rijadzie i Dhahranie i strzelaninę przed kwaterą główną CIA w Waszyngtonie, bombę podłożoną w samolocie należącym do jednej z linii lotniczych z USA.

To właśnie w Chartumie, w czasie gdy Osama mieszkał w sudańskiej stolicy, dzięki wstawiennictwu jego starych przyjaciół, dłużników jeszcze z czasów afgańskiej wojny, urzędnik w ambasadzie USA wstemplował amerykańską wizę w paszport ślepego szejka Omara Abdurrahmana, choć jako jeden z zabójców egipskiego prezydenta Sadata ścigany był on listami gończymi na całym świecie. Wkrótce nafaszerowana trotylem ciężarówka wybuchła w podziemnym garażu jednej z bliźniaczych wież World Trade Center na Manhattanie, zabijając sześciu ludzi i raniąc ponad tysiąc, a szejk trafił za kratki pod zarzutem współudziału w zamachu bombowym.

W Somalii widywano Osamę w towarzystwie tamtejszego samozwańczego prezydenta Mohammada Faraha Aidida, który zdobył wśród muzułmanów nieśmiertelną sławę, gdy w ruinach Mogadiszu przechytrzył polującą na niego amerykańską piechotę morską i zniweczył największą misję pokojowo-humanitarną Ameryki, która miała się stać jej wizytówką w całej Afryce.

Ilekroć gdzieś na świecie wybuchały bomby, a policji udawało się ująć sprawców, ich tropy zawsze prowadziły do obozowisk weteranów afgańskiej świętej wojny. Ale choć Amerykanie uważali Saudyjczyka za szefa sztabu muzułmańskiej międzynarodówki terrorystycznej i najgroźniejszego zbrodniarza świata, nigdy na dobre nie ustalono, czy saudyjski banita był pomysłodawcą zamachów, czy też jedynie zajmował się ich organizacją, dostarczał broń i odpowiednich ludzi, a sam dyskretnie się wycofywał, zostawiając im pole do działania.

Sam też nigdy wprost nie powiedział: tak, to ja uczyniłem. Zapewne z obawy, by Zachód nie odebrał jego słów jako przyznania się do winy. I aby jego fanatyczni zwolennicy nie mieli wątpliwości, że to właśnie on był biczem bożym. Im bardziej oskarżali go i potępiali wrogowie, tym bardziej rósł w oczach swoich sympatyków, stając się Nieuchwytnym Mścicielem. Im bardziej rosła jego złowieszcza sława, tym łatwiej mu było zdobywać nowych rekrutów do swojej straceńczej armii, a także możnych sponsorów, którzy nienawidzili Ameryki, lecz nie mogli sobie pozwolić na otwarte wyrażenie tej wrogości. Zgłaszali się do niego coraz liczniej desperaci z całego świata, którzy nie mając żadnej nadziei na odmianę swojego losu innym sposobem, zdecydowali się na terroryzm.

Elity intelektualne i polityczni przywódcy świata islamu nazywali go uzurpatorem, potępiali go i odżegnywali się od jego ekstremizmu i metod walki, które w ich przekonaniu kompromitowały nie tylko sprawę, w jakiej występował, ale samą religię. Za to rozczarowana, upokorzona, pozbawiona pracy, widoków na przyszłość i nadziei biedota ze slumsów od Bejrutu po Manilę zaczęła widzieć w nim legendarnego bohatera. Arabska ulica pokochała go za to, że okazał się śmiałkiem, który nie tylko wydał wojnę Ameryce, ale zadawał jej coraz boleśniejsze ciosy. Już samo to, że Ameryka uznała w nim wroga, a więc równego sobie partnera, wywyższało Saudyjczyka, czyniło idolem.

Saudyjscy książęta usiłowali go zgładzić, nasyłając na niego płatnych zabójców. Kusili też pieniędzmi sudański rząd, by aresztował i wydał Osamę. W końcu wysłali emisariuszy do samego ben Ladena i zaoferowali mu przywrócenie obywatelstwa i skonfiskowanego majątku oraz dodatkowo pokaźną sumę pieniędzy, byle tylko wyrzekł się świętej wojny i osiadł na stałe w Dżiddzie. Propozycję okupu Osama odrzucił, a groźby wyśmiał.

Amerykanie, przestraszeni nie na żarty tym, że sami wywołali pierwszą od wieków muzułmańską świętą wojnę, która w końcu obróciła się przeciwko nim, postanowili jeszcze raz spróbować sprawdzonego przed laty fortelu. Wespół z Egipcjanami grożąc ubogiemu Sudanowi (Amerykanie blokadą i sankcjami, Egipcjanie – wojną), zmusili jego władze, by wygnały Saudyjczyka i odesłały go wraz z gromadą żon, dzieci i najbliższych dworzan do Afganistanu, gdzie jego dawni towarzysze broni, nazywający się teraz już nie mudżahedinami, lecz talibami, zbliżali się do Kabulu, by przejąć władzę. Amerykanów, którzy po pokonaniu komunistów z Rosji uważali ajatollahów z Teheranu za swoich

388

najnowszych wrogów, niepokoiły wieści o coraz liczniejszych i coraz bardziej zażyłych kontaktach irańskiego wywiadu z saudyjskim banitą. Raporty amerykańskich szpiegów donosiły, że mimo odwiecznej wrogości dzielącej Persów i Arabów Irańczycy i Osama postanowili wspierać się w walce przeciwko Ameryce, koordynować działania, a nawet spróbować zjednoczyć najradykalniejsze partyzanckie partie z całego świata islamu w jeden wspólny front, któremu nie oprze się żadna potęga.

Chcąc między innymi zniweczyć te wysiłki, Amerykanie popierali po cichu afgańskich talibów, licząc, że pod ich rządami Afganistan przekształci się w kraj zdecydowanie konserwatywny, wrogi rewolucyjnemu Iranowi, Ameryce zaś przyjazny jak Arabia Saudyjska. Waszyngtońscy stratedzy mieli też nadzieję, że Osama, wprzęgnięty w równie zbożne, co trudne i żmudne dzieło budowy afgańskiego emiratu, zapomni na długie lata o zamachach terrorystycznych, rewolucji i świętej wojnie.

Spotkał ich srogi zawód. Wkrótce bowiem po przybyciu na afgańską ziemię Osama zaprosił na pustynię dziennikarzy i obwieścił powstanie Międzynarodowego Frontu Muzułmańskiego do Walki z Żydami i Krzyżowcami, którego celem jest prowadzenie świętej wojny na wszystkich kontynentach. Orzekł też, że zabijanie Amerykanów i ich sojuszników jest dla muzułmanów całego świata religijnym obowiązkiem.

Wkrótce potem, niemal w rocznicę lądowania amerykańskich wojsk w Arabii, zamachowcy wysadzili w powietrze ambasady USA w Kenii i Tanzanii, zabijając ćwierć tysiąca ludzi. Dwa lata później, w kolejną rocznicę, w porcie w Adenie straceńcy zaatakowali amerykański okręt wojenny USS „Cole".

Temu ostatniemu wydarzeniu Osama poświęcił wiersz, który odczytał podczas wesela swojego syna:

Niszczyciel: nawet najmężniejsi zadrżeliby, widząc jego moc,
budził trwogę w zatoce i na otwartych wodach,
przebijał się przez fale, butny i hardy,
zmierzał powoli ku swemu przeznaczeniu,
którym była maleńka łódka niknąca wśród potężnych fal.
Młodzieniec z Adenu wyruszył na świętą wojnę
i zniszczył niszczyciel, którego wszyscy tak bardzo się bali.

Chyba dopiero wtedy Amerykanie ostatecznie stracili nadzieję, że możliwe jest obłaskawienie saudyjskiego banity. Po zamachach na ambasady w Nairobi i Dar es-Salaam prezydent Clinton polecił wpisać Osamę na listę dziesięciu najgroźniejszych i najbardziej poszukiwanych przestępców, a swoim generałom ugodzić w dwa cele, po jednym za każdą z ambasad. Amerykańskie samoloty i rakiety wzięły azymut na Chartum i Afganistan. W Afganistanie sterowane przez satelity pociski rakietowe tomahawk, z których każdy kosztował niewyobrażalne pieniądze, rozbiły w puch namioty i prymitywne baraki w pobliżu Chostu i Dżalalabadu, gdzie na skalistych pustyniach Saudyjczyk utworzył obozy szkoleniowe dla muzułmańskich buntowników. Rakietowy atak był jednak chybiony. Osama ben Laden, wszyscy jego komendanci i żołnierze wyszli bez szwanku spod gradu amerykańskich tomahawków. Zginęło tylko dwudziestu młodzieńców z Karaczi, Rawalpindi i Peszawaru, sposobiących się w Bazie do wojny w Kaszmirze, a także, ku utrapieniu władz w Islamabadzie wiernych Ameryce, sześciu szkolących ich agentów pakistańskiego wywiadu. W Chartumie amerykańskie rakiety zburzyły niewielką farmaceutyczną firmę al-Szifa, w której zdaniem Białego Domu opłaceni przez ben Ladena ludzie pracowali nad śmiercionośnymi gazami bojowymi.

Nie mogąc dosięgnąć ben Ladena naprowadzanymi z kosmosu rakietami, Amerykanie rozesłali po świecie listy gończe, obiecujące za głowę Saudyjczyka pięć milionów dolarów (w ten sposób udało im się pojmać ponad dwudziestu uznanych za niebezpiecznych dla światowego porządku wywrotowców). Wkrótce wysokość nagrody podniesiono do dwudziestu pięciu milionów.

Restrykcje nałożone na amerykańskich agentów nie pozwalały im samodzielnie rozprawiać się z ludźmi uznanymi za wrogów demokracji. Amerykanie musieli zlecać tę robotę przyjaciołom. Sami mogli jedynie zamknąć rachunki bankowe pootwierane na nazwisko Osamy i jego firmy i domagać się od talibów, by wydali im ben Ladena, którego nawet Organizacja Narodów Zjednoczonych uznała za największe po komunizmie zagrożenie dla światowego bezpieczeństwa i porządku. Talibowie jednak odmówili, domagając się przedstawienia dowodów winy Osamy, co naraziło ich na sankcje i międzynarodowy ostracyzm. Nie rezygnując z dyplomacji, Amerykanie nie przestawali jednak myśleć o rozwiązaniu ostatecznym. Ponieważ nie mogli w zgodzie z prawem zgładzić Saudyjczyka, werbowali płatnych zabójców (Afgańczykom i Pakistańczykom płacono tysiące, Arabom miliony dolarów), którzy mieli zastrzelić lub otruć Osamę. Ten jednak wychodził obronną ręką ze wszystkich zamachów. Jesienią dziewięćdziesiątego ósmego podłożona trucizna zniszczyła mu jednak nerki.

– Kto wie, czy jego pojawienie się nie zaważyło na losach wojny – zastanawiał się Massud podczas naszej ostatniej rozmowy. – Talibowie zbliżali się do stolicy, ale nie napawało nas to trwogą. Rok wcześniej też zapędzili się do Kabulu, a my z łatwością rozgromiliśmy ich na rogatkach.

Tym razem jednak talibowie unikali otwartych bitew.

– Wysyłali do moich komendantów umyślnych z workami pieniędzy i kupowali ich jak wielbłądy na targu – wspominał Massud, który jako minister dowodził nie tylko swoimi wiernymi partyzantami z doliny Pandższiru, ale i żołnierzami innych, nierzadko wrogich mu komendantów. – Jestem pewien, że pieniądze, a mówiło się nawet o trzech milio- 391 nach dolarów, za które talibowie kupowali moje wojska, pochodziły z kiesy Osamy. To była zapłata za gościnę, jakiej mu udzielono. Potem zebrał pod swoją komendą wszystkich Arabów, błąkających się jeszcze po Afganistanie, razem z pół tysiąca, i stworzył z nich brygadę zero pięćdziesiąt pięć, najlepiej uzbrojony i najbitniejszy oddział w armii talibów. Brygada, w której poza arabskimi banitami walczyli muzułmańscy buntownicy z całego świata, miała stać się zaczynem, pierwszą drużyną potężnej armii. Ta zaś rozniecałaby rewolucję, a po zwycięskiej trzeciej światowej świętej wojnie zaprowadziła boże porządki wszędzie tam, gdzie żyją muzułmanie.

Ben Laden najpierw osiadł w leżącym u bram Przełęczy Chajberskiej Dżalalabadzie, który znał najlepiej jeszcze z dobrych czasów świętej wojny. Wciąż miał tam wielu starych przyjaciół. Od jednego z nich, sędziwego Junusa Chalesa, kupił za parę milionów ziemię i farmę Hadda pod miastem. Osiedlił się tam z rodziną i gwardią przyboczną.

Talibowie, którzy w marszu na Kabul akurat podchodzili pod Dżalalabad, nie ufali mu początkowo, a nawet podejrzewali, że przybył do Afganistanu z odsieczą dla Massuda. Nieporozumienia szybko zostały wyjaśnione. Talibowie potrzebowali pieniędzy na wojnę, a Osama bezpiecznej kryjówki. Już podczas pierwszej audiencji w Kandaharze u przywódcy talibów, jednookiego mułły Mohammada Omara, afgański emir i saudyjski banita wyjątkowo przypadli sobie do serca. Wkrótce ben Laden, korzystając z zaproszenia Omara, przeprowadził się do Kandaharu i zgodnie z tradycją w podzięce za gościnę rozpoczął budowę nowego pałacu emira, obiecał położyć asfalt na drodze z lotniska do miasta, wznieść szkoły, największy na świecie meczet, wykopać nowe kanały irygacyjne, dzięki którym pustynny Kandahar znów stałby się kwitnącą oazą.

Mułła Omar, który wtedy liczył jeszcze, że zostanie uznany przez świat za prawowitego afgańskiego władcę, prosił Osamę tylko o to, by powstrzymał się od krytycznych wypowiedzi o kolebce islamu – Arabii Saudyjskiej – i panującym tam reżimie. Ben Laden złożył stosowną obietnicę, ale niełatwo przychodziło mu jej dotrzymywać. Rola światowego kontestatora przypadała mu coraz bardziej do gustu, a żeby się z niej należycie wywiązywać, musiał zapraszać od czasu do czasu na pustynię cudzoziemskich dziennikarzy, przed którymi recytował wiersze, przeklinał Amerykę, kreślił apokaliptyczne wizje końca świata i Sądu Ostatecznego i ściskając mocno w dłoniach karabin, pozował do zdjęć.

Pakistański dziennikarz Rahimullah Jusufzaj, który jako jeden z nielicznych miał okazję spotkać ben Ladena w jego afgańskich kryjówkach, opowiadał:

– Kiedy się z nim rozmawiało, trudno było uwierzyć, że to ten sam człowiek, którego cały świat tropił i ścigał jako bestię, zbrodniarza. Nie było w nim nic z demona. Wydawał się nieśmiały, pełen kompleksów. Chodził przygarbiony, jakby krępowała go własna postura. Mówił cicho, prawie szeptem, był uprzejmy, wręcz nadskakujący. Podczas rozmowy dłubał drewienkiem w zębach, jakby pomagało mu to zebrać myśli. Słuchając, wpatrywał się w rozmówcę tymi swoimi dziwnymi, ciemnymi oczami w kształcie migdałów. Często się popisywał, jakby chciał sprostać swojej legendzie. Przyjmował gości w namiocie, sam nalewał herbaty do czarek, podsuwał oliwki, konfitury, orzechy, kozi ser. Kiedyś lubił polować na pustyni z sokołami, uwielbiał przyglądać się wyścigom wielbłądów. Potem podupadł na zdrowiu, narzekał na nerki, łamało go w kościach. Kiedy widziałem go ostatni raz, nie wyglądał najlepiej, chodził o lasce.

Ze wszystkich krajów świata żaden nie nadawał się na kryjówkę lepiej niż Afganistan emira Omara. Odrzuceni przez świat i rozczarowani nim talibowie coraz bardziej zdawali się na przyjaźń jedynego sojusznika. Nie pozostawało im więc nic innego, jak chronić go przed porwaniem przez amerykańskich komandosów, przed zasadzkami, nasłanymi zabójcami oraz przypominającymi monstrualne cygara rakietami, które wystrzelone z odległości setek kilometrów mogły zgładzić Saudyjczyka.

W trosce także o własne bezpieczeństwo oraz dobro swojej stolicy, Kandaharu, emir Omar kazał Osamie wynieść się z miasta w bezludne i niedostępne góry Paropamis w prowincji Urozgan, krainy tak odległej i tak zapomnianej przez Boga i ludzi, że nie zapuszczali się tam nawet Rosjanie, tropiąc przed laty mudżahedinów. Ben Laden zaszył się ze swoimi ludźmi i sztabem w pieczarach, gdzie niewidzialny dla szpiegowskich satelitów mógł dalej snuć plany światowej rewolucji. W podobnych, wymoszczonych dywanami jaskiniach w Kandaharze, Paktii i Kunarze zakładał punkty dowodzenia, wyposażone w najnowocześniejszą technikę. Kierował stąd swoimi rozrzuconymi po całym świecie żołnierzami, sprzymierzeńcami i zwolennikami. Ludzie, którzy mieli okazję bywać w pieczarach ben Ladena, opisywali je jako wykute w skałach, surowe, lecz wygodne, a przede wszystkim bezpieczne twierdze.

Szukając pieczar na kwatery dla Osamy, wybierano takie, które położone były z dala od ludzkich siedzib i do których prowadziła tylko jedna droga. Jaskinia ukryta w Górach Białych leżała na samym końcu polnej drogi, niemal trzy godziny jazdy samochodem z Dżalalabadu. Inna, w porośniętym gęstymi lasami Kunarze, ukryta była na wysokości niemal dwóch i pół tysiąca metrów. Wystawieni w górach wartownicy z łatwością wypatrzyliby każdego nieproszonego gościa i ostrzegli o każdym nadciągającym niebezpieczeństwie. Ich towarzysze na posterunkach rozrzuconych na górskich stokach i szczytach, wyposażeni w działka i wielkokalibrowe karabiny maszynowe, potrafiliby powstrzymać i odeprzeć każdy atak z ziemi i powietrza.

Ukryta wśród świerków, sosen i cedrów pieczara pod Dżalalabadem składała się z trzech izb. Największa z nich służyła za miejsce pracy. Na wielkim biurku stały przenośne komputery, podłączone do telefonów satelitarnych. Tropiciele ben Ladena podejrzewali, że komunikował się pocztą elektroniczną ze swoimi rozrzuconymi po świecie zwolennikami i żołnierzami i tak właśnie wydawał rozkazy do ataku. Zdając sobie jednak sprawę, że wrogowie uczynią wszystko, by podsłuchać jego telefoniczne rozmowy i rozszyfrować elektroniczną korespondencję, Saudyjczyk najczęściej korzystał ze zwyczajnych posłańców, którzy wywozili do Peszawaru czy Kwetty komputerowe dyskietki i stamtąd rozsyłali w świat słowa Osamy. W dwóch pozostałych izbach mieściła się sypialnia Osamy i wartownia, w której mieszkali żołnierze trzymający przy nim straż. Ściany sypialni zdobiły tylko karabiny i pochodnie, przygotowane na wypadek awarii prądu, a poza zbitymi z surowych desek półkami na księgi oraz łóżkami, które przypominały stragany z bazarów, nie było żadnych innych mebli. W wartowni, najmniejszej z izb, były stojaki z karabinami, bazookami, moździerzami, skrzynie z amunicją i łóżka żołnierzy. Pieczarę zasilał prąd z napędzanych ropą generatorów, które także ogrzewały ją gorącą parą, tłoczoną w sieć żeliwnych rur rozprowadzonych po ścianach jaskini.

Osama przemieszczał się po kraju tylko nocami, w orszaku strzeżonym przez partyzantów wyposażonych w przeciwlotnicze działka i przenośne wyrzutnie rakietowe stinger, podarowane przed laty przez Amerykanów afgańskim mudżahedinom.

Ostatni raz widziano go w Kandaharze w styczniu dwa tysiące pierwszego, na weselu syna Mohammada. Pojął on za żonę córkę starego towarzysza ojca i jego zastępcy, egipskiego banity i weterana afgańskiej wojny Abu Hafeza al-Masriego, zwanego też Mohammadem Atefem. To właśnie wtedy, za weselnym stołem odczytał swój wiersz o arabskich śmiałkach, usiłujących zatopić amerykański niszczyciel. Uśmiechnięty i uradowany, wśród towarzyszy broni, przyjaciół, a także najbliższych krewnych, którzy przybyli na wesele z Arabii, Osama wyglądał na człowieka szczęśliwego i spełnionego.

Bazy i kryjówki w pieczarach i na pustyniach pod Kandaharem, Chostem i Dżalalabadem znów stały się bezpieczną przystanią dla bezrobotnych wojowników, tysięcy wyjętych spod prawa buntowników i wygnańców z całego świata. Mogli tam nie tylko znaleźć azyl, ale poznać nowych towarzyszy broni, zadzierzgnąć nowe przyjaźnie, zawiązać nowe spiski, planować zamachy, szkolić się w wojennym rzemiośle na którymś z afgańskich frontów. Potem absolwenci akademii ben Ladena wyruszali do prawdziwej walki. Jedni – z Czeczenii, Uzbekistanu, Algierii czy chińskiego Turkiestanu – wracali do siebie toczyć wojnę partyzancką. Inni wyruszali do Ameryki, Europy i Afryki, by wysadzić w powietrze samolot, dworzec czy bank.

Najsłynniejszy z czeczeńskich komendantów Szamil Basajew wyznał mi kiedyś, że jego najlepsi żołnierze przeszli szkolenie pod okiem instruktorów z powstańczego uniwersytetu ben Ladena.

– Byliśmy sami w wojnie z Rosją – mówił. – Wy, Europejczycy i Amerykanie, strażnicy wszystkich najświętszych wartości, jak równość, wolność, sprawiedliwość, braterstwo, swobody obywatelskie, potrafiliście się zdobyć tylko na wyważone słowa potępienia. Odwróciliście się od nas jak ladacznica, co idzie z tym, kto więcej płaci. Tak samo postąpiły państwa mieniące się muzułmańskimi. Wszyscyście się od nas odwrócili, aby nie widzieć naszej śmierci w nierównej bitwie. Co mieliśmy robić? Tonący brzytwy się chwyta. Braliśmy pomoc od każdego, kto się odważył i był gotów ją nieść. Ta sprawa wiele nas nauczyła. Zrozumieliśmy, że możemy liczyć tylko na siebie i miłosierdzie Allaha. To dało nam ogromną siłę.

Międzynarodowa brygada rozrastała się, wchłaniała dziesiątki organizacji politycznych, terrorystycznych, religijnych. Przeszła tysiące mutacji. W jej skład wchodziły zarówno tropione po całym świecie szajki szaleńców-terrorystów, jak i najzupełniej legalne banki, biura podróży, fabryczki, a także podejrzani handlarze bronią, narkotyków i diamentów.

Baza, mająca swoją kwaterę główną w afgańskich pieczarach, koordynowała działalność, a Osama był prezesem rady nadzorczej terrorystycznego koncernu. Nie zajmował się codziennymi sprawami firmy. Wyznaczał tylko kierunki działalności, strategiczne cele, udzielał błogosławieństwa, zlecał, znajdował podwykonawców. Wielu z nich od lat mieszkało na terytorium wroga, gdzie dozwolone było wszystko, co nie zostało wyraźnie zakazane. Jako obywatele tego świata, korzystający obficie z jego swobód, byli także doskonale obeznani ze wszystkimi jego słabościami. Znając jego potęgę, wiedzieli też, jak go najłatwiej pokonać, a przynajmniej jak najboleśniej ugodzić.

Wielofunkcyjność Bazy sprawiła, że w jej orbicie znaleźli się nie tylko fanatycy gotowi zginąć w samobójczych atakach, ale także ideologiczni i duchowi przywódcy, politycy, najwyższej klasy profesjonaliści – specjaliści od sieci komputerowych, bankierzy, zawodowi żołnierze, zabójcy porozrzucani po tysiącach miast na całym świecie, ludzie wierzący w rozmaitych bogów, wyznający rozmaite ideologie, mający rozmaity kolor skóry. Nikt nikogo nie znał, jedni nie wiedzieli o drugich, co w przypadku niepowodzenia operacji czy dekonspiracji uniemożliwiało rozbicie całej organizacji. Łączyło ich jedno: wrogość do Ameryki i Systemu i gotowość wykonania każdego zlecenia przybliżającego światową rewolucję.

Trzon stanowili weterani afgańskiej świętej wojny, ścigani w swoich krajach przez sędziów i szeryfów. Potem dołączyli nowi rekruci, Palestyńczycy, wyrośli z pokolenia intifady, ulicznego powstania, które nie zakończyło się ani klęską, ani zwycięstwem, zostawiło więc po sobie tysiące młodych ludzi, upokorzonych, pozbawionych nadziei i nieuleczalnie zarażonych wirusem nienawiści. Nowymi żołnierzami Osamy stali się też ludzie tacy jak on, wywodzący się z zamożnych, konserwatywnych rodzin, wykształceni desperaci, którzy poszukiwali sensu życia i odnajdywali go we wspólnocie, głoszącej kult męczeństwa i bezwzględnego posłuszeństwa Najwyższemu i tym, którzy mienili się jego przedstawicielami na ziemi.

Ben Laden porwał ich nie swoją mądrością czy charyzmą, lecz prostotą, zdecydowaniem i odwagą. Gdyby go zapytać, o czym myśli, wznosząc bojowy okrzyk „śmierć Ameryce", sam zapewne nie potrafiłby udzielić rzeczowej odpowiedzi o celu wojny, przeciwniku, a już z pewnością nie umiałby wytłumaczyć, jak zostanie urządzony świat po ostatecznym zwycięstwie. Głosił potrzebę wojny nie o coś, lecz przeciwko czemuś. Przeciwko Ameryce, która lekceważąc swoich sprzymierzeńców, przywódców państw muzułmańskich, nie licząc się z ich zdaniem, nie słuchając ich skarg i żądań i nie dbając o to, czy w swoich krajach rządzą sprawiedliwie i dobrze, odebrała im wszelką wiarygodność w oczach ich obywateli.

Miliony muzułmanów na całym świecie przestały szanować swych bezwolnych i bezradnych przewodników i przywódców, nie mogły też niczego już od nich oczekiwać, uznały więc, że właśnie Ameryka ponosi winę za ich zawiedzione nadzieje, za niesprawiedliwość, jaka ich ciągle spotykała, a także za ich poczucie bezsilności, które każe im czuć się gorszymi od innych. Osama przywłaszczył sobie ten gniew i poczucie krzywdy i uczynił z nich swój najgroźniejszy, zabójczy oręż. W przeciwieństwie do wielu innych, którzy usiłowali przejąć rząd dusz nad światem islamu, Saudyjczyk był w swoim radykalizmie szczery. Jeśli mówił, że gotów jest na męczeńską śmierć, wierzono mu. Wszak mógł wieść bogate, wygodne życie milionera, a jednak poświęcił je na rzecz sprawy i walki. Niechby nawet niesłusznej i okrutnej, ale uczciwej.

„Moja śmierć śni im się od dawna. Ale niedoczekanie ich. Nie boję się Amerykanów ani ich pogróżek. A póki będę żył, nie zazna spokoju żaden wróg islamu. To nie ja jestem zagrożeniem dla świata, lecz tyrani, którzy zawłaszczyli władzę, i Ameryka, która ich wspiera – mówił w ostatnim wywiadzie, jakiego udzielił, gdy amerykańskie samoloty, w odwecie za terrorystyczny atak na Manhattan i Waszyngton, bombardowały już Afganistan. – To oni sami są źródłem kłopotów. Gdyby rządzili sprawiedliwie, nie mieliby powodów do obaw. Gdyby nie sprzeniewierzyli się słowom Proroka i nie dopuścili do tego, że niewierni panoszą się w ojczyźnie islamu, nie musielibyśmy ogłaszać świętej wojny. Gdyby Ameryka nie toczyła wojny przeciwko nam, nie wspierała naszych wrogów z Izraela, my nie występowalibyśmy przeciwko Ameryce".

Osama był pewny zwycięstwa. W jednym z wywiadów udzielonych na pustyni pod Kandaharem nazwał Amerykę papierowym tygrysem, z którym wojna będzie o wiele łatwiejsza niż z totalitarnym, komunistycznym imperium Rosji. Wiedział, że świat Zachodu nie był gotowy do wojny z przeciwnikiem takim jak on. Nie mógł z nim walczyć, nie wypierając się jednocześnie wszystkiego, co uważał za swoje największe zdobycze i świętości – wolności, indywidualizmu, opłacalności, równości wszystkich wobec prawa oraz zasady, że komu nie dowiedziono winy, nie może być uznany za zbrodniarza i tak traktowany. Wyrzekając się tego wszystkiego, sam skazałby się na klęskę, przyznał do porażki.

Wśród żołnierzy wrogiej Zachodowi armii byli przecież ludzie, których uznał za własnych obywateli i których zobowiązał się bronić. Wydając im wojnę, Zachód wydałby ją w istocie sobie. Okazał się bezradny w walce z bezkształtną, wciąż zmieniającą postać hydrą, która schroniła się w Afganistanie, zawładnęła nim i uczyniła swoim zakładnikiem i niewolnikiem. Jak kiedyś rosyjska armia w wojnie przeciwko afgańskim mudżahedinom, tak teraz wolny Zachód nie potrafił walczyć z przeciwnikiem postępującym irracjonalnie i nielogicznie, kierującym się zupełnie odmiennymi i niezrozumiałymi wartościami. Przeciwnikiem, który choć wszechobecny, był jednak niewidzialny. Nie miał państwa z wyraźnie wyznaczonymi granicami, stolicy, którą można zdobyć czy choćby zniszczyć, armii, którą można by pokonać, rządu, który można by obalić bądź przekupić. Przeciwnikiem, który postępował jak bohater najbardziej nieprawdopodonych katastroficznych opowieści.

Raporty wywiadów alarmowały, że pełnomocnicy Osamy wędrują po świecie, usiłując kupić wzbogacony uran, z którego zamierzali zbudować bombę atomową, broń przysługującą we współczesnych porządkach jedynie kilku najpotężniejszym państwom. Szpiedzy donosili też, że przekraczając bez najmniejszego problemu otwarte granice Zachodu, dywersanci i zabójcy osiedlają się w europejskich stolicach, by dokonywać tam najstraszliwszych zamachów. Za cele wyznaczali sobie już nie pojedynczych, szczególnie znienawidzonych prezydentów, ministrów czy generałów, ale całe obiekty będące symbolami zachodniej cywilizacji.

Na początku lat dziewięćdziesiątych niebo nad Hiszpanią zostało zamknięte z powodu wieści, że terroryści samobójcy zamierzali porwanymi w Chartumie samolotami pasażerskimi roztrzaskać pałac Oriente w Madrycie, gdzie na międzynarodowej konferencji poświęconej sytuacji na Bliskim Wschodzie mieli zebrać się przywódcy wielu krajów, w tym prezydenci Ameryki i Rosji oraz hiszpański król. Po jakimś czasie rozeszły się pogłoski, że piloci-kamikadze chcą zniszczyć paryską wieżę Eiffla, zabić śmiercionośnym gazem posłów Parlamentu Europejskiego zgromadzonych na sesji w Strasburgu.

Latem roku dwa tysiące pierwszego trwożne wieści niepokojąco się nasiliły.

Dwudziestego ósmego czerwca Osama ben Laden obchodził na wygnaniu czterdzieste czwarte urodziny. W tym samym mniej więcej czasie amerykańscy agenci z CIA wznieśli na pustyni w Nevadzie dokładną replikę kamiennego domostwa, w którym – jak wynikało ze zdjęć szpiegowskich samolotów – saudyjski banita pojawiał się regularnie, ilekroć udawał się do Kandaharu w gości do emira Omara. Na tej makiecie Amerykanie przez wiele tygodni ćwiczyli celność rakiet, odpalanych z bezzałogowych samolotów predator, które bez trudu mogli wysłać nad Kandahar i zgładzić terrorystę. Władze zwlekały jednak z rozkazem do ataku. Może bagatelizowały ostrzeżenia? Czyż wywiad nie straszył apokaliptycznymi wizjami zamachów, jakimi terroryści mieli powitać wigilię nowego tysiąclecia? Może po staremu wydały się im one nieprawdopodobne (mówiono: terroryści są w stanie atakować amerykańskie obiekty tam, gdzie czują się u siebie w domu, czyli na Bliskim Wschodzie, w Azji czy Afryce, ale nie ośmielą się zaatakować Ameryki w Ameryce), a może wciąż wierzyły w możliwość uciszenia Saudyjczyka. Na wszelki wypadek amerykański ambasador w Pakistanie zaprosił do siebie ambasadora talibów mułłę Abdula Salama Zajjafa i przy herbacie zapowiedział mu, że za każdy terrorystyczny wybryk Osamy Amerykanie obciążą odpowiedzialnością jego gospodarzy, talibów. A może miały nadzieję, że zdołają się go pozbyć bez wywoływania międzynarodowego skandalu, jakiemu z całą pewnością przyszłoby im stawić czoło po śmierci Osamy.

Ponaglenia ze strony CIA i ostrzeżenia o planowanych zamachach w Los Angeles i Bostonie kładziono na karb niecierpliwości speców od wywiadu i służb specjalnych, marzących o wypróbowaniu w praktyce swoich technicznych cudeńków i rozprawieniu się w końcu z nieuchwytnym Saudyjczykiem, który tak bardzo zalazł im za skórę. Tymczasem służby wywiadowcze i specjalne wciąż ostrzegały o spiskach na życie przywódców najbogatszych państw świata, którzy tym razem na doroczne spotkanie wybrali Genuę. Potem CIA alarmowała, że terroryści zamierzają zaatakować Watykan, gdy papież będzie przyjmował amerykańskiego prezydenta na audiencji. Na gorące naleganie Amerykanów spotkanie przeniesiono do letniej papieskiej rezydencji w Castel Gandolfo. Na żądania wywiadu i służb specjalnych sekretarz obrony odwołał planowaną podróż zagraniczną, a w Waszyngtonie przerwano oprowadzanie wycieczek turystów po Kapitolu i Białym Domu. W Nowym Jorku, Seattle i Vermont aresztowano tajemniczych Arabów z materiałami wybuchowymi i urządzeniami do konstruowania bomb, a FBI donosiła o podejrzanie wielkiej liczbie arabskich ochotników, już przyjętych i ubiegających się o przyjęcie do szkół pilotażu. Pod koniec lata szefowie CIA i FBI słali raporty tak często i w tak alarmistycznym tonie, że w Białym Domu byli już nimi szczerze zmęczeni i znudzeni.

Na początku września dwa tysiące pierwszego najbliżsi towarzysze i zausznicy Osamy ben Ladena z różnych stron świata zostali ostrzeżeni, by z uwagi na własne bezpieczeństwo najpóźniej do dziesiątego września przybyli do Afganistanu. Zdaniem anonimowych informatorów z pakistańskich służb specjalnych tego dnia chory na nerki Osama ben Laden, mianowany kilka dni wcześniej przez emira Omara naczelnym dowódcą armii talibów, poddał się zabiegowi dializy w klinice wojskowej w Rawalpindi.

We wtorkowy poranek jedenastego września na oczach milionów telewidzów na całym świecie uprowadzone i pilotowane przez lotników-kamikadze samoloty wbiły się w ministerstwo wojny, waszyngtoński Pentagon, i wieże World Trade Center na Manhattanie. Grzebiąc pod gruzami tysiące ludzi, obaliły symbole Ameryki i jej potęgi.

Zdawało się, że oto spełnia się groźba Osamy ben Ladena. Wszak to on przed laty obwieścił światu: „Wydaję wojnę szatanowi, którym jest Ameryka. Będę z nią walczył, póki starczy mi sił, aż do zwycięskiego końca. To jest cel mojego życia".

Dwa miesiące później tropiący go w pieczarach afgańskich gór Amerykanie odnaleźli kasetę, na której zarejestrowano spotkanie Osamy z przybyszem z Arabii. Saudyjczyk opowiadał mu, że tego dnia wieczorem (kiedy w Ameryce nastawał świt, w Afganistanie zapadał już zmierzch) specjalnie włączył radioodbiornik, by słuchać wieści ze świata.

O tym, że akurat tego dnia coś się wydarzy, wiedział już od czterech dni. Mówił też, że całą operacją dowodził Egipcjanin o nazwisku Mohammad Atta, a piloci, których wyznaczono do straceńczej misji, nie mieli pojęcia, co ich czeka, dopóki nie przejęli kontroli nad samolotami. Kiedy zebrani wraz z nim wokół odbiornika towarzysze wybuchnęli radością na wieść o samolocie, który uderzył w wieżę World Trade Center, Osama uciszał ich i kazał cierpliwie czekać na rozwój wydarzeń. Saudyjczyk wyznał swojemu gościowi, że uwzględniając ustawienie wieżowców i porę dnia, dokonano kalkulacji przypuszczalnej liczby ofiar. „Byłem większym optymistą niż inni, sądząc, że w wyniku uderzenia samolotów i pożarów wywołanych wybuchem zbiorników paliwa zawalą się górne piętra wieżowców. To wszystko, na co liczyliśmy – opowiadał Osama arabskiemu gościowi. – Nie przypuszczaliśmy, że obie wieże zawalą się całkiem".

Dwa dni wcześniej podający się za dziennikarzy Arabowie dokonali samobójczego zamachu bombowego, zabijając Ahmada Szaha Massuda.

14 Było ich dwóch i zawsze widziano ich razem. Młodszy, w okularach, był wysoki i miał jaśniejszą skórę. Przedstawiał się jako Mohammad Karim Tuszani. Starszy, dobiegający czterdziestki, nazywał się Mohammad Kassim i przypominał raczej Berbera niż Araba. Krępy, o potężnym karku, muskularnych barkach i udach wyglądał jak atleta. Podczas którejś kolacji wyznał, że przez kilkanaście lat uprawiał pięściarstwo.

Starszy znał tylko arabski, więc prawie się nie odzywał. Młodszy mówił za to po angielsku i francusku. Opowiadał, że pochodzą z północnej Afryki, z krajów Maghrebu, ale mieli belgijskie paszporty. Twierdzili, że są dziennikarzami, młodszy, Karim, reporterem, atletyczny Kassim operatorem kamery, i że przywędrowali do zapomnianej przez Boga i ludzi wioski Chodża Bahauddin, by przeprowadzić wywiad z Ahmadem Szahem Massudem.

Na wspólnym oczekiwaniu na Massuda Fahim Daszti spędził z nimi osiem dni. Fahim, dwudziestoparoletni, szczupły i drobny chłopak z doliny Pandższiru, znał komendanta, ale teraz, pierwszy raz w życiu, miał go filmować. Razem ze swoim przyjacielem Asimem z powstańczego Ministerstwa Dyplomacji wymyślili, że film o Massudzie mógłby stać się jego wizytówką w Europie i Ameryce. Pamiętali przecież zagranicznych dziennikarzy, którzy przed laty przedzierali się przez góry do Massuda. Ich artykuły, zdjęcia i filmy uczyniły komendanta sławnym.

Massud jak zwykle się spóźniał. Miał być w Chodża Bahauddin już przed tygodniem. Czas oczekiwania dłużył się niemiłosiernie i Fahima Dasztiego przestały już nawet bawić spotkania i rozmowy z dawno niewidzianymi przyjaciółmi z doliny Pandższiru.

– W Chodża Bahauddin czekało na Massuda kilkunastu dziennikarzy. – Ten dzień był najważniejszy w krótkim życiu Fahima, pamiętał go więc doskonale i z łatwością odtwarzał nawet drobne szczegóły. – Jak zwykle, cudzoziemcy odchodzili od zmysłów. Ponaglali, przeklinali, sprawdzali kalendarze, dzwonili do swoich redakcji. Obydwaj Arabowie zachowywali się zaś cicho i spokojnie. Na nic nie narzekali, do nikogo nie mieli pretensji.

Podawali się za dziennikarzy arabskiej telewizyjnej agencji informacyjnej. Zważywszy, że tylu Arabów wspierało talibów, ich obecność na terenach kontrolowanych przez afgańską opozycję była dość niezwykła. Tym bardziej że zanim przybyli do doliny Pandższiru i do Chodża Bahauddin, spędzili wiele tygodni w Kandaharze i Kabulu. Linię frontu przekroczyli na podkabulskim płaskowyżu Szomali. Żołnierze talibów przepuścili ich bez problemu, a komendanci z obozu opozycji doprowadzili do Abdurraba Rasula Sajjafa, do którego arabscy dziennikarze wieźli listy polecające wystawione w Londynie przez tamtejszy Ośrodek Muzułmański. Spędzili prawie miesiąc w gościnie u Sajjafa. Rozmawiali z mudżahedinami, filmowali dolinę Pandższiru, obozy uchodźców. Zachowywali się jak inni dziennikarze zjeżdżający z odległych krajów do twierdzy afgańskiej opozycji. Nie wzbudzali najmniejszych podejrzeń. W końcu, zarekomendowani przez Sajjafa, pojechali do Fajzabadu na spotkanie z Rabbanim, a stamtąd do Chodża Bahauddin, by spotkać się z Massudem.

Zawsze gdy spotykałem się z Massudem, porażała mnie ufność, z jaką przyjmował gości, z których każdy mógł okazać się zabójcą. W Kabulu, gdzie przez dwa lata był ministrem wojny, dotarcie do niego graniczyło z cudem. W rodzinnych stronach zachowywał się tak, jakby był pewien, że nic nie może go spotkać. Nie przypominam sobie, by podczas którejkolwiek z wizyt jego żołnierze przeszukiwali moje plecaki, wywracali kieszenie kurtek.

W Chodża Bahauddin Arabowie zostali jednak poddani rewizjom, i to co najmniej trzykrotnie. Dla Fahima Dasztiego był to niepodważalny dowód, iż któryś z najbliższych zauszników Massuda okazał się zdrajcą.

– Śmigłowiec wylądował w Chodża Bahauddin o świcie. Zaraz po przyjeździe do kwatery komendant zapytał, którzy dziennikarze czekają na niego najdłużej. Najdłużej, bo ponad dwa tygodnie, czekali Arabowie. Massud powiedział im, by przyszli w południe – wspominał Daszti, paląc papierosa za papierosem. – Mnie także Massud kazał przyjść, żebym sfilmował jego rozmowę z Arabami. W izbie obecni byli też Asim, który przyprowadzał dziennikarzy i organizował ich audiencje u Massuda, oraz nasz ambasador z Indii Massud Chalili, stary przyjaciel komendanta, który podjął się tłumaczyć pytania i odpowiedzi.

Massud poprosił, by zanim zacznie pracować kamera, dziennikarze przeczytali mu pytania.

Podczas gdy młodszy z Arabów odczytywał komendantowi po angielsku kilkanaście pytań, drugi mocował się z ogromną kamerą, którą ustawiał na statywie. Daszti pamięta, że rozbawiło go, iż obiektyw wycelowany był tak nisko, jakby operator zamierzał filmować nie twarz Massuda, lecz jego nogi. Afgańczyk zwrócił na to uwagę, ponieważ za plecami Araba sam ustawiał swoją kamerę i próbował go podpatrywać.

– Byłem pochylony nad kamerą, gdy młodszy z Arabów zadał pierwsze pytanie. Wydaje mi się, że Chalili nie zdążył go nawet przetłumaczyć – wspomina Daszti. – Nagle rozległ się potworny wybuch. Wszystko stanęło w jasnym świetle. Przemknęło mi przez głowę, że coś się stało z moją kamerą, a zaraz potem poczułem, jak pali mnie ogień.

Ze wszystkich osób zebranych w izbie Daszti ucierpiał najmniej. Stał najdalej od Massuda. Wybuch poparzył mu twarz i ręce, na których jeszcze rok po tragedii nosił czarne opaski.

Ukryta w kamerze bomba zabiła na miejscu Asima, który siedział najbliżej Araba przeprowadzającego wywiad. Zginął także rozerwany na pół sam dziennikarz, obwiązany w pasie ładunkami wybuchowymi. Drugi z zabójców, były pięściarz, z kamerą na ramieniu wybiegł na ulicę. Przerażeni żołnierze nawet nie zwrócili na niego uwagi. Dopiero po chwili ruszyli w pogoń, ujęli go i zamknęli na klucz w pokoju, który wynajmował, a przed drzwiami wystawili straż. Ale Arab uciekł. Żołnierze zzuli buty, by szybciej biec, i dopadli go, gdy pokonywał rzekę w bród. Powaliła go dopiero piąta kula.

Chalili i Massud zostali poparzeni i poranieni odłamkami. Zlani krwią leżeli w zadymionej izbie pośród potłuczonego szkła, szczątków mebli, kawałków tynku.

Wtedy, w samochodzie pędzącym przez wertepy na lądowisko śmigłowca, Daszti widział Massuda po raz ostatni. Komendant był nieprzytomny, cały krwawił, najbardziej z poszarpanej odłamkami piersi i brzucha, twarz miał spaloną ogniem, zmienioną niemal nie do poznania. Śmigłowiec natychmiast wystartował, biorąc kurs na położony tuż za graniczną rzeką Tadżykistan.

Sulejman, urzędnik tadżyckiego Ministerstwa Dyplomacji, zapamięta ten dzień na długo. Razem z kolegami przez cały tydzień, prawie nie śpiąc i nie zaglądając do domu, pracował nad obchodami dziesiątej rocznicy niepodległości. Rozsyłali zaproszenia dla zagranicznych delegacji, potwierdzali rezerwacje w hotelach, sprawdzali kalendarze spotkań, kolejność audiencji u prezydenta, miejsca na trybunie honorowej na uroczystą paradę wojskową. Kiedy wszystko było już dopięte na ostatni guzik, nieznani zamachowcy w przeddzień święta zastrzelili w biały dzień w śródmieściu Duszanbe ministra kultury. Irańczycy odwołali wizytę, a wywiad i służby bezpieczeństwa ogłosiły pogotowie na wypadek nowych zamachów podczas defilady.

Defilada trwała, gdy na jego biurku zadzwonił telefon, zarezerwowany tylko na najważniejsze rozmowy. Sulejman poczuł, jak łzy napływają mu do oczu, gdy usłyszał w słuchawce: „Leci do was śmigłowiec z Massudem". „Przecież go nie zapraszaliśmy..." – jęknął w odpowiedzi, zrozpaczony, że koszmar niepodległościowej rocznicy jeszcze się nie skończył.

Massud żył, gdy przewieziono go do szpitala wojskowego stacjonującej w Tadżykistanie rosyjskiej dwieście pierwszej dywizji, córki czterdziestej armii, przeciwko której toczył świętą wojnę. Rosjanie nie mogli mu już jednak pomóc. Zmarł, zanim zapadł wieczór.

Jego towarzysze, przerażeni i osamotnieni, jeszcze przez wiele dni utrzymywali, że Massud żyje, nie może mówić, ale ma się coraz lepiej, chodzi o własnych siłach i lada dzień spotka się z dziennikarzami na konferencji prasowej. Obawiali się, że na wieść o śmierci komendanta jego partyzancka armia rozbiegnie się, rzuci broń, zwątpi w możliwość zwycięstwa i sens walki.

Właśnie na to licząc, już nazajutrz po zamachu na Massuda talibowie przystąpili do wściekłych ataków na ostatnie reduty jego partyzanckiej armii.

– W ostatnich latach Massud bardzo się zmienił, jakby dojrzał. Z komendanta wyrósł na przywódcę. Pojął chyba w końcu, że ani on sam, choćby najsławniejszy i najsilniejszy, ani nikt inny w pojedynkę Afganistanem rządzić nie może i że wojna będzie trwać wiecznie, jeśli nie zaniecha się kłótni i konfliktów. Koalicja dotąd znaczyła dla niego to, że obcy szli pod jego rozkazy. W końcu zamiast zwalczać 409 tych, którzy się z nim nie zgadzali, zaczął się z nimi układać – wspomina hadżi Abdul Kadir. Tamtej jesieni stracił brata i przyjaciela. Najpierw w zamachu bombowym zginął Massud, kilka tygodni później talibowie schwytali i zabili brata Abdula Kadira, Abdula Haqa. W ciągu dwóch miesięcy zginęło dwóch najsłynniejszych afgańskich komendantów. – Powiadam panu, że w dniu, gdy zgładzili go nasłani przez Osamę ben Ladena zabójcy, Massud mógł już myśleć o władaniu całym krajem. Pojął wreszcie tajemnicę afgańskiej łamigłówki. Zaczął zwracać uwagę na to, co mówią inni, i liczyć się z ich zdaniem. Właśnie dlatego go zabili.

Pozbawiona dowództwa partyzancka armia Massuda jak odrętwiała długie tygodnie tkwiła w okopach, czekając na rozkazy. W końcu mudżahedini, wybudzeni z letargu eksplozjami amerykańskich bomb i rakiet, a także perspektywą odbicia z rąk talibów Kabulu i całego kraju, ruszyli do boju i wkroczyli do stolicy. Już jako nowi przywódcy rządowym dekretem ogłosili komendanta bohaterem narodowym i chcieli drukować jego wizerunek na bezwartościowych banknotach miejscowej waluty. Wzgórze Męczenników w dolinie Pandższiru, gdzie wbrew wcześniejszym dyspozycjom pochowano Massuda w mauzoleum z czerwonych cegieł, stało się obiektem obowiązkowych pielgrzymek dla wszystkich oficjalnych gości, a złożenie pokłonu nad mogiłą komendanta pierwszą, obowiązkową próbą dla wszystkich tych, którym śniły się wysokie urzędy w państwie. Podobnie jak powoływanie się na jego imię, uczynki, słowa, dziedzictwo w oficjalnych wystąpieniach publicznych.

Całe miasto oklejono jego portretami. Z każdego samochodu, z każdej sklepowej witryny, zza każdego biurka w urzędach spoglądał Massud zamyślony, Massud pogrążony w modlitwie, Massud władczy, Massud zwycięski, Massud frasobliwy. Na murach domów wypisywano: „Podążajmy drogą Massuda, to droga do wolności". Podobne napisy widziałem przed bramami szkół na Kubie: „Bądźmy tacy jak Che". Che Guevara. „To znaczy jacy?" – zapytałem wtedy znajomego kubańskiego studenta. „No... to znaczy uczciwi, prości... nieugięci..." – odparł niepewnie.

– Odkąd zginął, nic już nie jest jak dawniej. Wraz z nim odeszło coś bardzo ważnego, coś się raz na zawsze, nieodwracalnie skończyło – Fahim Daszti nawet nie ukrywał zauroczenia postacią komendanta. – Czasami odnoszę wrażenie, że ci wszyscy ludzie, którzy prześcigają się w powtarzaniu jego imienia, zachowują się jak straganiarze zachwalający swoje towary i namawiający ludzi, by je kupowali. Nie potrafię powiedzieć, jaką drogą podążał Massud. – Fahim uśmiechał się bezradnie, rozbrajająco, jak dziecko przyznające się do niewiedzy. – To się czuje, ale trudno to nazwać.

Zamach na Massuda był pierwszą operacją Osamy ben Ladena w roli naczelnego dowódcy afgańskiej armii wiernych. Jeśli planował atak na Amerykę, musiał spodziewać się także amerykańskiego kontrnatarcia. Wybierając Afganistan na pole ostatecznej, walnej bitwy z Amerykanami, kierował się przekonaniem, że w wojnie tej, która z pewnością zostałaby ogłoszona świętą, Afgańczycy opowiedzą się po jego stronie. Choćby dlatego, że stawał do bitwy pod zielonymi sztandarami Proroka. A wtedy potężna amerykańska armia, bez względu na to, jak straszliwe zadałby pierwsze uderzenia, ugrzęzłaby i wykrwawiła się w afgańskich wąwozach, jak wcześniej brytyjska i rosyjska.

Massud, jedyny, który wciąż opierał się talibom i odmawiał uznania ich rządów, mógł te plany pokrzyżować. Występując przeciwko talibom, niweczył z takim trudem tworzony zgodny muzułmański front przeciwko Amerykanom, którzy wyruszając na afgańską wyprawę wojenną, nie mieliby innego wyjścia, jak zawrzeć z nim w końcu przymierze. Tak umocniony, Massud stanowiłby już nie tylko przeszkodę, ale śmiertelne zagrożenie. Osama musiał się go pozbyć, zanim zaatakował Amerykę.

Początek wojny przebiegał co do joty zgodnie z nakreślonymi wcześniej w pieczarach planami. Massud zginął, a atak na Amerykę okazał się straszliwszy i skuteczniejszy, niż myślał. Odwetu Amerykanów zaś i tak się spodziewano.

Osama, który nie zamierzał z nimi walczyć, ale przeczekać ich pierwsze uderzenie, zniknął, zanim pierwsze bomby spadły na stolicę talibów, Kandahar. Mówiono, że zaraz po zburzeniu wieżowców na Manhattanie opuścił we wrześniu kryjówkę w górach w pobliżu Kandaharu. Widziano go przez chwilę w Kabulu, gdzie wraz ze swoimi towarzyszami przesiadł się z samochodów terenowych na konie, co wzięto za wskazówkę, że wybierał się gdzieś, gdzie nie prowadzi żadna droga i dokąd dotrzeć można tylko konno lub pieszo.

Sądzono, że celem wędrówki saudyjskiego banity jest dolina Wachanu, wciśnięta między niedostępne, niebotyczne góry Pamiru, Hindukuszu i Karakorum, między Tadżykistanem, Afganistanem, Pakistanem i chińskim Turkiestanem. Miał się tam ponoć ukryć w dawnej supertajnej rosyjskiej bazie wojskowej, w której na wypadek globalnej wojny atomowej Kreml zamierzał umieścić międzykontynentalne rakiety balistyczne, mogące zadać wrogowi „trzecie uderzenie". Sprzymierzony z Zachodem Pakistan podnosił nawet alarm, że w podzięce za wojskowe poparcie Moskwy komunistyczny reżim w Kabulu zgodził się oddać Rosjanom dolinę Wachanu na własność.

O tajemniczej, porzuconej przez Rosjan bazie wśród gór opowiedzieli Osamie Kirgizi i Kazachowie, którzy przyjechali do Afganistanu, by przystać do jego oddziałów i przeszkolić się w partyzanckim rzemiośle. Saudyjczyk kazał swoim żołnierzom odnaleźć ją, wyremontować i przekształcić w prawdziwą cytadelę, ukrytą pod skałami, wyposażoną w generatory, wentylatory i przepastne magazyny, dzięki którym nawet dwutysięczny oddział mógłby się tam ukrywać przez całe lata, nie obawiając się ani nalotów 412 rakietowych, ani najcięższych bombardowań.

Strategiczne koncepcje Osamy zaczęły brać w łeb, gdy mimo straty naczelnego dowódcy partyzancka armia Massuda nie tylko nie rozpadła się, ale mając drogę utorowaną dzięki dywanowym nalotom amerykańskich B-52, zajęła najpierw Kabul, a potem twierdzę talibów, Kandahar.

Kiedy emir Omar poddał Kandahar, rozeszły się plotki, że Osama i jego międzynarodowe brygady przebijają się na południe, w kierunku afgańsko-pakistańskiego pogranicza. Komendanci z przygranicznego Dżalalabadu przysięgali, że nie tylko słyszeli głos Saudyjczyka w podsłuchiwanych rozmowach radiowych, ale nawet go widzieli – wędrował konno przez przełęcze Gór Białych.

Wioska Tora Bora leży u wejścia do wąwozu, którym można dojść wysoko w Góry Białe, do ukrytych w nich jaskiń i tuneli, wywierconych w skałach i prowadzących aż na pakistańską stronę. Komendant Szahzada Afridi, którego żołnierze zdobyli wioskę i od dwóch dni szturmowali położoną wyżej w górach, zamykającą wąwóz osadę Miliwa, opowiadał, że stamtąd piesza wędrówka do Pakistanu nie zajmuje więcej niż pół doby. Szahzada wiedział, co mówi, bo w latach świętej wojny sam przeprawiał się wąwozami i wykutymi w skałach tunelami z karawanami osłów, objuczonych karabinami i skrzynkami amunicji. Na zboczach gór pod Miliwą jego żołnierzy i Arabów dzieliło nierzadko najwyżej kilkaset metrów.

– Można było rozpoznać ich twarze – opowiadał. – Mieliśmy wśród nich wielu przyjaciół.

Szahzada przyznawał, że walczył z Arabami bez przekonania i bez serca. Nic przeciwko nim nie miał, a wielu znał osobiście. Niektórych jeszcze z czasów świętej wojny, gdy razem walczyli w partyzanckich oddziałach przeciwko rosyjskim wojskom. Innych poznał, gdy całymi rodzinami ściągnęli po wojnie do Afganistanu i osiedlili się w wioskach wokół Dżalalabadu.

– To byli przyzwoici ludzie. Ale co poradzić? Teraz jesteśmy wrogami, a wojna to wojna...

Podsłuchiwał rozmowy prowadzone przez radio. Czasami w słuchawce wśród trzasków dawało się rozpoznać angielską mowę. „Jestem tuż obok ciebie, zaraz za skałą. Roger, Roger. Idę w górę, pięćset metrów. Roger".

Szahzada Afridi znał arabski i często prowadził rozmowy z obrońcami twierdzy Tora Bora. Zwykle wywoływał Abdullaha.

– Szahzada? To ty? Dlaczego walczysz przeciw nam? Muzułmanie nie powinni walczyć przeciwko sobie. Dlaczego przystałeś do Ameryki i wysługujesz się niewiernym?

Potem ze słuchawki dobiegł smutny śpiew: *Allahu Akbar!*

– Abdullah! Abdullah! Słyszysz? Musa! – nawoływał znowu Szahzada.

– *Allahu Akbar* – odpowiadał mu zawodzący smutno głos.

Jeden z księgowych Osamy, Abu Dżafar, i jego osobisty kucharz Akram, który dostał się do amerykańskiej niewoli, przysięgali, że ben Laden ukrywał się w Tora Bora nawet wtedy, gdy amerykańskie samoloty już zaczęły zasypywać Góry Białe deszczem wielotonowych bomb, a sprzymierzeni z nimi afgańscy komendanci rozpoczęli polowanie na Arabów, za których Amerykanie obiecywali płacić wysokie nagrody.

Saudyjczyk wymknął się jednak obławie. Kiedy ucichły eksplozje bomb, czołgowe wystrzały i karabinowe serie, a w górach zapadła głucha cisza, Amerykanie wraz ze swoimi afgańskimi tropicielami ruszyli przetrząsać jaskinie. Znaleźli w nich szczątki prawie pół tysiąca żołnierzy Osamy, ale nie było wśród nich Saudyjczyka.

Człowiekiem, który ponoć za ogromny okup pomógł saudyjskiemu terroryście wymknąć się z Tora Bora, był jeden z afgańskich komendantów dowodzących obławą. Na pakistańską stronę zaś przeprowadzili ben Ladena za jeszcze większą sumę przewodnicy z pasztuńskich plemion.

Według jednych Osama wrócił do Afganistanu – bo gdzie indziej na świecie znalazłby kraj tak obfitujący w kryjówki? Inni przysięgali, że z Afganistanu powędrował dalej, do Iranu, a stamtąd do Iraku. Znaleźli się też tacy, którzy widzieli go wędrującego do Azerbejdżanu i na Kaukaz, a jeszcze inni rozpoznali go wśród pasażerów niewielkich łodzi, żeglujących po wodach Zatoki Perskiej między Iranem i Arabią. Widziano go wśród Pasztunów na burzliwym afgańsko-pakistańskim pograniczu, w pustynnym i bezludnym Beludżystanie, porośniętym wiecznie zielonymi lasami Kaszmirze, żyznej kotlinie Fergany. W skalistym Jemenie, w Somalii i na dalekich Komorach. A nawet w Europie, tyle że ostrzyżonego i gładko ogolonego, w wełnianym swetrze i dżinsach. Nie brakowało też takich, co widzieli go martwego, byli świadkami składania go do grobu, a nawet słyszeli karabinowe salwy, jakimi najwierniejsi żołnierze żegnali go nad mogiłą.

Opowieści bohaterskie mówiły, że zginął w walce z niewiernymi, że rozerwał się na strzępy, wysadzając ładunki wybuchowe, którymi się obwiesił, by nie dostać się do niewoli, że zastrzelili go właśni żołnierze, by nie wpadł w ręce Amerykanów. Niebohaterskie wspominały o śmiertelnych chorobach nerek, wątroby, żołądka, płuc, nowotworach, a także o zdrajcach, którzy zabili go, by otrzymać obiecane dwadzieścia pięć milionów dolarów nagrody.

Nie wierzono już ani w jego śmierć, ani w to, że żyje. Kiedy z nagranej kasety magnetowidowej wzywał do męstwa i wytrwałości w walce przeciwko krzyżowcom, nikt nie potrafił jasno stwierdzić, czy był to wojenny okrzyk współczesnego Saladyna, czy też jedynie jego testament.

Zawsze zresztą był postacią bardziej ze świata imaginacji niż rzeczywistą.

Kiedy żołnierze ze straży przybocznej emira przynieśli mu wieść, iż w zemście za atak Osamy Amerykanie wysłali samoloty, by zbombardowały Kandahar, a lada chwila amerykańska armia wkroczy do Afganistanu, mułła Omar uniósł się świętym gniewem i zapowiedział, że będzie walczył i nie ulęknie się samego prezydenta z Waszyngtonu. Nie przestraszył się nawet, gdy doniesiono mu, iż Amerykanie mogą użyć trujących gazów. Uległ dopiero, gdy przekonano go, że w razie ataku chemicznego przeciwgazowa maska, którą nosił prżytroczoną do pasa, uratuje mu życie najwyżej przez godzinę.

Ledwie zdążył wybiec ze swego pałacu, gdy spadła nań zdalnie sterowana amerykańska rakieta, wystrzelona aż z Morza Arabskiego. Bojąc się, że dzięki technicznym wynalazkom wrogowie mogą go śledzić, a więc także celnie trafiać we wszystkie jego samochody, postanowił uciekać z miasta zwyczajną motorową rikszą. Przerażonemu kierowcy kazał się wieźć do Singesaru.

Mimo nocy w Kandaharze było jasno od pożarów, a ludzie pakowali dobytek na ciężarówki i uciekali z miasta. Po godzinie jazdy emir dotarł do pogrążonego w mroku miasteczka. Wybiegł z rikszy, a kilka chwil później roztrzaskała ją kolejna amerykańska rakieta. Była to jedyna rakieta, jaka spadła tej nocy na Singesar.

Po kilku dniach emir wrócił do Kandaharu. Mieszkańcy widywali go na tylnym siedzeniu motocykla marki Jawa z karabinem przewieszonym przez plecy. Odtąd sypiał po piwnicach domów, co noc gdzie indziej. Po stu dniach bombardowań i oblężenia, gdy amerykańskie wojska i sprzymierzone z nimi, a raczej przekupione telefonami satelitarnymi i workami dolarów pasztuńskie milicje plemienne stanęły na rogatkach Kandaharu i dalsza obrona miasta stała się bezcelowa, emir zgodził się podpisać kapitulację. Oświadczył, że złoży broń i podda swoją stolicę, a zarazem ostatnią redutę, wybranym przez siebie plemiennym wodzom i za cenę życia i wolności dla niego samego, jego ministrów, generałów i żołnierzy.

– Zgadzamy się na kapitulację – obwieścił tego dnia ambasador talibów w Pakistanie mułła Abdul Salam Zajjaf. – Mułła Omar to mudżahedin, bojownik świętej sprawy, który wszystko poświęcił dla dobra Afganistanu. Życie zostanie mu darowane i będzie mógł godnie dokończyć żywota. Nie jest niczemu winien. Uczyniliśmy wiele dla dobra kraju. Ale to koniec. Czas wracać do domu.

Pasztuńscy wodzowie z ochotą przystali na te warunki. Odrzucili je jednak Amerykanie, którzy zamierzali potraktować Omara tak samo jak pojmanych już wcześniej znaczniejszych talibów i komendantów Osamy: zakuć w kajdany, wtrącić do lochu, a potem ostrzyżonego do gołej skóry, ogolonego, przebranego w jaskrawopomarańczowy kombinezon przewieźć wraz z innymi gdzieś na koniec świata, by tam osądzić i skazać według własnego prawa.

Następnego dnia o poranku, gdy pasztuńscy wodzowie na czele swojego pospolitego ruszenia wkroczyli do Kandaharu, nie zastali w nim ani emira, ani jego wojska, które zabierając broń, opuściło miasto pod osłoną nocy, a gdy wstał świt, rozwiało się wraz z nocnymi mgłami. Przed wyjazdem z miasta emir polecił jeszcze opróżnić skarbiec w największym tamtejszym banku, a miliony dolarów zapakować w jutowe worki, które żołnierze upchali na siedzeniu terenowej toyoty. Wymknął się pogoni, ale prawdę powiedziawszy, nikt go specjalnie nie ścigał, choć Amerykanie podnieśli nagrodę za jego głowę do dziesięciu milionów dolarów. Afgańczycy uznali, że mułła Omar błądził. Wciąż jednak uznawali go za jednego ze swoich, nie mogli więc wydać go obcym. Raz tylko, gdy rozeszła się wieść, iż wraz z półtysięcznym oddziałem przebywa w gościnie u raisa Baghranu w prowincji Helmand, skąd przez niemal bezludne góry mógł niezauważony przedostać się aż do Heratu, a nawet pustynnej Turkmenii, Amerykanie zarządzili obławę. Do udziału w niej zmusili pasztuńskich wodzów z Kandaharu. Afgańscy wojownicy wkroczyli do Baghranu, ale po powrocie oznajmili, że nie zastali tam talibów.

Mułła Omar objawiał się potem rozmaitym ludziom i znikał, raz na czele karawany objuczonych osłów, innym razem pędząc motocyklem przez skaliste bezdroża. Jak zagubiony, szalony pustelnik, pustynna zjawa, wytwór zdezorientowanych zmysłów i utrudzonej wyobraźni.

15 Kiedy amerykańskie rakiety i bomby spadały na pobliski, lecz ukryty za wzgórzami Kabul, ziemia trzęsła się, a niebo stawało w zielonkawej ognistej poświacie. Ze swojego punktu obserwacyjnego na dachu rozwalonej chaty brodaty komendant Mustafa przypatrywał się temu niby niezwykłemu zjawisku przyrody.

O zmierzchu prowadził nas wśród ruin glinianych domostw wioski Rabat do morwowego sadu, przez który przebiegała linia frontu rozdzielającego wojska broniących miasta talibów i oblegających go mudżahedinów z opozycyjnej armii Sojuszu Północy. Na wieść o pierwszych amerykańskich nalotach mudżahedini wypełzli ostrożnie z doliny Pandższiru i zrazu niepewnie, a z upływem czasu coraz niecierpliwiej domagali się od dowódców, by poprowadzili ich do szturmu.

Ciszę rozgwieżdżonej, ciepłej nocy zakłócał tylko wściekły jazgot świerszczy i cykad, a od czasu do czasu karabinowe serie i armatnie salwy. Morwowy sad i zrujnowaną, bezludną wioskę dzieliło od Kabulu ledwie kilkanaście kilometrów, parę godzin niespiesznego marszu.

Dziobiąc powietrze grubym paluchem, komendant Mustafa objaśniał sytuację na froncie. Po prawej stronie, u stóp góry, tuż za asfaltową szosą nazywaną Starą Drogą, w opustoszałej wiosce Estergendż okopali się talibowie. Przed nami rozciągały się zgliszcza miasteczka Karabagh, także zajętego przez talibów.

– Wieczorami podkradają się do naszych okopów, czasami dosłownie na sto, dwieście metrów – opowiadał komendant. – Nigdy jednak nie udało im się nas podejść. Strzelamy i uciekają jak zające.

Z zapadnięciem nocy ze wzgórz pod Kabulem sunęły w kierunku morwowego sadu dziesiątki, setki samochodów. Zwiastowały je drgające w ciemnościach światełka reflektorów. Nawet się nie kryły, zmierzając w kierunku wroga. Bliskość nieprzyjacielskich okopów nie trwożyła ich, lecz napawała nadzieją, dodawała otuchy. Amerykanie nie zrzucaliby wszak bomb na pozycje mudżahedinów, takich jak Mustafa, których uznali za swoich sprzymierzeńców.

– Amerykanie prosili nas nawet, byśmy się nieco wycofali na czas bombardowań – chwalił się komendant. – Ale to na nic, bo samochody z zapalonymi reflektorami jadą za nami krok w krok.

W środku nocy granitowe niebo rozjaśniły wystrzelone z Kabulu salwy z baterii przeciwlotniczych.

– Wciąż strzelają do samolotów – w głosie Mustafy było tyle smutku, jakby mówił o strzelaniu do rzadkich ptaków, którym groziło wyginięcie.

Komendant narzekał, bo z każdym dniem spędzonym w podkabulskich okopach coraz trudniej przychodziło mu wyjaśniać żołnierzom, dlaczego właściwie nie ruszają do ataku. Jeszcze niedawno tłumaczył chłopakom, że ruszą, jak tylko Amerykanie zasypią bombami pozycje talibów, rozniosą w puch baterie dział, czołgi, bunkry, okopy. Żołnierzy bardzo to ucieszyło, bo marsz przez oczyszczone przez innych przedpole wydał im się łatwy i bezpieczny. Czekali więc cierpliwie, wiedząc, że w całym Afganistanie nie ma drugiej partyzanckiej armii, która mogłaby zdobyć stolicę i władzę. Tygodnie spędzone bezczynnie w okopach mocno jednak tę wiarę nadwerężyły. Co noc wypatrywali na niebie amerykańskich szwadronów lotniczych, które miały otworzyć im drogę do Kabulu. Zamiast eskadr nad miasto nadlatywały trzy, cztery samoloty i zrzucały kilka, kilkanaście bomb, po czym odlatywały. „Na co czekają Amerykanie? – niecierpliwili się mudżahedini. – O co im chodzi?"

Co parę dni Mustafa jeździł do pobliskiego Czarikaru na naradę z ważniejszym dowódcą, komendantem Almazem. Ten z kolei jeździł do Pandższiru omawiać sprawy z najwyższym dowództwem, w tym także z młodym Bismillahem Chanem, dowódcą kabulskiego frontu, i samym Fahimem, który po śmierci Massuda przejął komendę nad jego armią. Mustafa nie ogarniał swoim rozumem wieści, które zwoził z narad Almaz. Nie pojmował, dlaczego mają tkwić w miejscu i czekać z zajęciem miasta, aż podejdą pod nie inne, znacznie słabsze od nich partyzanckie armie. Wszak zdobywając stolicę wspólnie, wspólnie również musieliby się nią dzielić. Co oznaczały słowa Bismillaha, który ogłaszał, że w ogóle nie zamierza zdobywać Kabulu, choć mógłby to uczynić z największą łatwością nawet bez pomocy Amerykanów? I co miał na myśli Kanuni, zapowiadając, że mudżahedini z doliny Pandższiru nie ruszą na Kabul, dopóki z przedstawicielami innych partii i wszystkich afgańskich ludów nie powołają wspólnego rządu? I że Kabul nie będzie więcej niczyim łupem? Nie wiedział, co ma mówić swoim żołnierzom w morwowym sadzie pod wsią Rabat. Oni jeszcze mniej niż on sam wyznawali się na polityce, układach, intrygach. Starsi mudżahedini zaczęli nawet kręcić nosem i przypominać rok dziewięćdziesiąty drugi. Wtedy też Amerykanie do spółki z Pakistańczykami do ostatniej chwili usiłowali powstrzymać Massuda przed marszem na Kabul. Czy teraz, każąc im siedzieć w okopach, nie zamierzali aby oddać stolicy i władzy w kraju komuś innemu?

Na noc zostawaliśmy w glinianej chałupie, w której Mustafa miał swoją kwaterę. Popijając słomkową herbatę, czekaliśmy na zmierzch i pojawienie się amerykańskich samolotów. Dla mudżahedinów Mustafy była to pierwsza herbata od świtu. Trwał święty miesiąc postu. Partyzanci w dzień drzemali w okopach i wygrzewali się w południowym słońcu. Noce zaś spędzali na biesiadach aż do brzasku i oglądaniu amerykańskich bombardowań.

Mustafa narzekał nie tylko na opieszałość swoich przełożonych, ale i na ich sknerstwo. Kazali mu skrzyknąć pod broń wszystkich żołnierzy i trzymać gotowych do walki.

– Jak mam być gotowy do walki? – pytał rozeźlony. – Mam pod sobą tysiąc ludzi, tu pod Kabulem i na północy, a żywności najwyżej dla pięciuset. Jeśli nie będę miał im za co kupić jedzenia, zaczną kraść i łupić wieśniaków. Rozdałem im przecież karabiny, więc z łatwością mogą to zrobić. Jeśli nie dostanę więcej pieniędzy, nie sądzę, bym był naprawdę gotów do wojny.

Mustafa uwielbiał stroić radiotelefon i szukać w eterze mowy rosyjskiej, którą, jak twierdził, poznał dawno, dawno temu, na Ukrainie. Bardzo był dumny ze swojej znajomości rosyjskiego i przechwalał się, że Massud kilkakrotnie wysyłał go na negocjacje z kremlowskimi generałami. Niezwykłe musiały być to rozmowy, bo w słowniku Mustafy brakowało bardzo wielu słów, a wiele innych sam powymyślał. Na froncie pod Kunduzem nieraz zdarzało mu się rozmawiać z Czeczenami, Uzbekami, Kirgizami i Kazachami, którzy zaciągnęli się na służbę u talibów i Osamy ben Ladena. Świecąc w ciemnościach złotymi zębami, Mustafa uśmiechał się szeroko na wspomnienie przekleństw i obelg, jakimi ich obrzucał. Kiedy jego rywale nie mogli już ścierpieć zniewag, zaczynali strzelać. Mustafa uznawał palbę za swoje ostateczne zwycięstwo. Karabin służy bowiem w Afganistanie nie tylko jako narzędzie zadawania śmierci, ale i jako sposób ekspresji. Nie mogąc przekrzyczeć dyskutantów, nie znajdując na podorędziu argumentów czy też innej metody protestu, Afgańczyk wyciąga karabin i pali w powietrze na środku bazaru. Strzela w powietrze także wtedy, gdy rozpiera go szczęście.

W morwowym sadzie Mustafa ubliżał talibom na falach radiowych w języku pasztu. Szermierka słowna za każdym razem kończyła się całonocną strzelaniną z karabinów i moździerzy. Czasem włączały się nawet działa i czołgi. Mustafa zganiał wtedy swoich gości z dachu chałupy, nad którą świszczały kule, i chichocząc, zerkał przez lornetkę na leżące nieopodal linie wroga. Ilekroć wypatrzył w ciemności jasne ogniki karabinów, własnoręcznie mierzył w ich kierunku z bazooki i sam odpalał rakietę, zataczając się od odrzutu aż pod gliniany mur. Prowadził rozmowy z wrogami nie tylko po to, by ich lżyć i wyprowadzać z równowagi. Przyznawał, że po jakimś czasie między nim a komendantami podsłuchiwanych talibów zawiązało się dziwne braterstwo. Strzelał do nich, ale za chwilę chwytał radiotelefon i krzyczał:

– Naser! Naser! Dostałeś? Żyjesz?

– Bądź zdrów, Mustafo, żyję, ale śmierć przeszła tuż obok.

– *Allahu Akbar!* Pokój z tobą, Naser.

Wierzył też, że podczas którejś z rozmów wróg powie coś, co oznaczać będzie, że gotów jest poddać swoje okopy, a nawet przejść na stronę Mustafy. Przeklinając się nawzajem, wyszydzając, a nawet strzelając do siebie, stawali się sobie bliscy i potrzebni. Jedni dla drugich byli śmiertelną groźbą i nadzieją na ratunek.

Mustafa był pod wrażeniem amerykańskich samolotów, ich szybkości, potęgi, precyzji. Dotąd bał się bombowców i uważał je za przekleństwo, a nie wsparcie. Walcząc z talibami aż pod Heratem, nigdy, nawet w najcięższych chwilach, nie wzywał lotniczego wsparcia, a ilekroć samoloty przylatywały nieproszone, ogarniał go blady strach. Nigdy nie wiedział, czy bomby zrzucone przez pilota spadną na okopy wroga, czy też zwalą się na głowy jego własnych żołnierzy.

Zanim zjawił się na podkabulskim froncie, Mustafa walczył pod Kunduzem, gdzie w pierścieniu oblężenia zamknięta została północna armia talibów. Już byli gotowi poddać się i dawno złożyliby broń, gdyby nie żołnierze ben Ladena, którzy razem z nimi schronili się w mieście. Jako obcokrajowcy nie mogli liczyć na litość.

Co rusz próbowali przebić się przez oblężenie i ratować ucieczką na południe. Którejś nocy Mustafa spostrzegł z przerażeniem, że wraz z oddziałem został otoczony przez Arabów i Pakistańczyków. Strzelali zewsząd. Zaszli go od tyłu i najwyraźniej zamierzali przerwać oblężenie Kunduzu, by umożliwić towarzyszom ucieczkę z miasta. Wzywając przez radiotelefon powietrzną odsiecz, Mustafa miał nadzieję, że samoloty przylecą nazajutrz, może już o świcie. Liczył, że do tego czasu uda mu się wytrwać i utrzymać okopy. Nie minęło jednak pół godziny, a usłyszał nad głową ryk silników. Chwilę później niebo stanęło w czerwonym ogniu, eksplozje zagłuszyły wszystko. Jeszcze parę minut, i nagle zapanowała cisza. Znikąd już nie strzelano, a powietrze wypełniło się zapachem spalenizny i prochu.

Mustafa wierzył, że którejś nocy amerykańskie samoloty w taki sam, cudowny, magiczny, niezrozumiały dla niego sposób rozbiją stanowiska talibów na drodze do Kabulu. Czuł się za nie odpowiedzialny. Codziennie do jego chałupy w morwowym sadzie zjeżdżali zagraniczni dziennikarze, by z dachu przyglądać się nalotom na Kabul. Mustafa, dumny jak paw, pomagał im wdrapywać się po stromych schodach, ostrzegał przed niskimi stropami, proponował herbatę. Im więcej zebrało się dziennikarzy, tym czuł się ważniejszy, bardziej wyjątkowy. Oto historia rozgrywała się na dachu jego domu.

Strasznie się tym wszystkim przejmował. Kiedy na niebie pojawiało się mało samolotów i zrzucały ledwie po kilka bomb, a rozczarowani korespondenci w milczeniu zbierali się do drogi do swojego obozu w pobliskim miasteczku Dżabal us-Seradż, Mustafa czuł się osobiście winny. Biegał między nami, zapraszając ponownie i zapewniając, że nazajutrz bombardowanie z pewnością będzie jak się patrzy.

Najbardziej zaś bał się tego, że następne naloty dziennikarze pojadą oglądać do jakiegoś innego komendanta.

W ciągu dnia samoloty pojawiały się na kabulskim niebie po południu. Zataczały kilka kręgów nad stolicą, lustrowały front i wracały. Tuż przed zachodem słońca nadlatywały następne. Pikując nad Kabulem i podmiejskimi okopami talibów, umykały przed promieniami słonecznymi i ze srebrzystej zmieniały barwę na groźną czerń. Odpalały świetlne flary, aby zmylić rakiety przeciwlotnicze wystrzeliwane z przenośnych wyrzutni, które przed dwudziestoma laty Amerykanie podarowali afgańskim mudżahedinom do walki z Rosjanami (próbowali potem odkupić wszystko, płacąc dwukrotną, a nawet trzykrotną cenę, ale do dziś nie mogą się doliczyć ponad setki wyrzutni). Potem samoloty jak drapieżne ptaki rzucały się w dół, a po wystrzeleniu rakiet i zrzuceniu bomb jeszcze szybciej podrywały się i zatoczywszy kolejny krąg, ruszały do ataku ponownie. Bombardowały zwykle okopy talibów u stóp Czarnej Góry, oddzielającej płaskowyż Szomali od kotliny, w której leży Kabul. Ogłuszające eksplozje, czarne słupy dymu i płonące drzewa znaczyły cele. Talibowie odpowiadali ogniem z rzadka. Ich pociski rozrywały się na niebie, nie czyniąc samolotom krzywdy. Bali się, że dekonspirując stanowiska swoich baterii, ściągną na nie kolejny amerykański atak.

Nocne bombardowania budziły szczególną grozę. Samoloty były wtedy niewidoczne na ciemnogranatowym, rozgwieżdżonym niebie, ale wystarczyło, że zatoczyły jedno lub dwa koła nad miastem, a całe niebo wibrowało niepokojącym warkotem. Eksplozje bomb i jęk wystrzeliwanych pocisków rakietowych zlewały się z rykiem silników odrzutowców. Do nocnej kakofonii dołączał gwizd wiatru, który podrywał z ziemi pożółkłe liście i tumany kurzu i tworzył z nich abstrakcyjne figury. Niebo obniżało się jak ruchomy sufit i po kilku chwilach nie wiadomo już było, czy samoloty bombardowały Kabul i okopy talibów, czy tylko nad nimi krążyły.

Tamtej nocy samoloty, choć krążyły nad Kabulem aż do brzasku, odbierając jego mieszkańcom spokój i wytchnienie, zrzuciły tylko cztery bomby, które wybuchły w zajętej przez talibów wiosce Karabagh. Dwie z nich wywołały ogień płonący przez całą noc. Mustafa był bardzo rozczarowany.

Kiedy odleciały i umilkła też kanonada, nad podkabulską równiną zapadła głucha cisza, przerywana tylko pianiem kogutów. Wracając z frontu, zatrzymywaliśmy się w miasteczku Czarikar na śniadanie złożone z ryżu i niewyrośniętego chleba. Nad miastem wstawało zimne słońce, a z minaretów dobiegało płaczliwe wezwanie do modlitwy. Do modlitwy i całodziennego postu sposobił się też na dachu swojej chałupy komendant Mustafa. Mógłbym się założyć, że prosił Najwyższego, by w swojej łaskawości zechciał w nocy zesłać wreszcie jakieś porządne bombardowanie.

Noc zawsze grała w Afganistanie rolę kurtyny rozdzielającej dni, z których każdy bywał w czas wojny i niepokoju oddzielnym, zamkniętym aktem dramatu. Wszystkie historie rozgrywały się od świtu do zmierzchu. Niepewność losu sprawiała, że nikt nie snuł dalszych planów, które tak łatwo mogły zostać pokrzyżowane. Pokora narzucona przez wieczną niewiadomą nauczyła ludzi nie mieć marzeń. To z kolei chroniło ich przed goryczą rozczarowań. Wraz ze zmierzchem coś się kończyło i wraz ze świtem zaczynało coś zupełnie nowego. Kurtyna opadała i podnosiła się dopiero o brzasku, odsłaniając nowe dekoracje i nowych aktorów, którzy zajmowali miejsca na scenie.

Wszystkie afgańskie rządy upadały nocą. Zimą osiemdziesiątego dziewiątego pod osłoną nocy wyjeżdżali

z Kabulu ostatni rosyjscy żołnierze. W środku nocy stracił

władzę prezydent Nadżibullah. Nocą uciekli ze stolicy mudżahedini Massuda i nocą wjechali do niej talibowie.

Zapadł już zmierzch, gdy do kabulskiej rezydencji premiera talibów mułły Mohammada Hasana w eleganckiej willowej dzielnicy Wazir Akbar Chan zajechały samochody z mułłami wezwanymi na naradę. Okna w salonie były zasłonięte ciężkimi kotarami, a lampa na stole paliła się anemicznym, migotliwym światłem. Odcięte od świata i bombardowane od miesiąca miasto tonęło w mroku. Nawet w tych domach, których właścicieli stać było na generatory i przemycaną z Pakistanu ropę, nocami nie palono świateł, a przynajmniej przysłaniano okna, by jasne punkciki nie skusiły amerykańskich pilotów.

Mimo codziennych, a raczej conocnych amerykańskich nalotów i bombardowań życie w Kabulu toczyło się bez większych zmian. Z miasta uciekali ci o słabszych nerwach, którzy nie mogli znieść warkotu samolotowych silników, głuchych eksplozji bomb i kanonady przeciwlotniczych działek, które każdej nocy wyrywały ludzi z niespokojnego snu. Dla nich strach okazał się nie do zniesienia. Dla innych mieszkańców jednak nowa wojna niczego nie zmieniła.

W ciągu dnia życie w mieście toczyło się jak dawniej. Pootwierane były bazary i sklepiki, jeździły autobusy i taksówki. Nie działały urzędy, ale ludzie już dawno nauczyli się obywać bez nich. Miasto wydawało się puste, bo spodziewając się amerykańskich nalotów, połowa ludności uciekła na wieś. Teraz powoli wracali. Ludzie przywykli do nocnych nalotów, które okazały się nie tak straszne, jak myślano. Wraz ze zmierzchem zabiegane w ciągu dnia miasto pustoszało. Nie działała już rozbita przez Amerykanów rozgłośnia radiowa, która uprzedzała o nalotach, ludzie zamierali więc, nasłuchując samolotów.

Żołnierze talibów wynieśli się z koszar i zamieszkali wśród cywili. Nie sposób było ich wytropić. Nawet nowe oddziały ściągane do stolicy z Kandaharu zakwaterowano w zwykłych dzielnicach mieszkaniowych. Kryjąc się wśród cywili, talibowie wykorzystywali ich jako żywe tarcze. Chowali się przed bombami także w meczetach. Liczyli, że Amerykanie nie ośmielą się atakować domów bożych. Wierzyli też, że gdy śmierć z ręki niewiernych dosięgnie ich w meczecie podczas modlitwy, ich dusze od razu powędrują do raju. Tak jak dusze męczenników, którzy oddają życie w świętej wojnie.

Mułła Chaksar wraz ze swoim bezpośrednim przełożonym, ministrem policji mułłą Abdulem Razzakiem, przybył na naradę do premiera ostatni. Domyślali się, po co ich wezwano. Amerykańskie ataki rakietowe i bombardowania nasilały się z dnia na dzień. Zamiast pojedynczych samolotów nad podkabulski płaskowyż zlatywały teraz co noc całe eskadry fortec B-52 i zrzucały na okopy talibów lawiny bomb. Żadna armia świata nie wytrzymałaby tej nawałnicy ognia. Wojska emira przegrywały. Poddały stolicę północy Mazar-e Szarif, twierdzę Kunduz nad graniczną rzeką Amu-darią, starożytny Herat. Krok w krok za amerykańskimi bombowcami podążały pułki mudżahedinów, które zajmowały porzucane miasta. Zwiadowcy donosili, że oblegające stolicę wojska mudżahedinów otrzymały rozkaz otoczenia jej ze wszystkich stron. Tadżycy od północy i wschodu, Hazarowie od zachodu i południa.

Czas naglił. Jeśli chcieli wydostać się z miasta żywi i wolni, należało nie zwlekać. Przywódcy talibów wiedzieli od dawna, co się święci. Choć podczas kazań w meczetach i spotkań z żołnierzami zapowiadali walkę do końca, po kryjomu pakowali meble i resztę dobytku na wielkie ciężarówki, które wysyłali do Kandaharu.

O ucieczce z miasta nie myślał jedynie mułła Chaksar. W tajemnicy przed towarzyszami już od miesięcy utrzymywał konszachty z Massudem. Nie zamierzał zmieniać obozów, chciał raczej spróbować je pogodzić.

– Dopóki jeszcze żył Massud, wierzyłem, że to możliwe. Wbrew pozorom nie dzieliło nas aż tak wiele – wyznał.

Śmierć Massuda, zadana w sposób tak podstępny, pozbawiła Chaksara ostatnich złudzeń. Stracił wiarę i nadzieję. Popadł w zgorzknienie, widząc, jak szlachetny u zarania ruch talibów zmierza nieuchronnie ku przepaści. Nie było już nic do uratowania. Sprawa, którą kiedyś uważał za najdroższą, zawłaszczona przez innych, napawała go teraz wstrętem. Mógł jechać ze swoimi dawnymi towarzyszami do Kandaharu. Żaden z nich nie miał pojęcia o jego tajnych rozmowach z Massudem i nigdy by się o nich nie dowiedział. Choć dalej traktowali go jak brata, już do nich nie przynależał. Nigdzie już nie przynależał i może dlatego nie potrafił wykrzesać w sobie siły, żeby ratować życie. Pogrążony w bezruchu, jak zaklęty w kamień, czekał spokojnie, co przyniesie przeznaczenie.

– Wszystkim nam chodziło o zaprowadzenie w kraju bożych porządków i pokoju – ciągnął mułła Chaksar. – Tak naprawdę różniliśmy się tylko w szczegółach. Dlatego nie czułem, że dopuszczam się zdrady, podejmując tajne rozmowy z Massudem. Robiłem to dla dobra kraju.

Na naradzie u premiera nie mówiono wiele. Wszyscy wiedzieli, że jeśli mieli uciekać, to tej nocy. Hazarowie z Ghazni w każdej chwili mogli odciąć drogę do Kandaharu. Niczego więc nie głosowano. Nikt się nie sprzeciwiał. Ci z ministrów, którzy już zdążyli odesłać rodziny i dobytek do Kandaharu, z narady u premiera od razu wyruszyli w drogę. Reszta zajęła się gwałtownym pakowaniem. Rozesłano też umyślnych do dowódców broniącej Kabulu armii z wiadomością, że rząd wyjeżdża ze stolicy.

Wieść rozeszła się po mieście lotem błyskawicy. Żołnierze z podstołecznych okopów i garnizonów co prędzej wrzucili karabiny i moździerze na wielkie ciężarówki, po czym załadowali się na nie sami i bez słowa poddali swoje reduty. Przejeżdżając przez pogrążone w mroku miasto, splądrowali jeszcze sklepy, kantory walutowe i banki na śródmiejskim bazarze. Z afgańskiej stolicy wyruszyły na południe i zachód milczące, długie karawany samochodów terenowych, ciężarówek, wozów pancernych i czołgów, oświetlone tylko bladą księżycową poświatą. Amerykańskie samoloty krążyły nad nimi jak sępy nad swoją ofiarą, czekając, aż wycieńczona i bezsilna stanie się łatwym łupem.

Nazajutrz o świcie, a był to już trzydziesty ósmy dzień oblężenia Kabulu, do miasta wkroczyli mudżahedini Sojuszu Północnego. Ich auta, ciężarówki i czołgi ozdobione były wielkimi portretami Ahmada Szaha Massuda. Mieszkańcy Kabulu witali ich, rzucając na maski samochodów i pancerze czołgów kwiaty z plastiku. O tej porze roku można było dostać w mieście tylko takie.

Mohammad Naim miał czerwone od niewyspania oczy. W ciepłe, słoneczne, zimowe południa zdarzało mu się przysypiać w swoim zakładzie fotograficznym w śródmiejskiej dzielnicy Szahr-e Nau. Padał z nóg, bo od wielu dni ślęczał nocami w warsztacie na zapleczu, by w oparach chemicznych preparatów wyczarowywać fotografie obrazujące przemiany zachodzące w umysłach i na obliczach Afgańczyków.

– Nie mogę się opędzić od zamówień. Ludzie pchają się drzwiami i oknami – wzdychał. – Wszyscy chcą się fotografować, jakby jutro miało nigdy nie nastąpić.

Na zmęczenie i niewyspanie narzekał także jego sąsiad, golibroda Ahmad Szikab. Nie miał nawet czasu, by wybrać się do otwartego niedawno kina w parku naprzeciwko. O poranku zerkał tylko przez okno na setki ubranych w skórzane kurtki młodzieńców, tłoczących się przed wielką bramą, by gdy tylko otworzą się podwoje, wedrzeć się do środka i kupić bilet, dzięki któremu wkraczali do świata baśni, 430 tak niedawno jeszcze niedostępnego i zakazanego.

Kiedy gasło światło, a na wielkim, poszarzałym ze starości ekranie zaczynała się barwna opowieść o bohaterach, romansach, dramatycznych pojedynkach i wzruszających rozstaniach, dusze Afgańczyków wyruszały w odurzającą wędrówkę, z której ciężko było wracać. Dlatego tłum kłębił się pod iluzjonem aż do zmierzchu, by wedrzeć się za wszelką cenę do środka baśni i jeszcze, jeszcze raz przeżyć kolorowy sen. Ludzie, którym próbowano odebrać marzenia ucieleśnione w sentymentalnych pieśniach i filmach, z nieprzytomnym zapałem oddawali się im na nowo, tym namiętniej, że poznali na własnej skórze, jak szare i smutne potrafi być życie wyprane ze wszystkich barw.

Gdyby nie interes, golibroda też spędzałby całe dnie w iluzjonie. Nie narzekał jednak, tylko zacierał z zadowoleniem ręce, bo wielu kabulskich młodzieńców zamawiało u niego strzyżenie i golenie. Już następnego dnia po ucieczce talibów od świtu przed jego zakładem zaczęły się ustawiać kolejki zarośniętych mężczyzn. Powyciągał z szaf ukryte głęboko zdjęcia amerykańskich aktorów, które służyły mu za wzór najmodniejszych fryzur, i powiesił je na ścianach zakładu. Pod rządami talibów trafiało mu się do dziesięciu klientów dziennie. Teraz miał ich ponad czterdziestu. Musiał przyjąć dwóch dodatkowych uczniów, kuzynów.

– W ciągu sześciu lat rządów talibów ludzie przyzwyczaili się do bród – opowiadał Ahmad, goląc kolejnego klienta. – Na początku wszyscy chcieli golić się na gładko. Szybko się jednak opamiętali, bo nie poznawali ich na ulicy przyjaciele i znajomi, a i samemu też trudno się było przyzwyczaić do nowego wizerunku.

– Talibowie wprowadzali ograniczenia powoli, najpierw jedno, potem drugie, trzecie. Każde z osobna nie wydawało się specjalnie dokuczliwe. Baliśmy się ich i godziliśmy się na kolejne wyrzeczenia w imię świętego spokoju – fotograf Mohammad Naim z mozołem próbował odtworzyć kolejne fazy swojego przepoczwarzania się z pięknisia, zawsze 431 pachnącego mocnymi perfumami, w zarośniętego, groźnego draba, który w powłóczystych szatach i turbanie bardziej przypominał rozbójnika z baśni niż stołecznego eleganta. – Aż któregoś dnia spoglądaliśmy w lustro i nie poznawaliśmy samych siebie. To już nie były nasze stare twarze. Trzeba więc było przyzwyczajać się do nowych.

Tamte lata kojarzyły się Mohammadowi Naimowi z nudą i bezczynnością.

Robił zdjęcia tylko do dowodów tożsamości. A także talibom, którzy choć zakazywali tego innym, sami fotografowali się często. Na biurku pod szybą Mohammad Naim wciąż trzymał czarno-białe, pożółkłe już fotografie brodatych wojowników w turbanach. Większość kazała się fotografować na tle ścian wyklejonych kolorowymi tapetami, przedstawiającymi palmowe ogrody, zielone sosnowe lasy, ośnieżone góry i rwące potoki. Niektórzy przychodzili sami, inni robili sobie zdjęcia z przyjaciółmi. Oto stali czule objęci lub trzymając się za ręce, jak mali chłopcy. Ściskali w garści karabiny albo sztuczne kwiaty. Wpatrywali się bacznie w obiektyw, a ich poczernione sadzą lub drzewnym węglem powieki przypominały makijaż aktorów niemego kina. Starał się z nimi zaprzyjaźnić, by nie kazali mu zamykać interesu na czas modłów.

– Bałem się zostawiać zakład. Bałem się, że ktoś przyjdzie akurat wtedy, gdy będę się modlił w meczecie – opowiadał. – Raz w meczecie ktoś ukradł mi buty, które zostawiłem przed wejściem. Musiałem gonić w skarpetkach na bazar, żeby kupić nowe.

Za rządów talibów golibroda Ahmad zajęć miał jeszcze mniej, a zamówienia, jakie otrzymywał, były bardziej ryzykowne niż Mohammada.

– Czasami talibowie kazali sobie podstrzygać brody. Nigdy nie wiedziałem, czy to nie prowokacja i czy nie trafię do więzienia – wspominał. – Przyjaciół i znajomych strzygłem po kryjomu, w swoim mieszkaniu. W ogóle jak się zdarzał klient, wysyłałem uczniów na zewnątrz, by ostrzegali o zbliżaniu się talibów. Z nimi nigdy nic nie było wiadomo. Raz sami się strzygli, innym razem chcieli rozbijać lustra i wlec do więzienia jak złodzieja.

Po ucieczce talibów fotograf Mohammad Naim nie zgolił brody, ale ją przystrzygł.

– Zawsze nosiłem brodę, nawet za komunistów, którzy brodaczy podejrzewali o sprzyjanie mudżahedinom – tłumaczył. – Co innego zapuszczać brodę z upodobania, a co innego na rozkaz. Dlatego nazajutrz po ucieczce talibów poszedłem do fryzjera skrócić zarost.

Gdy zmienił się rząd w Kabulu, wielu ludzi od razu zrzuciło stare ubrania i włożyło nowe. W nowych postaciach zaskakiwali w równej mierze innych co siebie. Dla wielu talibów, którzy postanowili wtopić się w nową rzeczywistość, reinkarnacja ograniczała się do wizyty u golibrody i zmiany czarnych turbanów na czarno-zielone, przetykane białymi nićmi, jakie od wieków noszą pasztuńskie plemiona z okolic Kandaharu. Brody po pas dodawały im powagi. Brodaci wydawali się starsi, groźniejsi, okrutniejsi, mądrzejsi. Ogoleni i ostrzyżeni przypominali młokosów.

Zanim rozsiedli się w fotelu u golibrody Ahmada, kabulczycy biegli do fotografa Mohammada, by uwiecznić stare wcielenie. Ostrzyżeni, ogoleni, wyperfumowani wracali do fotografa, by utrwalić nowy wizerunek. Musiał minąć jakiś czas, by zauważyli i przekonali się, że nie wszystkim było dobrze bez brody, że ogorzała skóra na szyi, nosie i czole paskudnie odbijała od bieli pozbawionych zarostu policzków.

– Teraz większość prosi mnie o skrócenie brody – mówił kabulski fryzjer. – Do wszystkiego, co nowe, trzeba się przyzwyczajać powoli.

Droga z Kabulu do Kandaharu wiodła przez skalistą, rdzawoszarą pustynię, zamkniętą na horyzoncie monumentalnymi, nagimi skałami Hindukuszu, z których najwyższe pokryte już były białymi czapami śniegu. Jest to kraina ponura i bezludna. Z rzadka spotyka się przejeżdżające samochody, jeszcze rzadziej pasztuńskie wioski, złożone z glinianych, otoczonych wysokimi murami domostw.

Przy drodze, zniszczonej przez słoty, czołgi i eksplozje moździerzowych pocisków, były gęsto rozmieszczone wojskowe posterunki. W wiosce Durrani, tuż za Majdan Szahr, w blaszanym kontenerze ulokowano ostatni posterunek żołnierzy Sojuszu Północnego. Za nim zaczynała się ziemia niczyja. Tam na posterunkach stali już długowłosi, długobrodzi żołnierze w turbanach, przypominających do złudzenia te, jakie nosili talibowie. Zapewne nimi byli, przynajmniej do czasu przegranej bitwy o Kabul. Teraz jednak woleli przystać do którejś z opozycyjnych armii mudżahedinów. Albo znaleźć nowego komendanta i okrzyknąć się lokalną milicją plemienną. Niemal wszystkie pasztuńskie prowincje leżące na południu i wschodzie kraju rządzone były właśnie przez takie milicje i ich komendantów. Żołnierze z posterunków między Majdan Szahr i Ghazni nazywali siebie monarchistami.

Strażnicy z innych posterunków nie przedstawiali się w ogóle. Ponurym wzrokiem lustrowali wnętrze samochodu, dokumenty. Wędrując afgańskimi drogami i bezdrożami, rzadko kiedy wiedziało się, kim byli uzbrojeni mężczyźni zatrzymujący podróżnych na bezludziu. Wartownikami czy, wręcz przeciwnie, rabusiami wykorzystującymi powojenny chaos dla pomnożenia swoich zysków? A może jednymi i drugimi jednocześnie? Żołnierzami, którzy z zapadnięciem zmroku przeistaczali się w rzezimieszków łupiących karawany wędrujące z Kabulu do Kandaharu i Kandaharu do Heratu?

W dziesięciotysięcznym Ghazni, dawnej stolicy imperium Ghaznawidów, rządził sześćdziesięcioletni Tadż Mohammad Ghari Baba, dawny gubernator prowincji, który właśnie wrócił do miasta z pięcioletniego wygnania w pod-kabulskiej dolinie Pandższiru, gdzie schronił się przed tali-bami. Massud, gospodarz doliny, winien był mu gościnę, ponieważ za jego namową Ghari Baba przystał przed laty do talibów, by napuścić ich na Hekmatiara.

Kiedy podstęp wyszedł na jaw, a talibowie rozbili armię Hekmatiara, Ghari Babie nie pozostawało nic innego, jak uciekać z miasta, które przywykł uważać za swoje. Teraz jednak, gdy talibowie zostali pobici, otyły i łysy Ghari Baba z pogardą opowiadał, jak uciekali w popłochu przed jego mudżahedinami, którzy na wieść o upadku Kabulu sami rozpoczęli powstanie w Ghazni.

Ghari Baba przybył właśnie do Ghazni, by objąć we włada-nie dawne włości. W jego ogrodach u podnóża starożytnej, górującej nad miastem cytadeli w cieniu kilkusetletnich drzew czekali na audiencję chazarscy, uzbeccy i pasztuńscy wodzowie, starzy urzędnicy i komendanci, przyjaciele z dawnych lat. Przybyli, by złożyć hołd Ghari Babie, w na-dziei na jego pamięć lub zapomnienie. Nie wszystkim bo-wiem starczyło męstwa, wytrwałości i wiary, by w trudnych czasach nie ulec pokusie zdrady. Wielu towarzyszy Ghari Baby, widząc jego słabość, przeszło na stronę wrogów. Teraz gdy wrócił, znów potężny i władczy, przysięgali, że we wszystkich swych uczynkach kierowali się jedynie dob-rem swego ludu, plemienia, wioski. Prosili o przebaczenie i obiecywali poprawę. Pocieszali się, że Ghari Baba głosił potrzebę pojednania, zapomni więc o wszystkim, co było. Kiedy jednak stali pokornie w szeregu, czekając na jego uścisk i pocałunek, na ich twarzach widać było niepewność.

Choć gorąco temu zaprzeczał, Ghari Baba chował jednak w sercu głęboką urazę do talibów i teraz nie zamierzał z nimi negocjować. Nie zaprzątał też sobie głowy tym, czy pokonani pod Kandaharem talibowie przejdą do partyzanc-kiej wojny.

– Jeśli będzie trzeba, zmiażdżę ich – mówił, pocierając wielki nochal. – Rozgniotę jak robactwo.

Ghazni była ostatnią, najbardziej wysuniętą na południowy zachód prowincją kontrolowaną przez sprzymierzone armie mudżahedinów. Za rogatkami miasta na pierwszych kilkanastu kilometrach drogi do Kandaharu straż trzymali żołnierze Ghari Baby. W miejscu, gdzie droga zaczynała wspinać się ku górom Urozganu, stał ich ostatni posterunek.

Dalej droga zbiegała przełęczą w dół i ginęła za zakrętem, za którym zaczynały się już posterunki talibów, wrogów Ghari Baby, którzy jednak w każdej chwili mogli przestać nimi być. Nie musieli nawet składać broni ani zniżać się do kapitulacji. Wystarczyło, by wycelowali lufy karabinów w kierunku wciąż kontrolowanych przez ich towarzyszy południowych prowincji Zabul, Kandahar i Helmand. Wtedy z wrogów Ghari Baby staliby się jego serdecznymi druhami.

Otulony grubym pledem przed porywistym, przenikliwym wiatrem komendant Abdullah Ahmad Durrani przyglądał się wzgórzom, za którymi ukryli się jego wrogowie, dawni przyjaciele i towarzysze broni. Komendant wierzył, że uda się uniknąć rozlewu krwi. Odwieczne prawo pasztunwali nakładało obowiązek pomszczenia krewnych, a komendant Abdullah i jego żołnierze byli Pasztunami, podobnie jak ukrywający się za wzgórzami żołnierze Gholama Mohammada.

– Nie będziemy się z nimi bili. Będziemy ich przekonywać. Gholam to mój przyjaciel, mój brat – mówił twardo Abdullah na stanowisku dowodzenia w rozbitej stacji benzynowej w Majdan Szahr, przy asfaltowej szosie do Kabulu. Ta zapadła mieścina jest stolicą pustynnej, pasztuńskiej prowincji Wardak. Swój status zawdzięcza temu, że leży na skrzyżowaniu ważnych szlaków z Kabulu do Bamjanu, stolicy Hazarów, oraz do Ghazni i dalej do Kandaharu.

– A jeśli targi nie zakończą się powodzeniem?

– Wtedy ich zabijemy. Jeśli taka będzie wola Najwyższego – ciężko wzdychał dawny kupiec, dziś potężny pasztuński komendant.

Abdullah Ahmad Durrani miał czterdzieści trzy lata i pochodził z Majdan Szahr. Komendant Gholam Mohammad, parę lat młodszy, też się stamtąd wywodził. Obaj byli Pasztunami. Jako młodzi mudżahedini razem walczyli pod komendą brodatego mułły profesora Abdurraba Rasula Sajjafa z rosyjską armią w słynącej z jabłoniowych sadów prowincji Wardak. Potem Gholam przystał do talibów. Abdullah pozostał wierny Sajjafowi, który choć z dumą nazywał się muzułmańskim rewolucjonistą, dołączył do wrogiego talibom Sojuszu Północnego.

Kiedy uciekając przed amerykańskimi bombami, talibowie ruszyli z Kabulu drogą przez Majdan Szahr do Kandaharu, Gholam Mohammad ze swym oddziałem postanowił pozostać w rodzinnym Majdan Szahr. Nie zamierzał dalej walczyć ani nigdzie dalej wędrować. Mudżahedini Sojuszu Północnego, głównie Tadżycy, Uzbecy i Hazarowie, bali się zapuszczać na pasztuńskie ziemie, ale jeszcze bardziej pragnęli podporządkować sobie Majdan Szahr i tamtejsze skrzyżowanie dróg. Aby zjednać sobie Gholama Mohammada, przysłali do niego na rozmowy Abdullaha Ahmada Durraniego i przekazali przez niego worek brytyjskich funtów, byle tylko porzucił talibów. Gholam pieniądze wziął, ale nie wpuścił Sojuszu do miasta i nie pozwolił odebrać broni swoim żołnierzom.

Rozwścieczeni komendanci z Sojuszu Północnego wysłali więc kilka tysięcy żołnierzy, czołgi i armaty. Gholam, który w Majdan Szahr znał każdy kamień, powstrzymał jednak pierwsze szturmy nieznających terenu Tadżyków. Wtedy dowódcy Sojuszu znów wysłali Abdullaha, by jeszcze raz spróbować układów.

– Codziennie rozmawiam z Gholamem parę razy przez radio. Wysyłam do niego ludzi, starszyznę plemienną z Majdan Szahr – mówił pasztuński komendant. – Prędzej czy później się dogadamy. Wczoraj przeszło na naszą stronę pół tysiąca żołnierzy Gholama. Będziemy się posuwać krok po kroku, aż zajmiemy całą prowincję. Gholam to mój przyjaciel, mój brat.

Aby ucieszyć swoich rodaków i choć na chwilę oderwać ich od trosk wojennej codzienności, w piątek po południu, w muzułmański dzień święty, komendant Nur Hamid zarządził w miasteczku Golbahar buzkaszi. Tę grę przywiezioną do Afganistanu przed wiekami ponoć przez wojowników Czyngis-chana uważa się za sport narodowy szczególnie w północnych prowincjach kraju, Balchu, Samanganie, Majmanie, Kunduzie. Buzkaszi trudno zresztą nazwać sportem. To raczej rytuał, który według samych Afgańczyków jak żaden inny oddaje ich duszę, charakter i usposobienie. W grze biorą udział podzieleni na dwie drużyny jeźdźcy, których zadaniem jest poderwać z wyznaczonego na środku boiska kręgu wypchany skórzany worek, specjalnie przygotowany ze skóry cielaka lub jagnięcia (coraz rzadziej służy do gry używany niegdyś bezgłowy korpus zabitego przed zawodami cielaka czy koźlęcia, a o tym, że przed wiekami do gry używano bezgłowych trupów niewolników, zapomniano już dawno), obwieźć go dookoła boiska i zrzucić do wyrysowanego startą kredą koła przeciwnej drużyny. Jej zawodnicy usiłują przeszkodzić rywalom, odebrać im worek, ruszyć w pogoń wokół boiska, dotrzeć do koła przeciwników i zdobyć punkty, oklaski widzów i nagrody. W buzkaszi nie ma w zasadzie ograniczeń co do liczby zawodników. Może ich grać kilku, kilkunastu, a nawet kilkudziesięciu. Nie muszą też wszyscy razem rozpoczynać gry.

438 Jedni mogą uczestniczyć w rozgrywce od początku, inni

włączać się do niej po jakimś czasie. Egalitarność afgańskiego społeczeństwa dopuszczała kiedyś, by w grze brali udział zarówno szlachetnie urodzeni chanowie i wojownicy, jak i zwykli wieśniacy, a nawet niewolnicy. Podczas buzkaszi wszyscy byli sobie równi.

Afgańska gonitwa nie jest jednak wcale szlachetnym współzawodnictwem. W tej grze nie idzie o otwartą, uczciwą walkę i wykazanie przeciwnikowi swojej bezspornej przewagi. Buzkaszi polega raczej na podstępie, sprycie, oszustwie. Tu wszystkie chwyty są dozwolone. Podobnie jak na wojnie w Afganistanie.

– Po co miałem wysyłać swoich żołnierzy do szturmu na Kabul? Wielu z nich mogłoby zginąć, a ja, ich komendant, jestem za nich odpowiedzialny. Co powiedziałbym ich ojcom? A jeśli natarcie by się nie powiodło? – komendant Nur Hamid objaśniał mi przy kolacji zawiłości wojskowej sytuacji wokół afgańskiej stolicy. – Czy nie lepiej było poczekać, aż talibowie skruszeją do końca i sami uznają, że są od nas słabsi i dalszy opór nie ma sensu? Wystarczyło przecież, że Amerykanie zrzucili jeszcze na nich trochę bomb, a talibowie sami uciekli gdzie pieprz rośnie!

Po co walczyć krwawo o wolność, jeśli zdarzył się ktoś, kto miał straszną ochotę uczynić to za nich? Nur Hamid i inni komendanci mudżahedinów z nieukrywaną przyjemnością przyglądali się amerykańskim samolotom bombardującym Kabul i podstołeczne okopy talibów. Narzekali nawet, że Amerykanie zrzucali za mało bomb. Oburzali się jednak na samą wzmiankę o możliwości pojawienia się w Afganistanie amerykańskiej piechoty. „Po co piechota?! – krzyczeli. – Niech Amerykanie nam lepiej dadzą te wszystkie karabiny, czołgi i dolary, które zapłaciliby jako żołd swoim żołnierzom!"

– Zdobyć Kabul... łatwo powiedzieć – mruczał Nur Hamid, ogryzając baranią kość. – Nawet nie o to chodzi. Pewnie, że moglibyśmy to zrobić, tylko co z tego? Amerykanie mówią, że chcą nam pomóc się wyzwolić. Dobrze, tylko my też musimy coś z tego mieć.

Buzkaszi podnieca Afgańczyków, bo aby zostać w nim zwycięzcą, trzeba wykazać się cechami, które cenią od wieków najbardziej. Niezbędna jest siła, bo niełatwo jest poderwać z ziemi i w galopie utrzymać w dłoniach worek ważący pięćdziesiąt kilogramów. Tym bardziej że aby dodatkowo utrudnić zadanie, organizatorzy przez kilkanaście dni przed zawodami moczą worek w lodowatej wodzie, by stał się jeszcze cięższy, a jego skóra bardziej oślizła.

Aby utrzymać się w siodle, trzeba popisać się prawdziwą woltyżerką. Konieczny jest hart ducha, by w kurzu, upale i znoju znosić bolesne razy zadawane nahajkami przez rywali. Konieczna jest odrobina okrucieństwa, by samemu bez skrupułów okładać przeciwników po dłoniach, twarzach i plecach. Konieczna jest też perfidia, by chłostać rumaki przeciwników tak, żeby straciły rozeznanie i przestały wykonywać polecenia jeźdźców. Konieczna jest wreszcie przebiegłość, by przewidzieć, którędy pomkną rywale, gdzie się ustawić, by nie tracąc sił w morderczej przepychance, czekać z boku na błąd przeciwnika i bez większego wysiłku odebrać mu trofeum.

Choć w buzkaszi występują drużyny, to każda z nich ma swoich niekwestionowanych liderów i mistrzów. Sława i nagroda pieniężna przypada tylko mistrzom. To oni pracują na sławę swych drużyn, oni zdobywają najwięcej punktów i brawurowo szarżują, walczą wręcz, wyrywając sobie skórzany worek. Bez nich drużyny są niczym. Ale i oni są niczym bez swych drużyn. Bez wsparcia towarzyszy, zaprzyjaźnionych albo opłaconych jeźdźców, byliby tylko żałosnymi, bezradnymi pyszałkami skazanymi na upokarzającą klęskę.

– Buzkaszi to nasze życie. Tak właśnie żyjemy, tacy jesteśmy – rzucił krótko Nur Hamid, zagadnięty, dlaczego
tak umiłował tę grę. Nie tylko sam w niej uczestniczył,

ale z własnej kieszeni obiecał wypłacić nagrody najlepszym zawodnikom.

Komendant Nur Hamid, ubrany w długie, wywijane nad kolanami buty z surowej skóry, był kapitanem i liderem miejscowej drużyny z Golbaharu. Drużyną rywali, żołnierzy z sąsiedniego miasteczka Dżabal us-Seradż, dowodził tamtejszy komendant Nur.

Niegdyś najsłynniejsze buzkaszi odbywały się jesienią w północnych prowincjach Balch, Samangan, Baghlan, Dżauzdżan, Majmana, zamieszkanych przez Tadżyków, a przede wszystkim rozkochanych w koniach Uzbeków. Możni feudałowie trzymali w swoich stajniach wierzchowce szkolone specjalnie do buzkaszi, a na zawody ściągali z całego kraju najsłynniejsi mistrzowie – *czapandozi*, by potwierdzić swoją sławę i zbić majątek dzięki zdobywanym nagrodom. Najwięksi mistrzowie znani byli na cały kraj i śpiewano o nich pieśni.

Wojna domowa, która trwała już dwudziesty piąty rok, rozpoczęła upadek afgańskiej gonitwy. Śmiertelny cios zadali grze talibowie. Wywodzili się z południowych, pasztuńskich plemion, nie podzielali więc fascynacji ludów północy buzkaszi, a w swojej religijnej zapalczywości uznali grę za grzeszną, bo odciągającą muzułmanów od modlitwy i medytacji o Najwyższym. Odtąd można było obejrzeć buzkaszi tylko w tych nielicznych dolinach na północy i wschodzie kraju, w których władzę zachowali mudżahedini.

Na boisko Nur Hamid wyznaczył ryżowe ściernisko tuż za miastem. Zaraz po południowej modlitwie, w spiekocie i kurzu, przy wrzawie licznej gawiedzi, jeźdźcy rozpoczęli morderczą gonitwę. Trzymając w zębach nahajki, najeżdżali na siebie, przepychali się, spinali wierzchowce, by te przednimi kopytami przepłoszyły inne i zajęły dogodniejsze miejsce bliżej leżącego na ziemi cielaka. Co chwila od tonącej w chmurze kurzu plątaniny końskich i ludzkich sylwetek odrywał się kolejny jeździec, by ugasić pragnienie haustem lodowatej wody ze strumienia albo przetrzeć pokrwawioną twarz. Policzek Nur Hamida został rozcięty nahajką już po kwadransie gry. Rozsierdzony komendant z zakrwawioną twarzą szalał na boisku. Rozpychał się na bułanym koniu, tłukł batem na prawo i lewo. Co chwila podrywał z ziemi skórzany wór i przyciskając go kolanem do końskiego boku, spinał rumaka do galopu. Początkowo nie udawało mu się jednak nawet zbliżyć do koła, gdzie mógł zdobyć punkty dla swojej drużyny.

Pierwsza część gry należała do jego rywala z Dżabal us-Seradż, młodego, sprytnego i szybkiego jak wicher komendanta Nura, który trzymał się z dala od ścisku, czekał, aż jego towarzysze wyrwą przeciwnikowi worek i przekażą go jemu, i ciskał do kręgu. Za każdym razem sędziowie nagradzali go zwitkiem bezwartościowych afgańskich banknotów.

Po południu szczęście uśmiechnęło się do zwalistego Nur Hamida. Przynajmniej pół tuzina razy podjeżdżał do sędziów, by wśród wiwatów odebrać ufundowaną przez samego siebie nagrodę. Kiedy pod wieczór gospodarze z Golbaharu wyszli w końcu na prowadzenie, sędziowie przerwali zawody i ogłosili ich zwycięstwo.

Zanim dotarliśmy na naszą kwaterę w Dżabal us-Seradż, zdążył zapaść wieczór. Wartownicy przed bramą dawnej letniej rezydencji afgańskich królów, w której mieszkaliśmy, uśmiechali się tajemniczo i wymieniali porozumiewawcze spojrzenia.

Rankiem, przed wyjazdem do Golbaharu na zawody buzkaszi, dostrzegłem na bazarze w Dżabal us-Seradż chłopaka, który wlókł na łańcuchu zabłoconego, umęczonego i sparaliżowanego strachem lisa. Chłopak przystawał co chwila, by opowiadać gapiom, jak schwytał zwierzę, i proponować jego kupno właścicielom straganów. Dzieciaki szturchały lisa kijami, dorośli ciągnęli za ogon, kopali.

Chłopak chciał za lisa dziesięć dolarów, ale zgodził się 442 odstąpić mi go za osiem. Strażnicy królewskiej rezydencji byli zaskoczeni, zachwyceni i pełni podziwu, gdy powiedziałem im, że zamierzam zwierzę wypuścić na wolność. Przynieśli mu wodę, a nawet jakieś odpadki z wczorajszej wieczerzy.

– To, co chcesz zrobić, jest właściwe – powiedział mi dowódca mudżahedinów.

Zachwycony moim postępkiem był także Sajjed, mój tłumacz, przewodnik i anioł stróż, chociaż początkowo nie ukrywał zawodu, bo myślał, że kupiłem lisa dla niego w prezencie. Na drodze za miastem pomógł mi wyciągnąć zwierzę z samochodu, a kiedy odprowadzałem je w góry, przechwalał się znajomością ze mną przed zaciekawionymi wieśniakami wędrującymi na targ.

Kiedy uwolniłem lisa, a ten, słaniając się na nogach, człapał w kierunku pobliskiego górskiego łańcucha, Sajjed i chłopi wznieśli okrzyk: „*Ozodi!* – Niech żyje wolność!"

Kiedy lis był już daleko, chłopi nagle puścili się za nim pędem. Podziwiali mnie szczerze za to, że kupiłem go i darowałem mu wolność, ale teraz, skoro już do mnie nie należał, nie widzieli powodu, by go nie upolować dla siebie i nie sprzedać na rynku. Stanęli jak wryci, gdy zacząłem ciskać w nich kamieniami. Długo nie dawali się odgonić. Nie dziwiło ich ani nie gniewało, że rzucam w nich kamieniami. Nie mogli jednak pogodzić się z tym, że zmordowany lis, taka łatwa zdobycz, wymknie im się z rąk.

Wieczorem, gdy wróciliśmy z buzkaszi, wciąż pełni szacunku mudżahedini przed bramą mocno ścisnęli mi rękę na powitanie, po czym bez słowa powiedli do parku za domem. Przy ognisku pod drzewem, przywiązana łańcuchem do pnia, leżała półżywa kuna.

Mudżahedini z myślą o mnie kupili ją za dwadzieścia dolarów od tego samego chłopaka z bazaru, od którego kupiłem lisa. Teraz gotowi byli odstąpić mi zwierzątko za trzydzieści dolarów, bym mógł je uwolnić i spełnić jeszcze jeden szlachetny uczynek.

16 Pierwsze krople deszczu, ciężkie jak kamienie, wtopiły się bez śladu w gruby kożuch kurzu. Dopiero po chwili powietrze zapachniało ożywczą wilgocią. Mężczyźni wybiegli z czajchan i kramów i z podniesionymi głowami poddawali się ulewie. W Daszt-e Ghala był to pierwszy deszcz od dwóch lat.

Miejscowy mułła Abdurrahim od wielu już miesięcy wznosił modły do stwórcy, prosząc o deszcz. Z zatroskaniem spoglądał co ranek w pogodne, błękitne niebo i palące słońce. Jego prośby pozostawały bez echa, czuł się winny wobec wiernych. Ale tego dnia, gdy na wioskowy rynek spadły ciężkie krople, mułła poczuł ulgę. Najwyższy go jednak wysłuchał.

– Allah jest wielki! – westchnął z ulgą.

Z całego kraju napływały wieści, które pozwalały mieć nadzieję, że po latach chudych i chmurnych los wreszcie użali się nad Afganistanem. Ulewne deszcze, które spadły nagle, napełniły wodą suchą od lat rzekę Helmand. Uszczęśliwieni wieśniacy poszli złożyć hołd swemu gubernatorowi. Całowali go po rękach i dotykali szat, a na pożegnanie zawiesili mu na szyi girlandy z polnych kwiatów.

W Kabulu spadł pierwszy od lat śnieg. Białe płatki zaczęły sypać w piątek, muzułmański święty dzień, co pobożni mułłowie odczytali jako kolejną zapowiedź lepszych czasów. Mimo chłodu i padającego przez cały dzień mokrego śniegu dzieci do zmierzchu biegały po ulicach, obrzucając się śniegowymi kulami. A na rondzie w dzielnicy Wazir Akbar Chan ulepiły śnieżnego bałwana.

Dla tysięcy koczowników, przykutych do miejsca przez wojnę i suszę, deszcze, które zrosiły skamieniałą ziemię, były sygnałem do wyruszenia w drogę. Póki starczało im pastwisk i wodopojów, nie dbali o to, kto i w jaki sposób rządzi Afganistanem. Wznosili modły tylko o deszcz, który zapewniał im życie i wolność. Jeśli padał, obojętne im były dziejowe katastrofy, rewolucje i polityczne zawieruchy. Wciąż wędrując w wielbłądzich karawanach ze swoimi stadami, zdawali się nie zwracać na nie najmniejszej uwagi. Istnieli w innej rzeczywistości, w innym wymiarze. Nie uznawali niczyjej władzy, żadnych granic, nie podlegali niczyjej kontroli.

Susza, która wypaliła wodopoje i zamieniła pastwiska w pustynie, sprawiła, że musieli przestać wędrować, by przetrwać. Wyruszyli do miast, które najlepiej przystosowały się do trudnych czasów. Tam mężczyźni przemienili się w przewodników przemytniczych karawan, a ich kobiety w żebraczki. Teraz modlitwa o deszcz była dla nich prośbą do Boga, by pozwolił im żyć po dawnemu, tak jak chcieli i jak potrafili najlepiej.

Główny meczet w Daszt-e Ghala różnił się od chałup we wsi tylko niewielką glinianą wieżyczką minaretu, z którego przez zawieszony na drucie stary głośnik mułła Abdurrahim zwoływał wiernych na modlitwę. We wsi było jeszcze kilka pomniejszych świątyń.

W Afganistanie na meczety wpadało się niemal na każdym kroku. W kraju oderwanym od świata, pozbawionym dróg, tyle było miejsc kontaktów z Bogiem. Praktycznie wszędzie można było modlić się do Niego, poprosić, targować się. Pomóż! Załatw! Zrób! Jeśli tak uczynisz, zobaczysz, że potrafię się odwdzięczyć. Będę już dobry. Ale jeśli nie zrobisz tego, co chcę, jeśli nie wysłuchasz moich próśb...

Przed wejściem do świątyń wierni zzuwali buty i obmywali twarze, dłonie i stopy. Ablucja była przygotowaniem do modlitwy. Ta zaś – oczyszczeniem z grzechów i błaganiem o nadzieję, ułatwiającą zmagania z życiem. Oczyszczeniem i nadzieją był też deszcz, o który się modlili.

– W naszej gazecie wydrukowano wiersz *Odłamki szkła*. Czy ktoś go czytał? – pyta Massud wioskowych mułłów, którzy przybyli go odwiedzić w dolinie Pandższiru. Świadkiem tej rozmowy był francuski dziennikarz Christophe de Ponfilly, a scena znalazła się w jednym z jego filmów.

Jest ciemno
Naszymi oczami są oczy tych,
Którzy czekają.

– Rozumiecie coś z tego? – pyta Massud. – Nie, jak mogilibyście rozumieć. Jesteście tylko mułłami. Poezja to dla was za trudne.

Jest ciemno,
Naszymi oczami są oczy tych,
Którzy czekają.
W nocy gwiazdy skrzą się tu i tam...

– Rozumiecie, o co tu chodzi?
– No, tak... Jak się patrzy w niebo, to widać wiele gwiazd...
– Ale co to znaczy?

W nocy gwiazdy skrzą się tu i tam,
Lśnią łzami cierpienia i smutku,
A kropla staje się klejnotem,
Jeśli ronię ją z własnej woli,
To jest jak wiosenny ogród w deszczu.

– Rozumiecie? Czym jest kropla? Niczym. Ale mówi się, że gdy kropla deszczu wpadnie do muszli w morzu, zamienia się w perłę. Zatem moje łzy to moje męstwo, odwaga. To one są klejnotem. Deszcz smutku już na mnie nie działa. To znaczy, że jestem tak odważnym człowiekiem, iż wszystkie te kłopoty i cierpienia nie mają na mnie wpływu. Jestem już od nich wolny, oczyszczony. To jest jak wiosenny ogród w deszczu.

Spotkałem ją na Przełęczy Chajberskiej. Wracałem z afgańskiej wyprawy jak zawsze niepewny, czy niewidoczna, lecz tak dobrze wyczuwalna bariera oddzielająca oba światy i tym razem uniesie się przede mną i pozwoli przejść na drugą, moją stronę. Kobieta zmierzała w przeciwnym kierunku. Ze spokojną, jasną twarzą czekała w milczeniu przed chatą, w której celnicy przetrząsali bagaże jej męża, a w dokumentach podróżnych szukali pieczęci z wizami. W samochodzie na poboczu drogi siedziała czwórka ich dzieci.

Była Amerykanką. Nie mieliśmy ze sobą nic wspólnego i nie było nic, co chcielibyśmy sobie powiedzieć. Cudzoziemcy stanowią jednak w Afganistanie taką rzadkość, że spotkania wymuszają choćby zdawkową rozmowę. Zapytałem więc, co słychać.

Powiedziała, że jadą do Dżalalabadu. To tuż przy granicy. Że mieszkają tam od paru już lat. Przyjechali kilkoma rodzinami, żeby wspólnie odnaleźć Boga i żyć w zgodzie z nim z dala od niezliczonych pokus prowadzących na manowce.

– To cudowne, jedyne w swoim rodzaju miejsce – powiedziała z zachwytem. – No, może z wyjątkiem lata. Upały, szczególnie gdy nie spada nawet kropla deszczu, bywają czasami trudne do zniesienia.

Kalendarium

1973 – Królewski kuzyn, premier Mohammad Daud, korzystając z wyjazdu króla Mohammada Zahira Szaha na leczenie do Włoch, dokonuje zamachu stanu, przejmuje władzę w kraju i ogłasza Afganistan republiką. W jego rządzie znalazło się wielu lewicowych oficerów i działaczy politycznych.

1975 – Zwolennicy muzułmańskich partii rewolucyjnych i konserwatywni wioskowi mułłowie podnoszą rebelię przeciwko postępowemu, zapatrzonemu w świecką Turcję rządowi Dauda.

28 kwietnia 1978 – Za wiedzą i zgodą ZSRR lewicowi oficerowie i przywódcy komunistycznej Ludowo-Demokratycznej Partii Afganistanu dokonują zamachu stanu. Daud zostaje rozstrzelany, a władzę w kraju przejmuje Nur Mohammad Taraki.

Wrzesień 1979 – Walki frakcyjne wśród rządzących komunistów kończą się zabójstwem Tarakiego. Władzę przejmuje jego rywal Hafizullah Amin.

28 grudnia 1979 – Nieufny wobec Amina Kreml wysyła wojska do Afganistanu. Amin ginie zamordowany, a na czele afgańskiego państwa staje przywieziony na rosyjskich czołgach Babrak Karmal.

1986 – Rozczarowany Karmalem Kreml zastępuje go dotychczasowym szefem tajnej policji doktorem Nadżibullahem, który mianuje się prezydentem.

Luty 1988 – Coraz większe straty i koszty wojny z mudżahedinami skłaniają Moskwę do ogłoszenia trwającej wiele miesięcy ewakuacji Armii Radzieckiej z Afganistanu. Ostatni czerwonoarmista opuszcza Afganistan w lutym 1989 roku.

1989 – Kłótnie wśród politycznych przywódców mudżahedinów uniemożliwiają im skuteczną ofensywę przeciwko pozbawionemu pomocy ZSRR rządowi Nadżibullaha.

Grudzień 1991 – Rozpada się ZSRR.

16 kwietnia 1992 – Pozbawiony pomocy z Moskwy i zdradzony przez własnych generałów upada reżim Nadżibullaha, a on sam podaje się do dymisji. Mudżahedini uniemożliwiają mu ucieczkę do Indii. Nadżibullah chroni się w gmachu ONZ w Kabulu.

29 kwietnia 1992 – Mudżahedini Ahmada Szaha Massuda wkraczają do Kabulu, po kilkudniowych walkach wypierając z miasta partyzantów wrogiego Massudowi komendanta Gulbuddina Hekmatiara. Władzę w kraju przejmuje koalicyjny rząd powstańczy pod przewodnictwem Sebghatullaha Modżaddidiego.

Czerwiec 1992 – Zgodnie z ustaleniami Modżaddidi przekazuje stanowisko prezydenta Burhanuddinowi Rabbaniemu. Ten z kolei ma rządzić przez sześć miesięcy.

Sierpień 1992 – W Kabulu wybuchają walki między zwaśnionymi partiami mudżahedinów.

Grudzień 1992 – Łamiąc porozumienia zawarte z innymi przywódcami mudżahedinów, Rabbani nie składa urzędu prezydenta, lecz przedłuża swoją kadencję o kolejne dwa lata.

1 stycznia 1994 – Dotychczasowy sojusznik ministra wojny Massuda sprzymierza się z Hekmatiarem i razem szturmują Kabul. W wyniku trwających blisko pół roku ulicznych walk połowa miasta jest w gruzach. Massud wypiera Hekmatiara i Dostuma z Kabulu.

Jesień 1994 – W Kandaharze pojawia się nowy afgański ruch zbrojny – talibowie.

Wiosna 1995 – Talibowie podchodzą po raz pierwszy pod Kabul. Pokonują Hekmatiara, ale przegrywają z Massudem bitwę o miasto.

Wiosna 1996 – Przywóca talibów mułła Omar ogłasza się emirem. Talibowie przystępują do nowego oblężenia Kabulu. W Afganistanie ląduje saudyjski terrorysta Osama ben Laden, któremu gościnę wymówiły władze sudańskie.

27 września 1996 – Talibowie zajmują opuszczony przez Massuda Kabul. Wieszają Nadżibullaha.

Listopad 1999 – Rada Bezpieczeństwa ONZ nakłada sankcje na talibów za odmowę wydania Osamy ben Ladena.

Jesień 2000 – Po miesięcznym oblężeniu talibowie zajmują Taloghan, ostatnie duże afgańskie miasto pozostające pod kontrolą opozycji.

Wiosna 2001 – Talibowie postanawiają zburzyć posągi Buddy.

Maj 2001 – Rosja oskarża talibów o wspieranie czeczeńskiego powstania na Kaukazie i grozi brombardowaniami Afganistanu.

9 września 2001 – Zamachowcy zabijają Ahmada Szaha Massuda.

11 września 2001 – Terroryści dokonują samobójczych ataków w Nowym Jorku i Waszyngtonie.

Październik 2001 – W odwecie za zamachy Amerykanie rozpoczynają interwencję wojskową w Afganistanie.

13 listopada 2001 – Wspierana przez Amerykanów dawna armia Massuda zajmuje Kabul.

Grudzień 2001 – Talibowie poddają swoją stolicę, Kandahar. W Niemczech podczas narady afgańskich przywódców utworzony zostaje koalicyjny rząd tymczasowy. Na jego czele staje nieznany dotąd szerzej w Afganistanie, ale wspierany przez Amerykanów pasztuński arystokrata Hamid Karzaj. Większość najważniejszych stanowisk w rządzie obejmują dawni towarzysze Massuda.

Od autora

Prosząc o wyrozumiałość czytelników i znawców Orientu, wyznaję, że nie wszystkie pojawiające się w tekście nazwy pozostają w zgodzie z transkrypcją naukową. W wielu wypadkach uznałem, że istotniejsza od naukowej poprawności będzie zgodność z brzmieniem przyjętym – zwykle niesłusznie – w publicystyce. Na swoje usprawiedliwienie chciałbym przytoczyć słowa Lawrence'a z Arabii, który nękany przez swego wydawcę pytaniami, dlaczego tę samą miejscowość nazywa raz tak, raz inaczej, odparł: Cóż z tego? Przecież to ta sama miejscowość.

wj

Książki oraz bezpłatny katalog
Wydawnictwa W.A.B.
można zamówić pod adresem:
ul. Łowicka 31, 02-502 Warszawa
tel. (22) 646 01 74, 646 01 75, 646 05 10, 646 05 11
wab@wab.com.pl
www.wab.com.pl

Redakcja: Magdalena Petryńska
Korekta: Donata Lam, Anna Sidorek, Joanna Konopko
Redakcja techniczna: Urszula Ziętek
Konsultacja naukowa: Jolanta Sierakowska-Dyndo

Projekt okładki i stron tytułowych: **mamastudio**
Fotografie: © Krzysztof Miller/Agencja Gazeta

Wydawnictwo W.A.B.
ul. Łowicka 31, 02-502 Warszawa
tel. (22) 646 01 74, 646 01 75, 646 05 10, 646 05 11
wab@wab.com.pl
www.wab.com.pl

Skład: Komputerowe Usługi Poligraficzne
ul. Żółkiewskiego 7, Piaseczno
Druk i oprawa: WZDZ – Drukarnia LEGA, Opole

ISBN 83-7414-090-9